# CPX・運動療法ハンドブック 改訂5版

心臓リハビリテーションのリアルワールド

[編著] **安達 仁**
群馬県立心臓血管センター 心臓リハビリテーション部長/副院長

中外医学社

## 執筆者 (執筆順)

**安達　仁**　群馬県立心臓血管センター 心臓リハビリテーション部長/副院長

**小林康之**　群馬県立心臓血管センター 生体検査課 課長

**上田正徳**　群馬県立心臓血管センター 生体検査課

**村田　誠**　国立循環器病研究センター 循環器病リハビリテーション部 心血管リハビリテーション科 医長

**猪熊正美**　群馬県立心臓血管センター リハビリテーション課

**中野晴恵**　群馬県立心臓血管センター リハビリテーション課

**山下遊平**　群馬県立心臓血管センター リハビリテーション課

**風間寛子**　群馬県立心臓血管センター リハビリテーション課

**生須義久**　群馬県立心臓血管センター リハビリテーション課 課長

# 改訂5版の序

　CPX・運動療法ハンドブック初版が2009年に出版され，すでに14年が経過しました．その間，学会や論文でCPX関連の報告を多数行い，CPX関連の講習会も何回も開催し，CPXの発展と普及に努めてまいりました．その結果，最近では，少なくともCPXという検査名を知らない医療者は減少し，だいぶ普及してきたと思っております．

　心臓リハビリテーション学会のガイドラインでも，運動療法実施前にCPXを実施することが推奨されています．実際に，CPXを用いて運動処方を作成したり，高強度運動を実施する際や重症心不全に運動療法を実施する際に運動の安全性を確認したりする施設が増えております．また，CPXの結果を生活指導に活かしているという施設も増加しています．最近では，CPXは心臓リハビリテーションに欠かせないツールになったと思います．

　しかし，CPXはパラメータが多く，また，データを理解するためには運動生理学や循環動態を理解している必要があります．そのため，CPXを勉強しようとすると，これらの理解を要求され，その時点で辟易してしまい頓挫してしまうこともあるようです．心機能そのものが複雑である上に，運動という要素がからみ，それにさらに薬剤が関与してくるため，運動に対する生体の応答性は人によりさまざまになり，CPXの解釈が一筋縄ではいかなくなってしまいます．しかし，それを理解すると，途端に目の前が開けた感じで，CPXがただ運動処方を作成するためのものではなくなり，患者の病態を理解して治療方針を決定するために変わります．是非，CPXを心疾患治療に活かせるよう，理解を深めて頂きたいと思っています．

　CPXは機器の校正から実施・解釈まで，様々な注意を要する検査です．しかし，CPXのデータをうまく読み解くと，すべてではありませんがかなりの数の心疾患の適切な治療方針を自信をもって決められるようになります．本書が，CPX理解の助けになればと祈っております．

　最後に，CPXの祖とも言えるカールマン・ワッサーマン先生が2020年6月22日に93歳で亡くなられました．心からご冥福をお祈りします．みんなでCPXを盛り上げましょう．

　　2023年8月

群馬県立心臓血管センター　安達　仁

# 初版の序

　私が運動生理学を学びにUCLAへ留学してから15年が経ちました．その間に，心肺運動負荷試験のデバイスは大きく進化し，格段にCPXを実施しやすくなりました．また，運動生理学も発展し，運動中のさまざまな体内の変化が理解されるようになり，これらが現在の心臓リハビリテーションの発展の礎になっております．

　ところが，それでもなお，実際に行うと難しそうだとか，パラメータから患者の状態をうまく読み取っているのかどうか不安だという声が多々聞かれます．CPXは準備に気を遣い，また，得られるパラメータも多く，その分，解釈も難しそうに思えます．

　本書では，実際にCPXを行う場合に，どのような準備が必要かを，できるだけ具体的に記載したつもりです．臨床の場で，時に犯してしまう過ちを再現し，その時のパラメータを記録したりもしました．本書を読めばすぐにでもCPXを開始できるものと思います．

　解釈の項では，心疾患患者を対象にCPXを行った場合，どのようなパラメータが重要で，どのような病態のときにそれらのパラメータが変化するのかにつき解説しました．なるべくパターン化して解説したつもりですので，かなりCPXが身近に感じられるようになるのではないかと思います．運動処方の項目も，すぐに実地に生かせるように記述しました．

　後半部分は，実際に運動療法を行っている理学療法士に，様々な状態にある患者に対する運動療法の実際を記述してもらいました．現場の感覚が感じられると思います．また，心疾患患者の重症度や病態を評価する場合，運動中の心エコーも欠かせません．その点についても最後の項に記載しました．この分野での仕事はまだ少なく，本書をきっかけにたくさんの仕事が為され，心疾患患者の治療法開発に役立つことを願っております．

　姉妹本の「実践　眼で見る心臓リハビリテーション」同様，本書が常に呼気ガス分析装置の傍らに置かれ，ぼろぼろになるまで使い込んで頂ければ筆者にとって望外の喜びです．本書が，安全で効果的な運動療法の普及，および心不全患者の病態把握・治療方針決定の役に立てることを祈念申し上げます．

　　　2009年2月

群馬県立心臓血管センター　心臓リハビリテーション部長
東京医科大学茨城医療センター　リハビリテーション部兼任教授　　安達　仁

# 目次

| 第1章 | **CPX の特徴と目的** ⟨安達 仁⟩ | 1 |

1 CPX でわかること ............................................................................................. 1
  A CPX の3つの特徴 ....................................................................................... 1
  B 対象患者 ................................................................................................... 4
  C CPX 有効活用のために必要な他の検査 ........................................................ 5
2 他の負荷試験との相違点 .................................................................................... 5
3 CPX の測定項目 ................................................................................................ 6

| 第2章 | **CPX の準備1** ⟨小林康之⟩ | 7 |

1 呼気ガス分析装置 .............................................................................................. 7
  A ガス分析計の校正（キャリブレーション） ..................................................... 9
  B 流量計（フローセンサー）の校正（キャリブレーション） ............................... 14
  C 日常管理（精度管理） ................................................................................ 17
  D 呼気ガス分析器の検定 ............................................................................... 22
2 負荷装置 .......................................................................................................... 22
  A サイクルエルゴメータ（エルゴメータ） ........................................................ 23
  B トレッドミルエルゴメータ（トレッドミル） ................................................... 27
3 フェイスマスクとマウスピース ........................................................................... 30
  A フェイスマスク .......................................................................................... 31
  B マウスピース ............................................................................................. 34
  C 使用後の洗浄・感染対策 ............................................................................ 34
4 室内環境 .......................................................................................................... 34
5 負荷試験時に用意するもの ................................................................................. 36
  A 緊急事態への準備 ...................................................................................... 36
6 呼気ガス分析装置のモニター画面の設定 .............................................................. 37

| 第3章 | **CPX の準備2** ⟨上田正徳⟩ | 42 |

1 電極の貼りかた ................................................................................................. 42
  A 事前準備 ................................................................................................... 42

|   | B | 電極とコード | 42 |
|---|---|---|---|
|   | C | 誘導法 | 43 |
| 2 | 検査開始前の説明・確認 | | 45 |
| 3 | 運動負荷試験の禁忌 | | 46 |
| 4 | 運動負荷試験中止基準 | | 47 |
| 5 | 心電図異常陽性基準 | | 48 |
|   | A | ST-T 変化 | 48 |
|   | B | 不整脈 | 50 |
| 6 | 負荷試験中の注意点 ―呼吸法，漏らさないコツ― | | 53 |
|   | A | 呼吸法 | 53 |
|   | B | 顔の向き（センサの向き） | 56 |
| 7 | ウォームアップ，クールダウンの意味 | | 57 |
| 8 | 患者の異常と考える前に ―おしゃべり，呼気ガス分析装置の異常― | | 58 |
| 9 | 運動中の心拍出量および血管拡張能の測定 | | 61 |
| 10 | 運動負荷中の呼吸パターン | | 64 |

## 第4章　運動中の生体応答 〈安達 仁〉 67

| 1 | 自律神経，セントラルコマンド | | 67 |
|---|---|---|---|
|   | A | 安静時 | 67 |
|   | B | 運動中 | 68 |
|   | C | 心疾患時の変化と心臓リハビリテーションの影響 | 69 |
| 2 | 心拍数 | | 71 |
|   | A | 安静時 | 71 |
|   | B | 運動中 | 71 |
|   | C | 心疾患時の変化と心臓リハビリテーションの影響 | 72 |
| 3 | 血圧 | | 74 |
|   | A | 安静時 | 74 |
|   | B | 運動中 | 74 |
| 4 | 血管径 | | 75 |
|   | A | 安静時 | 75 |
|   | B | 運動中 | 76 |
|   | C | 心疾患時の変化と心臓リハビリテーションの影響 | 77 |
| 5 | 心拍出量 | | 77 |
|   | A | 安静時 | 77 |
|   | B | 運動中 | 78 |
|   | C | 心疾患と心臓リハビリテーションの影響 | 78 |

|   |   |   |
|---|---|---|
| 6 | 換気応答 | 88 |
| A | 安静時 | 88 |
| B | 運動中 | 88 |
| C | 心疾患および心臓リハビリテーションの影響 | 90 |
| 7 | 心内圧 | 91 |
| A | 肺動脈楔入圧（PAWP），左室拡張末期圧（LVEDP），拡張期肺動脈圧（dPAP） | 91 |
| B | 収縮期肺動脈圧（sPAP） | 92 |

## 第5章　CPX の主要なパラメータ　　96

1　$\dot{V}O_2$　　〈安達　仁〉96
- A　生体の酸素利用・酸素摂取量　96
- B　$\dot{V}O_2$ に影響を与える因子　98
- C　AT（anaerobic threshold；嫌気性代謝閾値）　104
- D　RCP（respiratory compensation point：呼吸性代償開始点）　109
- E　peak $\dot{V}O_2$　110
- F　AT，peak $\dot{V}O_2$ の標準値　111
- G　「（・）ドット」について　116

2　Oscillatory ventilation（EOV）　117
3　酸素脈〔$\dot{V}O_2$/HR, oxygen pulse（$O_2$P）〕　118
4　PetCO$_2$，ETCO$_2$　122
5　TV–RR 関係　125
6　RR threshold　127
7　Ti/Ttot　127
8　呼吸予備能　128
9　OUES　128
10　$\Delta$HR/$\Delta\dot{V}O_2$　129
11　$\dot{V}E/\dot{V}CO_2$，$\dot{V}E$ vs. $\dot{V}CO_2$ slope について　〈村田　誠〉132
12　TV/RR グラフと TV/RR ratio　143

## 第6章　ランプ負荷試験の実際　　〈安達　仁〉147

1　ランプ負荷強度設定法　147
2　安静時に見るべきポイント　148
- A　心電図，血圧　148
- B　心拍数　149
- C　酸素摂取量（$\dot{V}O_2$）　149

D　二酸化炭素排出量（$\dot{V}CO_2$），ガス交換比（R） ———————————— 149
E　$\dot{V}E/\dot{V}CO_2$ ———————————————————————————— 150
3　ウォームアップ ———————————————————————————— 152
A　持続時間と強度決定法 ———————————————————————— 152
B　酸素摂取量（phase I，phase II，τon） ———————————— 152
C　$\dot{V}E/\dot{V}O_2$，$\dot{V}E/\dot{V}CO_2$ の変化 ———————————————————— 153
D　心拍応答 ———————————————————————————————— 156
4　ランプ負荷中に得られる指標 ———————————————————— 156
A　酸素摂取量 —————————————————————————————— 157
B　諸パラメータの典型的変化パターン ———————————————— 159
C　$\dot{V}O_2$，$\dot{V}CO_2$，$\dot{V}E$ の関係 ———————————————————— 160
5　回復期 ———————————————————————————————————— 160
A　$\dot{V}O_2/HR$ の jump up phenomenon（ジャンプアップ現象） —— 160
B　$\dot{V}O_2$（τoff，タウオフ） ————————————————————— 162

## 第7章　9パネルの読み方とパラメータの意義 〈安達 仁〉163

パネル1　$\dot{V}E$（minute ventilation，分時換気量） ——————————— 164
パネル2　$\dot{V}O_2/HR$ と HR ——————————————————————— 164
パネル3　$\dot{V}O_2$，$\dot{V}CO_2$ ——————————————————————— 165
パネル4　$\dot{V}E$ vs. $\dot{V}CO_2$ slope ———————————————————— 166
パネル5　V-slope ———————————————————————————————— 167
パネル6　$\dot{V}E/\dot{V}CO_2$，$\dot{V}E/\dot{V}O_2$ のトレンドグラフ ——————— 168
パネル7　TV/$\dot{V}E$ 関係 ————————————————————————————— 168
パネル8　ガス交換比（R） ————————————————————————— 169
パネル9　$ETCO_2$，$ETO_2$ のトレンドグラフ ———————————————— 169

## 第8章　パラメータを組み合わせた評価法 〈安達 仁〉171

1　% AT と% peak $\dot{V}O_2$ の関係 ——————————————————— 171
2　% peak $\dot{V}O_2$ vs. % peak WR ————————————————— 172
3　% $\dot{V}O_2$ vs. % $\dot{V}O_2/HR$ ————————————————————— 174
4　% peak WR vs. % $\dot{V}O_2/HR$ ————————————————— 174
5　$ETCO_2$ —————————————————————————————————— 175
6　% peak $\dot{V}O_2$ と% $\dot{V}E/\dot{V}CO_2$（$\dot{V}E$ vs. $\dot{V}CO_2$ slope）の関係
　（cardio-muscle panel） ——————————————————————— 177
7　$\dot{V}E/\dot{V}CO_2$ と $\dot{V}E$ vs. $\dot{V}CO_2$ slope ——————————— 179

| 第9章 | CPX の臨床応用 | 〈安達 仁〉181 |
|---|---|---|

1 運動耐容能評価 ················································· 181
2 運動処方作成・日常活動指導 ································· 183
3 虚血重症度の判定・労作性狭心症治療方針決定 ········ 185
4 慢性心不全の病態解明・重症度把握，治療法決定 ······ 190
5 ペースメーカ至適モードの設定 ······························ 190
6 MitraClip あるいは MVP の選択と手術の効果予測 ········ 192
7 AS 重症度判定 ··················································· 194
8 息切れの鑑別 ···················································· 194
9 労作時息切れの原因としての卵円孔開存（PFO）の検出 ···· 204

| 第10章 | 運動処方 | 〈安達 仁〉207 |
|---|---|---|

1 AT 処方 ···························································· 207
　A　AT 決定法と運動処方 ······································ 207
　B　AT が決定不能な場合の運動処方 ····················· 212
　C　自転車エルゴメータとトレッドミルの対比 ············ 213
2 心拍処方（Karvonen の式） ·································· 213
3 自覚的運動強度による処方 ··································· 215
4 トークテストによる処方（坂道が多い地域での運動処方）···· 216
5 RR threshold を用いた運動処方 ····························· 217
6 重症心不全への処方 ·········································· 217
7 不整脈患者への処方 ·········································· 220
8 ICD，CRT-D 患者への処方 ··································· 220
9 ポジティブリモデリングと運動処方 ························· 221
10 HR＜110 の勧め ················································ 223
11 運動処方レベルの確認法 ······································ 223
12 HIIT（high intensity interval training） ··················· 224
13 エキセントリックトレーニング ······························ 225

| 第11章 | CPX の実例 | 〈村田 誠　安達 仁〉228 |
|---|---|---|

　CASE 1 ▶低体重健常者：20 歳代女性　150 cm，45 kg ········ 229
　CASE 2 ▶中年健常者：40 歳代前半男性　170 cm，69 kg ······ 231
　CASE 3 ▶高齢健常者：80 歳代前半女性　149 cm，51 kg ······ 233
　CASE 4 ▶肥満症例：50 歳代男性　161 cm，155 kg ············ 235

CASE 5 ▶大動脈弁狭窄症による大動脈弁置換術後: 60 歳代女性 ·································· 237

CASE 6 ▶大動脈弁狭窄症による TAVR 術後: 70 歳代後半男性 ·································· 239

CASE 7 ▶拡張型心筋症による機能性僧帽弁閉鎖不全に対して
MitraClip 術後: 80 歳代前半男性 ·································· 241

CASE 8 ▶僧帽弁置換術後: 70 歳代後半女性 ·································· 243

CASE 9 と 10 ▶長期強心剤点滴後の拡張型心筋症に対して
3 週間の心リハ前後の比較: 50 歳代前半男性 ·································· 245

CASE 11 ▶HFpEF: 60 歳代男性 ·································· 248

CASE 12 ▶安定狭心症（冠動脈 3 枝病変）: 60 歳代男性 ·································· 250

CASE 13 ▶軽度の動脈硬化症: 70 歳代前半女性 ·································· 252

CASE 14 ▶急性心筋梗塞: 60 歳代女性 ·································· 254

CASE 15 ▶肥大型心筋症拡張相: 70 歳代後半男性 ·································· 256

CASE 16 ▶心臓移植後: 40 歳代後半男性 ·································· 258

CASE 17 ▶心房粗動: 70 歳代前半男性 ·································· 260

CASE 18 と 19 ▶心房細動アブレーション前後の CPX: 70 歳代前半男性 ·········· 262

CASE 20 と 21 ▶大動脈弁狭窄症にて大動脈弁置換術後，三束ブロックにて
ペースメーカ植え込み後の胸部圧迫感精査目的の CPX:
70 歳代後半男性 ·································· 265

CASE 22 と 23 ▶虚血性心疾患による HFrEF．一次予防目的の ICD 植え込み後:
50 歳代男性 ·································· 268

CASE 24 ▶ファロー四徴症術後．心室中隔欠損残存，右-左シャント:
40 歳代女性 ·································· 272

CASE 25 ▶HFrEF＋軽症 COPD: 70 歳代後半男性 ·································· 274

CASE 26 ▶HFrEF と COPD: 60 歳代男性 ·································· 276

CASE 27 ▶巨大ブラ＋COPD: 40 歳代男性 ·································· 278

CASE 28 ▶HFpEF＋心房細動，薬剤性間質性肺炎: 60 歳代男性 ·································· 280

CASE 29 と 30 ▶イバブラジン内服症例: 50 歳代男性　178 cm，110 kg ··· 282

CASE 31 ▶慢性血栓閉塞性肺高血圧症:
60 歳代後半女性　156 cm，48.6 kg ·································· 285

CASE 32 と 33 ▶拡張型心筋症＋心房細動症例へカルベジロール投与:
50 歳代後半男性 ·································· 287

## 第 12 章　CPX のレポート ·································· 〈安達 仁〉290

1　報告書に記載したい内容 ·································· 290

2　CPX の依頼目的 ·································· 290

3　運動負荷終了理由/虚血・不整脈の有無 ·································· 292

vi　CPX・運動療法ハンドブック

| | 4 | 運動耐容能 | 293 |
| --- | --- | --- | --- |
| | 5 | 運動中の心機能 | 293 |
| | 6 | 骨格筋機能 | 293 |
| | 7 | 血管内皮細胞機能 | 293 |
| | 8 | 自律神経応答 | 294 |
| | 9 | 呼吸器疾患関連 | 294 |
| | 10 | 結論 | 294 |

## 第13章 運動療法実施法リアルワールド 296

1 心筋梗塞 〈猪熊正美〉296
- A 急性期〜維持期までの運動療法の流れ 297
- B リスク管理，メディカルチェック 300
- C ウォーミングアップ，クーリングダウン 301
- D 運動強度 301
- E 有酸素運動 303
- F レジスタンストレーニング 306
- G インターバルトレーニング 306

2 狭心症 〈安達 仁〉311
- A ガイドラインにおける安定狭心症への心臓リハビリテーション 311
- B 安定狭心症に対する心臓リハビリテーションの危険性 311
- C 安定狭心症に対するPCIの危険性 312
- D ACSにさせないための心臓リハビリテーション 313
- E CCSの症状を緩和させるための心臓リハビリテーション 314
- F 運動負荷試験 314
- G 運動療法 315

3 開心術後 〈中野晴恵〉317
- A 開心術後の心臓リハビリテーション 317
- B 【Phase I：急性期】術後〜1週間：個別プログラム 317
- C 【Phase II：回復期】術後2週間〜退院まで：個別・集団運動療法 320
- D 【Phase III：維持期】外来プログラム 322
- E 開心術後のレジスタンストレーニングについて 324

4 当院ICUでの早期・急性期心臓リハビリテーション 〈中野晴恵〉325
- A ICUでの早期・急性期心臓リハビリテーション 325
- B 当院での実施対象患者 325
- C 介入前の情報収集 325
- D 介入前の事前調整 326

|  | E | 状況別の当院でのリハビリテーションの目的と内容 | 326 |
|  | F | 病態ごとの当院での対応 | 327 |

5　術後せん妄への心臓リハビリテーション 〈山下遊平〉330
　　A　せん妄について 330
　　B　術後せん妄の危険因子 330
　　C　術後せん妄の評価 331
　　D　術後せん妄に対する薬物治療 333
　　E　術後せん妄に対する心臓リハビリテーション 333

6　ステージ C・D：心不全・LVAD 植え込み患者 〈風間寛子〉336
　　A　心不全患者に対する心臓リハビリテーション 336
　　B　フェーズに応じた心臓リハビリテーションのポイント 337
　　C　LVAD 植え込み患者に対する心臓リハビリテーション 348

7　ステージ A・B：心不全予防 〈風間寛子〉353

8　ICD/CRT-D 植え込み患者の心臓リハビリテーション 〈生須義久〉355
　　A　ICD の適応 355
　　B　CRT/CRT-D の適応 356
　　C　ICD，CRT-D の設定 356
　　D　ICD/CRT-D 手術後のリハビリテーション 358
　　E　ICD/CRT-D 手術後の合併症 360
　　F　生活指導 360
　　G　遠隔モニタリング 361

9　成人先天性心疾患 〈猪熊正美〉363
　　A　リスク管理 364
　　B　運動耐容能・運動療法 368

10　慢性腎臓病 〈猪熊正美〉371
　　A　CKD 患者の運動処方 372
　　B　心腎貧血症候群 372
　　C　リスク管理，メディカルチェック 375

11　高齢者 〈中野晴恵〉378
　　A　高齢者の心臓リハビリテーションの効果 378
　　B　高齢者の心臓リハビリテーションの実際 378
　　C　当院での高齢者に対する心臓リハビリテーション 379


略語集 385
CPX 実施時チェックシート 390
索引 392

# 第1章
# CPX の特徴と目的

## 1　CPX でわかること

### A　CPX の 3 つの特徴

　CPX（Cardiopulmonary Exercise Training：心肺運動負荷試験）の特徴を 図1-1 に示す．CPX は運動負荷試験であり，呼気ガス分析を併用し，負荷法として臨床の現場ではランプ負荷を用いることが特徴である．

　循環器疾患は「労作時……」という症状を主訴とすることが多い 図1-2 [1]．労作性狭心症は労作時胸痛（CCS 分類 表1-1），心不全は労作時の息切れ感（呼吸困難感）や労作時の易疲労感（NYHA 心機能分類 表1-2 が主訴である．すなわち，安静時には特に問題はないが，動いたときに症状や異常所見が出現する．これらを発見するためには運動負荷試験が不可欠である．

　また，CPX をランプ負荷で行うことによって，どの程度の活動レベルで異常所見や症

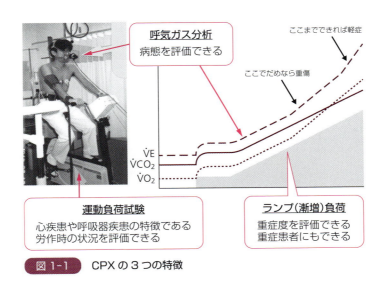

図1-1　CPX の 3 つの特徴

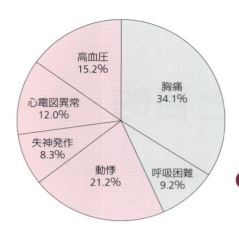

**図 1-2** 循環器外来の主訴
灰色部分が労作時に関係する主訴．半分弱が労作時に関係している．
（伊賀幹二，他．医学教育．1998; 29: 21-5）[1]

**表 1-1** CCS 分類

| クラス | 状況 |
| --- | --- |
| クラス I | 日常の生活では制限されない．通常の歩行や階段上昇では狭心発作を起こさない．仕事やレクリエーションで，活動が激しいか，急か，または長引いたときには狭心発作を生じる． |
| クラス II | 日常の身体活動はわずかながら制限される．急ぎ足の歩行または階段や坂道，あるいは食事や寒冷，強風下，精神緊張下または起床後 2 時間以内の歩行または階段上昇により発作が起こる．または 2 ブロック（200 m）を超える平地歩行あるいは 1 階分以上の階段上昇によっても狭心発作を生じる． |
| クラス III | 日常活動は著しく制限される．普通の速さでの 1〜2 ブロック（100〜200 m）の平地歩行や 1 階分の階段上昇により狭心発作を起こす． |
| クラス IV | いかなる動作も症状なしにはできない．安静時にも狭心症状をみることがある． |

(Campean L. Circulation 1976; 54: 522-3)

**表 1-2** NYHA 心機能分類

| 分類 | 状況 |
| --- | --- |
| I | 心疾患はあるが身体活動に制限はない．日常的な身体活動では著しい疲労，動悸，呼吸困難あるいは狭心痛を生じない． |
| II | 軽度ないし中等度の身体活動の制限がある．安静時には無症状．日常的な身体活動で疲労，動悸，呼吸困難あるいは狭心痛を生じる． |
| III | 高度な身体活動の制限がある．安静時には無症状．日常的な身体活動以下の労作で疲労，動悸，呼吸困難あるいは狭心痛を生じる． |
| IV | 心疾患のためいかなる身体活動も制限される．心不全症状や狭心痛が安静時にも存在する．わずかな労作でこれらの症状は増悪する． |

(Criteria Committee of the New York Heart Association. Disease of the Heart and Blood Vessels: Nomenclature and Criteria for diagnosis, 6th edition. Little, Brown and Co., 1964: 112-3)

状が出現するのかを知ることができる．すなわち疾患の重症度を評価することができる．
図 1-3 に NYHA 分類と peak $\dot{V}O_2$ の関連[2]を示す．予後が悪いとされる CCS 分類 3 の虚血閾値はおよそ 4 メッツである．

「呼気ガス分析」の結果には，酸素摂取に関連する呼吸機能，心機能，骨格筋機能，血

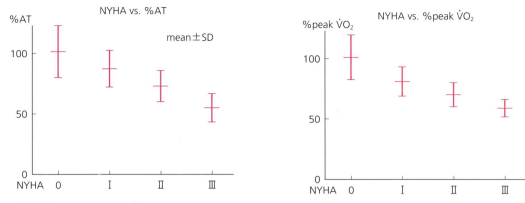

**図 1-3** AT，peak $\dot{V}O_2$ と NYHA との関係
(Itoh H, et al. Evaluation of severity of heart failure using ventilatory gas analysis. Circulation. 1990; 81 (1 Suppl): II31-7)[2]

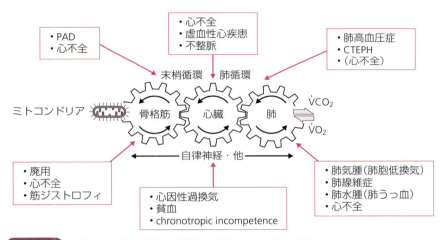

**図 1-4** 呼気ガス分析の結果に影響する要素と代表的な疾患
呼気ガス分析ではワッサーマンの歯車で示されるごとく，呼吸機能，心機能，骨格筋機能，肺循環，体循環，血管内皮細胞機能，自律神経活性を評価することができる．
(Wasserman K, et al. Principles of exercise testing and interpretation. 5th ed. 2011. p.3)[3]

管内皮細胞機能，自律神経応答，赤血球機能などが関与している．図 1-4 に CPX の指標に影響を及ぼす要素と代表的な疾患を示す[3]．そのため，運動耐容能が評価できるのみならず，心エコーや呼吸機能検査，採血結果などと併せて解釈することで，心臓・肺・骨格筋・血管・自律神経のどこのパーツが異常なのかを考えることができる．すなわち，病態把握に有用で，治療のターゲットを絞り込むことが可能になる．

## B 対象患者

CPX の対象患者と目的を 表1-3 に示す．原因疾患の鑑別，重症度評価，治療方針の決定，治療効果判定などに用いることができる．具体的な臨床応用は第9章に記載する．

CPX は心不全の重症度で考えると，NYHA IV の患者以外のすべての患者に実施可能である．やっと NYHA IV から脱したばかりで，室内トイレ歩行が許可された患者であっても0ワット負荷は実施できる．0ワット負荷に要する酸素摂取量（$\dot{V}O_2$）は2～3メッツ程度であり，室内トイレ歩行と同レベルの運動強度である．安静状態から空漕ぎを始めた時点でのパラメータの変化をみれば僧帽弁形成術やクリッピングなどの治療効果を予測することが可能である．それ以上の運動耐容能を保持している場合には，通常のランプ負荷試験を実施可能である．このことを理解していれば，「この患者はまだ CPX ができる状況ではないからやっていません」という発言をすることはなくなる．すなわち，実際には，急性期以外のほとんどの心疾患や，息切れ・易疲労感を訴える患者に実施するべきである．図1-5 に CPX の対象患者別にどの程度の負荷までかけるのか，目的は何かを示す．

**表1-3** CPX の対象となる主訴・患者

| 主訴・疾患 | 目的 |
| --- | --- |
| 息切れ | 心不全・呼吸不全・廃用・心因性（不安定呼吸）・PFT などの原因検索<br>重症度判定 |
| 労作時胸痛 | 虚血閾値評価<br>治療方針決定<br>運動処方作成<br>治療効果判定 |
| 易疲労感 | 原因検索<br>運動処方 |
| 労作時の動悸 | 負荷中の不整脈の有無の評価<br>心拍応答評価<br>心因性との鑑別 |
| HFpEF リスク | 潜在的 HFpEF の検索 |
| 無症状 AS | 重症度評価 |
| MR | 負荷による増悪の確認<br>逆流停止の悪影響の出現予測 |
| PAD | 虚血閾値評価<br>治療効果確認 |
| 運動・競技参加前 | 参加可否の決定<br>長距離走のペース設定 |
| ASV 装着患者 | ウィーニング可否の判断 |
| PM，CRT-D | 至適レートレスポンスの決定<br>至適 A-V delay の決定 |
| 心房細動 | 無効心拍応答の確認 |

PFT: patent foramen ovale（卵円孔開存），AS: aortic stenosis（大動脈狭窄症），MR: mitral regurgitation（僧帽弁逆流症），PAD: peripheral arterial (artery) disease（末梢動脈疾患），HFpEF（収縮機能が保たれた心不全），PM: ペースメーカ，CRT-D: 両心室ペーシング機能付き埋込型除細動器（cardiac resynchronization therapy＋implantable cardioverter defibrillator）

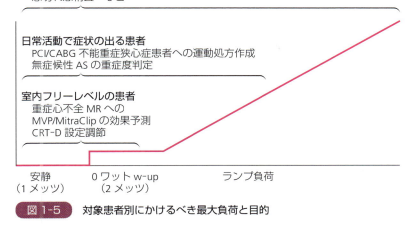

図 1-5　対象患者別にかけるべき最大負荷と目的

### C　CPX有効活用のために必要な他の検査

　CPXで観察する項目は，酸素摂取量（V̇O₂），二酸化炭素排出量（V̇CO₂），1回換気量（TV），呼吸数（RR），呼気終末酸素/二酸化炭素濃度（ETO₂，ETCO₂）であり，同時に心拍数，血圧，心電図，SpO₂などである．すなわち，CPXは疾患の機能的な側面を評価している．正しい判断のためには解剖学的な評価や定量的な評価も必要である．そのために役立つのは心エコー，呼吸機能検査，採血（BNP，Hb，甲状腺機能など），冠動脈CTなどである．さらに服薬内容の把握も必要である．ランプ負荷によるCPX終了後に，異常所見出現時の負荷量による一定量負荷を行いながら心エコーを実施すると，CPXで得られたデータの解釈の幅が充実して病態の把握に役立つ．

## 2　他の負荷試験との相違点

　狭心症の診断に多用される運動負荷心筋シンチグラフィは，心筋虚血診断率が90％以上と虚血検出に優れた検査である一方，最大負荷をかけた場合の状況しか評価できない欠点がある．すなわち，心筋虚血がどの程度の活動で生じるのかを評価することはできず，日常生活ではありえないほどの負荷をかけたときに虚血が出るということだけを示している検査である．そのため，心筋虚血が日常活動を妨げるほどのものであるのかどうか，重症であるか否かを判断することはできない．一方，CPXをランプ負荷で行うと，心筋虚血がどの程度の活動レベルで発症するのかと，どの程度心ポンプ機能を低下させてしまうのかを知ることができ，その虚血をPCI（経皮的冠動脈形成術）やCABG（冠動脈バイパス術）により治療したほうがよいのか，必ずしも必要

ないのかを判断することができる.

心エコーは心機能と心形態を詳細に評価できる検査である. しかし, 安静臥床における検査なので, 運動中にも同じ状況であるのかどうかは保証されない. また, 座位や立位での状況も知り得ない. 心疾患は労作時の症状が主であるため, 心エコーのみで病態を判断することはできない. また, 心エコーは骨格筋や血管を含めた全身の状態を知ることはできないので, 予後判定・重症度評価には不向きである. DOB 負荷心エコーも心筋虚血の診断に有用であるが, ドブタミン投与量と日常活動レベルを対比させることは困難であるため, 治療方針の決定や生活指導の参考にするのはやや困難である.

また, 心筋代謝や心筋交感神経活性を評価する BMIPP や MIBG などの心筋シンチグラフィも病態把握に有用であるが, これらの検査では心臓の情報が得られるのみであるため全身の状態を評価することはできず, CPX と対比して語られる検査ではない.

## 3 CPX の測定項目

CPX 中に分析する呼気ガスは酸素と二酸化炭素である. 吸気と呼気に含まれるガス濃度の差を, それぞれ酸素摂取量（$\dot{V}O_2$, oxygen uptake）と二酸化炭素排泄量（$\dot{V}CO_2$, carbon dioxide output）とよぶ.

呼気ガスの収集方法には 3 通りある. 最も古典的なものはダグラスバッグを用いた方法で, 運動中の総酸素摂取量を測定できるが, それ以外の指標がないため臨床の現場で用いられることはない. 次は収集した呼気ガスを 10〜15 L 位のミキシングチェンバーに入れて, 30 秒や 1 分ごとに分析する方法である. 3 番目は呼吸ごとにガス分析を行う方法である. Breath-by-breath 法とよばれる. 臨床に用いる場合には breath-by-breath 法が望ましい. リアルタイムにガス分析が行われるため, ランプ負荷と組み合わせれば, どのような運動強度でどの程度の $\dot{V}O_2$ と $\dot{V}CO_2$ を示すのかを評価できる.

呼気ガス分析では $\dot{V}O_2$ と $\dot{V}CO_2$ の他, 1 回換気量（tidal volume: TV）と呼吸数（respiratory rate: RR）を測定している. この 4 項目を用いて分時換気量（minute ventilation: $\dot{V}E$）, $\dot{V}E/\dot{V}O_2$, $\dot{V}E/\dot{V}CO_2$, $\dot{V}E$ vs. $\dot{V}CO_2$ slope などを計算する.

### ■文献
1) 伊賀幹二, 八田和大, 西村 理, 他. 頻度が高い循環器領域の主訴をもった患者に対する研修医による予診研修. 医学教育. 1998; 29: 21-5.
2) Itoh H, Taniguchi K, Koike A. Evaluation of severity of heart failure using ventilatory gas analysis. Circulation. 1990; 81 (1 Suppl): II31-7.
3) Wasserman K, Hansen JE, Sue DY, et al. Principles of exercise testing and interpretation. 5th ed. Philadelphia: Wolters Kluwer, Lippincott Williams & Wilkins: 2011. p.3.

〈安達 仁〉

# 第2章
# CPXの準備 1

運動処方および病態把握を目的とした心肺運動負荷試験（CPX）を実施するためには，連続呼気ガス分析装置，心電図（血圧）監視装置，負荷装置（トレッドミルエルゴメータあるいはサイクルエルゴメータ）が必要である．

## 1 呼気ガス分析装置

Ramp（漸増）負荷に対する呼吸循環動態を評価するためには，Breath by breath法（一呼吸ごとの計測）による連続呼気ガス分析が適する．連続呼気ガス分析装置は換気流量計（フローセンサー）と酸素および二酸化炭素濃度分析計，呼吸ガスをフローセンサーから各濃度分析計に移送するためのサンプリングチューブと陰圧ポンプによって構成される 図2-1，図2-2．酸素摂取量（$\dot{V}O_2$）や二酸化炭素排出量（$\dot{V}CO_2$）は呼吸ごとのガス濃度変化をガスメータの特性による応答時間の遅れ（delay time）や波形の歪みを補正し，高精度フローセンサーの信号に基づいて演算する 図2-3．

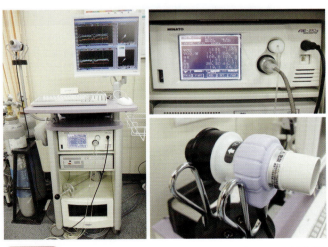

図2-1　連続呼気ガス分析装置　AE-310S（ミナト医科学社）

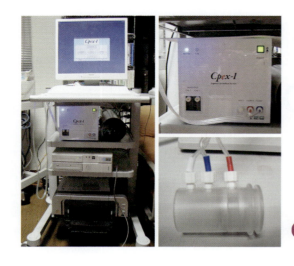

図 2-2　連続呼気ガス分析装置　Cpex-1
（インターリハ社）

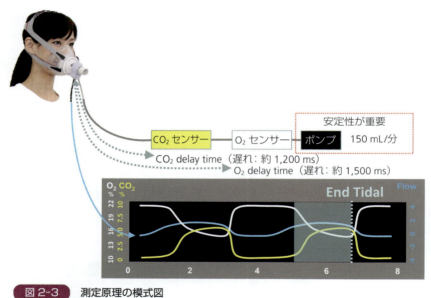

図 2-3　測定原理の模式図
　　　　$\dot{V}O_2$ や $\dot{V}CO_2$ は呼吸ごとに得られるガス濃度変化をガスメータの特性による応答時間の遅れや波形の歪みを補正し，高精度フローセンサーの信号に基づいて計算する．

　フローセンサーで多く採用されているのは熱線式と差圧式でいずれも安定性とメンテナンス性に優れている．各々の特徴を 表2-1，表2-2 に示す．差圧式では最大換気量にあわせてサイズを選択する必要がある点に注意する 図2-4．
　二酸化炭素分析計は安定性に優れる赤外線吸収式や応答が速く，耐久性の高い超音波式がある 表2-3．超音波式の原理は，分子量の異なるガスの分画が変化すると超音波の伝搬速度が変化することを利用したもので，呼気ガス中の総ガス濃度変化からジルコニア式で求めた $O_2$ 濃度を差し引いた残りの変化分を $CO_2$ 濃度変化としている．超音波式では $CO_2$ センサーと $O_2$ センサー

| 表2-1 | 呼吸流量計の比較（1） |

| 種類 | 熱線流量計 | 差圧流量計<br>（ニューモタコメータ） | 渦流量計 | 翼車流量計<br>（タービン） |
|---|---|---|---|---|
| 型 | 定抵抗型，定電圧型 | Fleisch型，オリフィス型，Venturi型 | Karman型，渦歳差型 | ロータ型 |
| 原理 | 気流によって奪われる熱線の熱量を測定．気体の流速と電流の関係はKingの法則による | 気体の粘液抵抗によって生じる圧力下降（差圧）から流量を測定する | 気流中の物体の下流には渦列が生じる．その渦発生周波数は流速に比例する | 気流によって回る羽根車の回転数が流量に比例することを利用している |
| 計測量 | 流速（積分して流量算定） | 流量 | 流量 | 流量 |
| 長所 | ・低～高流量まで直線性がよい<br>・安定した測定範囲が広い<br>・呼吸抵抗が小さく，呼吸が容易<br>・小型で軽量<br>・粘性がない<br>・粘度がよい | ・直線性がよい<br>・物理的に安定して精度が高い<br>・慣性が小さい<br>・差圧測定は単純<br>・構造が簡単 | ・ガス組成の影響がない<br>・渦発生の周波数が流速に比例する<br>・気体の温度，湿度，ガス組成などの影響を受けない<br>・電子回路の組成が簡単<br>・Strohals数が一定（0.2）<br>・渦発生数を数えるだけでよい | ・低～高流量まで測定可能<br>・小型メータ<br>・回転数出力のため積算が必要<br>・精度が低下しない<br>・流量を直接反映する<br>・パルス出力が得られるため構造が簡単で軽量 |
| 短所 | ・ガス組成が影響する<br>・気体温度が影響する<br>・気圧の影響を受ける<br>・積分による誤差がある<br>・水蒸気に影響される | ・測定範囲が狭い<br>・低流量は精度が低い<br>・サイズが大きい<br>・温度，ガス組成，水蒸気の影響を受ける<br>・高流量では抵抗が大きい<br>・粘性の影響あり | ・低流量の特性が悪い<br>・低流量では安定性がない<br>・高流量では渦の規則性がなく，精度が悪い<br>・2方向の測定が困難<br>・渦を検出するセンサーが必要 | ・高流速では圧損失を生じる<br>・著しい流速には追従できない<br>・羽根の慣性で応答性が悪い<br>・ガス組成の影響を受ける<br>・機械ごとのばらつきがある<br>・軸受部の摩擦による反抗トルクを無視できない |

が一体型となり，携帯型呼気ガス分析装置や小型の据置型装置に採用されている．

　酸素分析計はメーカーや機種により様々である 表2-4， 表2-5 が，測定精度に優れ，扱いやすいパラマグネティック（ダンベル）式と応答速度が速く安定性の高いジルコニア式が多く採用されている．本邦で据置型として多く採用されているのはミナト医科学社製AE-310S（パラマグネティック式/赤外線吸収式）とインターリハ社製Cpex-1（ジルコニア式/超音波式）で，この2機種において呼吸変動に対する反応特性を比較した報告では臨床使用で問題となる差はみられなかった[1]．携帯型ではミナト医科学社製AE-100iとアニマ社製パワーメッツAT-1300が用いられている．近年では携帯型も据置型と遜色のない測定精度を備えており，AE-310SとAE-100iを比較した検討ではICCは0.98と非常に高い級内相関係数を示した[2]．各々の測定原理を理解したうえで，検査目的や測定環境に応じて選択することが望ましい．

## A　ガス分析計の校正（キャリブレーション）

　心肺運動負荷試験は運動処方や効果判定を目的とすることから，経時的に繰り返し測定されることになる．酸素摂取量は運動耐容の評価において最も重要なパラメータであるため，測定精度（正確度と精密度）の維持は重要となる．正確度を保障するためには正しい手順で校正を行う必要がある．

　ガス校正の前に，まず，サンプリングチューブの流量が安定して既定値を示しているこ

表 2-2　呼吸流量計の比較（2）

| 種類 | 熱線流量計 | 差圧流量計（ニューモタコメータ） |
|---|---|---|
| 型 | 定抵抗型，定電圧型 | Fleisch 型，オリフィス型，Venturi 型 |
| 原理 | 気流によって奪われる熱線の熱量を測定．気体の流速と電流の関係は King の法則による | 気体の粘液抵抗によって生じる圧力下降（差圧）から流量を測定する |
| 測定量 | 流速（積分して流量算定） | 流量 |
| 長所 | ・低〜高流量まで直線性がよい<br>・測定範囲が広く安定<br>・呼吸抵抗が小さく，呼吸が容易 | ・物理的に安定<br>・構造が簡単で管理が容易 |
| 短所 | ・積分による誤差がある<br>・汚れ（唾液，付着物）による影響 | ・測定範囲が狭い<br>・低流量は精度が低い<br>・高流量では抵抗が大きい |

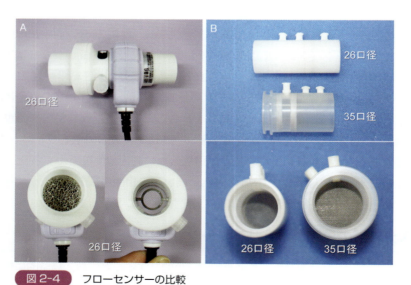

図 2-4　フローセンサーの比較
　　　　A：熱線式（ミナト医科学）　B：差圧式（インターリハ）

10　CPX・運動療法ハンドブック

### 表 2-3　二酸化炭素濃度計の比較

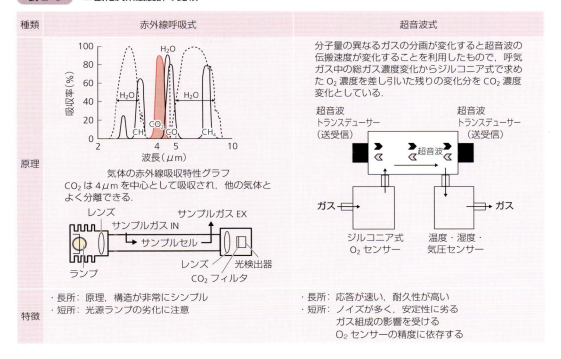

| | 赤外線呼吸式 | 超音波式 |
|---|---|---|
| 種類 | | |
| 原理 | 気体の赤外線吸収特性グラフ $CO_2$ は 4μm を中心として吸収され，他の気体とよく分離できる． | 分子量の異なるガスの分画が変化すると超音波の伝搬速度が変化することを利用したもので，呼気ガス中の総ガス濃度変化からジルコニア式で求めた $O_2$ 濃度を差し引いた残りの変化分を $CO_2$ 濃度変化としている． |
| 特徴 | ・長所：原理，構造が非常にシンプル<br>・短所：光源ランプの劣化に注意 | ・長所：応答が速い，耐久性が高い<br>・短所：ノイズが多く，安定性に劣る<br>　　　　ガス組成の影響を受ける<br>　　　　$O_2$ センサーの精度に依存する |

### 表 2-4　$O_2$ センサーの比較（1）

| 種類 | 質量分析計 | ジルコニア $O_2$ 分析計 | パラマグネティック分析計 | 電極式 $O_2$ 分析計 |
|---|---|---|---|---|
| 型 | 磁場型 | ジルコニアセラミック型 | ダンベル型 | ポーラログラフ型　ガルバニ式 |
| 原理 | 真空下の磁場で生じた分子イオンの信号を測定する | 高温下で $O_2$ 分子イオン伝導による起電力を測定する | $O_2$ 分子の常磁性と $N_2$ 分子の反磁性からダンベルの動きを固定する電流を測定する | 電極での酸化還元反応によって生じた電流を測定する |
| 測定範囲 | 0～100% | 0～100% | 0～100% | 10～90% |
| サンプル量 | 60 mL | 200 mL | 200 mL 以下 | 200 mL |
| 測定ガス | $O_2$, $CO_2$, $N_2$, $N_2O$, CO など | $O_2$ | $O_2$ | $O_2$ |
| 応答速度 | 100 m sec | 150 m sec | 250 m sec 以下 | 200 m sec |
| 時間遅れ | 300 m sec | 700～1,000 m sec | 1,000～2,000 m sec | 1,500～2,000 m sec |
| 直線性能 | ±0.5%FS | ±1.0%FS | ±0.1%FS | ±1.5%FS |
| 長所 | ・応答速度がきわめて速い<br>・サンプル量が少ない<br>・数種の分子を同時に測定可能<br>・精度が高い | ・応答速度が速い<br>・低濃度でも精度が高い<br>・安定性が高い<br>・連続測定が可能 | ・磁性利用により高精度で安定<br>・劣化が少ない<br>・再現性がよい<br>・他のガスに影響されない | ・安価である<br>・安全性が高い<br>・小型で軽量<br>・機動性のある対応が可能 |
| 短所 | ・高価である<br>・真空を一定に維持する必要性<br>・装置の保持が困難<br>・安定性の維持に注意が必要 | ・測定部が高温（700℃）<br>・塵埃や水蒸気を含むと精度が低下する<br>・他のガスを含むと精度が低下する | ・振動に弱い（携帯型に不向）<br>・応答速度が遅い（DSPによる信号処理技術により改善されている） | ・精度が低い<br>・経時的変化が大きい（劣化）<br>・短寿命（半年～1年）<br>・（応答速度が遅い） |

## 表2-5　$O_2$ センサーの比較（2）

| 種類 | ジルコニア式酸素濃度計 | パラマグネティック（ダンベル式）酸素計 |
|---|---|---|
| 型 | ジルコニアセラミック型 | ダンベル型 |
| 原理 | ジルコニア式酸素濃度計は，一般的には800℃近辺の高温下で動作する．両面に電極加工したジルコニアセラミックには高温下で一方の電極部で酸素分子をイオン化し，他方の電極部で酸素イオンを酸素分子に戻す性質がある．ジルコニアセラミックの両側にあるガスの酸素濃度の差を両電極間の起電力の大きさから求める. | セル内には窒素を封入した2個のガラス球体が吊るされ，球体は不均一磁界の中で平衡を保っている．そこに大きい磁化率の酸素分子が流れ込むと球体は遠ざけられる．その球体の偏位量を検出し球体を最初の平衡状態に戻すようフィードバックループに電流を流して制御し，フィードバックループに流れる電流から酸素濃度を求める. |
| 長所 | ・応答速度が速い<br>・低濃度でも精度が高い<br>・安定性が高い<br>・連続測定が可能 | ・磁性利用により高精度で安定<br>・劣化が少ない<br>・再現性がよい<br>・他のガスに影響されない |
| 短所 | ・測定部が高温（700℃）<br>・塵埃や水蒸気を含むと精度が低下する<br>・他のガスを含むと精度が低下する | ・振動に弱い（携帯型には不向き）<br>・応答速度が遅い（DSPによる信号処理技術により改善されている） |

とを確認する．不安定な場合は吸引ポンプの劣化，サンプリングチューブ（フィルタ）の詰まりや漏れを確認する．次に，ガス分析計の校正を行う．国内メーカーの多くはプログラムによる自動校正機能が搭載されている．実際には呼気濃度（$O_2$: 約15%，約$CO_2$: 5%，$N_2$: バランス）および吸気濃度（$O_2$: 約20%，$N_2$: バランス）に近似する標準ガスを用いて2点濃度校正が行われる．同時にdelay timeの計測が行われ，校正が適切に行われているか判定される 図2-5 ， 図2-6 ．このとき，各ガスのdelay time，span，offset値の経時的変化が3%以内であることを確認する．

　適切な校正を行うために，自動校正を行う前に確認すべきポイントは，❶装置に入力されているガス濃度と標準ガスボンベに記載されているガス濃度が一致していること（特にボンベ交換時），ボンベ圧が低下していないこと．❷環境データ（気温，湿度，気圧）が実測値と乖離していないこと．❸ポンプ流量が適正であること（150〜170 mL/分: 機種により異なる）またエラーメッセージがないこと〔最近の装置ではポンプ吸引量（吸引圧）の監視やフィルタの交換時期を通知するなど，トラブルを未然に回避するための機能

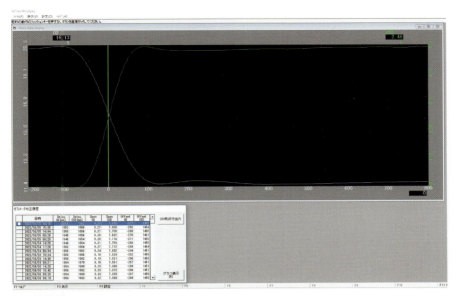

**図 2-5** 酸素および二酸化炭素濃度計の校正〔AE-310S（ミナト医科学）〕

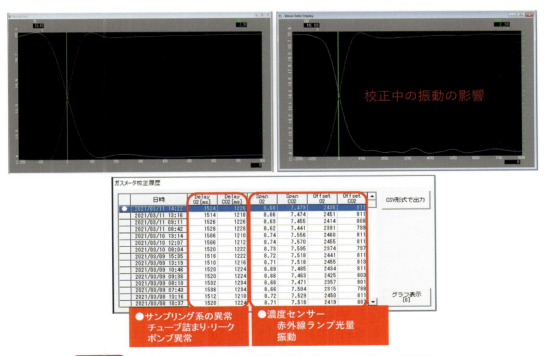

**図 2-6** 酸素および二酸化炭素濃度計の校正〔AE-310S（ミナト医科学）〕

第 2 章 CPX の準備 1

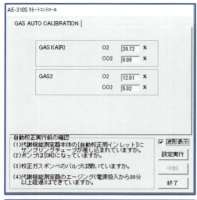

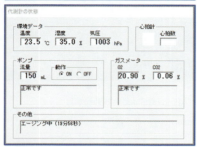

校正ガスの分圧（残量）の低下に注意！
使用期限に注意…年1回は交換を！

校正を実行する前に確認
　①校正ガス濃度と残量
　②環境データ
　③ポンプ流量（エラー表示）
　④エイジング（30分以上）

**図 2-7** 自動校正を行う前に確認すべきポイント

が充実している〕．❹十分なエイジングが行われていること（30分以上：機種・原理により異なる **図 2-7**．

　サンプリングチューブの長さやフィルタの状態は delay time に影響するため，交換など条件が変更された場合には再校正が必須である．この場合，校正結果の前回値チェックでエラーになる場合があるが，複数回の校正結果が一定であれば適用とし，交換後数日間は注意深く監視する必要がある．

> **【ワンポイント】** 標準ガスの取り扱い
> 　標準ガスの有効限限は通常1年なので在庫の管理も重要である．高圧ガスボンベを設置する場合は必ず立てた状態でしっかり固定（保管の際も立てた状態で固定）する．ボンベの胴体部分は高圧や衝撃にも耐えられるように厚く作られているが，バルブ部分は外からの衝撃には弱く，床に寝かせて使用していると落下物などの衝撃でバルブが折れる危険性がある．過去の事故例ではバルブ部分の破損で（立てていたボンベの転倒でバルブ部分が破損した場合も）高圧ガスが一気に噴出しボンベがロケットのように飛んだ事故が起きている．ガスボンベの交換の際も手順を守って確実に行わないと事故の危険がある．

## B　流量計（フローセンサー）の校正（キャリブレーション）

　流量計の測定原理によって校正の方法や頻度は異なる．国内メーカーで主に採用されて

**表 2-6** 熱線流量計校正

- センサ校正
  - センサの校正は 1 日 1 回（機器の起動時）に行うこと
- 校正前に
  - 機器の電源を入れてから 10 分以上ウォームアップ時間をとること
  - 環境データ（温度，湿度，気圧）を入力すること
- オフセット校正
  - 無風状態のセンサ出力を計測する
  - 測定前に校正器のピストンを前後させてセンサ内の空気を入れ換えておくこと
  - センサの開口部を手で押さえるなどして，センサ内に風が入り込まないようにすること
- 感度校正
  - 一定容量に調整された校正器の容量を計測し，感度係数を調整する
  - 校正器内の温度，湿度を室内気と同じに保つように注意すること
  - 校正器のピストンを必ず端から端まで動かすこと
  - 校正器の端でピストンを激しく当てるような操作をしないこと
- 精度確認
  - 校正器を用いて気量を測定し，吸気量と呼気量の両方が期待値の±3%以内となることを確認する．高気流，中気流，低気流の 3 種類で行うこと

（日本呼吸器学会肺生理委員会．呼吸機能検査ハンドブック．2021）

いるのは熱線流量計と差圧流量計（ニューモタコメータ）である．**表 2-1**，**表 2-2** に示すように，前者は気体の移動の速さと温度容積からガス量を演算し，安定した測定範囲が広い．一方，後者は構造が簡単で保守管理が容易であるが，低流量での精度が低く，低流量での精度が低く，ゼロ（オフセット）がドリフトしやすいためオフセット値の校正を頻繁に行うことで安定したデータが得られる．

　日本呼吸器学会肺生理委員会の呼吸機能検査ハンドブックを参考に熱線流量計の校正手順を **表 2-6** に示す．熱線流量計は熱線温度に左右されるため機器起動時に十分なウォームアップ時間（10 分以上）をおいて最低でも 1 日 1 回の校正が必要である．オフセット校正と感度校正を行ったあとは必ず精度確認を行う．校正器 **図 2-8** を用いて気量を測定し，吸気量と呼気量の両方が期待値の±3%以内となることを確認する **図 2-9**（に校正および精度チェックの実際の画面を示す）．ハンドブックでは高気流，中気流，低気流の 3 種類での確認を推奨している．毎日の精度チェックでは中流量（1 秒に 1 回）のみで確認を行っているが，当院では定期点検あるいは適時に，高気流（0.5 秒に 1 回），中気流（1 秒に 1 回），低気流（4 秒に 1 回）でチェックを行っている．ミナト医科学社製の解析ソフトウェア AT for Windows では 3 流速での精度チェックをサポートしている **図 2-10**．

　この時，注意すべきポイントとして，気体は温度によって体積が変化する **図 2-8-A** ため，シリンダを脇に抱えての操作は好ましくない．また，校正専用シリンダと精度チェック専用シリンダの 2 つを準備し，使い分けることでシリンダの正確度を相互チェックできる **図 2-8-B**．値の乖離が生じた場合は校正器の検定を依頼する必要がある（ローリングシール式呼吸機能測定装置があれば自施設でも検定が可能である）．

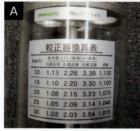
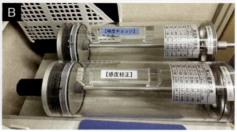

図 2-8 流量校正器（シリンダ型）
　　A：校正器換算表．気体は温度によって体積が変化する脇に抱えての操作は好ましくない．
　　B：感度校正用と精度チェック用の流量校正器を分けることで，校正器の相互チェックができる．
　　　　相互チェックで差が生じた場合や，校正器を一つしか持っていない場合は定期的にメーカーに検定を依頼する．

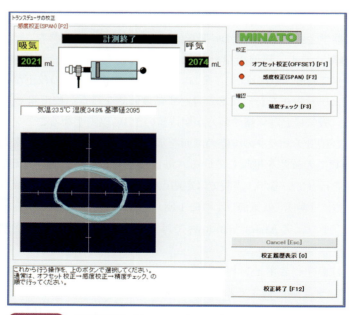

図 2-9 熱線流量計（トランスデューサ）の校正〔AE-310S（ミナト医科学）〕

16　CPX・運動療法ハンドブック

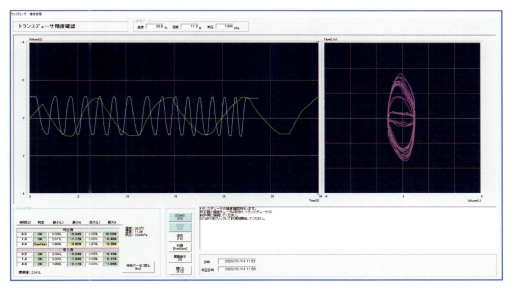

**図 2-10** 熱線流量トランスデューサの精度確認
高気流（0.5 秒に 1 回），中気流（1 秒に 1 回），低気流（4 秒に 1 回）の 3 気速による確認．
熱線トランスデューサは汚れにより低気流が不安定になりやすい．
〔AE-310S（ミナト医科学）〕

## C 日常管理（精度管理）

　　検体検査の分野では精度管理の手法は確立しているが，生理機能検査の分野においては未だ十分とは言い難い．近年，機器メーカーもその重要性を認識し，精度管理機能を備えた呼気ガス分析装置も発売されている．ミナト医科学社製 AE-310S では，ガス校正の際に $O_2$，$CO_2$ の delay time，span，offset 値を自動的に保存し，校正履歴を数値およびグラフ表示で確認することができる 図2-11 ．$CO_2$ センサーは総使用時間が長くなるとランプ光量が弱くなり，応答性が低下する．ランプの劣化は offset 値の変化をみることでチェックできる．Delay time が急に変化する場合はサンプルチューブやフィルタのつまりの可能性が考えられるが，delay time は気圧により変動するため，気圧の変動を加味して判断する 図2-12 ．当然サンプリングチューブやフィルタを交換した場合には値が大きく変動するため，交換履歴もきちんと記録しておく必要がある．流量計校正も同様に offset および吸気，呼気の出力値と温度，湿度，気圧（装置内蔵計器で測定）を自動保存し，数値およびグラフ表示で確認ができる．換気量ではなく出力値で管理するのは基準値が温度，湿度気圧により，日々変動してしまうからである 図2-13 ．流量計の offset 値が急に変化した場合はセンサーにゴミが付着している可能性が考えられる．見落としがちなのが内蔵計器の管理である．内蔵計器がずれていると校正に影響を及ぼす．検査室内に温湿度計を設置して，定期的に確認する．気圧計がない場合は地方気象台に問い合わせるとよい．装置の状態を詳細に記録すること，部品交換やメンテナンス履歴を記録することは測定装置の異常を早期に発見するために役立つ．

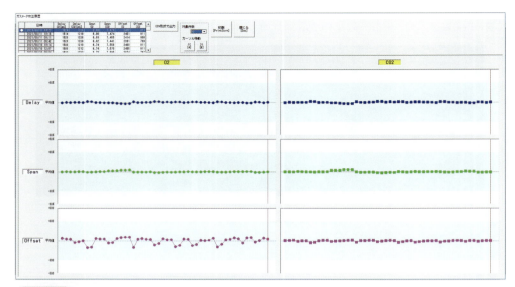

図2-11 酸素および二酸化炭素濃度計の精度管理画面（過去50回分を表示）

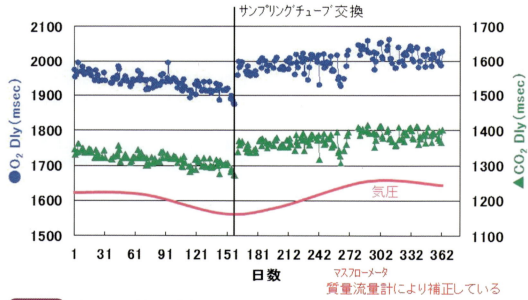

図2-12 delay timeと気圧の変動
サンプリングチューブの交換や季節により変動していることがわかる．

　日常検査の現場で呼気ガス分析装置の総合的評価を行うには，被検者の安静時データを用いる．初回検査時には，酸素摂取量が1 Met（3.5 mL/kg/分），ガス交換比（R）が0.84，1回換気量（TV）が体重（kg）の10倍（mL），呼吸数が15回/分から大きく逸脱していないか，2回目以降の検査であれば前回のデータから大きく乖離していないかを確認する 表2-7 ．1 Met（3.5 mL/kg/分）は40歳70 kgの白人男性の座位安静時のエ

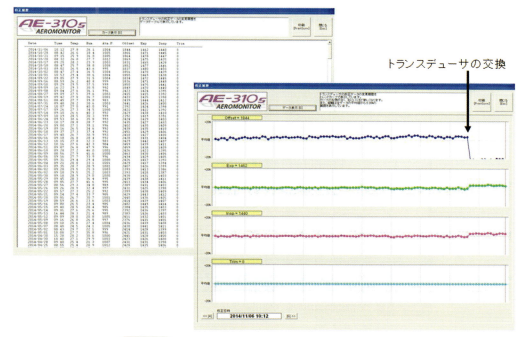

図 2-13　流量計の精度管理画面

表 2-7　負荷開始前の確認事項

| 項目 | 参考値 |
|---|---|
| 心電図：ECG | 不整脈/ST 変化等の有無 |
| 血圧：BP | 80～180 mmHg，記録状態の確認 |
| 酸素摂取量：$\dot{V}O_2$ | 1.1～1.6 METs（$\dot{V}O_2$: 3.8～5.6 mL/min/kg） |
| ガス交換比：RER | 0.75～0.95（摂食内容や緊張により変動） |
| 分時換気量：VE | 8～12 L/min |
| 1 回換気量：TV | 体重（kg）の 10 倍 mL |
| 呼吸数：RR | 12～16/min |

上記の基準から外れ，前回値とも異なる場合は，呼吸数や呼吸パターン，マスクの装着を確認する．異常がなければ機器の再校正を行う．

ネルギー所要量なので，そのまま日本人に適応するのは問題がある．そこで，2012～2016 年の 5 年間に CPX を実施した延べ数約 2,800 例のうち複数回実施した 586 例を対象に，直近 2 回の安静時酸素摂取量（rest $\dot{V}O_2$：測定開始 1～2 分の 1 分間の平均値）の差が±3％以内の患者，つまり測定機器の状態と校正に問題がないことが断定できた 202 例を対象に，酸素摂取量と体重，体脂肪率の関係をみたところ，$\dot{V}O_2$/w の基準範囲は 2.98～4.86 mL/分/kg と白人男性より低い結果となった　図2-14　．さらに $\dot{V}O_2$ と体重は正相関を認めたが，$\dot{V}O_2$/w と体重には負の相関を認め，体重による過剰補正の可能性が示唆された　図2-15　．さらに $\dot{V}O_2$/w と体脂肪率（BMF）にも負の相関がみられた．年代別にみると若年と高齢では BMF 低値で $\dot{V}O_2$/w は高く，中年では BMF が高値で $\dot{V}O_2$/w

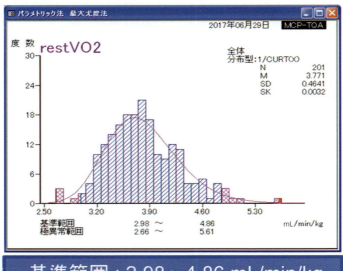

図2-14　安静時酸素摂取量の基準範囲

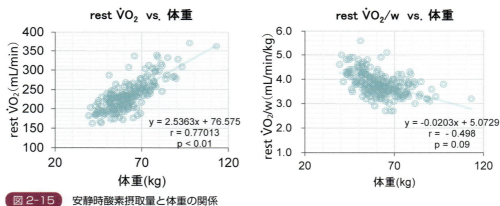

図2-15　安静時酸素摂取量と体重の関係
$\dot{V}O_2$は体重と正の相関，右：$\dot{V}O_2/w$は体重と負の相関を認めた．

が低い傾向がみられ，体脂肪量が$\dot{V}O_2/w$に影響を与えている可能性が示唆された 図2-16 ．このことから，安静時データの確認の際にはBMFを勘案し，標準体重で除した値などを参考にするとよい．

　検査者自身の安静時データを用いた精度管理も有効である．患者の安静時データに問題が生じた際に，日常的に測定・記録しておいた検査者の安静時データと比較する．検査者の安静時データに差異がなければ，機器の状態に問題はなく，被検者側の問題と断定できる．しかし，安静時データは体調の変化などでデータが変動することがある 図2-17 ので，できれば複数のスタッフで安静時データの収集をしておくとよい．

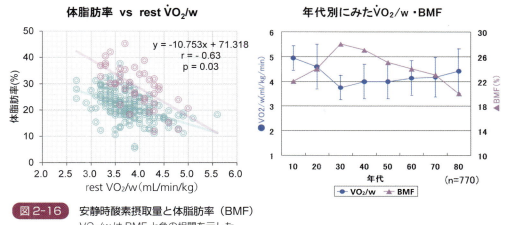

図 2-16 安静時酸素摂取量と体脂肪率（BMF）
$\dot{V}O_2/w$ は BMF と負の相関を示した．

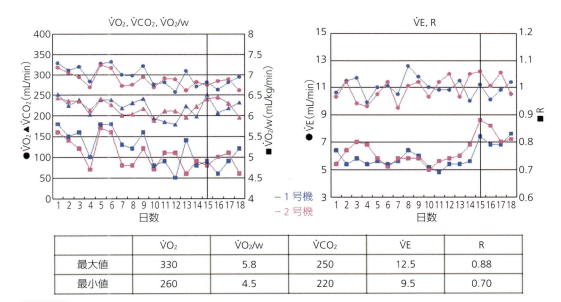

|  | $\dot{V}O_2$ | $\dot{V}O_2/w$ | $\dot{V}CO_2$ | $\dot{V}E$ | R |
|---|---|---|---|---|---|
| 最大値 | 330 | 5.8 | 250 | 12.5 | 0.88 |
| 最小値 | 260 | 4.5 | 220 | 9.5 | 0.70 |

図 2-17 日差変動（再現性）
同一被検者における 18 日間の安静時データ（2 台の呼気ガス分析装置を用いて）．この程度のバラツキが認められた．15 日目以降は体調不良（咳）であり，R が大きかった．

　　検体検査の分野では現在のように管理試料が簡単に入手できなかった時代に，患者の検体（測定値）を用いた精度管理が行われていた．呼気ガス分析でも同様の確認ができる．すべての患者データから極端値（±2 SD 以上を除外）安静時 $\dot{V}O_2$ の平均値を四半期あるいは 1 カ月ごとに平均し，推移を確認する．複数台の呼気ガス分析装置を使用している際には機種間差の確認にもなる．また，後述する人工肺検定の実施時期を判断するうえでも有用である 図 2-18．

図2-18 患者データを用いた精度管理
全患者（極端値：±2 SD 以上を除外）の安静時酸素摂取量の四半期（3カ月）ごとの平均値
縦点線は人工肺検定による調整のタイミングを示す．

### D 呼気ガス分析器の検定

　呼気ガス分析装置の正確性はガス濃度変化と換気量変化の相互バランスを総合的に評価する必要がある．呼吸を人工的に再現できる人工肺（metabolic calibrator）[3, 4]を使用して理論値に対する実測値の誤差を求める 図2-19，図2-20．薬効評価や治療効果を判定するためには，総合的な誤差が10％を超えては正確な評価は難しいと考えられ，装置自体に起因する誤差は5％以内におさえるべきとされている．人工肺は各々の施設で所有することは困難であるので，年に1〜2回の頻度でメーカーに依頼する．人工肺検定を行った際には必ずキャリブレーション反応曲線を保存し，日常精度管理ではこれと比較することで応答性の確認を行う．

## 2 負荷装置

　心肺運動負荷試験に用いられる負荷装置にはサイクルエルゴメータとトレッドミルエルゴメータがある．一般的には急性期の運動療法はサイクルエルゴメータを用い，回復期や維持期ではウォーキングも行われることから，運動様式に合わせて負荷装置を選択する．年齢や体格など安全性を考慮して選択することも必要である 表2-8．心臓ペースメーカのレートレスポンス機能のチェックや設定を目的とする場合やPAD患者の症状惹起を目的とする場合はトレッドミルを選択する．エルゴメータとトレッドミルでは動員される筋群が異なることや，骨格筋ポンプ作用

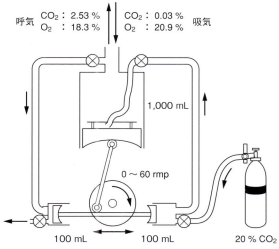

人工肺（ミナト医科学社製）

**図 2-19** 人工肺（metaboric cariblator）の模式図と写真

1,000 mL シリンダーをモータで動かし，呼気時に 100 mL の大気を捨てて，代わりに 20%CO₂・80%N₂ の混合ガスを 100 mL シリンダーの中に加えて混合し呼気とするものである．回転数すなわち呼吸数を変えることによって ATPS で 1 回換気量：1,000 mL×呼吸数の $\dot{V}E$ が得られ，RER は呼吸数によらずに一定となる．

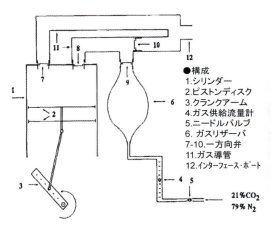

モデル 17056（VacuMed社）

**図 2-20** 代謝校正器（metaboric calibrator）の模式図と写真

(Huszczuk A, et al. 代謝研究における日常的な校正のための呼吸ガス交換シミュレータ. Eur Respir J. 1990; 3: 465-8)

の違いから測定データが乖離することがある（最大酸素摂取量はトレッドミルよりも 5〜20% 低い）[7] ので，運動処方を目的とする場合には運動の種類を考慮することも重要である．

## A　サイクルエルゴメータ（エルゴメータ）

　エルゴメータの特長は，負荷量の調節が容易であり定量負荷が可能で，外的負荷量が正

| 表2-8 | トレッドミルとサイクルエルゴメータの比較 | |
| --- | --- | --- |
| 特徴 | トレッドミル | サイクルエルゴメータ |
| より高い peak $\dot{V}O_2$ および最高酸素脈 | ○ | ○ |
| 最高心拍数および最高換気量の再現性 | ○ | ○ |
| 負荷法への慣れ | ◎ | ○ |
| 負荷（運動強度）の定量化 | △ | ◎ |
| 校正のしやすさ | ◎ | × |
| 心電図，呼気ガスや血圧測定のしやすさ | △ | ◎ |
| 動脈血サンプルの容易さ | △ | ◎ |
| 安全性（骨格筋障害や意識消失に対し） | × | ◎ |
| 仰臥位での使用 | △ | ○ |
| 検査室のスペース | △ | ○ |
| 騒音 | △ | ○ |
| 価格 | △ | ○ |
| 運搬のしやすさ | × | ◎ |
| アメリカでの経験 | ◎ | △ |
| ヨーロッパでの経験 | ○ | ◎ |

有利（◎），やや有利（○），やや不利（△），不利（×）

確に定量化できるため運動強度（WR）－酸素摂取量（$\dot{V}O_2$）関係の評価が可能であること．歩行負荷と比較して体位変動が少ないため安定したデータが得られること．さらに，転倒の危険が少ないことである．しかし，被検者の自由意志により負荷が中止でき，動員される筋群がトレッドミルに比し少ないため負荷が増すとペダルを回す筋力が必要なことからトレッドミルに比し最大負荷を得にくい．電磁制御方式のエルゴメータの多くは低仕事率（20 w以下）の信頼性が乏しく，回転数に依存する．一方，サーボモータ式（サーボモータ内蔵型）は内部抵抗を自動調整し，回転数の変動に応じた自動トルク制御により一定の仕事率制御が可能となった 図2-21．電子制御方式では渦電流方式の構造上，漕ぎ始めは一時的に80〜100 w相当の負荷がかかっており，低運動耐容能例やτon（$\dot{V}O_2$立ち上がり時定数）の測定には，漕ぎはじめに検査者がペダルを回すなどのサポートが必要だったが，スムーススタート機能（内蔵モータによるサポート）により，0 wから指定負荷までスムーズに上昇させることが可能となった 図2-22．高齢者や急性期，重症心不全などの低運動耐容能例の検査には安全かつ有効である．

### ① サドル・ハンドルの調節

エルゴメータではサドルやハンドルの高さも検査に影響を及ぼすことがある．サドルの高さは，踵をペダルの中央に置いた状態で，膝関節がまっすぐ伸びるように調節し，次いで足母指球をペダルの中央に置くと適度な余裕が生まれ，漕ぎやすい高さになる 図2-23．実際には，姿勢や自転車の漕ぎ方なども考慮して被検者と相談しながら調整を行う．サドルが低いと股間節に負担がかかり，高いと臀部が左右にずれ痛みを生じる．また，サドルの調整は最大運動負荷量や酸素摂取量に影響することがあるため，経時的にデータを比較する場合はサドルの高さを記録しておく必要がある．

ハンドルの位置は，上体を起こして腕は軽く曲がる位置に調整する 図2-24．

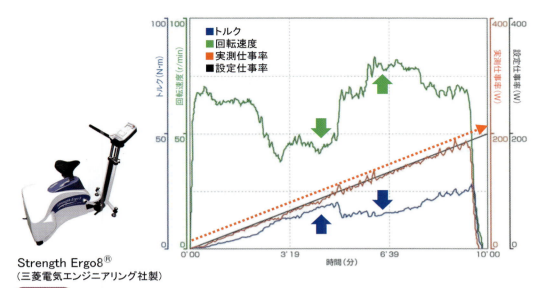

Strength Ergo8®
(三菱電気エンジニアリング社製)

図2-21　仕事率と回転数の変化に対するトルク制御
トルク制御により，回転数が不安定な場合でも正確な仕事率を実現
(三菱電気エンジニアリング資料)

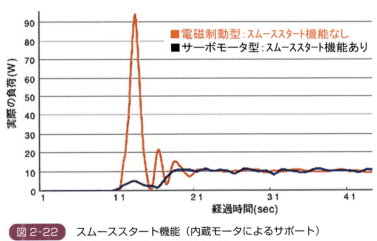

図2-22　スムーススタート機能（内蔵モータによるサポート）
漕ぎ始めの過剰な負荷が軽減される
(三菱電気エンジニアリング資料)

強く握ったり，屈曲していたりすると血圧が正確に測定できないことがある．血圧モニターの不良は運動負荷中止基準となっており，最大負荷試験の継続制限となってしまう．また，検査時の姿勢は換気量や酸素摂取量に影響することがあるため調節は慎重に行う．

### ❷ 回転数

回転数に関して明確な基準はないが，一般的には50あるいは60 rpmが採用されている．実際には各施設の運動療法で採用している回転数に統一するとよい．健

踵をペダルの中央に置き，股関節がまっすぐ伸びるようにサドル高を調節　　足の母指球をペダルの軸の直上にあわせる　　次回検査時のために，サドルの高さを記録する

図 2-23　サドルの調整

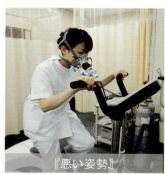  

『悪い姿勢』　　『良い姿勢』

上体は起こして腕を伸ばし，検査中は体勢を大きく変えないように説明する　　次回検査時のために，ハンドルの高さを記録する

図 2-24　検査時の姿勢（サイクルエルゴメータ）

常者にて低強度の一定量負荷で 50，60，70 rpm で比較した場合，70 rpm が有意に高かった 図2-25．また，AT 1 分前の負荷量で 30 rpm，60 rpm，80 rpm で比較したところ，1 例検討ではあるが，極端に遅すぎても，速すぎても VO$_2$ は明らかに高値を示した．30 rpm ではトルクが大きいため上半身にも力が入り酸素摂取量が増加し，80 rpm では運動筋受容器反射により交感神経活動が亢進し，酸素摂取量に加え HR も上昇した可能性が示唆された 図2-26．また，30，60，90 rpm で 20 w-RAMP 負荷を実施したところ AT までの到達時間は回転数が低いほど早く，AT 値に有意差はなかったが AT 時点での心拍数および息切れ（Borg）は回転数が高いほど大きかったとの報告もある[5]．

負荷試験中は回転数を一定に保つように説明するが，厳格すぎると回転数表示レ

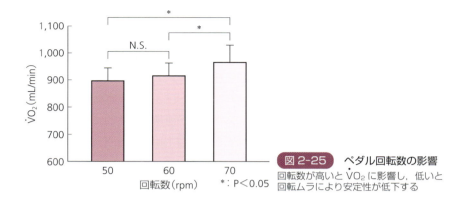

図 2-25 ペダル回転数の影響
回転数が高いと $\dot{V}O_2$ に影響し，低いと回転ムラにより安定性が低下する

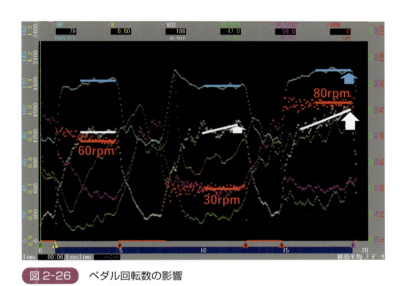

図 2-26 ペダル回転数の影響

スポンスの遅れと被検者の回転数調整の不調和によりかえって回転数が不安定になることがあり，この場合はピッチ音に合わせる方法が有効である．当院では45〜65 rpmは許容範囲とし，40 rpmが維持できない場合に負荷終了としている．

### ③ サイクルエルゴメータの点検

エルゴメータの中で多く採用されているのが，電磁制御式とよばれる渦電流を用いたもので，設定した仕事率と実際の負荷を検定するためには車軸に直結したトルクメータで計測する必要がある．一方，サーボモータ式には使用頻度に応じた自動0 w調整が搭載され，経年変化を補正する機能がある．

## B トレッドミルエルゴメータ（トレッドミル）

トレッドミルの特長は，速度および傾斜を自由に設定できること，被検者がよく慣れた歩行運動であること，被検者の自由意志で中止できないため真の最大負荷まで到達できる

ことである．欠点としては，転倒などの危険性が高いことや運動量を定量化できないことである．しかし近年，トレッドミルにおいても速度と傾斜を変数とした酸素摂取量予測式 図2-27 が考案され[6]，この理論式を用いて速度と傾斜をコントロールして酸素摂取量が直線的に増加するような"トレッドミルランプ負荷プロトコール"が設計された 図2-28 ．一部の負荷装置ではこの理論式を用いた心肺運動負荷試験向けの直線的漸増負荷トレッドミルプロトコール（T-RAMP）が標準装備されている 表2-9 ．この理論式を用いた二次方程式から傾斜設定ができない自宅用トレッドミルに対する速度処方も可能である．

### 1 歩行姿勢

基本的な歩行姿勢は通常のトレッドミル負荷試験と同様で，❶腕を伸ばした状態で，軽く手すりを握りバランスをとる（肘を強く曲げたり，手すりを強く握ると血圧が正確に測れない），❷上体を起こして（背筋を伸ばして顔を上げる），❸足を前に置いてくるように大股でゆったりと歩く（後ろに蹴らない）よう説明する 図2-29 ．ただし，呼気ガス分析併用の場合はマスクを装着するため，視界が極端に狭く，足元が見えないために歩行開始時に不安感を与える．マスク装着前に，足元を見てもらいながら，より具体的な説明をする．最大負荷を目的とする場合は症状出現時および症候限界の意思表現方法を入念に確認する．負荷終了の見極めはサイクルエルゴメータより難しいので細心の注意をはらう．

### 2 手すりの影響

トレッドミル負荷試験において，転倒防止などの安全面から手すりを使用することが一般的である．トレッドミル歩行中の手すり使用が酸素摂取量に及ぼす影響をみると，酸素摂取量は手すりなし＞片手使用＞両手使用の順に高く，傾斜が急峻な

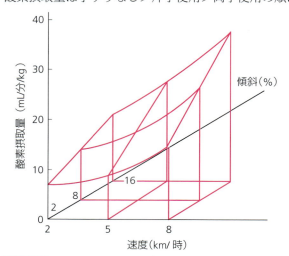

図2-27 速度と傾斜による酸素摂取量の変化
$\dot{V}O_2 = 0.15S^2 + 0.14SG + 0.45S + 0.40G + 4.23$
速度：S（km/時）傾斜：G（%）
（山本雅庸．日本臨床生理学会誌．1993; 23: 1-13）[6]

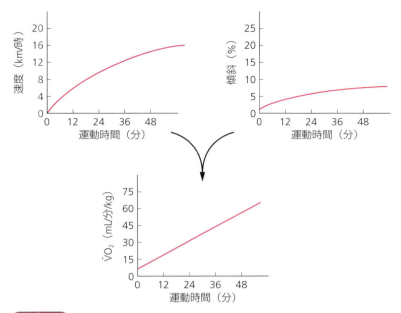

図 2-28　トレッドミルランプ負荷プロトコール
図 2-27 の理論式を用いて，速度を考慮しながら傾斜を調整し，酸素摂取量が直線的に増加するようにした．
(山本雅庸. 日本臨床生理学会誌. 1993; 23: 1-13)[6]

表 2-9　T-RAMP プロトコール（特許取得）

TR-2: $\dot{V}O_2$ が 1 分間に 2 mL/分/kg ずつ増加……低体力者（患者レベル）
TR-3: $\dot{V}O_2$ が 1 分間に 3 mL/分/kg ずつ増加……一般女性
TR-4: $\dot{V}O_2$ が 1 分間に 4 mL/分/kg ずつ増加……一般男性
TR-5: $\dot{V}O_2$ が 1 分間に 5 mL/分/kg ずつ増加……運動習慣がある高体力者

MLX-1000（フクダ電子）

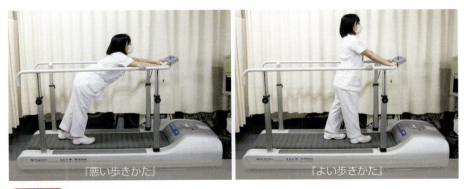

図 2-29　検査時の姿勢（トレッドミルエルゴメータ）

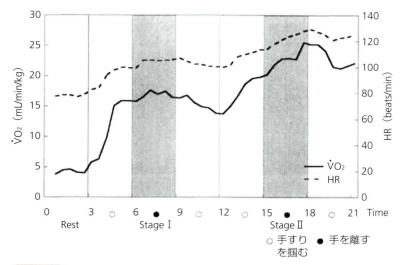

図 2-30　トレッドミル負荷試験（bruce 法）の各ステージにおける酸素摂取量と心拍数の変化
手すりを離すと $\dot{V}O_2$, HR は上昇し，手すりを掴むと低下する（戻る）．
○（clear zon）：手すりを掴む　●（shaded zone）：手を離す
（山本雅庸．日本臨床生理学会誌．1993; 23: 1-13）[6]

ほど，速度が速いほどその影響は大きい 図 2-30 [7,8]．

### ③ トレッドミルの点検

トレッドミルの校正はエルゴメータに比べ容易である．ベルトの長さとその回転数から速度を計算する．ベルト部分にマークを付け，ベルトの長さを測定する．次いでベルトを動かして 5 分間の回転数（カウント数）を 12 倍することで時速に換算して正確性を確認する．角度については支点間の距離と高さを計測し，高さを支点間の距離で除し，100 をかけ合わせることでスロープ（slope：%）を求める 図 2-31．速度と傾斜の校正はトレッドミルに被検者が乗っていない状態で行う．また，校正後に中等度の体重（75〜100 kg）の被検者がトレッドミルに乗って歩行したときにも目盛りが正確であることも確認する．速度は被検者の体重に関わらず一定であることが必要である．また，定期的に緊急停止スイッチの動作確認や手すりのぐらつきを確認する．

## 3　フェイスマスクとマウスピース

呼気ガス分析にはフェイスマスクあるいはマウスピースを使用するが，最も大きな違いは容積（解剖学的死腔量）である．マウスピースの容積は約 15 mL，フェイスマスクの容積はメーカーにより異なるが約 60〜150 mL でフローセンサー含めると全体の死腔量は約 120〜200 mL となる．この死腔量の違いは $\dot{V}E/\dot{V}CO_2$ や $\dot{V}E$ vs. $\dot{V}CO_2$ slope に影響を与える 図 2-32．呼気漏れ

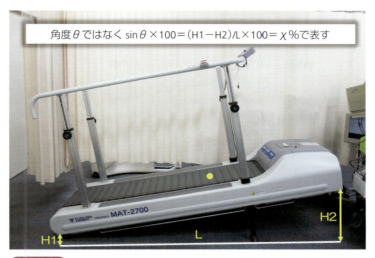

図 2-31　トレッドミルの傾斜度 (slope)
・速度チェック＝長さ①×回転数②
　①ベルトの長さを測る　②ベルトにマークをつけて回転数を測定
・傾斜チェック＝高さ(H1－H2)×100/長さ (L)

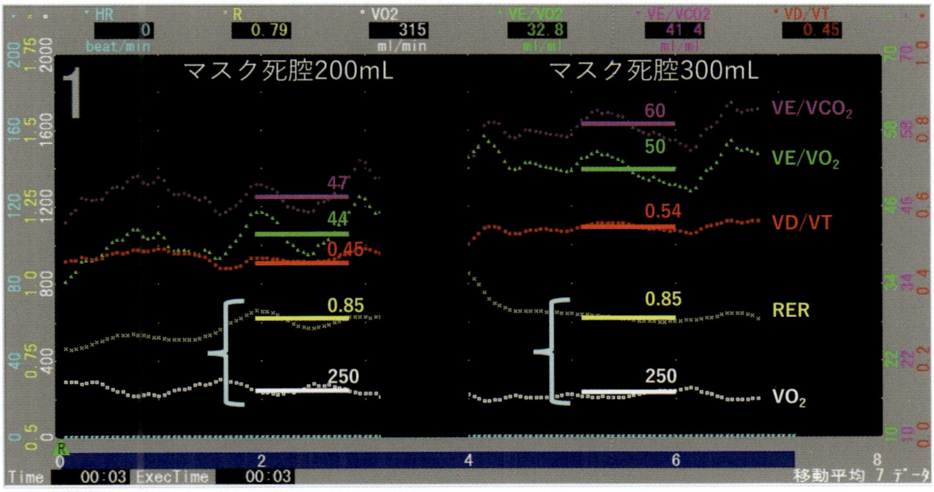

図 2-32　死腔量（マスクサイズ）による違い

が少ないことや衛生面から本邦，欧州では多くの施設でフェイスマスクが用いられている（米国ではマウスピースを用いていることが多い）．文献参照において呼xv気ガス分析データを比較する際は解釈に注意を要する．

## A　フェイスマスク

フェイスマスクを装着すると肺胞換気量を維持するため1回換気量（TV）が増加するため，心疾患や呼吸器疾患，著しい肥満患者などでは軽い呼吸困難を生じる場合がある．

滅菌対応マスク

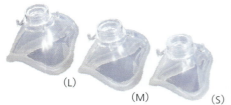
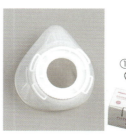

L: 160 mL　M: 140 mL　S: 100 mL

M: 120 mL（トランスデューサ含む）

滅菌対応マスク（インターリハ社）　　滅菌対応マスク（FFM-100/ミナト医科学社）

図 2-33　各社のフェイスマスク

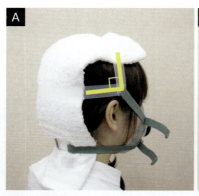

図 2-34　マスクバンドの装着

### 1　フェイスマスクの選択

被検者の口の大きさや顎の形，鼻の高さから適切なサイズを選択するが，死腔量を最小限にするため，呼気漏れが生じない最も小さなサイズを選択する．また，フェイスマスクの口径はフローセンサーに影響を与えるため必ずメーカー指定のものを使用する　図2-33．

### 2　フェイスマスクの装着

鼻と口を覆うようにマスクを装着し，バンドで固定する．頭髪や頭の形状によっては固定が不十分となり，検査中に徐々に滑りずれることがあるのでタオルなどで補正するとよい．また，頭側のバンドは 2 本の角度が垂直になるように固定すると滑りにくくなる　図2-34．V2 バンドの場合は頭頂部の長さを調整することで，バンドの牽引角度が変化し呼気漏れを防ぐことができる　図2-34．

マスクが装着されたらマスクの前を押さえ息を吐き出してもらい，漏れがないことを確認する．鼻根部両側から漏れることが多く，この場合は専用の呼気漏れ防止

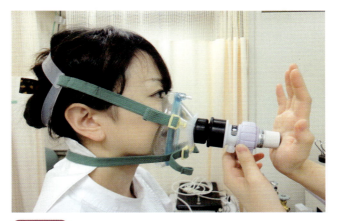

図 2-35　呼気漏れの確認
①サンプリングチューブは外し，接続ポートを塞ぐ．
②マスクの前を軽く押さえ，息を吐き出してもらう
　この時，マスクを顔に押し付けないように注意する．

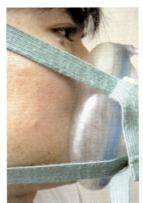 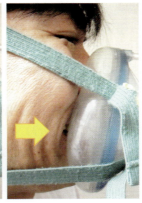

ジャストサイズでも口角を引くと隙間（➡）ができてしまう．
（特に最大負荷付近では注意するように説明しておくとよい）

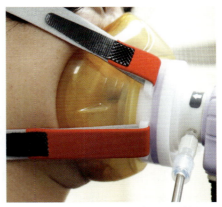

FFM-100はフィット感に優れ呼気漏れが少ない

鼻根からの呼気漏れ防止フィルム

図 2-36　フェイスマスクの呼気漏れ

　フィルムを用いるとよい 図 2-35．マスクがきつすぎると緊張と圧迫感で過換気になることがあり，緩すぎると漏れを生じるため，確認しながら適度に調整する．トレッドミルの場合は体動が大きくなるため，検査中にバンドがずれないように実際に頭や体を動かしてもらいながら注意深く調整する．
　口を大きく開けたり，口角を横に引くと（「イー」とする状態）口角がマスクからはみ出すことがあるので予め確認する 図 2-36．フェイスマスクからの空気漏

れや発言により検査結果が不正確なることを十分に説明し，口を大きく開け過ぎないように注意を促す．

### B マウスピース

　マウスピースの場合，ノーズクリップを併用し，鼻からの呼吸の漏れを防ぐ．マスクより死腔量の小さいのが利点だが，マウスピースの噛み方にやや慣れが必要であるのと唾液が口腔内にたまりやすいのが欠点である．唾液の処理が不適切だとフローセンサーに影響し，正確なデータが得られないばかりでなく，故障の原因になることもある．唾液溜まりを備えた特殊なマウスピースは本邦では流通量が少なく，衛生面からもフェイスマスクが多く採用されている．

### C 使用後の洗浄・感染対策

　測定終了後には使用したマスク（マウスピース）などはメーカーごとに推奨されている方法で洗浄・滅菌処理を行う 図2-37 ．感染対策としてディスポーザブルフィルタ 図2-33 の使用が望ましい（再利用可能なものは必ず滅菌する）．ジルコニア酸素電極はアルコールなどの揮発ガスにより損傷する恐れがあるので注意が必要である．

　COVID-19の基本対策として，被検者の体温，体調や接触歴などを問診する．検査者はN95マスク，フェイスシールド（アイシールド）を着用し，アルコール手指消毒をこまめに行う．筆者の施設では検査者は被検者の横に位置する配置とし，飛沫防止シートおよびクリーンパーテーション（HEPAフィルター空気清浄）を設置している．被検者にはフェイスマスク装着時以外はサージカルマスクを着用してもらう．検査後には患者ごとに接触した部分や物品を第四級アンモニウム塩，アルコール含有の除菌剤，次亜塩素酸で清拭・洗浄する．滅菌までに時間がある場合は予洗いではなく予備洗浄スプレーなどを利用すると感染リスクを低減できる 図2-37 ．

## 4 室内環境

　運動負荷検査室は，採光が十分で清潔かつ換気がよく，温度と湿度がコントロールされていなければならない 表2-10 ．温度，湿度は運動負荷試験の結果に影響を与え，15℃以下の低温になると不整脈の出現が増加する．心拍数，血圧，酸素摂取量（$\dot{V}O_2$）なども温度により異なった反応を示す[9]．また，湿度が60％を超えると心血管系の反応も変化しやすくなり，高温多湿になると最大運動能力が低下する[3]．よって検査室の温度は20～25℃，湿度は40～60％くらいに設定するのが望ましいとされる．当院ではエルゴメータに温湿度計を設置 図2-38 して，検査毎

| 表2-10 　検査室の環境 |
| --- |
| 十分な採光および換気 |
| 室内温度：20～25℃ |
| 室内湿度：40～60％ |
| 救急機器，薬剤，対応マニュアル |
| 救急処置が行える十分なスペース（搬送経路） |

## エアロモニタAE-310S 部品のお手入れ方法

| | | 滅菌 | | | 消毒 | | | | 洗浄 | |
|---|---|---|---|---|---|---|---|---|---|---|
| | | | | | 高水準 | | 中水準 | 低水準 | | |
| | | EOG | プラズマ | オートクレーブ | グルタラール | フタラール | 消毒用エタノール | 次亜塩素酸ナトリウム | 塩化ベンザルコニウム | 中性洗剤 | 水洗い |
| 【ATD310】トランスデューサ | | ○ | × | × | ○ | ○ | △（外側は清拭可能） | × | × | ○ | ○ |
| 【TDU0840】フィルタアダプタ | | ○ | △劣化します | × | ○ | ○ | ○ | × | ○ | ○ | ○ |
| 【TDU0500】金属フィルタ | | ○ | ○ | ○ | ○ | ○ | ○ | × | × | × | × |
| 【ATD520】スコットフィルタ | | ○ | ○ | × | ○ | ○ | ○ | × | × | × | × |
| 【AMA600】FFMシリコン部分 | | ○ | ○ | ○ | ○ | ○ | ○ | ○ | ○ | ○ | ○ |
| 【AMA600】FFM樹脂部分 | | ○ | △劣化します | × | ○ | ○ | ○ | ○ | × | ○ | ○ |
| 【KBN6012】V2マスクバンドL／【KBN6023】V2マスクバンドM／【KBN6034】V2マスクバンドS | | ○ | △劣化します | × | × | × | × | × | × | ○ | ○ |

AE-310S（ミナト医科学社）

---

**洗浄，消毒**
①換気量計の洗浄，消毒
呼気チューブを取り外した後，中性洗剤で付着物を前洗浄してください．その後，消毒用エタノールを用いて洗浄してください．洗浄後は直射日光をさけて自然乾燥させてください．

※ 血液の付着など高度の汚染を受け，滅菌処理が必要と判断される場合には，中性洗剤で付着物の前洗浄を行った後，下記のいずれかの方法にて滅菌を行ってください．滅菌方法の詳細については製剤/機器メーカーが規定する使用方法に従ってください．
　a) 2W/V%グルタルアルデヒドを用いた化学滅菌
　b) エチレンオキサイドガス（EOG）によるガス滅菌

②呼気チューブの清拭
換気量計から取り外した後，接続部，チューブ表面を中性洗剤で清拭してください．

【分解後】

**図 2-37** 各社推奨の洗浄方法 Cpex-1（インターリハ社）

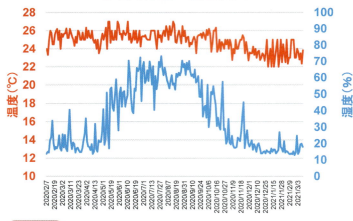

被検者の近くに設置
（エルゴメータ正面）

図 2-38　運動負荷室の環境（温湿度の管理）

に気温をチェックして，こまめに空調の調整を行っている．また，センサーによっては極端に湿度が低下し，水蒸気圧が下がると測定結果に影響が出ることがある．当院の経験では極端な乾燥時に換気流量計の精度チェックがやや不安定になる傾向がみられ，加湿器を設置することで対策を行った．このように気温，湿度，大気圧を記録しておくと機器管理に役立つ．

　検査に対応する人員は，測定業務と被検者の安全性を担保するための必要最少人数に制限すべきである．スタッフ間の不要な会話は被検者の集中力を妨げることがあるので，必要最小限にすべきである．検査中は被検者や各モニターから目を離さないように細心の注意をはらう．

## 5　負荷試験時に用意するもの

### A　緊急事態への準備

　運動負荷試験における危険のリスクは患者の背景によって異なるが，日本心電学会小委員会のまとめでは，運動負荷試験中の死亡事故は 0.000038％（1/264,000），除細動器使用は 0.0018％（1/57,000），心筋梗塞発症などによる緊急入院は 0.0023％（1/43,000）と報告されている[10]．また，Goto ら[11] の多施設調査（47 施設，13,685 名）によればステント留置が行われ，運動負荷試験を行った場合の運動負荷試験実施 24 時間以内の冠動脈血栓閉塞は 0.023％（1/4,360）であった（抗血栓療法未実施例）．また，曽我ら[12]，山下ら[13]，諸冨ら[14] により急性期の運動負荷は多くの議論が重ねられ，現在では抗凝固療法下の早期亜最大運動負荷は問題ないとされているが，緊急時に備え，検査室のレイアウトはスタッフの動線や患者の搬送を考慮し，負荷装置の周辺には救急処置のできる十分なスペースを確保する 図 2-39．

36　CPX・運動療法ハンドブック

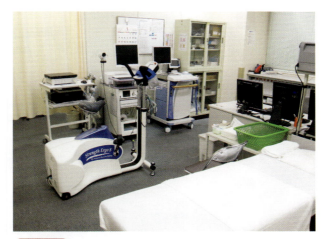

図 2-39　検査室の環境

表 2-11　救急機器

蘇生用具
　挿管セット（喉頭鏡，挿管チューブ，バイトブロック，スタイレット）
　吸引器
　Ambu bag®
　鼻カニュラ，ベンチマスク，非再呼吸式マスク，酸素マスク
　除細動器
　心臓マッサージ用板

酸素ボンベ（できれば搬送のため携帯型）
パルスオキシメータ
点滴チューブ類，輸液スタンド
ストレッチャー

　除細動器や挿管セットなどの救急機器 表 2-11，図 2-40，緊急事態に使用する薬剤 表 2-12 を必ず備え，定期的に確認する．スタッフには緊急時の対処方法を周知し，定期的にトレーニングを実施する．当院では緊急時対応検討会を開催し，①実際に経験した事例報告，②シミュレーションによる問題点の抽出，③問題点の解決案をディスカッション，④BLS の復習を行っている 図 2-41．また，遭遇したときに慌てないよう対処の手順を掲示しておくとよい．

## 6　呼気ガス分析装置のモニター画面の設定

　心肺運動負荷試験中にリアルタイムで表示するパラメータを 表 2-13 に示す．値の変化幅や負荷量に対する変化量（slope）をリアルタイムに評価するためには，タイムトレンドグラムや相関グラフで表示すると直感的に評価することが可能になる．

図 2-40　A：除細動器　B：救急カート

表 2-12　救急薬品の例（一般名）

昇圧薬：アドレナリン注，ノルアドレナリン注，イソプロテレノール注，ドパミン注，ドブタミン注
抗不整脈薬：ジゴキシン注，プロカインアミド注，ジソピラミド注，リドカイン注，ベラパミル注
降圧薬：ジルチアゼム注，ニフェジピン
抗狭心症薬：イソソルビド注，ニトログリセリン
利尿薬：フロセミド注
気管支拡張薬：ネオフィリン注，ステロイド注
抗不安薬：ジアゼパム注
抗痙攣薬：フェノバール注
低血糖治療薬：ブドウ糖注
その他：生理食塩水，点滴セット，消毒液，滅菌ガーゼなど

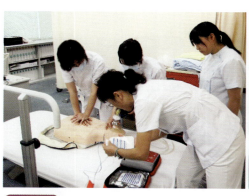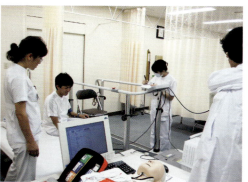

図 2-41　緊急時対処検討会の様子
　①実際に経験した事例報告
　②シミュレーションによる問題点の抽出
　③問題点の解決案をディスカッション
　④ BLS の復習

表 2-13　CPXにおけるモニタリング項目

| バイタルサイン | 心拍数（HR），血圧（SBP/DBP），動脈血酸素飽和度（SpO$_2$） |
| --- | --- |
| 負荷パラメータ | 負荷量（WR），回転数（PITCH） |
| 循環パラメータ | 酸素脈（$\dot{V}O_2$/HR） |
| 呼気ガスデータ | 酸素摂取量（$\dot{V}O_2$），二酸化炭素排出量（$\dot{V}CO_2$）<br>ガス交換比（RER）<br>呼気終末酸素分画濃度（FETO$_2$）/分圧（PETO$_2$）<br>呼気終末二酸化炭素分画濃度（FETCO$_2$）/分圧（PETCO$_2$） |
| 換気パラメータ | 換気当量 $\dot{V}E/\dot{V}O_2$，$\dot{V}E/\dot{V}CO_2$<br>分時換気量（$\dot{V}E$），1回換気量（TVE, TVI），呼気数（RR） |

図 2-42　測定画面（タイムトレンド）

　グラフレンジの設定は被検者の病態によって変更する必要があるが，施設内では基本となる設定を決めておく．慣れた検査者ほどグラフパターンから視覚的に被検者の病態を把握するからである．例えば安静時の $\dot{V}E/\dot{V}CO_2$ の高さから直感的に心不全の重症度を把握している．レンジを変更したことを認知せずにグラフを見た場合に解釈を誤る可能性があるので注意が必要である．❶心不全患者を対象とする場合は $\dot{V}E/\dot{V}CO_2$ と $\dot{V}E/\dot{V}O_2$ はレンジを広く設定する．当院では通常 70 に設定している 図2-42．❷ $\dot{V}O_2$ と WR は 10：1 の割合で設定する．$\dot{V}O_2$ の増加（slope）と WR の増加（slope）を比較することで $\Delta\dot{V}O_2/\Delta LOAD$ を直感的に把握できるからである．正常であれば両者は平行に増加する．当院では通常は $\dot{V}O_2$ を 2,000 mL/分に WR を 200 ワットに設定し 図2-42，運動習慣がある高体力者では $\dot{V}O_2$ を 3,000 mL/分に WR を 300 ワットに設定している．❸ $\dot{V}CO_2$ と $\dot{V}E$ は 3：1 の割合で設定する．$\dot{V}E$-$\dot{V}CO_2$ 相関グラフで傾き 1（45 度ラ

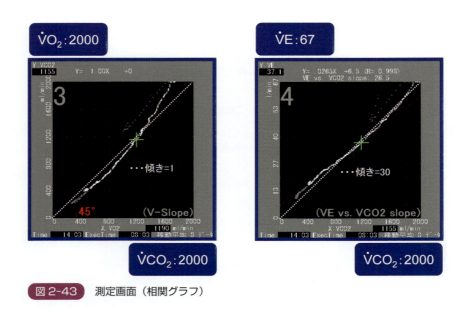

図 2-43 測定画面（相関グラフ）

イン）は $\dot{V}E$ vs. $\dot{V}CO_2$ slope は 30 となる．45 度ラインより急峻か緩徐かで $\dot{V}E$ vs. $\dot{V}CO_2$ slope を直感的にしかもリアルタイムに把握することができる．当院では通常 $\dot{V}CO_2$ を 2,000 mL/分に $\dot{V}E$ を 67 mL/分に設定している 図 2-43．$\dot{V}O_2$ と $\dot{V}CO_2$ のレンジは揃えるため $\dot{V}O_2$ を 3,000 mL/分に設定した場合には必然的に $\dot{V}CO_2$ も 3,000 mL/分に $\dot{V}E$ は 1,000 mL/分となる．通常 slope を評価する場合には負荷試験終了後の解析時に評価するが，グラフのレンジを工夫することで slope を負荷検査中にリアルタイムに把握することが可能となる．

■文献

1) 與座嘉康．携帯型呼気ガス分析器（AE-100i）の測定誤差について．理学療法科学．2019；34：249-52．
2) 杉原辰哉．安静時に呼気ガス測定値が変動する原因の検討と分析装置機種間の比較．松江市立病院医学雑誌．2019；23：38-42．
3) Dimri GP, Malholtra MS, Sen Gupta J, et al. Alterations in aerobic-anaerobic proportion of metabolism during work in heart. Eur J Appl Physiol Occup Physiol. 1980；45：43-50．
4) Huszczuk A, Whipp BJ, Wasserman K. 代謝研究における日常的な校正のための呼吸ガス交換シミュレータ．Eur Respir. J. 1990；3：465-8．
5) 西口大貴．心肺運動負荷試験の呼吸循環系への影響．呼吸ケアと誤嚥ケア．2009；2：46-6．
6) 山本雅庸．トレッドミル ramp 負荷のための酸素摂取量予測式と臨床応用．日本臨床生理学会誌．1993；23：1-13．
7) 潮見泰蔵，大野吉郎，黒澤和生，他．トレッドミル歩行時の手すりの使用が酸素消費量に及ぼす影響．理学療法学 Supplement. 1988；15：188．
8) 土田 秀．手すり使用時の Bruce 負荷試験における各ステージの酸素摂取量．日本臨床生理学会雑誌．1999；29：281-6．
9) Claremont AD, Nagel F, Reddan WD, et al. Comparison of metabolic, temperature, heart rate and Ventilatory responses to exercise at extreme ambient temperatures（0 and 35℃）．Med Sci Sports. 1975；7：150-4．

10）日本心電学会運動負荷心電図標準化に関する小委員会 1994 年報告：我が国における運動負荷心電図検査の実態．心電図．1996；16：185〜208.

11）Goto Y, Sumida H, Ueshima K, et al. Safety and implementation of exercise testing and training after coronary stenting in patients with acute myocardial infarction. Circ J. 2002；66：930-6.

12）曽我芳光，平松伸一，小早川裕子，他．待機的冠動脈ステント留置術直後における運動療法の安全性に関する検討（第 2 報）．心臓リハビリテーション．2004；9：105-7.

13）山下英治，安達　仁，入江忠信，他．シロリムス溶出性ステント留置例における心肺運動負荷試験および心臓リハビリテーションの安全性の検討，心臓リハビリテーション．2006；11：295-7.

14）諸冨伸夫，斉藤正和，白石奈々，他．薬剤溶出性ステント留置後の早期心肺運動負荷試験の検討．心臓．2012；44：436-41.

〈小林康之〉

# 第3章
# CPX の準備 2

## 1 電極の貼りかた

・正確な心電図波形を得る
・可能な限り筋電図の混入の少ない（きれいな）心電図波形を得る
・Mason-Likar 誘導法について

　運動負荷試験で心電図をモニタリングする目的は，心拍数の確認，不整脈の検出および虚血の有無を確認し，心事故の回避あるいは的確な処置に役立てることにある．したがって，負荷中の心電図記録には，揺れの少ない安定した基線で，P波のような小さな波やST変化を判定できうる心電図波形が求められるが，実際は，安静時記録とは異なり体動や汗，筋電図などが混入する可能性が考えられる．そこで，以下の手順を用いて，心電図記録を行う．

### A 事前準備

　電気抵抗，信号/ノイズ比（S/N比）は電極と皮膚の接触抵抗が大きく影響するため，皮膚表層の抵抗となる物質を除去することが必要である．そこで，心電図装着前にアルコール綿で汚れを取り，サンドペーパー（ワン・ステップスキンプレップ®）で角質層を削るなどの前処理を行うとノイズが入りにくい．

### B 電極とコード

　電極は，伝導性が高く粘着力の強い負荷専用の電極 図3-1 が望ましい．当然のことながら，使い回しはせずにディスポの電極を使用する．電極コードはオフセット値の低い電極，銀電極や塩化銀電極が望ましい．電極とレコーダの接続コードは，軽量かつ柔軟で絶縁されている必要がある．

　一般に医用機器メーカーから販売されている電極コードおよび接続コードは，上記の条件を満たしており，かつモーションアーチファクトを抑えるような状態となっている．しかし，使用頻度にもよるが寿命は約1～2年程度である．寿命がくると電気的干渉や断線の原因にもなるので，定期的に交換する必要がある．こうした機器管理に加え，電極コー

**図3-1** 負荷検査などで用いるモニタリング電極
中央は伝導性の高いゲル状になっており，その周辺を強い粘着性のシールで囲う構造となっている．

ドを誘導ごとにテープで固定し，コード自体を束ねて体動の影響を避けるなどの工夫を加えることで，運動負荷中のアーチファクトの混入を防げる．

### C 誘導法

電極の誘導法は，「運動負荷試験に関する小委員会 1994 年報告」[1] に順じ，12 誘導の Mason-Likar 誘導法[2] ※やその変法 図3-2 を用いる．電極の位置は正確に取りつけるように注意し，付け終わった後，装着部位の確認はもちろんのこと，心電図波形でも確認することが大事である 図3-3 ， 図3-4 ．

女性に電極を貼付する場合は，乳房の揺れる部位を避けて電極を貼付するか，下着を着けたまま電極を貼付したほうが安定した記録ができる場合がある．

**豆知識　※ Mason-Likar 誘導法について**

図3-2 に示す Mason-Likar 誘導法は，運動中に筋電図の混入を少なくし安定した心電図記録を得るため肢誘導を四肢の付け根に装着する方法である．測定姿勢の相違や測定位置の違いなどにより標準 12 誘導心電図に比べ歪みが生じ，肢誘導の I 誘導電位低下，QRS 幅の狭小や平均電気軸が垂直位になるなど肺気腫様の波形を呈する．時には II, III, $aV_F$ の Q 波の消失，$aV_L$ 誘導に深い Q 波を認めることがあり，この歪みは電極が内側にくるほど高度になる．胸部誘導では，ほぼ同等の波形が得られる．

こうしたことから，運動中の心電図判読には，負荷前の安静心電図との比較が重要であり，負荷開始前に安静状態の心電図記録を行っておくべきである．また，通常の標準 12 誘導心電図との相違点は十分考慮すべきである．

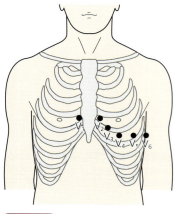 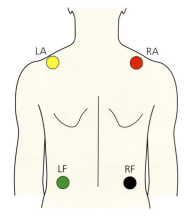

**図 3-2** 標準的な電極装着位置（Mason-Likar 誘導変法）

上肢誘導；肩甲骨の上側側溝（右図：背面）
下肢誘導；肋骨付近の前外側（右図：背面）
　→RF（右足）電極は，アース電極のため，安定する場所であればどこ
　　でもよい．体動による影響の少ない場所として胸骨柄などがよいが，
　　施設内で統一して行う．
胸部誘導：標準 12 誘導と同じ位置（左図：正面）
　→胸部誘導は，座位での記録のため臥位より心尖部位置が下方にくる
　　ことから，$V_4$〜$V_6$ を通常より 1 肋間下げる方法もある．

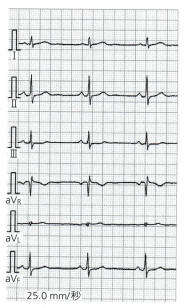 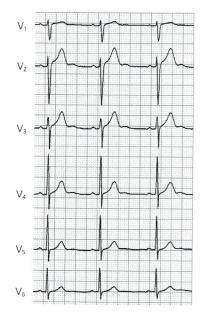

25.0 mm/秒

**図 3-3** 正常心電図波形（Mason-Likar 誘導）
29 歳　健常男性

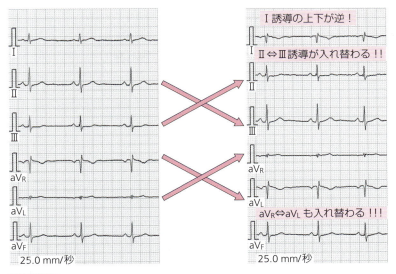

図 3-4　RA 誘導と LA 誘導の付け間違い波形

## 2　検査開始前の説明・確認

被検者への説明と同意，協力を得る説明をする

当センターにおける心肺運動負荷試験の検査手順マニュアル（一部改変）を以下に示す．
運動負荷検査を行うためには担当医師に限らず，検査者は 表3-1 の項目の確認が必要である．

表3-1　検査前に検査者が確認する事項

A. 診療録：病名，病歴，合併症，病態の安定性，喫煙歴，整形外科的疾患
B. 検査目的（目標値）
C. 心カテ・CT・手術記録：PCI の有無や病変部位，不完全血行再建，術式
D. RI：虚血の有無や病的変化
E. 心エコー：左室収縮率（EF），左室拡張率（E/E'），左室径，壁運動，圧較差
F. 検体検査：異常値の有無，貧血の有無，炎症反応
G. 安静時の心電図：調律，波形，心拍数
H. Holter 心電図：不整脈，PSVT，NSVT
I. CPX データ：過去・前回値
J. 呼吸機能データ：COPD の有無，VC・FVC，MVV など
K. 胸部 X 線：心拡大，肺うっ血，胸水
L. 投薬
　　β遮断薬；心拍応答，二重積が低下，運動耐容能が悪化（急性効果），
　　運動耐容能を改善（慢性効果，慢性心不全）
　　Ca 拮抗薬；心拍応答が低下
　　硝酸薬；虚血性心疾患では運動時間を延長
　　降圧薬など

| 表 3-2 | 被検者への検査前の準備 |
|---|---|

・事前に説明書を渡し，検査当日の服薬・食事について説明
・負荷試験 2 時間前から絶飲食・禁煙，激しい労作禁止．ただし，空腹状態では血糖値の低下→ガス交換比（RPR）にも影響
・運動に適した服装・靴を用意
・検査前に処方内容および服薬時間を把握
・問診：末梢血管疾患，整形外科的疾患，神経学的障害の徴候や症状を発見するため
・負荷試験中は異常な事態が起こらない限り被験者の発言を制限

これらの項目を確認し，検査の目的，手順を充分に被験者に理解してもらうことは，心肺運動負荷検査を行う上で必須である．我々検査者は，職種に限らず「心肺運動負荷試験が被験者の協力なしでは，安全で正確な検査結果が得られない検査である」ことを念頭におかなければならない．被験者への検査の準備に関しては 表3-2 に示す．

## 3 運動負荷試験の禁忌

・絶対禁忌
・相対禁忌
※検査の基本はリスクと結果から得られる効果の関係で成り立つ

一般に重症心臓疾患，脳血管障害，神経・筋肉疾患，その他安静を要する疾患症例に対しては，運動負荷試験は行わないが，医師の指示監督下でのリハビリテーション目的，あるいは心機能予備力をみる目的で心筋梗塞や虚血性心疾患患者に負荷試験を行うことがある．

運動負荷試験に伴う事故を防ぐには，第一に運動負荷試験の適応を十分に知り，リスクの高い禁忌例を除外することにある．特に心疾患患者の臨床症状は刻々と変化するものであり，負荷試験を行う直前のチェックによって禁忌の状態でないか確認する作業は，負荷試験を担当する医師だけでなくコメディカルにも求められる．運動負荷試験の禁忌については，日本循環器学会/日本心臓リハビリテーション学会合同ガイドライン「心血管疾患におけるリハビリテーションに関するガイドライン」2021 改訂版[3] 表3-3 を掲載した．この表に基づいた「検査前の確認」は検査を担当するコメディカルスタッフも必ず行う．前述したが運動負荷試験においては，知識もなく経験も乏しいスタッフだけで被検者の確認もせず，かつ緊急対応環境の整っていない状況で検査を行うこと自体が禁忌である．

また，表3-3 にもある相対禁忌とは検査の利点が運動のリスクを上回る場合には検査を実施してよいものである．相対的禁忌となる疾患は，状態が増悪する可能性の高いものであるが，一部の症例では低レベルの負荷を慎重に行うことにより貴重な情報を得ることがある．こうしたケースでの運動負荷試験では，重大合併症が生じる可能性を考慮し，緊急対応がすぐとれる環境を整えてから，医師の指示監督下のもと検査を慎重に行う．

**CPX・運動療法ハンドブック**

| 表 3-3 | 運動負荷試験が禁忌となる疾患・病態 |
|---|---|

**絶対的禁忌**
1. 2日以内の急性心筋梗塞
2. 内科治療により安定していない不安定狭心症
3. 自覚症状または血行動態異常の原因となるコントロール不良の不整脈
4. 症候性の高度大動脈弁狭窄症
5. コントロール不良の症候性心不全
6. 急性の肺塞栓または肺梗塞
7. 急性の心筋炎または心膜炎
8. 急性大動脈解離
9. 意志疎通の行えない精神疾患

**相対的禁忌**
1. 左冠動脈主幹部の狭窄
2. 中等度の狭窄性弁膜症
3. 電解質異常
4. 重症高血圧※
5. 頻脈性不整脈または徐脈性不整脈
6. 肥大型心筋症またはその他の流出路狭窄
7. 運動負荷が十分行えないような精神的または身体的障害
8. 高度房室ブロック

※原則として収縮期血圧＞200 mmHg，または拡張期血圧＞110 mmHg，あるいはその両方とすることが推奨されている．
（日本循環器学会，日本心臓リハビリテーション学会合同ガイドライン．心血管疾患におけるリハビリテーションに関するガイドライン（2021 年改訂版）．2021．p.36　https://www.j-circ.or.jp/cms/wp-content/uploads/2021/03/JCS2021_Makita.pdf. 2023 年 7 月閲覧）

# 4 運動負荷試験中止基準

運動負荷試験では，自覚症状や他覚所見に基づく中止基準（エンドポイント）が定められており，これをもとに検査担当医が検査の終了を決定している 表 3-4 [4]．これらのエンドポイントは，検査を担当するコメディカルも理解して検査を行うべきである．

| 表 3-4 | 運動中止基準 |
|---|---|

| 自覚症状 | 不整脈 |
|---|---|
| 被検者の中止要請<br>ST 下降を伴う軽度の胸痛<br>ST 下降を伴わない中等度の胸痛<br>呼吸困難，下肢疾患，全身疲労（旧 Borg 指数 17（かなりきつい）相当） | 心室頻拍，R on T 現象　連続する心室期外収縮 2 段脈，3 段脈　30％以上の心室期外収縮　持続する上室頻拍や心房細動の出現 2 度・3 度の房室ブロック，脚ブロックの出現 |
| **他覚所見** | **血圧反応** |
| ふらつき，ろうばい，運動失調，蒼白，チアノーゼ，嘔気，欠神その他の末梢循環不全症状 | 過度の血圧上昇（収縮期 250 mmHg 以上・拡張期 120 mmHg 以上）<br>血圧の低下（運動中 10 mmHg 以上の低下，あるいは上昇しない場合） |
| **ST 変化** | **心拍反応** |
| ST 下降（水平型・下降型で 0.1 mV 以上）<br>ST 上昇（0.1 mV 以上） | 予測最大心拍数の 85～90％<br>異常な徐脈 |
| | **その他** |
| | 心電図モニターや血圧モニタが正常に作動しない |

（日本循環器学会．慢性冠動脈疾患ガイドライン（2018 年改訂版）．2018．p.13.
https://www.j-circ.or.jp/cms/wp-content/uploads/2020/02/JCS2018_yamagishi_tamaki.pdf. 2023 年 7 月閲覧）[4]

## 5　心電図異常陽性基準

　虚血性心疾患の診断における運動負荷心電図指標として ST 下降が最もよく用いられる．わが国では ST 指標以外にもいくつか指標　表 3-5　が利用され，診断，病態の評価，予後予測，治療効果判定などの目的で用いられる．

### A　ST-T 変化

　運動負荷心電図の虚血判定基準（ST 変化）に関連した虚血判定基準をまとめた．

---

表 3-5　運動負荷試験における虚血性心疾患評価のための指標

狭心症症状の出現
　低運動耐容能
　虚血徴候出現の閾値が低い
　血圧増加反応の不良
　心拍数上昇反応の不良
　心電図
　　　ST 下降
　　　ST 上昇
　　　ST 変化の誘導数
　　　U 波の陰転
　　　$V_5$ 誘導の Q 波の減高ないし不変
　　　$V_5$ 誘導の R 波の増大ないし不変
　　　時計回りの HR-ST ループ（図 3-7 参照）
　　　ST/HR slope の傾き増大
　　　ST 下降の時間経過

---

表 3-6　運動負荷心電図の虚血判定基準

確定基準
　・ST 下降
　　水平型ないし下降型で 0.1mV 以上
　　（J 点から 0.06 秒〜0.08 秒後で測定する）
　・ST 上昇
　　0.1 mV 以上
　・安静時 ST 下降がある
　　水平型ないし下降型でさらに 0.2 mV 以上の ST 下降
参考所見
　前胸部誘導での陰性 U 波の出現
偽陽性を示唆する所見
　・HR-ST ループが反時計方向回転
　・運動中の上行型 ST 下降が運動終了後徐々に水平型・下降型に変わり長く続く場合
　　（late recovery pattern）
　・左室肥大に合併する ST 変化
　・ST 変化の回復が早期に認められる

（日本循環器学会．慢性冠動脈疾患ガイドライン（2018 年改訂版）．2018. p.14.
https://www.j-circ.or.jp/cms/wp-content/uploads/2020/02/JCS2018_
yamagishi_tamaki.pdf. 2023 年 7 月閲覧）

### 1 ST低下

　ST低下は，負荷前の基線（PQ接合部）に対してJ点から0.06秒ないし0.08秒後のST部分が0.1 mV（1 mm）以上の水平型または下降型ST低下を陽性基準とする 図3-5 ．上向傾斜型（up-sloping）のST下降（以下，up-sloping ST）については傾きが大きい場合は深さに関係なく陰性とされるが，水平型に近いup-sloping ST（傾きが1 mV/秒以下）は陽性ととったほうが感度は高いとされている[5]．一方，AHA（America Heart Association）のstatementでは，J点から60 msで2 mm以上の低下の場合にボーダーラインとし，陽性にはとらない[6]としていることや運動中にup-sloping STを認め，運動終了後に徐々に水平型ないし下降傾斜型に移行し，T波逆転を伴って長く持続するもの（hysteresis）は偽陽性を示すとされている[4, 8]が， 図3-6 の症例①ではhysterisisに加えAT以降に$\dot{V}O_2$/HRの増加が停止し虚血を疑われ，実際にカテーテル検査にて陽性を示した．このような場合もあるので，$\dot{V}O_2$/HRなどの指標などと総合的に判断する必要がある．

　安静時心電図にST下降が存在する場合，安静時のSTレベルから付加的な0.2 mV以上の下降が判定に用いられる．非特異的ST下降や左室肥大にST下降を伴う場合，特異度は下がるが感度は変わらない．また，左脚ブロック，WPW症候群，ジギタリス服用例におけるST下降は虚血性心疾患の判定基準とはなりえないが，右脚ブロックでは$V_5$・$V_6$の左胸部誘導とⅡ・$aV_F$の下壁誘導のST下降は基準となりうる．ただし，右脚ブロック波形のJ点から0.08秒ないし0.06秒後の部分を判定する．

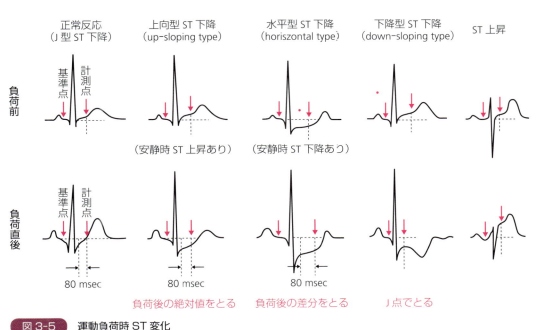

図3-5　運動負荷時ST変化

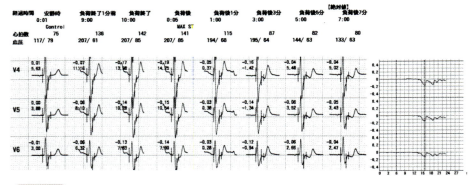

**図 3-6** 症例① hysteresis 74 歳男性 coronary arteriosclerosis（＋）

### ❷ ST 上昇

　　ST 上昇は 0.1 mV（1 mm）以上を陽性基準とするが，運動負荷時にしばしばみられる T 波の増高に影響されないようになるべく J 点付近で判定する．aV_R 誘導以外で認める ST 上昇は心筋虚血発生の特徴的な所見であるため，虚血を疑う運動負荷試験中の ST の変化は，注意深く観察する必要がある．ただし，心筋梗塞例において異常 Q 波誘導における ST 上昇は，左室の収縮異常に起因し，必ずしも心筋虚血発生を意味しない症例もあるので注意を要する．また，陰性 U 波，中隔性 Q 波の減高は，感度は低いが心筋虚血を発生に比較的特異的な所見である．他にもジギタリス製剤服用中では ST 変化が誘発・強調されるとの報告[8]もあり，特に QT 部分が延長せず ST のみが低下する場合は，虚血性変化の可能性は低いとされている．さらに女性ホルモンであるエストロゲンは，ジギタリスと化学構造が類似するため中高年の閉経前の女性は偽陽性率が高いとされる[9]．利尿薬やある種の抗不整脈薬は電解質バランスに影響し，T 波や U 波，QT 時間に影響を与えることがあるため注意を要する．

### ❸ HR-ST ループ，ST/HR slope

　　横軸に心拍数，縦軸に ST 変位をとり，負荷開始から回復期にかけての ST の時間的変化と心拍数の関係から HR-ST ループ 図 3-7 [10] や ST/HR slope [11] が虚血の鑑別に用いられる．ST 下降が有意であっても，ループの回転が反時計方向ならば偽陽性の確率が高い[11]．ST/HR slope は，運動中の ST 変位と心拍数をプロットして直線回帰した傾きである．ST 降下が有意でもこの傾きが小さいと偽陽性の確率が高いとされる．運動負荷心電図評価における偽陽性・偽陰性の要因を示す 表 3-7．

## B 不整脈

　　運動による心筋虚血は異所性興奮を起こしやすく不整脈を引き起こす．一方，運動による迷走神経抑制と交感神経刺激により安静時に存在する不整脈を抑制することもある．

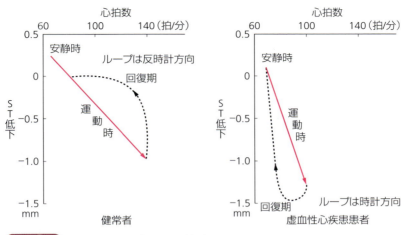

**図 3-7** HR-ST ループからみた鑑別
横軸に心拍数，縦軸に ST 変位をとり，負荷開始から回復期にかけての ST 変位と心拍数をプロットして描かれるループの回転方向で，描かれたループの回転方向とパターンにより虚血性 ST 変化か否かを判定する．

**表 3-7** 負荷心電図の偽陽性・偽陰性の要因

| 偽陽性の要因 | 偽陰性の要因 |
|---|---|
| 心電図基線の動揺 | 運動負荷量の不足 |
| 薬物の服用（ジギタリス，キニジン，抗うつ薬） | 抗狭心薬の服用 |
| 電解質異常（低カリウム） | 1 枝冠動脈疾患 |
| 安静時心電図 ST 異常 | 冠攣縮狭心症 |
| 動揺性の非特異的 ST・T 変化 | R 波の低電位 |
| 運動中の心房性 T 波の増大 | |
| 女性 | |
| 神経循環無力症 | |
| 左室肥大 | |
| 僧帽弁逸脱症 | |
| 完全左脚ブロック | |
| WPW 症候群 | |

表3-4 に示した日本循環器学会慢性冠動脈疾患診断ガイドライン（2018 年改訂版）による運動負荷試験中止徴候でも，心室性不整脈として心室頻拍，R on T 現象，連続する 2 段脈・3 段脈，30％以上の頻度の PVC をあげている．一過性心房粗細動，II 度以上（Mobitz II 型）の房室ブロックや脚ブロックも運動誘発性に出現することがあり，その臨床的意義は直ちに診断できない場合が多いが，重大な基礎疾患を反映している場合があるので運動負荷中止基準に含まれる．

### 1 洞機能不全（人：SSS, sick sinus syndrome）

洞機能不全患者の場合，運動に対する酸素摂取量（$\dot{V}O_2$）の増加に比較し心拍数増加の程度が少ないとの報告があり[12]，日本循環器学会慢性冠動脈疾患診断ガイドラインでは，3.0 秒以上の洞停止（sinus arrest）や洞房ブロック（SA block）が存在する場合には，運動負荷試験を行い心拍上昇が適度に増加すれば，運動許容で

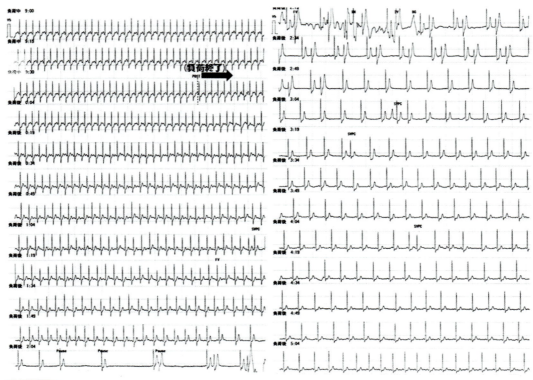

**図 3-8** 症例② 58 歳女性 息切れ精査

きるとしている．洞機能不全患者への運動負荷試験は重要ではあるが，注意を要するのは，運動中というより，むしろ運動負荷終了後である．負荷終了後に迷走神経緊張とともに著明な洞徐脈や洞停止をきたすことが多いからである（図 3-8 の症例②）．

なお，洞機能不全とは関係なく，運動中心拍数の増加の程度が少ない（これを chronotropic incompetence という）を示す例も認める．こうした現象は，心不全治療後の症例や心臓外科術後に認めることが多い（図 3-9 の症例③）．

### ② 心房細動

安静時からある心房細動（persistent Afib）では，運動時の心拍上昇反応と自覚症状を確認する目的で運動負荷試験が行われる．慢性心房細動では，年齢予測値より最大心拍数が高く，最大酸素摂取量が低いとの報告[13]や，心房細動の心拍数調整に使用される$\beta$遮断薬は，心房細動の運動時の心拍上昇は抑制できたが，運動耐容能はかえって低下したとの報告[14]もあるため，負荷量増加に伴う心拍数上昇反応と同時に酸素摂取量の増加の程度も確認しながら，負荷試験を行う必要がある．

### ③ 心室性期外収縮（PVC）

安静時の PVC の多くは運動により消失し，運動後に再出現するパターンを呈し，良性の反応といわれるが，運動回復期にだけ出現する PVC は，冠動脈疾患，ST 下

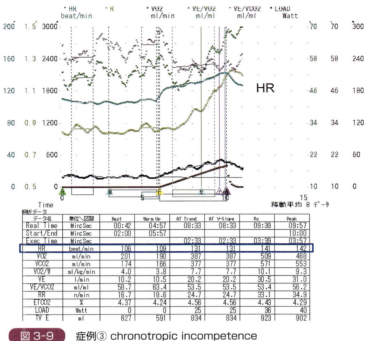

図3-9 症例③ chronotropic incompetence
安静時の心拍数が高く，運動中の心拍数の増加が不良．67歳男性
PAD, VSA

降とも関連し予後不良との報告[15]もある．また，運動誘発性のPVCは，健常者を含め約20％程度で認めるもので，HR 130以上で出現するPVCの散発は正常反応であるともいわれている[16]．しかし，運動誘発性PVCが2連発以上，あるいは総心拍の10％以上の頻発である場合は，運動誘発性の虚血と関連しているともいわれ，かつ心事故の独立した予後因子とする報告[17]もある．PVCの連発は運動負荷試験中止基準にも含まれる（図3-10 症例④）．

## 6 負荷試験中の注意点 —呼吸法，漏らさないコツ—

### A 呼吸法

- 通常の呼吸（呼気：吸気は1:1）
- 安静状態から鼻＋口呼吸を行うように指導する

心不全の患者でみられるoscillatory ventilation 図3-11 や呼吸器疾患，息切れ感のない患者であれば，運動開始時は通常，鼻呼吸が一般的であるため口は閉じていることが多い．運動を開始し負荷強度が増すと鼻＋口呼吸するようになり V̇Eの値が急に変動する場

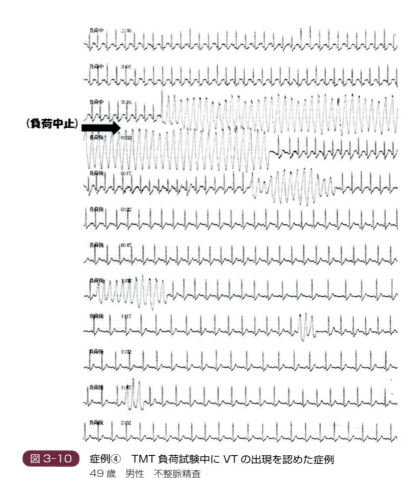

**図 3-10** 症例④　TMT 負荷試験中に VT の出現を認めた症例
49 歳　男性　不整脈精査

合がある．また，最大運動負荷周辺では，呼吸も苦しくなるため口を大きく開きマスクの横から空気が漏れる場合が多い．このとき $\dot{V}E$ の平坦化もしくは急激な低下を認めるので，マスクから息が漏れていないかチェックする必要がある．

　被検者にとってマスクを装着し呼吸することは，死腔量が増えることになり，息苦しさを通常よりも感じやすくなる．また，安静時の呼吸法と運動中の呼吸法が異なると，$\dot{V}O_2$，$\dot{V}CO_2$ に多少の誤差が生じる．特に酸素摂取量の時定数（$\tau$on）の評価では，呼吸が安定せず評価が難しくなるため，安静時から鼻＋口の両方で呼吸してもらうよう指示したほうがよい．呼吸数と各指標のばらつきについて，図 3-12 に示す．

　さらに運動強度が増すにつれ呼吸のしかたを変える人もいる．（特にマラソンする人など）呼吸は，呼気：吸気が 1：1 で行うように負荷試験前に指導しておいたほうがよい 図 3-13．

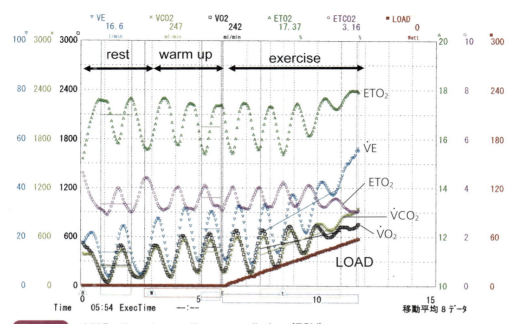

図 3-11 症例⑤ Exercise oscillatory ventilation（EOV）
Exercise oscillatory ventilation（EOV）とは，換気量にマッチした適切な血流量が血管径にうまく対応できないことが原因とされる現象

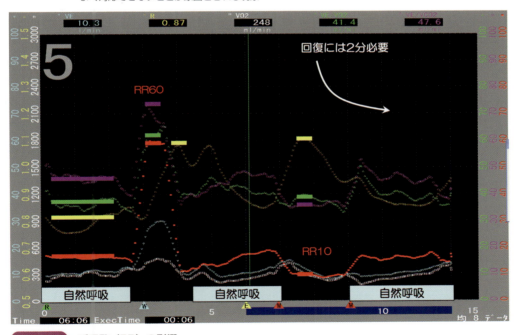

図 3-12 呼吸数（RR）の影響
自然呼吸より意図的に過換気（RR60）行い，自然呼吸に戻す．さらに深呼吸（RR10）を行い，また自然呼吸に戻す．

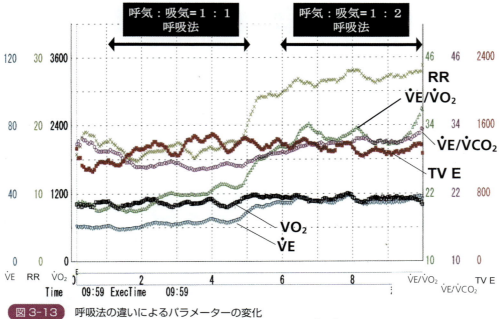

図 3-13 呼吸法の違いによるパラメーターの変化
呼吸法の変更により，① $\dot{V}E$ の増加　② RR の延長　③ $\dot{V}E/\dot{V}CO_2$ の上昇

豆知識　**マスクによる死腔量増加について**

　CPX 検査では検査中の呼気ガス分析を行うため，マスクを装着する必要がある．被検者はマスクを装着すると肺胞換気量を維持するために 1 回換気量（TV）を増加させる．このことが心疾患患者や呼吸器疾患患者，著しい肥満患者などでは軽い呼吸困難感を感じさせてしまう．この原因は，死腔量の増加によるもので，トランスデューサの死腔量 40〜45 mL ＋マスクの死腔量 120〜140 mL と通常の呼吸より死腔量が（160〜200 mL）増加するためである．このため，被検者がどういった呼吸パターンをしているかなど検査前に注意して確認する必要がある．また，マスクのサイズにより死腔量が変化するため，評価の前後でマスクのサイズが変更しないように注意が必要である．

## B　顔の向き（センサの向き）

> センサの向きは水平であること（顔は前を向いてもらうように指導する）

　運動負荷試験では，回転数の確認や運動強度の増加に伴い下を向いてしまう場合がある．こうした場合の流量は，きちんと計測できているのだろうか？　現在用いられている呼吸流量計センサは，熱線流量センサと差圧流量センサ（ニューモタコメータ）がある．どちらのセンサも一長一短ではあるが，この顔の向きが水平か下向きかで有意差は出ないとされている．しかし，校正を行う際は水平方向で行っており下向きの校正は行っていな

いため，下向きで正確な値がとれているかは不明である．また，熱線流量センサの場合，顔が下を向けばセンサを通過する流速は呼気で増加し吸気で減速するため，水平時とは明らかに異なる．差圧センサにおいても下向きの場合，唾液などが垂れて吸引チューブを詰まらせ，故障の原因ともなりかねない．特に peak 間際では，回転数とセンサの向きに注意して指導する必要がある．

## 7 ウォームアップ，クールダウンの意味

> 負荷後の血圧低下と静脈灌流の低下

　自覚的最大レベルに近い運動を行った場合，運動終了後から回復早期にかけて気分不良や吐き気，ふらつき，冷汗，失神などの症状を伴う急激な血圧低下（収縮期血圧＜100 mmHg）を認めることがある．これは，運動中の下肢運動筋の血管拡張が運動後も持続し血液が下肢に貯留されるために起こる現象と考えられている．また，この血圧低下に伴い急激な心拍数低下も起こることがあるが，これは迷走神経の過度な亢進が原因と考えられている．

　このような場合，患者を臥位にして下肢を上げることで症状は改善する．改善がみられない場合，昇圧薬や副交感神経遮断薬（硫酸アトロピンなど）の投与，輸液などを行う．

　クールダウンは，こうした突然の運動中止による急激な血圧低下と静脈灌流の低下を防ぐことで，心拍出量ならびに冠血流量の低下を防ぎ，運動後の低血圧や眩暈も防げる効果がある．また，上昇した体温を下げ，乳酸を早く排出させることでカテコラミンの悪影響を取り除く効果もある．

### 豆知識　負荷強度と自律神経活性

　　健康な人の場合，安静時においては副交感神経が優位な状態であり，運動を開始すると，はじめ副交感神経活性が抑制され，徐々に交感神経活性が増加する．AT以上の負荷強度では交感神経が優位となる．しかし，心不全患者では安静時においても，交感神経活性が常に亢進した状態にある．こうした心不全患者に運動負荷試験を行うと，安静時から心拍数が高く，心拍数増加の開始点の遅れと傾きの鈍くなるといった心拍応答の低下（chronotropic incompetence）を招く 図3-14．

　　また交換神経活性の亢進は，心拍数の増加だけでなく，血圧も上昇させ狭心症を引き起こすことがある．さらに血小板を活性化させて血小板凝集を亢進させ，血球成分の脾臓・肝臓・皮下などから血管内へ移動を促進，ヘマトクリットを上昇させるとともに，水分喪失による脱水に伴う血液粘度の上昇がシアストレスを増加させる．結果として，不安定プラークの破綻を起こし急性の冠動脈症候群を引き起こしやすくする．

第3章　CPXの準備2　57

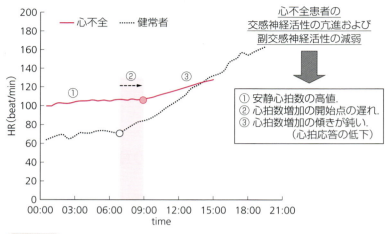

図3-14 運動時の心拍数変化―健常者 vs 心不全患者―

## 8 患者の異常と考える前に ―おしゃべり, 呼気ガス分析装置の異常―

### Case 1 $\dot{V}O_2$の低下

運動負荷試験中に$\dot{V}O_2$の低下があった場合,通常はFickの式より$\dot{V}O_2 ≒ CO$（Cardiac Output）のため,（1分間の）心拍出量の低下を疑う.COの低下の原因については,SV（一回拍出量）の上昇率の減少や虚血を疑い心電図のST変化を確認する.しかし,他の指標で明らかな異常がなく$\dot{V}O_2$のみが低下している場合,$\dot{V}E$やRR（呼吸回数）に注目する.$\dot{V}O_2$と同様に$\dot{V}E$が低下している場合,呼気マスクからの漏れを疑う 図3-15 .$\dot{V}E$の低下に関しては,検査中,患者さんの状態をしっかり確認している場合はありえないがマスクがずれてリークする場合や,運動負荷が進むにつれ呼吸が激しくなりリークしている可能性がある（ 図3-16 症例⑥）.このため,RC point以上の負荷をかける症例では,少しマスクを手で押さえてあげるとよい.顔を揺らすことも防止でき（流速センサーでは$\dot{V}E$の誤差につながる）,急に話しだす被検者などにも対応しやすい.CPXのデータを理解することも重要だが,こうした検査中のデータ変化に素早く気づき,早急に対処することが正確な検査データを得ることにつながる.

### Case 2 安静時から運動開始までの$\dot{V}E, \dot{V}O_2, \dot{V}CO_2$のバラツキについて

通常,呼気ガス分析装置の電源を入れてから,30分以上経過後に校正を行うが,これは流速センサの熱線が暖まるのを待つ必要があるからであり,かつ呼気ガス分析装置内のガスの安定を待つからである（メーカー推奨は30分,最短でも15分程度必要）.しかし,こうした校正を理解せず,電源を入れてすぐ検査を行うと,どうなるか？ 図3-17 の症例⑦に示すとおり安定したデータを得ることはできず運動負荷試験の意義が薄れてしまう.こうした現象は,患者さんの異常では決してなく,杜撰な機器管理が引き起こす現象である.校正を行うことは,当然のこと.他にも機器の定期的なメンテナンスや消耗品の交換を行うこ

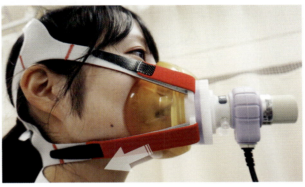

**図 3-15** マスクからの空気漏れ
上部のゴムバンドが緩い→鼻の横が leak point.
下部のゴムバンドが緩い→顎の下が leak point. 小顔の女性で顎が小さい方は特に注意.

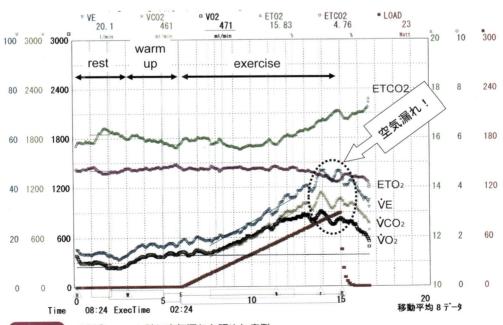

**図 3-16** 症例⑥ peak 時に空気漏れを認めた症例

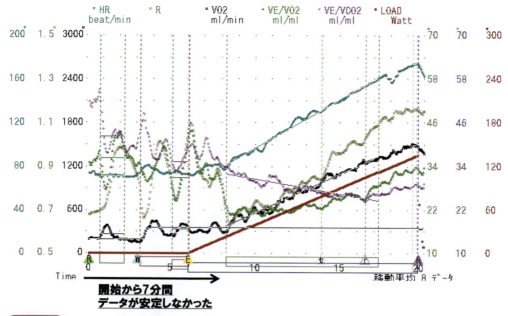

**図 3-17** 症例⑦　電源を入れてすぐに検査を実施した症例

とで，今，示している測定値がその患者さんの真の測定値であるためには，日ごろの機器管理がとても重要となる．

### Case 3　$\dot{V}O_2$ の上昇

Case 1 とは逆に，負荷試験中に $\dot{V}O_2$ の上昇があった症例を示す（**図 3-18** 症例⑧）．こ

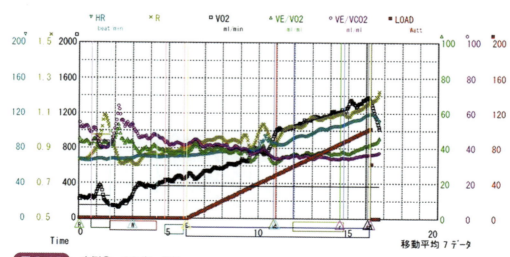

**図 3-18** 症例⑧　60歳　男性
AT 付近で回転数が 60 rpm → 75 rpm に上昇．（注意しても回転数落とさず）．
それに伴い $\dot{V}O_2$ も上昇

の被検者はAT付近で回転数が60 rpm→75 rpmに上昇させた．検査者は回転数の増加に気づき回転数を60 rpmに戻すように指示したが，回転数は落とさず検査が進んだ．このことにより$\dot{V}O_2$が上昇．AT，peak共に参考値となった症例である．検査後に回転数増加の理由を被検者に聞いたところ，普段からエアロバイクを使用しており，これが自分のベストの状態を出せる回転数であると主張した．検査の目的，普段の運動状況などをしっかり検査前に聴取していれば防げていたかもしれないと反省させられた症例であった．

## 9 運動中の心拍出量および血管拡張能の測定

LVEF（左室駆出率）に代表される心機能は，ほとんどが安静時の心機能の指標である．運動中の心機能の指標は，心肺運動負荷試験によって得られる酸素摂取量（$\dot{V}O_2$）などの指標であるが，呼気ガス分析を用いるため関接的に心機能の評価を行っている．

現在，当センターでは，DCMなど低心機能患者に対し，運動中の心拍出量の監視および血管抵抗の評価を目的として，フランス・マナテック社製のインピーダンス心拍出量測定装置（フィジオフロー）を呼気ガス分析と同時に計測している．この機器は，電極間のインピーダンスシグナルを測定し，シグナルの1次関数（dZ/dt）および相対的振幅を検出する．得られたシグナル形態 図3-19 から，心拍出量および血管抵抗を算出する検査装置である．

このフィジオフローは他のインピーダンス式心電図と異なり基線を設定しないため体動に影響を受けず，運動負荷試験中の1回拍出量（SV）および心拍出量（CO）の経時的な測定が可能となった 図3-20 ．また，このフィジオフローは，Swan-Ganzカテーテル法など他の心拍出量測定方法とも相関を認める 図3-21 ， 図3-22 ， 図3-23 ．インピーダンス式心電計の検査の

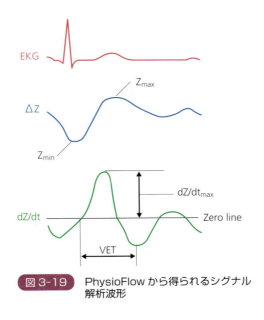

図3-19　PhysioFlowから得られるシグナル解析波形

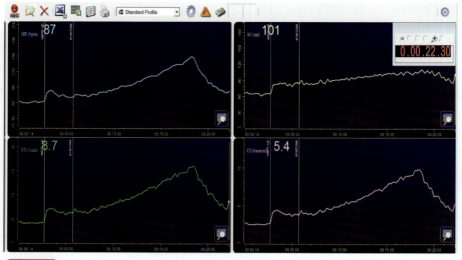

図 3-20　Physio Flow から得られた運動負荷中の各指標の経時的変化

1. RHC(Swann-Ganz), n=87, R=0.89, SD=0.68(l/m), y=0.74+1.39
University Hospital of Angers & Stasbourg, France

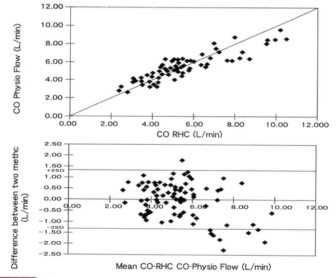

図 3-21　Physio Flow による心拍出量と右心カテーテル法による心拍出量の相関関係

併用は，運動中の心機能および血管拡張能を直接的に評価できるため，低収縮能の患者にもより安全に運動負荷試験が行え，その被検者の心臓リハビリテーション効果の評価にも有用である 図 3-24 ．また，ペースメーカの AV/Delay 調節時や運動負荷試験時の冠状動脈疾患の診断にも有用である．

2. Direct Fick (Pulmonary Patients, in Rest & Exercise), n=72, R=0.90
University Hospital of Stasbourg, France. Eur.Appl Physol(2000)82-313-320

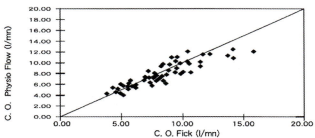

3. Echography (Cardiac Pacients & Healthy subjects) n=19, R=0.83
University Hospital of Stasbourg, France.

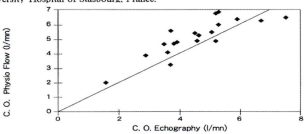

**図 3-22** PhysioFlow による心拍出量と他の方法による心拍出量の相関関係
Fick 法（上段）ともエコーによる評価（下段）とも良好な相関を示す．

4. $CO_2$ Rebreathing (Healthy subjects) n=48, R=0.85
University Hospital of Mareseille, France.

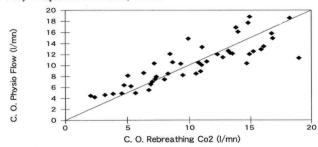

5. $VO_2$ (Healthy subjects) n=48, R=0.91
University Hospital of Mareseille, France.

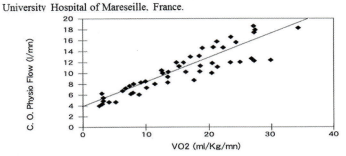

**図 3-23** PhysioFlow による心拍出量と他の方法による心拍出量・酸素摂取量の相関関係
炭酸ガス再呼吸法による心拍出量（上段）と良好な相関を示し，酸素摂取量とも同様である．

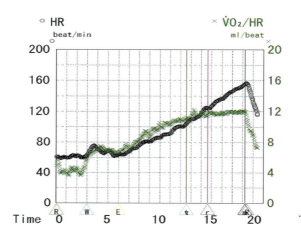

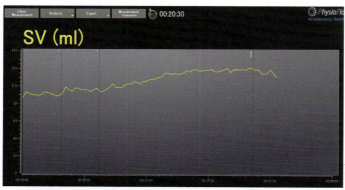

図 3-24 CPX データ（$\dot{V}O_2$/HR）と PhysioFlow から得られた SV 値の経時的変化の比較

## 10 運動負荷中の呼吸パターン

　CPX 検査に用いられる解析ソフトは，近年，呼吸パターン波形をリアルタイムで確認できるようになった． 図 3-25 症例⑨に正常な被検者のパターンを示す．この呼吸波形からは，負荷中の呼吸パターンが確認できるため，前述したように呼気と吸気が 2：1 となるような意図的に調整呼吸をしている場合など早急に対応ができる．また，この波形は生理学的死腔量，心拍出量・肺動脈血流量の評価に用いられる終末呼気二酸化炭素（％）$ETCO_2$ や〔吸気時間〕÷〔総呼吸時間〕である Ti/Ttot もリアルタイムで確認できるため，負荷試験中に評価を予測する上で非常に有用である（指標についての詳細は後述）．

　図 3-26 症例⑩に exercise oscillatory ventilation（EOV）の呼吸波形パターンを示す．症例⑨より低負荷にもかかわらず呼吸回数（RR）が多く，$ETCO_2$ および Ti/Ttot も低下していることが検査中に確認できる．

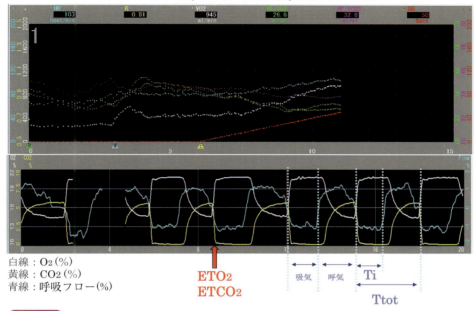

白線：O₂（%）
黄線：CO₂（%）
青線：呼吸フロー（%）

図 3-25　症例⑨　正常呼吸パターン波形

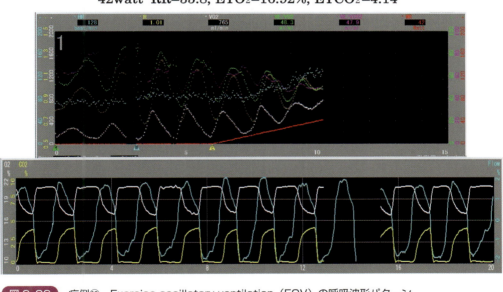

図 3-26　症例⑩　Exercise oscillatory ventilation（EOV）の呼吸波形パターン

■文献
　1）日本心電学会．運動負荷心電図の標準化に関する小委員会1994年報告：わが国における運動負荷心電図検査の実態．心電図．1996; 16: 186-208.

2) Mason RE, Likar I. A new system of multiple-lead exercise electrocardiography. Am Heart J. 1966; 71: 196-205.

3) 日本循環器学会. 循環器病の診断と治療に関するガイドライン 2011 年度合同研究班報告: 心血管疾患におけるリハビリテーションに関するガイドライン（2012 年改訂版）.

4) 日本循環器学会. 循環器病の診断と治療に関するガイドライン 2004 年度合同研究班報告: 慢性虚血性心疾患の診断と病態把握のための検査法の選択基準に関するガイドライン（2005 年改訂版）. 2005. p.3-8

5) Rijneke RD, Ascoop CA, Talmon JL. Clinical significance of upsloping ST segments in exercise electrocardiography. Circulation. 1980; 61: 671-8.

6) Gibbons RJ, Balady GJ, Bricker JT, et al. ACC/AHA 2002 guideline update for exercise testing: summary article: a report of the American College of Cardiology/American Heart Association Task Force on Practice Guidelines (Committee to Update the 1997 Exercise Testing Guidelines). Circulation. 2002; 106: 1883-92.

7) Barlow JB. The false positive exercise electrocardiogram: Value of time course patterns in assessment of depressed ST segments and inverted T waves. Am Heart J. 1985; 110: 1328-36.

8) Sullivan M, Atwood JE, Meyers J, et al. Increased exercise capacity after digoxin administration in patients with heart failure. JACC. 1989; 13: 1138.

9) Fleche GF, Froelicher VF, Hartley LH, et al. Exercise standards: A statement for health professional from the American Heart Association. Circulation. 1999; 82: 2286.

10) 川久保清, 大城雅也, 戸田為久, 他. トレッドミル負荷試験時の HR-ST ループによる冠動脈硬化症の存在診断と重症度診断. Jpn J Electrocardiogra. 1989; 9: 293-9.

11) 前原和平, 木下弘志, 井上寛一, 他. 運動負荷時の HR-ST 関係と呼気ガス分析による労作狭心症と負荷心電図偽陽性例の鑑別. 臨床病理. 1986; 34: 1135-41.

12) Holden W, McAnulty JH, Rahimtoola SH. Characteristics of heart rate response to exercise in the sick sinus syndrome. Br Heart J. 1978; 40: 923-30.

13) Ueshima K, Mayers J, Ribisl PM, et al. Hemodynamic determinants of exercise capacity in chronic atrial fibrillation. Am Heart J. 1993; 125: 1301-5.

14) Atwood JE, Myers J, Quaglietti S, et al. Effect of betaxolol on the hemodynamic, gas exchange, and cardiac output response to exercise in chronic atrial fibrillation. Chest. 1999; 115: 1175-80.

15) Dewey FE, Kapoor JR Williams RS, et al. Ventricular arrhythmia during clinical treadmill testing and prognosis. Arch Intern Med. 2008; 168: 225-34.

16) Selzer A, Cohn K, Goldschlager N. On the interpretation of the exercise stress test. Circulation. 1978; 58: 193-5.

17) Marieb MA, Beller GA, Gibson RS, et al. Clinical relevance of exercise-induced ventricular arrhythmias in suspected coronary artery disease. Am J Cardiol. 1990; 66: 172-8.

18) Wasserman K, Hansen JE, Sue DY, et al. Principles of Ex.Testing and Interpretation. Philadelphia: Lippincott Williams & Wilkins; 1999. p.24, 130.

19) Fletcher GF, Balady GJ, Amsterdam EA, et al. Exercise standards for testing and training: A statement for healthcare professionals from the american Heart Association. Circulation. 2001; 104: 1694-740.

20) 増田 善一, 宮武邦夫. 実践生理機能検査テキスト. 東京: メディカ出版. 2005.

21) 川久保清. 運動負荷心電図-その方法と読み方. 5. 東京: 医学書院. 2000. p.9-38.

22) 上嶋健治. 運動負荷試験 Q & A 110. 4. 東京: 南江堂. 2002. p.2-44.

23) 心臓リハビリ指導士養成テキスト 3: 健康評価と健康適性試験.

24) 第 8 回 日本心臓リハビリテーション指導士講習会資料: 2007. p.43-81.

〈上田正徳〉

# 第4章
# 運動中の生体応答
## ―どのくらい動くとどのように体が変わるのか―

　有効な運動処方を作成し，運動療法の危険性を予知するために，運動中の体の変化を知っておく必要がある．運動耐容能を規定する基本項目は自律神経活性，血管内皮細胞機能，心機能，骨格筋機能，呼吸機能である．これらに関する安静時と運動中の正常な応答と，心不全，虚血性心疾患などの場合の変化について解説する．

## 1　自律神経，セントラルコマンド

### A　安静時

　自律神経は交感神経と副交感神経とに分けられる．心臓は主に自律神経によって作用が調節されている．心血管系への副交感神経は第10脳神経である迷走神経に含まれている．そのため，自律神経について話をするときに副交感神経のことを迷走神経と表現することがある．

　交感神経の心臓への作用は心拍数増加（変時作用：chronotropic effect），心収縮力増加（変力作用：inotropic effect）と伝導性変化（変伝導作用：dromotropic effect）である．また，交感神経は換気も調節する．中枢（延髄）の化学受容体を刺激して換気亢進を促す．さらに自律神経は血管平滑筋にも作用する．一般的に交感神経は平滑筋を収縮させ，血管拡張を妨げる．

　安静時，有意に作用する自律神経は副交感神経であるが交感神経活性が全くないわけではない 図4-1．副交感神経からの刺激は直接神経終末に作用するために応答性が素早いのに対して，交感神経からの刺激は，神経終末の酵素をリン酸化することにより得られるため応答がやや遅れる．そのために副交感神経活性が神経支配の中心となる．

　運動を始めようと思うとセントラルコマンドが作動する．大脳から自律神経への刺激のことである．運動開始とともに素早く血流を活動筋や肺に送るための準備機構である．実際に運動を行わなくても気持ちの変化だけで心拍数は増加し，血圧が上昇して換気が亢進する．CPX中，ウォームアップ開始前に，「そろそろ漕ぎ始めますよ」と声掛けすると心拍数や換気量が増加するのはこのためである 図4-2．

第4章　運動中の生体応答―どのくらい動くとどのように体が変わるのか―　67

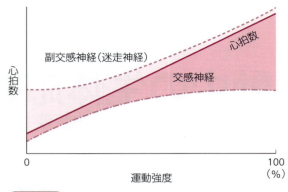

**図 4-1** 運動中の自律神経活性
安静時にも交感神経は活動しており，最大負荷付近でも副交感神経活性は完全には消失しないが，主に，軽い負荷時には副交感神経活性，中等度以上では交感神経活性が心拍数を制御している．

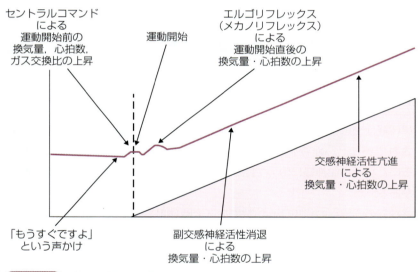

**図 4-2** ランプ負荷開始時と負荷中の心拍数・換気応答の制御因子

## B 運動中

運動を開始するとエルゴリフレックスが即座に応答する．筋の収縮伸展刺激が延髄に伝わり，自律神経活性を変化させる．伝達に使用される神経線維は有鞘のⅢ群神経のため非常に伝導が速い[1]．

中等度以下の運動中では交感神経活性が興奮し始めるが，いまだ副交感神経活性の影響のほうが強い．そのため，交感神経に依存する血管収縮や呼吸数の過剰な増加は強くはない．

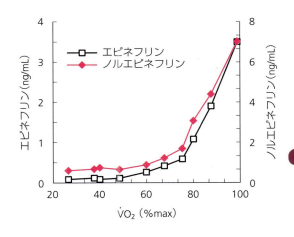

**図4-3** ランプ負荷中の血中カテコラミン濃度
50％程度の負荷レベルから徐々にカテコラミンレベルが上昇しはじめ，75％付近から急激な上昇に転じる
(Mazzeo RS. Med Sci Sports Exerc. 1991; 23: 839-45)[2]

AT以上になると交感神経活性が急速に活性化する．副腎からのカテコラミン放出も亢進し，血中カテコラミン濃度が増加する 図4-3 [2]．副交感神経活性の影響は徐々に減少する．

## C 心疾患時の変化と心臓リハビリテーションの影響

心不全の特徴は，安静時から交感神経活性が亢進していることである．心不全における頻脈，換気亢進，手足の冷感はこのためである．交感神経の刺激伝達物質であるカテコラミンは，神経終末から放出，あるいは副腎髄質から放出されたものが血中を流れてきて細胞膜表面のαあるいはβ受容体を刺激する．受容体は刺激を細胞内に伝え，その結果，洞結節が興奮，平滑筋細胞が収縮，換気が亢進したりする 図4-4．心不全では交感神経活性が亢進しており，血中カテコラミン濃度が高いほど予後が悪い 図4-5 [3]．その一方，β受容体数（濃度）は減少している．さらに，受容体以後の応答性も低下している．そのため，同程度カテコラミンを増やす刺激に対する応答性は悪い．

心筋虚血は交感神経を活性化する．そのため，虚血が生じると血中カテコラミン濃度が増加する[4,5]．その結果，頻脈や，換気亢進などが生じる．心筋梗塞では安静時の100〜1,000倍増加するため，極端に手足が冷たくなったりcatecholamine injuryによる心筋細胞壊死や心室細動などが発生することがある．

心房細動も交感神経活性を亢進させる[6]．心房細動ではatrial kickの消失[7]，リズムの不規則性，冠血流量減少，頻脈などによって心負荷が増大して交感神経を活性化させる．さらに，ある程度進行した時期の心房細動では心房筋のリモデリングと心室の拡張障害が進行しており，これらも心機能低下をもたらす．低下した心機能は左室拡張末期圧を上昇させて交感神経を活性化させる．

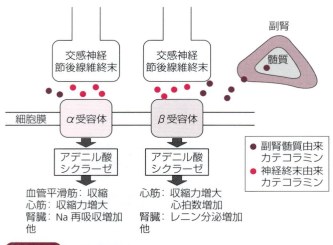

図 4-4 交感神経受容体
受容体は節後線維終末由来のカテコラミンと副腎髄質由来のカテコラミンにより刺激される．シグナルは細胞に伝達され効果を発現させる．カテコラミンの量，受容体数（濃度），受容体以後の応答性が自律神経応答を制御している．

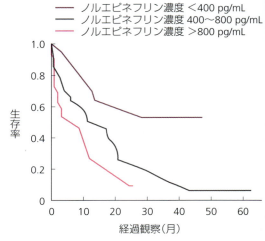

図 4-5 心不全患者の血中ノルエピネフリン濃度と予後
ノルエピネフリン濃度（PNE）が高いほど予後が短い
(Cohn JN, et al. N Engl J Med. 1984; 311: 819-23)[3]

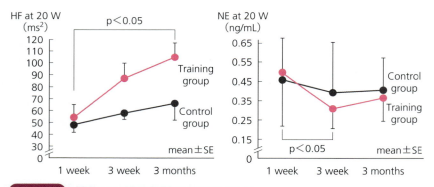

図 4-6 運動療法が自律神経活性に及ぼす効果
副交感神経活性の指標である HF は運動療法により改善し（図左），ノルエピネフリン濃度は，初期 3 週目では有意に低下する
(Oya M, et al. Jpn Circ J. 1999; 63: 843-8)[8]

　心臓リハビリテーションは安静時の副交感神経を活性化させ，過剰な交感神経活性を安定化させる 図4-6 [8]．低下した副交感神経活性を改善させる点が，交感神経活性にのみ作用するβ遮断薬との大きな相違点である．運動療法による自律神経活性への影響は2～3週間で現れる．心不全患者が心臓リハビリテーション開始数週間で動悸や息切れ感が減ってきたというのはこのためである．

## 2 心拍数

### A 安静時

洞結節の興奮性と房室結節の伝導性は自律神経により調節されている．心拍数をみれば自律神経活性の状態がわかる．

副交感神経が優位になると心拍数はゆっくりとなり，交感神経が活性化されると早くなる．安静時には副交感神経が交感神経刺激をブロックし，心拍数は副交感神経により調節されている．副交感神経活性の応答は $0.5 \sim 0.6$ 秒と素早く，簡単に活性は変動する．したがって，安静時の心拍数は決して一定ではなく変動している．このことは，安静時の心拍数が揺らいでいれば自律神経活性はほぼ正常であることを示している．一方，交感神経系の応答は $5 \sim 10$ 秒と遅い．そのため，心不全状態で交感神経活性が優位になると，心拍応答の変動は緩やかになる．心拍数が速めで，心拍数の揺らぎが少なく，まるで定規で線を引いたようになっている場合には，交感神経が心拍数を規定しているものと考えてよい．多くの場合，それは重症心不全の場合である．

自律神経活性は呼吸の影響を強く受ける．副交感神経活性は吸気時に減弱し呼気時に強まるため，吸気時に心拍数は早くなる[9]．これは肺胞周囲を還流する血流量を増加させてガス交換効率を上昇させる．

心房細動では，心房は 1 分間に 300 回程度興奮している．これをどれくらい心室に伝導させるか，すなわち心拍数（心室収縮数）を決めているのは房室結節の伝導性である．房室結節も自律神経により伝導性が制御されているため交感神経緊張状態では伝導性が亢進して心室収縮数が増加する．

### B 運動中

運動開始に伴う副交感神経活性の減弱化により心拍数は増加し始める．自転車エルゴメータの場合，1 ワットあたり 0.6 BPM 程度増加する．これは以下の式で求められる．

男の予測 peak $\dot{V}O_2 = -0.272 \times age + 42.29$[10]

予測 Peak HR $= 220 - age$

$\Delta \dot{V}O_2 / \Delta WR \fallingdotseq 10$

これより，

予測 $\Delta HR / \Delta WR = [(220 - age) - HR@rest] / [(-0.272 \times age + 42.29) \times BW / 10]$

○ HR@rest（安静時心拍数）が 60/分，体重が 60 kg の 20 歳男の場合，

予測 $\Delta HR / \Delta WR = [(220 - 20) - 60] / [(-0.272 \times 20 + 42.29) \times 60 / 10]$
$= 140 / (36.85 \times 60 / 10) = 140 / 221.1 = 0.63$

○ HR@rest が 70/分，体重が 70 kg の 60 歳の男の場合では 0.58 となる．

心拍応答はCPXでは△HR/△WRで評価できる 図4-7．ATを超えると心拍応答は増強し，1ワット当たりの心拍数増加率は大きくなる．これは，交感神経活性が直線的ではなく，指数関数的に増加することが関係すると思われる．AT付近で1回心拍出量（SV）の増加が急激に弱まるが，心拍応答が増加することにより心拍出量（CO）の増加率を維持することができる．β遮断薬を使用していると交感神経の活性化が抑制されるため心拍応答増強が弱まり心拍出量増加度が減少する．

なお，予測最高心拍数は220−年齢[11]，あるいは208−0.7×年齢[12]である．

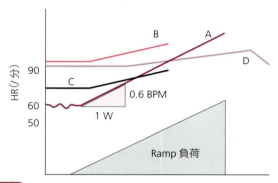

図4-7 安静時心拍数と運動中の心拍応答
A: 正常な心拍応答，B: 心不全の心拍応答，C: β遮断薬を使用している心不全の心拍応答，D: 心移植患者の心拍応答
(Ellestad MH, et al. Circulation. 1975; 51: 363-9[14]，
Sulfi S, et al. Int J Clin Pract. 2006; 60: 222-8[15]，
Squirers, RW. Med Sci Sports Exerc. 1991; 23: 686-94[16])

## C 心疾患時の変化と心臓リハビリテーションの影響

重症心不全の場合，安静時から副交感神経活性は減弱し交感神経活性が亢進している．そのため，安静時心拍数ははやく，揺らぎは減少〜低下する 図4-7B．

運動中の副交感神経活性の消退と血中カテコラミン分泌増加の程度はともに少なくなり，同時にβ受容体数が減少し，受容体以後の応答性も低下しているため，カテコラミン濃度の上昇に対する反応性は低下する．その結果，運動を行った際の心拍数の増加が少ないという状況になる．運動に対する心拍応答の低下をchronotropic incompetence[13]とよぶ．元来，心筋虚血のために運動負荷試験が中断し，その時点の心拍数が少ないことを示したもので，虚血の重症度の指標であった[14]．しかし，近年は自律神経活性異常の程度を示す指標として使用されており，心不全重症度の指標として利用されている．

図4-7C に示すごとく，β遮断薬を使用すると安静時心拍数が低下し，また，心拍応答は変化しないためpeak HRも低下する．洞結節のIfチャンネル阻害薬であるイバブラジンもβ遮断薬と同様，安静時心拍数が低下し，心拍応答は変化しないため，安静時と同じ割合でpeak HRも低下する[15]．

心臓移植，あるいは一部の開心術のように心臓への直接的な神経支配がなくなって除神

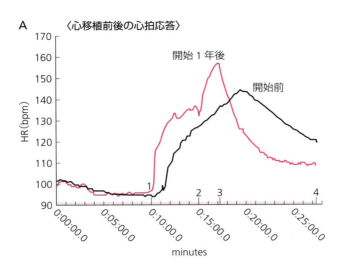

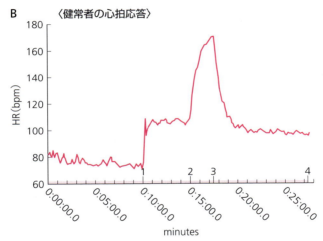

図 4-8　心移植患者の心拍応答に及ぼす運動療法の効果

A は心移植患者の典型例．B は同年齢の健常者．
1 で 50 ワットの自転車運動を開始，2 で症候限界性に階段負荷，3 で安静というプロトコール．
開始前：運動療法開始前，開始 1 年後：運動療法開始 1 年後
(Nytroen, K, et al. Am J Phys Med Rehabil. 2011; 90: 579-88)[17]

経された場合，心臓に作用するカテコラミンは神経終末からのものではなく副腎由来のものとなる．そのため，心拍応答はさらに悪化する．運動強度によらず最初の数分間は心拍数は増加せず，その後 5〜10/分位心拍数が増加し，運動終了後にもしばらく増加し続けるという変化を示す　図 4-7D [16]．この変化は心移植後であっても時間経過とともに改善する　図 4-8 [17]．

## 3 血圧

### A 安静時

血圧は1回心拍出量（SV）と心拍数（HR）と末梢血管抵抗（SVR）の積である．いずれかが大きくなると血圧は上昇する 図4-9 [18]．安静時の血圧を維持し，その変動に敏感に応答するのは圧受容体である．血圧を一定に維持するために，血圧の変動に応じて自律神経を介して心拍数・1回心拍出量・末梢血管抵抗を変化させて調節している．

### B 運動中

運動による骨格筋収縮は筋内圧を上昇させる．骨格筋への血流を維持するためには筋内圧以上に血圧を上昇させる必要がある．収縮期血圧は負荷量に応じて直線的に上昇する．一方，拡張期血圧の上昇の程度はわずかである．

運動中の血圧上昇の主な機序は心拍数の増加と骨格筋ポンプ作用による静脈還流増加と心収縮力亢進である．

収縮期血圧も心拍数同様，ATになると増加率が大きくなる．心拍数と収縮期血圧をラ

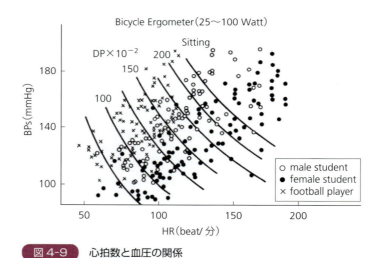

図4-9　心拍数と血圧の関係
（村山正博. Jpn Circ J. 1991; 55 Supple II: 351-75）[18]

表4-1　自転車エルゴメータ中の年齢別のおよその最高収縮期血圧（mmHg）

| gender \ age（yo） | 20代 | 30代 | 40代 | 50代 | 60代 | 70代 | 80代 |
|---|---|---|---|---|---|---|---|
| 男性 | 186 | 192 | 198 | 204 | 210 | 216 | 222 |
| 女性 | 160 | 169 | 177 | 186 | 195 | 204 | 212 |

表 4-2　健常成人男子 11 人の自転車エルゴメータによる負荷中の血圧応答

| WR | SBP | HR |
|---|---|---|
| 25 w | 136.7±10.7 | 97.0±7.1 |
| 50 w | 149.6±12.7 | 114.7±7.2 |
| 75 w | 166.9±14.1 | 133.3±8.5 |
| 100 w | 183.1±13.2 | 155.3±10.5 |
| 125 w | 192.7±17.7 | 168.7±11.9 |

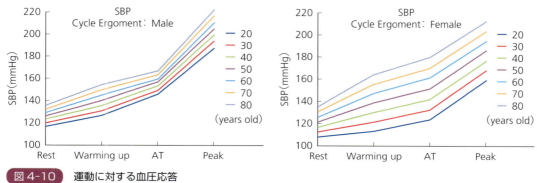

図 4-10　運動に対する血圧応答
(Itoh H, et al. J Cardiol. 2013; 61: 71-8)[10]

ンプ負荷中に連続的に測定して，その積を負荷量に対してプロットすると，ATレベルで変曲点が現れる．これをDPBP（二重積屈曲点：double product break point）とよびCPXが実施できない場合のAT決定に利用できる[19]．

　最大負荷時の年齢別の標準血圧値と負荷中の血圧応答を 表4-1 　表4-2 と 図4-10 [10] に示す．安静時血圧が正常でも負荷時に過剰な応答を示す例は9～26％に存在する[20]．応答過剰[21]も応答不全[22]もどちらも異常である．

## 4　血管径

### A　安静時

　安静時の血管の太さは一酸化窒素（NO）・エンドセリンやプロスタサイクリンなどの血管内皮細胞由来血管作動性物質と副交感神経を主体とする自律神経により規定されている 表4-3 ．NO，プロスタサイクリン，エンドセリンなどがお互いに作用しあって血管径を調節している 図4-11 [23]．

表 4-3　血管径を規定する因子

| 物質・因子 | 血管への作用 |
| --- | --- |
| 主な血管作動性物質 | |
| 　エンドセリンI（ET-I） | 収縮 |
| 　アンギオテンシンII | |
| 　一酸化窒素（NO） | 拡張 |
| 　プロスタサイクリン（PG-I$_2$） | |
| 　アドレノメデュリン | |
| 　カルシトニン遺伝子関連ペプチド（calcitonin gene related peptide: CGRP） | |
| 自律神経 | |
| 　交感神経 | 収縮 |
| 　副交感神経 | 拡張 |

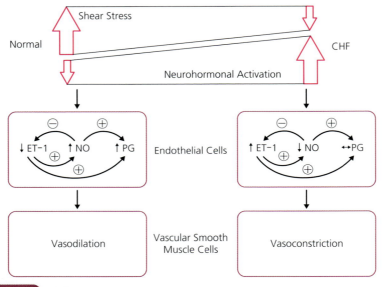

図 4-11　血管径の調節系
血管の太さは自律神経と血管内皮細胞由来血管作動性物質が調節している
CHF: 慢性心不全，ET-1: エンドセリン-1，NO: 一酸化窒素，PG: プロスタグランディン
(Katz SD. Prog Cardiovasc Dis. 1995; 38: 23-50)[23]

## B　運動中

　中等度の運動強度では，血管の太さは主に NO によって規定されている．運動に伴う血流量の増加により，血管壁のずり応力が増大して NO 産生量が増加する．このため血管は拡張する．また，中等度運動でも交感神経活性が軽度亢進するが，これは血管収縮性に作用するよりも，逆に副交感神経様の活性を示して（cholinergic excitation）血管を拡張させるという説もある[24]．
　AT 以上の運動強度になると血管径は活動筋に分布する血管と非活動筋や内臓に分布す

図 4-12　安静時と最大負荷時の血液分配

る血管とで異なってくる．

　非活動筋に分布する血管では，交感神経による血管平滑筋収縮が主体となり血管は細くなる．実際には運動に伴って血圧が上昇するため，AT レベルと同等の血流量が維持される．

　一方，活動筋に分布する血管では活動筋がさらに強く収縮するため，それに対抗できるようにさらに血圧を上昇させる．これはセントラルコマンドのさらなる増強によってももたらされる．声援に呼応して記録が伸びる一因である．また，$H^+$，$K^+$，$CO_2$，乳酸，アデノシンなどの代謝産物が局所的な血管拡張作用を発揮し，交感神経による血管収縮作用を減弱させる．これは「functional sympatholysis（機能性交感神経遮断）」とよばれる[25,26]．活動筋に対する血流量が増加することを血流の再配分あるいは再分配と表現する．安静時と最大負荷時の血流分配を 図 4-12 に示す．

## C 心疾患時の変化と心臓リハビリテーションの影響

　心不全では血管内皮細胞の一酸化窒素合成酵素（nitric oxide synthase：NOS）産生能が低下している．同時に，交感神経活性は亢進しているため，両者が相まって血管拡張性は低下する．運動耐容能と NO 産生量は比例関係にある[27]．

　運動療法は NO 産生能を回復させる[28]．その結果，血管拡張能が改善する．これは，手足や肺動脈の血流を改善させ，易疲労感，手足の冷え，換気血流不均衡分布による息切れを改善させる．運動療法開始 2 週間くらいで NO 産生能力は改善し始める．

## 5　心拍出量

### A 安静時

　安静時の 1 回心拍出量（stroke volume：SV）は 60〜70 mL，心拍出量（cardiac

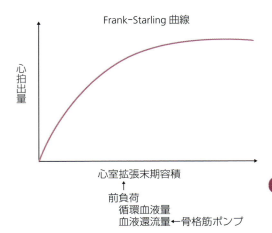

図 4-13 心室拡張末期容積と心拍出量の関係（Frank-Starling 曲線）
前負荷である心室拡張末期容積が大きくなるほど心拍出量は増加する

output：CO）は 4〜5 L/分である．SV は前負荷（静脈還流量），後負荷（血圧・末梢血管抵抗，大動脈弁口面積，胸腔内圧など）と心機能（収縮能，拡張能，逆流）の影響を受ける．SV は静脈還流量が多いほど大きくなり 図 4-13，Frank-Starling の法則とよばれる．点滴をして一時的に循環血液量が増えると SV は増加し，脱水になると減少することを思い浮かべるとわかりやすい．

心房細動では atrial kick が低下して 20％程度 SV が減少する[7]．不規則なリズムも心拍出量を低下させる要因となる．

## B 運動中

軽い運動中，血管径が拡大するため後負荷は軽減する．一方，骨格筋収縮による骨格筋ポンプ作用が大きくなるため前負荷は大きくなる．交感神経は心収縮力と心拍数を増加させ，これらにより SV も CO も増加する．増加した血流は活動筋・非活動筋ともに分配される．軽い運動により体が温まる理由の一つである．

SV は運動開始とともに増加しはじめるが，直線的ではなく上に凸の形で増加する 図 4-14A．最大負荷の 50〜60％までは比較的直線的に増加し，その時点でほぼ最大値（peak SV）に到達する[29]．SV がほぼプラトーに達するにもかかわらず CO が直線的に増加するのは，心拍数増加率（$\Delta HR/\Delta WR$）が増大するためである．そのため，$\beta$ 遮断薬によって心拍応答が低下している場合には心拍数による代償が弱いために CO 増加率は低下し，心拍出量最大値（peak CO）は予測値よりも少なくなる 図 4-14B．

## C 心疾患と心臓リハビリテーションの影響

心臓リハビリテーションに関連した要素で静脈還流量（前負荷）に影響するのは骨格筋ポンプと呼吸ポンプ，塩分摂取量である．心不全で骨格筋が萎縮すると骨格筋ポンプ機能が低下して心拍出量が減少する．また，吸気時の胸腔内陰圧は静脈還流を増加させ，呼気時の陽圧は心臓からの拍出を促進させる．浅く早い呼吸では呼吸ポンプの作用が小さくな

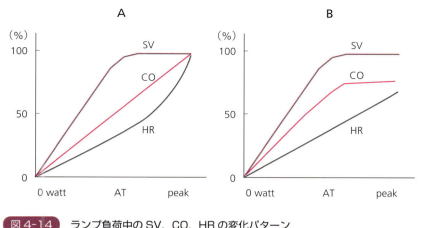

**図 4-14** ランプ負荷中の SV, CO, HR の変化パターン
A は正常パターン．高負荷時の SV 増加不良を心拍応答で代償している．
β遮断薬で心拍応答を抑制すると心拍出量（CO）を維持できなくなる（B）．

る．また，塩分 1 g は 200〜300 mL の体液量を増加させるため，健常者において塩分摂取は心拍出量を増加させるが，心不全では，循環血液量の増加は血圧を上昇させて後負荷を増加させるとともに心仕事量を増加させて心筋の疲弊を招く．

　正常の心臓では，心筋の収縮性は前負荷の影響を強く受けるが，心不全になると後負荷の影響を強く受けるようになる．これを後負荷依存性（afterload dependent）という．この状況で血管抵抗が増加すると著しく心拍出量が低下する．心不全にとって，血管内皮細胞機能障害による NO 分泌障害は，心拍出量低下の原因になる．また，吸気時の胸腔内陰圧も後負荷となる．ASV のような陽圧呼吸装置が心拍出量を増加させて心不全に有用なのは胸腔内圧を陽圧にさせて後負荷をとるためである．有酸素運動やストレスマネージメントは血管の過剰収縮性を改善させる．

　心拡張能低下を原因とする心ポンプ機能増加制限もしばしばみられる．左房から左室への血液の移動は，まず左室心筋自身が拡張して開始される．移動する血液は心エコー上 E 波として評価できる 図4-15．E 波は心電図上，T 波後半から P 波開始前の部分に相当する．また，左室拡張の素早さ，あるいは「戻りの速さ」は E 波の収束速度（DcT (DT)）で評価できる．血液の移動が速やかなほど拡張能がよいと考えてよいので，DcT が小さいほど拡張能は良好であると評価できる．次に，左房筋が収縮して血液は移動する．心エコー上，A 波の高さで評価する．心電図における P 波の始まりから QRS の始まりまでの部分である．左室はこの 2 段階の様式で血液が充満し，通常は左室拡張の際に半分以上の血液が移動するため，E 波のほうが A 波よりも高くなる（E/A＞1）．しかし左室拡張障害があると E 波が小さくなり（E/A＜1），DcT が延長する 図4-16．

　運動などによって心拍数が増加する場合には主に拡張時間が短縮する 図4-17．QT 時間は心拍数に依存するが概ね 400 msec である．PQ 時間は長くて 200 msec であるため，QT 時間と PQ 時間を合わせておよそ 600 msec となる．RR 間隔が 600 msec という

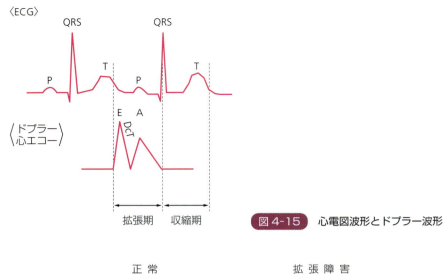

図 4-15　心電図波形とドプラー波形

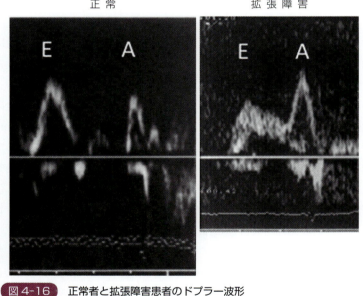

図 4-16　正常者と拡張障害患者のドプラー波形
拡張障害患者では E 波が低く，A 波が高くなる．また，DcT（E 波の減衰時間）が延長するため左室が完全に拡張するために時間を要する．

のは心拍数が 100/分の場合である．すなわち心拍数が 100/分に達すると T 波と P 波，E 波と A 波が接するということになり，110/分だとこれらが重なってしまい，左室が完全に拡張する前に左房収縮が開始されて拡張機能の低下が始まることになる 図 4-18 ．しかし，健常人では運動中には拡張能は改善する 図 4-19 [30]）ため，拡張時間が短縮しても心エコー上は E 波と A 波が重ならない状態を維持できる．

心収縮能は頻拍になると低下することがある．健常人では実験的に心拍数を増加させても LV dp/dt は改善するが，DCM 患者では改善しない 図 4-20 [31])．また，心不全患者で

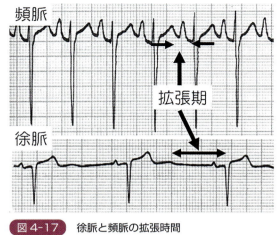

図4-17 徐脈と頻脈の拡張時間
頻脈では主に拡張時間が短縮する．

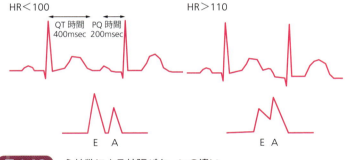

図4-18 心拍数による拡張パターンの違い
心拍数が100以上だとE波とA波が接し，HR＞110では重なる．

は心拍数が110/分以上になるとforce-frequency relationshipが破綻して収縮能がむしろ低下することすら報告されている 図4-21 [32]．運動中の拡張障害と収縮障害の結果，運動中に心拍出量がほとんど増加しないことが報告されている 図4-22 [33]．

心不全患者では，最大に近く運動負荷をかけると約30％の患者で僧帽弁逆流が増悪する [34]．僧帽弁逆流はATレベルですでに増加し始め，最大負荷レベルでは重症度としてI度以上悪化することも珍しくない 図4-23 [35]．運動中に逆流が生じると前方心拍出量が低下するため$\Delta \dot{V}O_2/\Delta HR$や$\Delta \dot{V}O_2/\Delta WR$が低下する．このような症例の予後は悪い [36]．

CRT-D植え込み患者では，AV間隔が遅すぎると運動中にAV伝導性が亢進してペースメーカ刺激より前に自己の電位が左室に到達してしまうことがある．この場合にはCRT-Dとして機能しなくなり，心ポンプ機能が突然低下することがある 図4-24．また，CRT-D植え込み患者では，程度の差はあるがリードによる三尖弁逆流（TR）はほぼ必発であり 図4-25，これが運動中に増悪することがある．これも運動中の心ポンプ機能低下の一因である

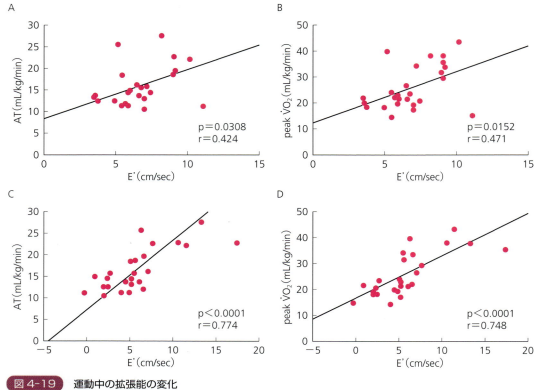

図 4-19 運動中の拡張能の変化
運動耐容能が良好なほど安静時拡張能（E'）も運動中の拡張能の改善度（ΔE'）も良好である．
(Sekiguchi M, et al. Int Heart J. 2009; 50: 763-71)[30]

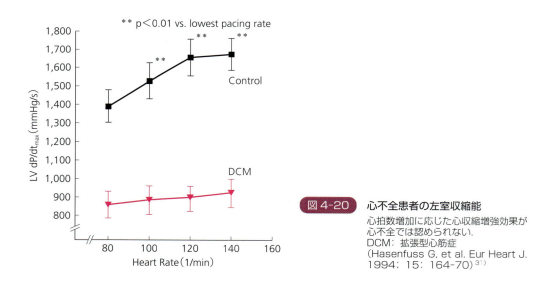

図 4-20 心不全患者の左室収縮能
心拍数増加に応じた心収縮増強効果が心不全では認められない．
DCM：拡張型心筋症
(Hasenfuss G, et al. Eur Heart J. 1994; 15: 164-70)[31]

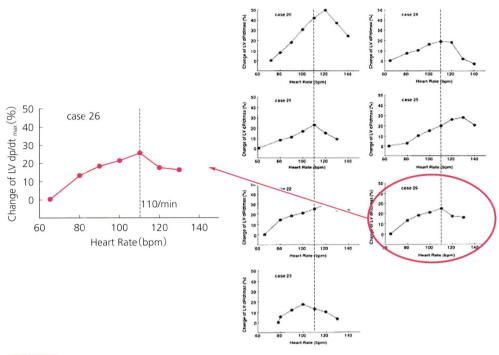

図 4-21　心拍数による左室収縮能の変化
心拍数 110/分くらいで収縮能が急激に低下する症例が少なくない．
(Inagaki M, et al. Circulation. 1999; 99: 1822-30)[32]

心筋虚血は 図4-26 の順番で心筋に影響を及ぼす[37]．虚血出現とほぼ同時に心仕事率は低下し始める一方，ST の有意な低下はやや遅れるため，心電図上 ST 低下が出現する時点ではすでに心拍出量増加応答は低下し始めている 図4-27 [38]．局所の虚血が心ポンプ機能にどの程度影響を及ぼすのかについては，有意狭窄を有する血管部位に依存している．近位部病変 図4-28A で虚血部位が広い場合には SV が増加不良となり $\Delta \dot{V}O_2/\Delta WR$ も減少する 図4-29 が，遠位部 図4-28B の場合には心ポンプ機能に与える影響は少なく，心電図上 ST が低下しても $\Delta \dot{V}O_2/\Delta WR$ は低下しない．

通常，心拍数が増加すれば心拍出量は増加する．しかし，心房細動の場合には，25％程度の症例で心拍数増加が心拍出量増加を導かないことが報告されている[39]．心拍数が 100 BPM 位になると両者が乖離し始める 図4-30．これは CPX で $\Delta HR/\Delta \dot{V}O_2$ で確認することができる 図4-31．この現象が生じた場合，その患者の HR>100 での活動は心臓への過剰な負荷を強いている可能性があり，特に心不全患者には実施させるべきではない．

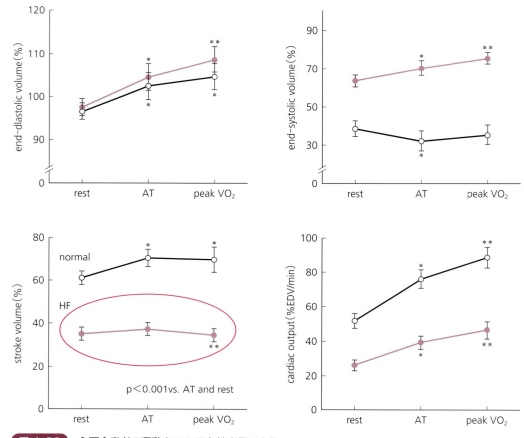

図4-22 心不全患者の運動中の1回心拍出量の変化
運動を行っても心不全患者ではSVが増加しない（左下の図）.
(Nappi A, et al. J Nucl Med. 1997; 38: 948-53)[33]

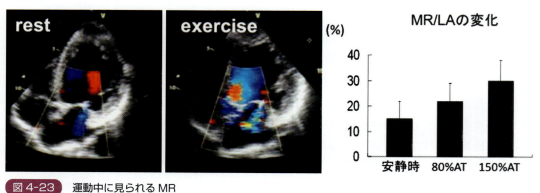

図4-23 運動中に見られるMR
運動中にはMRが増強している.
(Takano H, et al. Circ J. 2006; 70: 1563-7)[35]

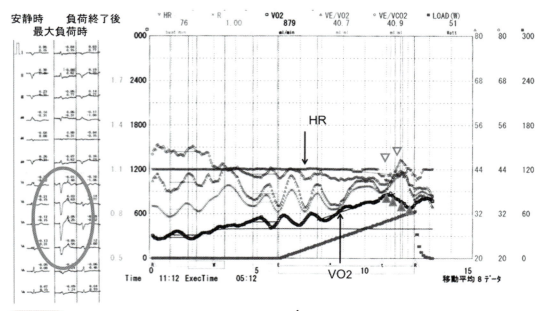

**図 4-24** ランプ負荷中に認められた CRT 刺激の異常と $\dot{V}O_2$ の変化
CRT 刺激が両心室から右室ペーシングに変化する（△の部分）と $\dot{V}O_2$ が低下する．

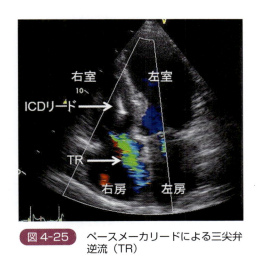

**図 4-25** ペースメーカリードによる三尖弁逆流（TR）

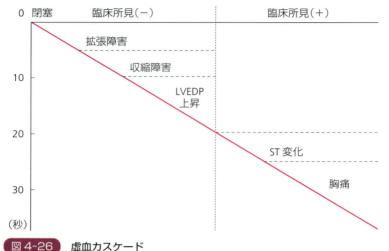

**図 4-26** 虚血カスケード
(Nesto RW, et al. Am J Cardiol. 1987; 59: 23C-30C)[37]

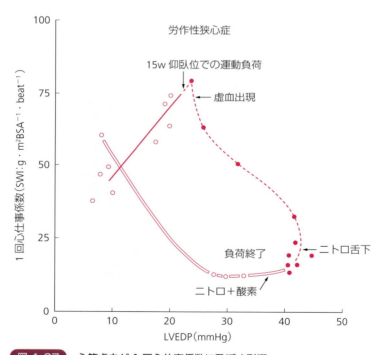

**図 4-27** 心筋虚血が1回心仕事係数に及ぼす影響
虚血出現と同時にSWIが低下し始めている。
(Carlens P, et al. In: Roslamm H, Hahn CH editors. Ventricular function at rest and during exercise. 1976. p35)[38]

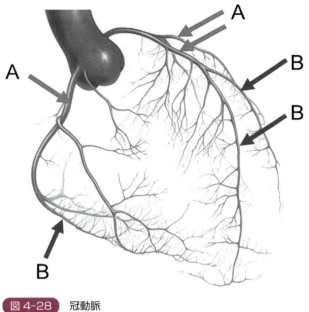

図 4-28 冠動脈
A：近位部，B：遠位部

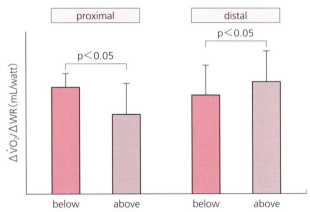

図 4-29 近位部病変と遠位部病変による虚血が △V̇O₂/△WR に与える影響の違い
proximal：近位部，distal：遠位部
below：ST 低下以下，above：ST 低下以上

第 4 章 運動中の生体応答―どのくらい動くとどのように体が変わるのか― 87

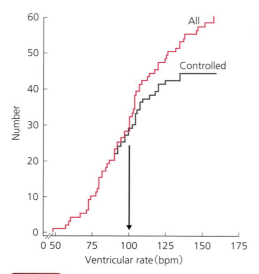

図4-30 心拍数の増加と心拍出量増加の関連
心房細動ではHR>100/minになると心拍数の増加度と心拍出量増加度が解離する症例が出はじめる．
All: 全症例，Controlled: 心拍数増加度と心拍出量増加度が合致している例

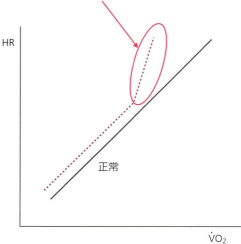

図4-31 $\Delta HR/\Delta \dot{V}O_2$
心拍出量（CO）と酸素摂取量（$\Delta \dot{V}O_2$）は比例するため，心拍数増加が心拍出量を増加させなくなる現象は，CPX上，$\Delta HR/\Delta \dot{V}O_2$急峻化で認識できる．$\Delta HR/\Delta \dot{V}O_2$は通常0.06程度である．

## 6 換気応答

### A 安静時

　安静時の1回換気量（tidal volume: TV）はおよそ500〜600 mL，呼吸数（respiratory rate: RR）は12〜15回くらいである．呼吸の深さは肺のコンプライアンスと呼吸筋力により規定され，呼吸数は自律神経により制御されている．

### B 運動中

　運動開始に伴い分時換気量（minute ventilation: VE）は増加を開始し，増加の程度は運動強度に比例する．血液ガスの恒常性維持が生体にとって重要な課題であるが，AT以下ではこれが実現できている．肺胞炭酸ガス分圧（$P_ACO_2$），炭酸ガス排出量（$\dot{V}CO_2$）と肺胞換気量（VA）の間には

$$P_ACO_2 = 0.863 \times \dot{V}CO_2/\dot{V}A$$

という関係がある．ここで$CO_2$の拡散能は非常に高いため，$P_ACO_2$は動脈血中炭酸ガス分圧（$PaCO_2$）と等しい．これより，運動により骨格筋で炭酸ガスが産生されて$\Delta \dot{V}CO_2$が増加した際に，$P_ACO_2$すなわち$PaCO_2$やpHを一定に保持しようとすれば$\dot{V}A$も増大さ

表4-4 呼吸パターンによる換気効率の違い

| | TV (mL) | RR (回/分) | VE (L/分) | 死腔量 (mL) | 肺胞換気量 (mL) | 分時肺胞換気量 VA) (mL) |
|---|---|---|---|---|---|---|
| 浅く早い呼吸 | 200 | 25 | 5000 | 150 | 50 | 1250 |
| 深く遅い呼吸 | 1000 | 5 | 5000 | 150 | 850 | 4250 |

同じ分時換気量（VE）の場合，浅く早い呼吸のほうが分時肺胞換気量（VA）が少なく，呼吸の効率が悪いことが示される

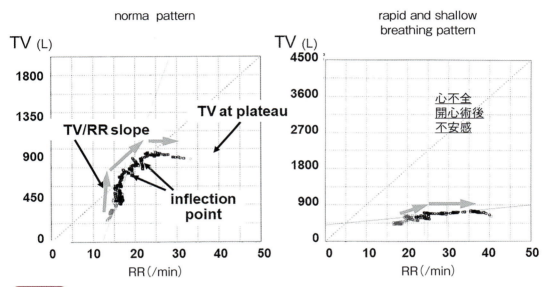

図4-32 ランプ負荷中の呼吸様式
心不全患者では安静時から呼吸が浅くて速い．ランプ開始後，呼吸数が速やかに速くなる．
(Hansen JE, et al. Am Rev Respir Dis. 1984; 129 (2 Pt 2): S49-55[40], Akaishi S, et al. J Cardiol. 2008; 52: 195-201[41])

せる必要があることが理解できる．$\dot{V}A$の増加は$\dot{V}E$の増加であることから，運動に伴う炭酸ガス排出のために$\dot{V}E$が増大する．

ただし，$\dot{V}E$を増加させる調節系としてセントラルコマンドも重要で，運動をしようという気持ちが交感神経系を活性化させて延髄化学受容体を刺激する．これは前述した$PaCO_2$維持のための換気亢進とは異なる機序である．そのため，時として$CO_2$排出量が多くなりすぎてアルカローシスになることもある．

$\dot{V}E$は呼吸数（RR）と1回換気量（TV）の積である．呼吸数（RR）か1回換気量（TV）を増やせば$\dot{V}E$は増加するが，人には死腔があるため呼吸が浅いほど換気の効率は不利になる 表4-4．そのため，$\dot{V}E$を増加させるときには，まずTVを増加させる 図4-32左．ATレベルのTVは1.44±0.43Lである[40]が，これは最大吸気量（inspiratory capacity: IC）の標準値2.5～3.0 Lと比較して小さい．運動中の呼吸の深さ

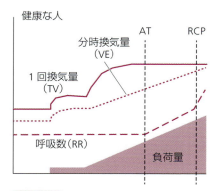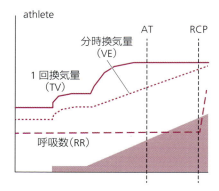

図4-33 通常の健常人とアスリートの運動中の呼吸様式の違い
通常，運動開始とともに1回換気量が増加し，ATになると呼吸数が増加し始めるが，アスリートではRCPになって初めて呼吸数が増加し始める．

に関連する反射の一つとしてヘーリング・ブロイウェル反射（Hering-Breuer reflex, 肺伸展反射，肺伸展受容器反射）というものがある．これは肺の膨張が気管支平滑筋の伸展受容器を刺激して，迷走神経を介する吸息ニューロンを抑制し，過剰な吸気を抑制するメカニズムである．これが作動すると，吸気が抑制されて呼吸数を増加するように変化するが，ATレベルのTVの大きさでは，いまだ過膨張にはなっていないため，この反射系は刺激されず呼吸数は早くならない．

ATに達すると乳酸産生が増加し，その結果水素イオンとpHが低下する．これらは末梢および中枢の化学受容体を刺激して換気亢進を誘発する．

AT以下の強度では1回換気量（TV）の増加が分時換気量（VE）の主要因であるが，AT以後は呼吸数（RR）も増加し始めることが多い．鍛錬している場合，呼吸数増加が始まるのはRCP（respiratory compensation point）以後である 図4-33．呼吸筋機能とHering-Breuer reflexへの応答性を改善させたためと思われる．

RCP以後の分時換気量増加は，通常，呼吸数の増加に依存する．1回換気量は増加しない．健常人のRCPでの1回換気量は2.28±0.43 Lであり，IC（inspiratory capacity：最大吸気量）の70.0±10.7％である[40]．前述したHering-Breuer reflexが作用し，それ以上の深吸気が抑制されることが一因であると思われる

## C 心疾患および心臓リハビリテーションの影響

心不全では呼吸筋力低下と潜在的な肺うっ血による肺コンプライアンスの低下のために呼吸が浅くなる．その分呼吸数が速くなり「浅く速い呼吸」となる 図4-32右 [41]．呼吸が浅く速くなるのは，呼吸を浅くさせて心拍出量への悪影響を最小限にするための対策であるとの考えもある[42]．

心不全では化学受容体活性が亢進する[43]が，交感神経活性の亢進は換気受容体の応答性をさらに亢進させる[44,45]．そのため，一定量の炭酸ガスを排出させるための換気量

($\dot{V}E/\dot{V}CO_2$, $\dot{V}E$ vs. $\dot{V}CO_2$ slope) が亢進する．β遮断薬は換気受容体の過剰活性を安定化させる[46]．運動療法も化学受容体感受性を改善させる[47]．また，運動療法は，交感神経活性安定化，骨格筋容積増大・機能改善，酸化酵素活性改善，深い呼吸の習得を会得させ，これらにより呼吸パターンは改善する．

## 7 心内圧

### A 肺動脈楔入圧（PAWP），左室拡張末期圧（LVEDP），拡張期肺動脈圧（dPAP）

心機能が正常な場合，PAWP，LVEDP，dPAP はほぼ同じ値を示す．PAWP の応答は心疾患の有無により異なる．正常の場合，PAWP は負荷により上昇することはなく最大負荷であっても 10 mmHg には達しない[48]．運動耐容能が低いほど PAWP 上昇の程度は著しい（図4-34）[49]．PAWP が 25 mmHg 以上になると肺うっ血が生じ始めるので，そのような運動強度での運動療法は危険である．収縮障害をきたしていない拡張障害だけの患者であっても約 20 mmHg 程度上昇する[50]．もともと肺高血圧気味の場合，body mass index（BMI）が 5 kg/m² 増えるごとに最大負荷時の PAWP は 2.5 mmHg ずつ増加する[51]．

筆者らは NYHA Ⅲ の心不全患者を対象に，最大負荷の 85％強度の一定量負荷を実施して肺動脈拡張期圧（dPAP）を観察したが，その結果では負荷開始 3 分目に 30 mmHg に到達する例が存在したが，2 分目には全例 25 mmHg 以下であった．そのため，高強度イ

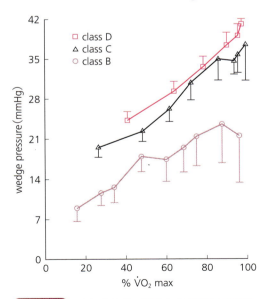

図4-34　心不全患者の運動中の PAWP の変化
(Weber KT, et al. Circulation. 1982; 65: 1213-23)[49]

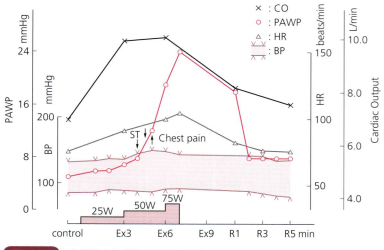

図 4-35　心筋虚血に伴う PAWP 上昇
（村山正博. In: 外畑 巌, 他, 編. 運動心臓病学. 東京: 医学書院; 1989. p.20）[52]

ンターバルトレーニング（HIIT）を重症心不全患者に実施する場合には，高強度負荷持続時間を 2 分間にしている．なお，dPAP は一般的には PAWP と同じ値を示す．

心筋虚血は PAWP 上昇の原因となる 図 4-35 [52]．運動療法を実施すると，PAWP の上昇の度合いはおよそ 4 mmHg 減少する[53]．

## B　収縮期肺動脈圧（sPAP）

収縮期肺動脈圧（sPAP）および平均肺動脈圧（mPAP）は，健常人でも運動強度が上昇するにつれて運動中に上昇するがわずかで最大負荷時で 20 mmHg 程度である．しかし肺高血圧症の場合は，安静時の mPAP が高値なほど上昇の程度は大きく，上昇の割合は比較的一定で最大負荷時におよそ 64％上昇する[54]．

■文献

1) Aimo A, Saccaro LF, Borrelli C, et al. The ergoreflex: How the skeletal muscle modulates ventilation and cardiovascular function in health and disease. Eur J Heart Fail. 2021; 23: 1458-67.
2) Mazzeo RS. Catecholamine responses to acute and chronic exercise. Med Sci Sports Exerc. 1991; 23: 839-45.
3) Cohn JN, Levine TB, Olivari MT, et al. Plasma norepinephrine as a guide to prognosis in patients with chronic congestive heart failure. N Engl J Med. 1984; 311: 819-23.
4) Karlsberg RP, Cryer PE, Roberts R, et al. Serial plasma catecholamine response early in the course of clinical acute myocardial infarction-relationship to infarct extent and mortality-. Am Heart J. 1981; 102: 24-9.
5) Schömig A. Catecholamines in myocardial ischemia. Systemic and cardiac release. Circulation. 1990; 82 (3 Suppl): II13-22.
6) Iwasaki Y, Nishida K, Kato T, et al. Atrial fibrillation pathophysiology. Implications for management. Circulation. 2011; 124: 2264-74.

7) Phan TT, Abozguia K, Shivu GN, et al. Increased atrial contribution to left ventricular filling compensates for impaired early filling during exercise in heart failure with preserved ejection fraction. J Card Fail. 2009; 15: 890-7.

8) Oya M, Itoh H, Kato K, et al. Effects of exercise training on the recovery of the autonomic nervous system and exercise capacity after acute myocardial infarction. Jpn Circ J. 1999; 63: 843-8.

9) Eckberg DL. Human sinus arrhythmia as an index of vagal cardiac outflow. J Appl Physiol. 1983; 54: 961-6.

10) Itoh H, Ajisaka R, Koike A, et al. Heart rate and blood pressure response to ramp exercise and exercise capacity in relation to age, gender, and mode of exercise in a healthy population. J Cardiol. 2013; 61: 71-8.

11) Fox SM, Haskell WL. The exercise stress test: Needs for standardization. In: Eliakim M, Neufeld HN, editors. Cardiology: current topics and progress. New York: Academic Press. 1970. p.149-54.

12) Tanaka H, Monahan KD, Seals DR. Age-predicted maximal heart rate revisited. J Am Coll Cardiol. 2001; 37: 153-6.

13) Zweerink A, der Lingen A-LCJ, Handoko ML, et al. Chronotropic incompetence in chronic heart failure a state-of-the-art review. Circ Heart Fail. 2018; 11: e004969.

14) Ellestad MH, Wan MK. Predictive implications of stress testing. Follow up of 2700 subjects after maximum treadmill stress testing. Circulation. 1975; 51: 363-9.

15) Sulfi S, Timmis AD. Ivabradine – the first selective sinus node If channel inhibitor in the treatment of stable angina. Int J Clin Pract. 2006; 60: 222-8.

16) Squirers, RW. Exercise training after cardiac transplantation. Med Sci Sports Exerc. 1991; 23: 686-94.

17) Nytroen, K, Myers J, Chan KN, et al. Chronotropic responses to exercise in heart transplant recipients. 1-yr follow-up. Am J Phys Med Rehabil. 2011; 90: 579-88.

18) 村山正博. 運動に関する診療基準: 学術委員会公開講演集: 第54回日本循環器学会学術集会. Jpn Circ J. 1991; 55 Supple II: 351-75.

19) 田中宏暁, 清永 明, 鍵村昌範, 他. 多段階運動負荷時の二重積の屈曲点（DPBP）と乳酸閾値（LT）の関係. 呼と循. 1995; 43: 495-9.

20) Lauer MS, Levy D, Anderson KM, et al. Is there a relationship between exercise systolic blood pressure response and left ventricular mass? The Framingham Heart Study. Ann Intern Med. 1992; 116: 203-10.

21) Sharabi Y, Ben-Cnaan R, Hanin A, et al. The significance of hypertensive response to exercise as a predictor of hypertension and cardiovascular disease. J Hum Hypertens. 2001; 15: 353-6.

22) 長谷川浩一, 鼠尾祥三, 三竹啓敏, 他. トレッドミル運動負荷試験における収縮期血圧上昇反応の乏しい症例の検討. 呼と循. 1983; 10: 1131-6.

23) Katz SD. The role of endothelium-derived vasoactive substances in the pathophysiology of exercise intolerance in patients with congestive heart failure. Prog Cardiovasc Dis. 1995; 38: 23-50.

24) Burn JH, Rand MJ. Sympathetic postganglionic cholinergic fibers. Brit J Pharmacol. 1960; 15, 181-91.

25) Remenshyder JP, Mitchell JH, Sarnoff SJ. Functional sympatholysis during muscular activity. Observations on influence of carotid sinus on oxygen uptake. Circ Res. 1962; 11: 370-80.

26) Jendzjowsky NG, DeLorey DS. Short-term exercise training enhances functional sympatholysis through a nitric oxide-dependent mechanism J Physiol. 2013; 15: 1535-49.

27) Adachi H, Nguyen PH, Belardinelli R, et al. Nitric oxide production during exercise in chronic heart failure. Am Heart J. 1997; 134 (2 Pt 1): 196-202.

28) Hambrecht R, Adams V, Erbs S, et al. Regular physical activity improves endcthelial function in patients with coronary artery disease by increasing phosphorylation of endothelial nitric

oxide synthase. Circulation. 2003; 107: 3152-8.

29) Astrand PO, Cuddy TE, Saltin B, et al. Cardiac output during submaximal and maximal work. J Appl Physiol. 1964; 19: 268-74.

30) Sekiguchi M, Adachi H, Oshima S, et al. Effect of changes in left ventricular diastolic function during exercise on exercise tolerance assessed by exercise-stress tissue Doppler echocardiography. Int Heart J. 2009; 50: 763-71.

31) Hasenfuss G, Holubarsch C, Hermann HP, et al. Influence of the force-frequency relationship on haemodynamics and left ventricular function in patients with non-failing hearts and in patients with dilated cardiomyopathy. Eur Heart J. 1994; 15: 164-70.

32) Inagaki M, Yokota M, Izawa H, et al. Impaired force-frequency relations in patients with hypertensive left ventricular hypertrophy. A possible physiological marker of the transition from physiological to pathological hypertrophy. Circulation. 1999; 99: 1822-30.

33) Nappi A, Cuocolo A, Imbriaco M, et al. Ambulatory monitoring of left ventricular function: walk and bicycle exercise in congestive heart failure. J Nucl Med. 1997; 38: 948-53.

34) Stoddard MF, Prince CR, Dillon S, et al. Exercise-induced mitral regurgitation is a predictor of morbid events in subjects with mitral valve prolapse. J Am Coll Cardiol. 1995; 25: 693-9.

35) Takano H, Adachi H, Ohshima S, et al. Functional mitral regurgitation during exercise in patients with heart failure. Circ J. 2006; 70: 1563-7.

36) Peteiro J, Monserrat L, Piñón P, et al. Value of resting and exercise mitral regurgitation during exercise echocardiography to predict outcome in patients with left ventricular dysfunction. Rev Esp Cardiol. 2007; 60: 234-43.

37) Nesto RW, kowalchuk GJ. The ischemic cascade: temporal sequence of hemodynamic, electrocardiographic and symptomatic expressions of ischemia. Am J Cardiol. 1987; 59: 23C-30C.

38) Carlens P, Holmgren A. Left ventricular function curves at rest and during exercise in effort angina. In: Roslamm H, Hahn CH editors. Ventricular function at rest and during exercise. Berlin, Heiderberg, New York: Springer-Verlag; 1976. p.35.

39) Rawles JM. What is meant by a "controlled" ventricular rate in atrial fibrillation? Br Heart J. 1990; 63: 157-61.

40) Hansen JE, Sue DY, Wasserman K. Predicted values for clinical exercise testing. Am Rev Respir Dis. 1984; 129 (2 Pt 2): S49-55.

41) Akaishi S, Adachi H, Oshima S, et al. Relationship between exercise tolerance and TV vs. RR relationship in patients with heart disease. J Cardiol. 2008; 52: 195-201.

42) Lalande S, Johnson BD. Breathing strategy to preserve exercising cardiac function in patients with heart failure breathing strategy to preserve exercising cardiac function in patients with heart failure. Med Hypotheses. 2010; 74: 416-21.

43) Chua TP, Clark AL, Amadi AA, et al. The relationship between chemosensitivity and the ventilatory response to exercise in chronic heart failure. J Am Coll Cardiol. 1996; 27: 650-7.

44) Solin P, Roebuck T, Johns DP, et al. Peripheral and central ventilatory responses in central sleep apnea with and without congestive heart failure. Am J Respir Crit Care Med. 2000; 162: 2194-200.

45) Yamada K, Asanoi H, Ueno H, et al. Role of central sympathoexcitation in enhanced hypercapnic chemosensitivity in patients with heart failure. Am Heart J. 2004; 148: 964-70.

46) Fernanda J, Belli-Marin C, Alcides E, et al. Effects of $\beta$-blocker therapy on exercise oscillatory ventilation in reduced ejection fraction heart failure patients: A case series study. Biomed & Pharmacoth. 2022; 152: 113106f.

47) Tomita T, Takaki H, Hara Y, et al. Attenuation of hypercapnic carbon dioxide chemosensitivity after postinfarction exercise training: possible contribution to the improvement in exercise hyperventilation. Heart. 2003; 89: 404-10.

48) Kitzman DW, Higginbotham MB, Frederick R. et al. Exercise intolerance in patients with heart failure and preserved left ventricular systolic function: Failure of the Frank-Starling mecha-

nism. J Am Coll Cardiol. 1991；17：1065-72.

49) Weber KT, Kinasewitz GT, Janicki JS, et al. Oxygen utilization and ventilation during exercise in patients with chronic cardiac failure. Circulation. 1982；65：1213-23.

50) Anderson MJ, Olson TP, Melenovsky V, et al. Differential hemodynamic effects of exercise and volume expansion in people with and without heart failure. Circ Heart Fail. 2015；8：41-8.

51) Maor E, Grossman Y, Gingy R, et al. Exercise haemodynamics may unmask the diagnosis of diastolic dysfunction among patients with pulmonary hypertension. Eur J Heart Fail. 2015；17：151-8.

52) 村山正博. 運動に対する循環器系の反応. In：外畑　巖，村山正博，編. 運動心臓病学. 東京：医学書院. 1989. p.20.

53) Thadani U, Lewis JR, Manyari D, et al. Are the clinical and hemodynamic events during exercise stress testing in invasive studies in patients with angina pectoris reproducible? Circulation. 1980；61：744-50.

54) 西崎真理. 肺高血圧症患者に対する心臓リハビリテーション. 心臓. 2012；44：274-8.

〈安達 仁〉

# 第 5 章
# CPX の主要な
# パラメータ

---

## 1 $\dot{V}O_2$

### A 生体の酸素利用・酸素摂取量

　人が生命を維持するためにはエネルギーを作る必要があり，エネルギー源となるのがATP（アデノシン三リン酸）である．骨格筋で考えると，ATP は筋細胞内に貯蔵されているがその貯蔵量は十分ではなく，動き初め数秒で消費してしまう．その後，貯蔵グリコーゲンから ATP を産生するが，これも 10 秒程度で枯渇する．その後は，無酸素性（嫌気的）あるいは有酸素性（好気的）に ATP が産生される．中等度までの運動負荷では，主に有酸素的に ATP が産生される．ATP の基質として炭水化物，蛋白質，脂質があるが，CPX のような 10 分間程度の運動に利用されるエネルギー基質は主にグルコース（ブドウ糖）である．

　1 分子のグルコース（$C_6H_{12}O_6$）は細胞質に取り込まれたあと解糖系に入り 2 分子のピルビン酸（$C_3H_4O_3$）を経て 2 分子のアセチル CoA となる．この過程で 2 分子の ATP が生成される．

　アセチル CoA はミトコンドリアマトリックスに入り TCA サイクルで代謝され，それにより生じた $NADH_2$ やコハク酸がミトコンドリア内膜に存在する電子伝達系に移動し，そこで ATP が 36 個生成される．電子伝達系が作動するためには酸素を要する．

　好気的代謝の呼吸の収支式は以下のとおりである．

　　$C_6H_{12}O_6 + 6H_2O + 6O_2 + 38ADP + 38Pi \rightarrow 6CO_2 + 12H_2O + 38ATP$ 図5-1

　酸素がミトコンドリアに運ばれる過程は拡散で行われ，細胞質中のミオグロビンが拡散を促進させていると考えられている[1]．ミトコンドリア内に酸素が入り電子伝達系が動き出すためには FAD や NAD などの補酵素を介した水素原子（$H^+$，プロトン）が必要である．プロトンは，一部細胞質内からプロトンシャトルを介してミトコンドリア内に入るが，これが素早く移動できないと細胞質内で乳酸産生が始まる．すなわち，この過程が律速段階となり，ミトコンドリアにおける ATP 生成速度に限界が出現する．高強度の運動を行うためには一定時間に多量の ATP を必要とするが，ミトコンドリアでの ATP 産生速

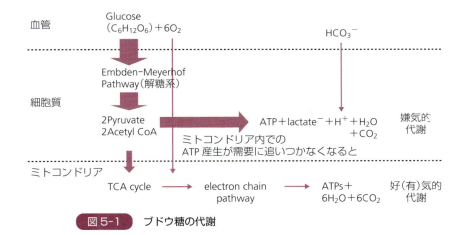

図 5-1　ブドウ糖の代謝

表 5-1　中等度以上の負荷量で $\Delta\dot{V}O_2/\Delta WR$ が増大する理由

上肢や呼吸筋の緊張による酸素消費
力を入れて自転車を漕ぐために運動に参加する下肢骨格筋量が増加
体温上昇による血管拡張
アシドーシスによる Bohr effect
Cori cycle（乳酸からブドウ糖への変換）によるにブドウ糖供給の増加

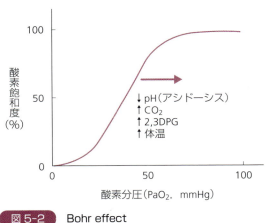

図 5-2　Bohr effect

度はこれに応じることができず，細胞質内の解糖系での ATP 産生の助けが必要となる．そのために運動強度が強いほど嫌気的な ATP 産生の割合が増加する．

　中等度運動までは負荷量に比例して $\dot{V}O_2$ は増加する．しかし，それ以後，$\dot{V}O_2$ の増加度は大きくなる．CPX のパラメータとしては $\Delta\dot{V}O_2/\Delta WR$ が大きくなる．この理由は 表5-1 に示すごとくである．

　Bohr effect とは，図5-2 のように運動に伴う体温上昇や pH 低下（アシドーシス）により酸素乖離曲線が右方にシフトすることで，末梢組織内でヘモグロビンに酸素を解離し

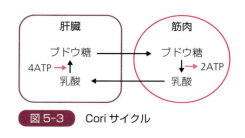

図 5-3　Cori サイクル

やすくなる．Cori サイクルとは肝臓における乳酸からのグルコース産生系のこと 図 5-3 である．サイクルを回すために肝臓で 4 個の ATP を使用するが，有酸素運動による 38 個の ATP 生成に比べると少ない．

## B $\dot{V}O_2$ に影響を与える因子

### 1 フィック (Fick) の原理

フィックは 1870 年，研究会の報告集の中で $\dot{V}O_2$ は心拍出量と動静脈酸素含量格差の積であることを示した[2]．Fick 自身は文章で述べただけであるが，以下の式が Fick の式とよばれている．

$$\dot{V}O_2 = CO \times c(A-V)O_2 \text{ difference （動静脈酸素含量格差）}$$

この式からわかるように，心拍出量と末梢組織でどの程度酸素が利用されたかにより $\dot{V}O_2$ は規定されている．

$c(A-V)O_2$ difference は動脈血中の酸素含有量（$CaO_2$）と静脈血中の酸素含有量（$CvO_2$）の差である．$CaO_2$ は $1.34 \times Hb(g/dL) \times SaO_2 + 0.003 \times PaO_2$，$CvO_2$ は $1.34 \times Hb(g/dL) \times SvO_2 + 0.003 \times PvO_2$ であり，一般成人の Hb は 14.5 g/dL 程度，$SvO_2$ は安静時には 75％程度であるため，$CaO_2$ は 20，$CvO_2$ は 15 位となる．そのため安静時の $c(A-V)O_2$ difference は 5 mL $O_2$/100 mL blood（vol％）となる．運動中の最低 $SvO_2$ は 10％程度である[3]ため，$CvO_2$ は 2 vol％となり，$c(A-V)O_2$ difference は理想的には 18 vol％となる．日本人における運動中の $c(A-V)O_2$ difference の検討を 図 5-4 に示す[4]．この図に示されている通り，運動中，$c(A-V)O_2$ difference はほぼ直線的に変化する．性別，疾患にかかわらず最大負荷時にはリアルワールドでは 14〜17 vol％程度になることが多い．これは，トレーニングを行うと増加する．

### 2 心拍出量，1 回心拍出量，心拍数

心拍出量（CO: cardiac output）が低下すると活動筋への酸素供給が減少して $\dot{V}O_2$ が低下する．CO は 1 回心拍出量（SV: stroke volume）と心拍数（HR）の積である．ランプ負荷中，SV は最大負荷の 60％程度の時点で増加が停止するため，心拍応答（$\Delta HR/\Delta WR$）が増強して CO 増加度（$\Delta CO/\Delta WR$）を維持している 図 5-5A．β遮断薬を使用している場合には，後半部分の心拍応答の増強が得られないため，$\Delta\dot{V}O_2/\Delta WR$ が低下して peak $\dot{V}O_2$ が予測値よりも低値を示す．すな

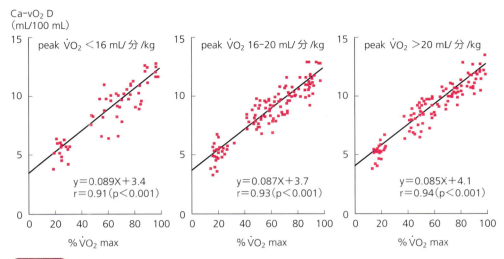

**図 5-4** ランプ負荷中の c（A-V）$O_2$ difference
運動耐容能に依存せず，ほぼ一定の変化を示す．
（長山雅俊，伊東春樹．心臓．2007; 39 (suppl2): 30-2）[4]

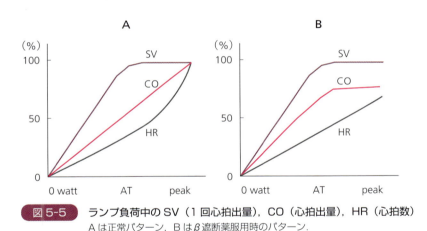

**図 5-5** ランプ負荷中の SV（1 回心拍出量），CO（心拍出量），HR（心拍数）
A は正常パターン，B は β 遮断薬服用時のパターン．

わち，β遮断薬服用による peak $\dot{V}O_2$ の低下は心疾患の増悪ではなく，原理上当然の現象と考える．β遮断薬は peak $\dot{V}O_2$ を低下させるため，時間や距離を競う競技では β 遮断薬服用はドーピングにはならない（射撃系ではドーピングになる）．
　また，心筋収縮障害・拡張障害などが原因で SV が低下した状態に β 遮断薬や chronotropic incompetence によって HR 代償不全が合併している場合には，さらに peak $\dot{V}O_2$ は低下する **図 5-5B**．重症狭心症の場合も虚血出現後の心拍応答増強が β 遮断薬で抑えられていると，虚血出現後に Δ$\dot{V}O_2$/ΔWR が低下する．安定した労作性狭心症は β 遮断薬などで治療するようにガイドラインでは定められているが，競技成績を追求したい場合には PCI を行って β 遮断薬を中断するという選

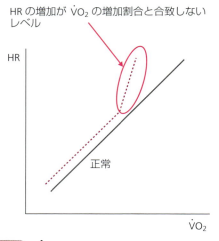

図 5-6　$\dot{V}O_2$ 増加に対する心拍応答（$\Delta HR/\Delta \dot{V}O_2$）

択肢もある．

　一般的に心拍数が増加すれば CO と $\dot{V}O_2$ は増加する．しかし，心拍数増加が $\dot{V}O_2$ 増加を伴わないことがある．心房細動の場合は心拍数が 110/分以上になると $\dot{V}O_2$ が増加しなくなる例が出現し始め，その割合は HR 130/分だとおよそ 20% に上ると報告されている[5]．HR の増加が $\dot{V}O_2$ 増加に関与しているかどうかは $\Delta HR/\Delta \dot{V}O_2$ で評価することができる 図5-6 ．$\Delta HR/\Delta \dot{V}O_2$ のグラフがある時点で突然急峻になれば，その時点で HR 増加による $\dot{V}O_2$ 増加効率が低下し始めたことを意味する．もし垂直になれば，HR 増加がまったく $\dot{V}O_2$ を増加させておらず，心臓の負担だけが増加する危険な状態であると考えられる．

　HFpEF の場合にも心拍数が 110/分を超えると $\Delta HR/\Delta \dot{V}O_2$ が急峻になる．糖尿病や高血圧など内臓脂肪蓄積やインスリン抵抗性・全身性炎症が基礎にある病態では自律神経活性異常[6]や細胞内カルシウム動態異常 図5-7 [7] が生じている．そのため，正常であれば運動に伴って PQ 時間や QT 時間が短縮するものが，これらの病態存在下では短縮の程度が弱まる．その結果，心拍数が増加して拡張時間が短縮すると，拡張早期の左室拡張が終了する前に左房が収縮してしまうことになり，左室充満効率が低下する．これは，心電図上では T 波と P 波，パルスドップラーエコーでは E 波と A 波が重なることでみることができる 図5-8 ．左室充満が不十分であれば SV は低下し，心拍数増加に見合った CO 増加ができなくなる．

　徐脈の場合にも $\dot{V}O_2$ は低下する．$CaO_2$ を 20 mL（$O_2$）/100 mL（blood），CO を 4 L/分とすると，安静時の酸素供給は 20×40＝800 mL（$O_2$）となる．酸素摂取量（必要量）は体重を 60 kg で考えると 3.5 mL/分/kg×60 kg＝210 mL/分であり，酸素摂取量にくらべて酸素供給量は十分大きい．しかし，心拍数が 30/分，SV が 60/分になると CO は 1.8 L/分と低下し，酸素供給は 20×18＝360 mL とか

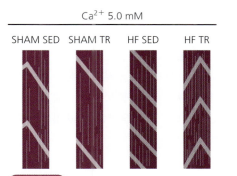
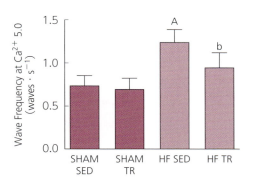

図 5-7　細胞内のカルシウム動態
Kemi OJ, et al. Cell Physiol. 2012; 227: 20-6.[7]
左図：カルシウムの流れが速いほど記録される線の数が減る．コントロール群（SHAM SED）に比べて運動療法群（SHAM TR）では線の間隔がやや広く，カルシウムの流れが速いことがわかる．心不全（HF SED）では線の間隔が密であるが，運動療法を行うと（HF TR）線の間隔が疎になることがわかる．
右図：カルシウムの流れを棒グラフにしたもの．
(Kemi OJ, et al. Cell Physiol. 2012; 227: 20-6)[7]

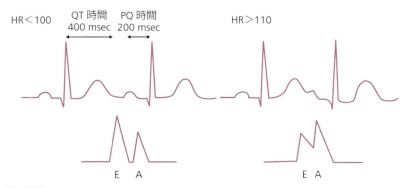

図 5-8　心電図波形と僧帽弁口血流ドップラー波形
心拍数が速くなり拡張期が短縮するとE波とA波が重なることが示されている．

なり酸素摂取量に近づく．そして，2メッツのトイレ歩行程度の活動を行うと酸素需要は 420 mL となり供給量以上になってしまう．そのため，無酸素的な ATP 産生が行われる．$\dot{V}O_2$ は酸素供給の 360 mL/分が最大値となる．実際には運動に伴い SV が増加するため CO が増加し，酸素供給はわずかに改善するが，心拍数増加不良の悪影響のほうが $\dot{V}O_2$ に強く出現することが多い．

### ③ 骨格筋

骨格筋は量，質，機能の点で $\dot{V}O_2$ に影響を及ぼす．

骨格筋の酸素摂取量は体全体の酸素摂取量の 18％を占め，肝臓，脳に次いで 3 番目に酸素を利用する臓器である[8]．そのため，骨格筋の量は $\dot{V}O_2$ に直接的に関与する．

骨格筋線維は，酸化酵素活性が多数存在し酸素利用能が高い slow-twitch fiber（type Ⅰ，遅筋線維）と，解糖系酵素活性が高く酸素利用能が低い fast-twitch fiber（type $IIa$，$IIb$，$IID/X$，速筋線維）の 2 種類に大きく分けられる．Slow-twitch fiber はミオグロビン含有量が多いために赤く見え，赤筋とよばれる．ミオグロビンはヘム蛋白質であり酸素貯蔵機能を有しているが，心不全においてヘム鉄の酸化が進み $Fe^{2+}$ が $Fe^{3+}$（メト型，metMb）になると酸素結合能を失うため $\dot{V}O_2$ がさらに低下する．Fast twitch fiber は解糖系酵素活性が高いため，ATP 産生速度は速い．そのため収縮速度が速いが疲労しやすい．心不全では type $IIb$ 型線維の割合が増加する．

#### ④ 血管拡張能

運動筋への血流分配は $\dot{V}O_2$ の重要な規定因子である．第 4 章に記述したごとく，NO と自律神経活性，骨格筋からの代謝因子が血管径を決定し，労作に必要な血流量が得られるように血管を拡張させている．心不全や運動不足による一酸化窒素合成酵素の機能低下や交感神経活性亢進状態では労作に見合った血管拡張が得られず，骨格筋細胞の有酸素運動が制限される．

また，末梢動脈疾患の場合には動脈硬化による動脈狭窄が血流量を低下させる．これも活動筋への酸素分配を低下させる．

肺動脈性高血圧症（PAH）や慢性血栓塞栓性肺高血圧症（CTEPH）では肺動脈の狭窄が肺血流量を低下させる．このため，肺胞からの酸素取り込みが低下し，動脈レベルでの酸素分圧（$PaO_2$）が低下する．末梢への血流量が正常でも，血液中の酸素の量が足りないため $\dot{V}O_2$ が低下する．

#### ⑤ 肺胞低換気

慢性閉塞性肺疾患（COPD）の場合，肺胞低換気のためにガス交換効率が低下し，血液の酸素化が低下することがある．この場合には PAH や CTEPH 同様，$PaO_2$ が低下して，その結果として $\dot{V}O_2$ も低下する．

また，低酸素による脱力も $\dot{V}O_2$ を低下させるが，脱力感を生じさせる空気中の酸素濃度は 14 ％未満といわれており，これは $SpO_2$ の 57～87 ％に相当する[9]．筆者の経験では，息切れを主訴に来院し，喫煙歴 1 日 20 本×40 年間，胸部 CT でブラが複数確認され，FEV1.0（％）が 70 ％弱程度の症例では，CPX を最大負荷までかけても $SpO_2$ は 90 ％程度にしか低下しない．すなわち，この程度の COPD の症例では低酸素が原因で自転車を漕げなくなり，その結果 $\dot{V}O_2$ が低下するという機序は考えにくい．

#### ⑥ 右左シャント

PFO（patent foramen ovale）の患者が労作時息切れ感を訴えることがある．労作時のみ卵円孔が開いて右左シャントを生じることが原因である．この場合，静脈血が動脈に回ることになるため，活動筋への酸素分配が減少して $\dot{V}O_2$ が低下する．

#### ⑦ 貧血

ヘモグロビンは酸素輸送に重要な物質で，貧血になると末梢組織への酸素運搬が障害される．体内総ヘモグロビン量と peak $\dot{V}O_2$ は良好な正の相関を示す．ただ，

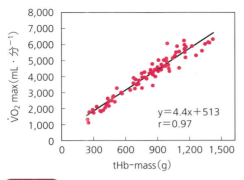
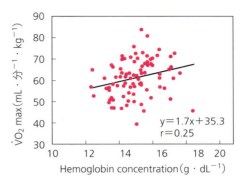

**図 5-9** ヘモグロビン総量と血中ヘモグロビン濃度が酸素摂取量に及ぼす影響
総ヘモグロビン量は酸素摂取量と密な相関を示すが，血中ヘモグロビン濃度は酸素摂取量と相関を示さない．
(Koike A, et al. J Apple Physiol. 1990; 68: 2521-6)[11]

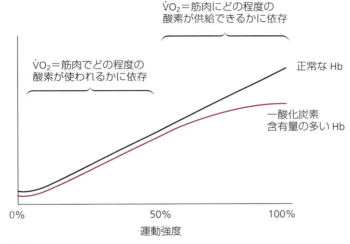

**図 5-10** COヘモグロビンが酸素摂取量に及ぼす影響
(Hinrichs T, et al. J Strength Cond Res. 2010; 24: 629-38)[10]

血中ヘモグロビン濃度とは相関しない 図5-9 [10]．ヘモグロビン総量は鉄代謝や吸収などヘモグロビンやヘム鉄産生・吸収能力と関係するため，心不全重症度の指標ともなる酸素摂取量と関係する一方，血中ヘモグロビン濃度は，血管内にあるヘモグロビン総量を示しているわけではなく，また，この図にある Hb 12 から 18 の範囲ではヘモグロビン低下に対する代償機構が十分働くためと思われる．ヘモグロビンが 8 g/dL と 16 g/dL を比較すれば有意に差がつくと考えられる．

### 8 喫煙（COHb）

喫煙により生じる一酸化炭素（CO）は酸素よりもヘモグロビンに対する親和性が高い．COが結合したヘモグロビンはカルボキシヘモグロビン（COHb）とよばれ酸素を結合できなくなる．COHbが10%程度を占めると，ATレベルの酸素摂取量には応じられるが，peak $\dot{V}O_2$ が予測値よりも低下する 図5-10 [11]．

## C AT (anaerobic threshold：嫌気性代謝閾値)

### 1 定義

ATは「好気的代謝に無気的代謝が加わる直前の酸素摂取量」のことである．したがって，ATは酸素摂取量のことで，AT（$\dot{V}O_2$）という表記は誤りである．

図5-1 に示したごとく，中等度運動レベルまで，血液中のグルコースは有酸素的な代謝が優先される．しかし，運動によるATP必要量が有酸素的供給能力を上回ると嫌気的ATP産生が加わり始める．

嫌気的ATP産生ではピルビン酸から乳酸が産生されるが，乳酸による産生を緩衝するために腎臓から$H_2CO_3$が分泌される．その結果$CO_2$が産生されて呼気として排出される．すなわち，有酸素運動で1 molのグルコースと6 molの酸素から6 molの二酸化炭素が産生され，$\dot{V}O_2$と$\dot{V}CO_2$が1対1であったのに対して，嫌気的代謝が加わると$\dot{V}O_2$対$\dot{V}CO_2$が1対1以上になる．この現象をCPXのいろいろなパラメータで評価してATを決定する．

### 2 AT決定法

ATの決定法は以下のごとくである 表5-2 ．

①$\dot{V}O_2$，$\dot{V}CO_2$，$\dot{V}E$のトレンドグラフで，$\dot{V}CO_2$と$\dot{V}E$の傾きが急峻になり始める点 図5-11 ．

②$\dot{V}O_2$と$\dot{V}CO_2$の関係図（V-slope法，図5-12）で，$\dot{V}O_2$に対して$\dot{V}CO_2$が増加し始め，45度のラインよりも急峻になり始める点．

AT以下のslopeをslope1（S1），AT以後をslope2（S2）とよぶ．乳酸産生量が多いとsloe2の角度は急峻となる．

表5-2 AT決定法

1 $\dot{V}CO_2$，$\dot{V}E$が$\dot{V}O_2$から乖離して上昇を開始する点
2 V-slope法にてslopeが45度以上になり始める点
3 $\dot{V}E/\dot{V}O_2$の上昇開始点
4 R上昇開始点
5 $P_{ET}O_2$上昇開始点

参考にするポイント
・peak $\dot{V}O_2$の60％位（peak R＞1.10の場合）
・V-slopeでドットが疎になる点
・呼吸数が増加を開始する点（RR threshold）

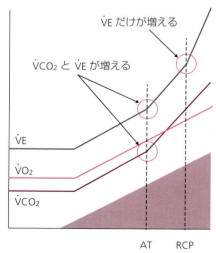

図5-11 $\dot{V}O_2$，$\dot{V}CO_2$，$\dot{V}E$のランプ負荷中の変化

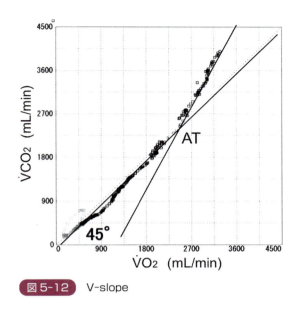

図 5-12　V-slope

　V-slope において，AT はしばしばプロットした点が疎になるところに存在すると，かつて伊東春樹先生が筆者に教えてくれた．確かにそのようなことが多いので，その機序を考察してみた．後述する RR threshold が AT と一致する場合に見られることが多い．AT 以下においては $\dot{V}O_2$ と $\dot{V}CO_2$ は一定の割合で増加するとともに呼吸数もほとんど一定であるため，slope1 のドットの密度は一定である．しかし，AT に達すると $\dot{V}CO_2$ の増加度が亢進するためドットとドットの間隔が開く．その後，すぐに呼吸数が増加し始めるため，再びドットとドットの間が狭まり，結果として AT 付近が一瞬まばらになるものと考えられる　図5-13．RR threshold と併せて観察すると AT 決定時の参考になる．

③ $\dot{V}E/\dot{V}O_2$ と $\dot{V}E/\dot{V}CO_2$ のトレンドグラフで $\dot{V}E/\dot{V}O_2$ が増加し始める点　図5-14．

　AT に達しても $\dot{V}O_2$ の増加率は一定であるのに対して，$\dot{V}CO_2$ と $\dot{V}E$ の増加率はそろって同程度大きくなるため，$\dot{V}E/\dot{V}CO_2$ は AT になっても傾きに変化が生じないのに対して，$\dot{V}E/\dot{V}O_2$ の傾きは大きくなる．Ramp 負荷実施中に AT に達したことを最も確認しやすい方法である．

④ $\dot{V}CO_2/\dot{V}O_2$ で計算される R のトレンドグラフで R が増加し始める点．

　R が 1 以上になっている場合はすでに AT を超えている．

⑤ (P)ETO$_2$ と (P)ETCO$_2$ のトレンドグラフで (P)ETO$_2$ が増加し始める点　図5-15．

　運動開始とともに換気が亢進してガス交換効率は改善するとともに $\dot{V}O_2$ が増加し始めるため，呼気中の酸素が体内へ移行する量が増える．そのため呼気中の酸素分圧が低下して (P)ETO$_2$ が低下する．AT に達すると，換気が亢進すると同時に嫌気的代謝の割合が急激に増加するためガス交換にかかわらない $O_2$ が増え，吸気

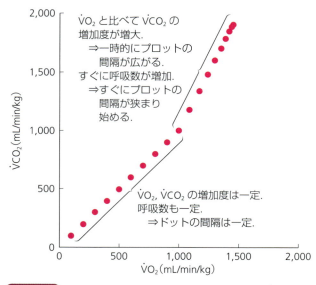

図5-13 ATでドットが疎になることの考察

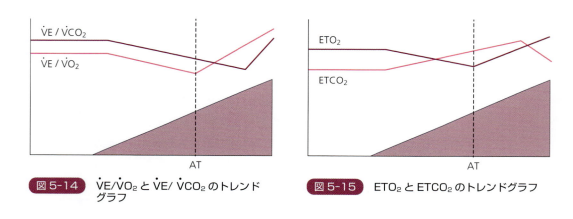

図5-14 $\dot{V}E/\dot{V}O_2$ と $\dot{V}E/\dot{V}CO_2$ のトレンドグラフ

図5-15 $ETO_2$ と $ETCO_2$ のトレンドグラフ

中の酸素が呼気中にそのまま戻る．その結果，(P)$ETO_2$ はプラトーからやや増加に転じる．

⑥ATとpeak $\dot{V}O_2$ の比による決定支援

　最大負荷がかけられ，peak $\dot{V}O_2$ のみが低下する病態がない場合には，ATとpeak $\dot{V}O_2$ を比較することでATの位置を推測できる．一つは，通常ATはpeak $\dot{V}O_2$ の60％であることであり，もう一つは，％peak $\dot{V}O_2$ と％ATがほぼ同じ数値であることである．ATがpeak $\dot{V}O_2$ の70％以上，あるいは％ATが％peak $\dot{V}O_2$ よりも10％以上大きい場合には，最大負荷付近に異常がないかどうか考える必要がある．経験的に，％ATが60％くらいで％peak $\dot{V}O_2$ が50％くらいの場合，骨格筋力低下による回転数維持困難が％peak $\dot{V}O_2$ 低下の原因であることが多い．％ATが80％くらいで％peak $\dot{V}O_2$ が70％くらいの場合には喫煙が原因のことがあ

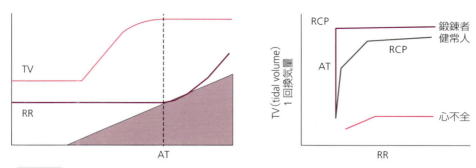

図5-16 ランプ負荷中の呼吸数（RR）と1回換気量（TV）の変化

る．「十分な負荷」とは，Rが1.15（1.10）以上，RCPが出現，終了時自覚症状がBorg 17以上の場合である．Rが低く，RCPも出現する前にBorg 19で終了するのは，極端な筋力不足か重症肺気腫のことが多い．

⑦自覚症状によるAT決定支援

ATになると体が酸性になり始めるためか足の熱感を感じ，自転車エルゴメータのペダル回転速度を遅くする被検者がいる．これも，ATになったか否か，また患者が苦痛を感じ始めたか否かを判断する重要な所見である．

また，負荷中にBorg指数を指し示せる場合には，Borg 13になった時点がATであることが多い．

⑧RR threshold

通常，呼吸数はATになると増加し始める．ランプ負荷中，トレンドグラフに呼吸数を表示していれば，呼吸数が増加を開始する点（RR threshold）がATであることが多い 図5-16 ．

しかし，浅く速い呼吸の患者ではわかりにくく，日常的に体を動かしている人ではRCPにRR thresholdが出現することがあるため，この指標は適応できない．

⑨心拍数130/分

Borgの指数は10倍すると心拍数になる．すなわち，ATのBorg指数は13くらいなので心拍数130/分がATである．ただし，これは心拍応答（ΔHR/ΔWR）が0.6程度，安静時心拍数が60〜70/分の正常な人についての話である．心臓リハビリテーションの対象となるような内臓あるいは異所性脂肪蓄積者や心不全患者，さらにβ遮断薬服用中の患者では全くあてにならない．

### 3 複数のAT候補，pseudo-threshold

トレンド法でATを決定しようとすると，$\dot{V}E/\dot{V}O_2$が上昇を開始するポイントが複数存在することがある．その理由の一つは，ATの考えが骨格筋細胞一つで考えている点にある．一定の姿勢で自転車を漕いでいると一定の骨格筋群を使用するが，この筋群がATに達すると検者は少し姿勢を変える．すると，今まであまり運動に参加していなかった骨格筋群が運動に参加するようになるが，この骨格筋はい

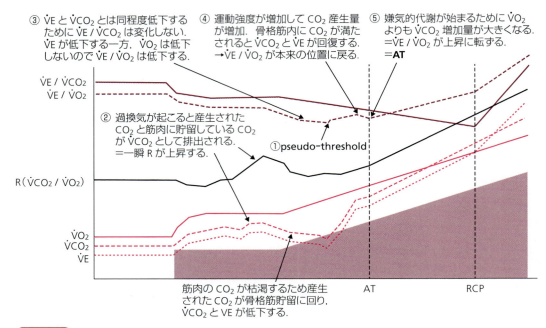

**図 5-17** pseudo-threshold の成因
(Ward SA, et al. J Appl Physiol Respir Environ Exerc Physiol. 1983; 55: 742-9 [12], 福場良之, 他. 呼と循. 1997; 45: 1103-11 [13])

まだ AT には達していない．そのため，$CO_2$ 産生量は少し減少し，$\dot{V}E/\dot{V}O_2$ は再び下降に転じる．これを数回繰り返すたびに $\dot{V}E/\dot{V}O_2$ が上昇と下降を繰り返し，複数の AT が認められるようになる．実際に，これらはそれぞれの骨格筋群の AT であるが，体全体で考えると，一番最後の $\dot{V}E/\dot{V}O_2$ 上昇開始点が AT といえ，心臓リハビリテーションを実施する点から考えると，最初のポイントを参考にして運動処方を作成したほうが安全といえる．運動療法を開始し，患者の様子を見て，徐々に Borg 13 になるように負荷量を変更してゆけばよい．

安静時や warm-up 中に過換気があると，実際の AT 以前に $\dot{V}E/\dot{V}O_2$ が盆状に低下した後に上昇に転じて，あたかもこのポイントが AT であるかのように見えることがある．この低下は pseudo-threshold とよばれている 図5-17① [12,13]．

Pseudo-threshold は以下のメカニズムで生ずる．$CO_2$ は骨格筋への溶解度が高く，骨格筋が $CO_2$ で飽和されていない場合には筋内への溶解が優先され，その後に呼気中から $\dot{V}CO_2$ として排出される．そのため，定常負荷の初期にガス交換比が一時的に低下する現象がみられる．そのため，$\dot{V}CO_2$ が $\dot{V}O_2$ よりも小さくなり，ガス交換比（R）が一時的に低下する．

安静時からウォームアップの間に過換気が生じると 図5-17②，体内の貯蔵 $CO_2$ は減少あるいは枯渇する．運動を継続すると $CO_2$ 産生が進み，骨格筋内に再溶解し始める．この時点では $\dot{V}CO_2$ は低いままである．$\dot{V}E$ は $\dot{V}CO_2$ とともに変化

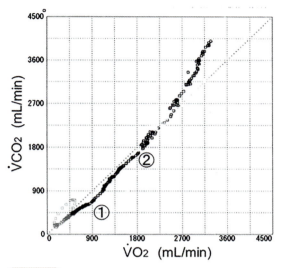

図5-18 pseudo-threshold の V-slope
(Ozcelik O, et al. Exp Physiol. 1999; 84: 999-1011)[14]

するため $\dot{V}E$ も同様である．一方，$\dot{V}O_2$ は運動を行うために必要なので増加し続ける．その結果，$\dot{V}E/\dot{V}CO_2$ は，分母・分子ともに減少するため変化しない一方で $\dot{V}E/\dot{V}O_2$ は低下する 図5-17③．さらに運動が続き，骨格筋が十分に $CO_2$ で飽和されると $\dot{V}CO_2$ と $\dot{V}E$ があるべき位置に戻り，この際に $\dot{V}E/\dot{V}O_2$ が上昇を開始する 図5-17①．この点が pseudo-threshold である．その後は，$\dot{V}O_2$，$\dot{V}CO_2$，$\dot{V}E$ は通常の動態に戻る 図5-17④ため，$\dot{V}E/\dot{V}CO_2$ と $\dot{V}E/\dot{V}O_2$ はともに漸減する．そして，嫌気的代謝が始まると，骨格筋で産生される $CO_2$ が消費される $O_2$ に比して増加するため，再び $\dot{V}E/\dot{V}O_2$ が上昇を開始する 図5-17⑤．これが本当の AT である．この現象は，過換気がなくても，骨格筋量が多いアスリートで生じることがある．この一連の $\dot{V}E/\dot{V}O_2$ の変動の間，$\dot{V}E/\dot{V}CO_2$ は一貫して減少し続けていることに注目する．V-slope 図5-18 でみると pseudo-threshold（①）にも AT（②）にも slope に変曲点はあるが，slope の傾きが45度以上になるポイントは②である．Pseudo-threshold の変曲点は早期に出現する[14]．

　Pseudo-threshold は骨格筋量が多い人にも生じることがある．骨格筋量が多くて $CO_2$ 貯蔵能力が高いことが要因である．

## D RCP（respiratory compensation point：呼吸性代償開始点）

　最大負荷以下にみられる酸素摂取量に関する2番目の指標は RCP である．
　AT 以後，$HCO_3^-$ 産生による代償機序が働くが，やがて腎臓によるこの代償に限界が生じる．その後，アシドーシスを代償するために過換気が始まる．呼吸器系による代償の開始である．このポイントを RCP という．漸増運動負荷が10分で終わる場合，AT と RCP の間隔は約3分間であることが多い．AT と RCP の間の代償機構は isocapnic buffering と

よぶ．

RCPにおける自覚的運動強度はBorg 17のことが多い．RCP以後，きわめて卓越した運動耐容能を有する人以外は呼吸数が必ず増加するため会話は困難となる．

### E　peak $\dot{V}O_2$

酸素摂取量に関する最も重要な指標はpeak $\dot{V}O_2$ である．これは，被検者にとって，これ以上はもはや運動ができないという強度における酸素摂取量のことを示す．これに対してmaximum $\dot{V}O_2$（$\dot{V}O_2$ max）は，運動を続けることはできるが，それ以上運動強度を増しても酸素摂取量が増加しないレベルの酸素摂取量のことをいう．アスリートに見られるレベリングオフの場合と，なんらかの障害のために $\dot{V}O_2$ の増加が停止してしまう場合とある．心疾患患者を扱う場合，$\dot{V}O_2$ maxに到達後に漫然と負荷をかけ続けることは危険である．

最大運動時においては前傾姿勢が強まり，フェイスマスクから呼気ガスが漏れる場合がある．この場合，peak $\dot{V}O_2$ は低めに出る．呼気ガスの漏れは $\dot{V}E$ が直線的に増加し続けていないことを見つけることで確認できる．

ATやpeak $\dot{V}O_2$ などの運動耐容能は，心エコーで得られる左室駆出率（LVEF）と相関を示すという報告もある 図5-19 [15]が，ほとんど相関を示さないという報告が多い 図5-20 [16,17]．これは，酸素摂取量が心拍出量のみならず骨格筋機能・血管内皮細胞機能・自律神経機能などすべての機能を総合したものであるためである．また，心エコーは安静臥位の指標であることも，運動中の指標である酸素摂取量とは乖離したデータを示す理由である．さらに，EFは拡張末期と収縮末期の面積あるいは容積の差であるため，心拡大が起これば同じEFでも心拍出量は大きくなる．また，後負荷依存性のためEFは心

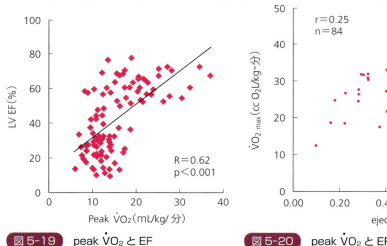

図5-19　peak $\dot{V}O_2$ とEF
(Hasselberg NE, et al. Eur Heart J Eur Heart J Cardiovasc Imaging. 2015; 16: 217-24)[15]

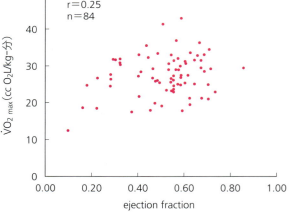

図5-20　peak $\dot{V}O_2$ とEF
(Froelicher VF. Interpretation of specific exercise test responses. In: Froelicher VF, ed. Exercise and the Heart, 2nd ed. Chicago: Year Book Medical Publishers. 1987. p.83-145 [16], Franciosa JA, et al. Am J Cardiol. 1981; 47: 33-9 [17])

ポンプ機能とは限らないことも関係している．そのため，EF がすなわち心拍出量を示すわけではないことも運動耐容能と相関しない理由のひとつである．以上より，心不全でEF が低下している場合でも，運動耐容能が保持されていれば予後は不良ではなく，このことを患者に説明すると多くの心不全患者は大変喜ぶ．

## F  AT, peak $\dot{V}O_2$ の標準値

　AT と peak $\dot{V}O_2$ の標準値については日本循環器学会が 1990 年に作成したものがある（表 5-3）[18]．筆者の施設で使用しているミナト社製の呼気ガス分析装置にはこの標準値が組み込まれており，AT と peak $\dot{V}O_2$ を決定するとレポートに被検者の年齢に応じた標準値とそれに対するパーセントが自動的に記載される．筆者はこのパーセンテージが 80％以上の場合，被検者には正常範囲であると説明している．また，伊東らが中心になって 2013 年に新たに取り直した標準値もある[19]．2013 年にまとめられたデータは，前者のものよりも全体的に数値が向上しており，日本人が健康的になったことが示されている（図 5-21）．また，前回のものは，60 歳以上では鍛錬されたものが多く参加したために若い世代よりも良好な数値を示していたが，今回のものではこの点が是正されている．た

**表 5-3　日本人の標準値（自転車エルゴメータの場合）**

| AT（V-slope mL/分/kg） | | | | | |
|---|---|---|---|---|---|
| age | 20-29 | 30-39 | 40-49 | 50-59 | 60-69 |
| M | 18.4 | 16.1 | 15.1 | 15.3 | 17.5 |
| F | 15.6 | 16.6 | 16.2 | 16.0 | 15.5 |

| Peak $\dot{V}O_2$（mL/分/kg） | | | | | |
|---|---|---|---|---|---|
| age | 20-29 | 30-39 | 40-49 | 50-59 | 60-69 |
| M | 33.5 | 29.7 | 27.4 | 25.9 | 29.5 |
| F | 25.7 | 27.3 | 23.6 | 23.8 | 22.7 |

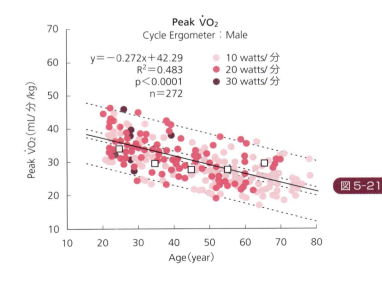

図 5-21　日本人男性の自転車エルゴメータによる CPX での最高酸素摂取量
2013 年のデータ（〇）と 1990 年のデータ（□）を重ね合わせた．約 20 年の間に運動耐容能は若干向上していることがわかる．

| 表5-4 | Weber-Janicki 分類 |
|---|---|

(Weber KT, et al. Circulation. 1982; 65: 1213-23)[20]

| | AT<br>(mL/分/kg) | Peak $\dot{V}O_2$<br>(mL/分/kg) | |
|---|---|---|---|
| A | 14< | 20< | none-mild |
| B | 11〜14 | 16〜20 | mild-moderate |
| C | 8〜11 | 10〜16 | moderate-severe |
| D | 5〜8 | 6〜10 | severe-very severe |
| E | <4 | <6 | very severe |

だ，従来の基準を用いても，同一の患者での前後比較や，$\dot{V}O_2$ と $\dot{V}O_2$/HR などを比較する場合には問題は生じない．

　米国では Weber-Janicki 分類という基準値がある 表5-4 [20]．運動耐容能を class A から E に分けたもので，米国系の雑誌に論文を投稿したい場合にはこの分類を用いるとよいが，日本人の運動耐容能は欧米人よりも低いため，Weber 分類の重症度を日本人に当てはめることは適切ではない．また，Weber 分類は 1982 年に作成された分類で，現在では心不全の治療法が進歩したため，同じ酸素摂取量でも以前よりも予後が改善している 図5-22 [21]．心臓リハビリテーション学会のガイドラインに記載されている日本人の心不全患者の重症度基準を 表5-5 に示す[22]．

　開心術後 7 日目や急性心筋梗塞 4 日目に CPX を行った場合，通常，AT は健常人の 70〜80％に低下している．そのため，筆者はこの時期の標準値は健常人の 75％程度であると患者に説明している．

　AT，peak $\dot{V}O_2$ ともに mL/分/kg と％で評価することが多い．しかし，体格が極端に大きい，あるいは小さい場合には mL/分で考えたほうがよい場合もある．体重が 80 kg を超えると，実際には運動耐容能は正常であるにもかかわらず，体重で除してしまうため低い数値になってしまうことがある．そこで，体重補正をしない mL/分による標準値を用いて評価することもある 表5-6 ．この数値は前述の日本人の標準値に関する伊東先生らの研究結果[19] の式を用いて作成したものである．補正については，1980 年ころに体重による補正がよいか体表面積による補正がよいのか議論された．最終的に，限界を考慮しながら簡便な体重補正に落ち着いた．

　また，最大負荷時の仕事率はずいぶんよさそうなのに，peak $\dot{V}O_2$ が低いことがある．$\Delta\dot{V}O_2$/$\Delta$WR を参考にして，peak $\dot{V}O_2$ だけが異常なのか，peak WR も低下しているのかを考えなければならないが， 表5-7 の最高仕事率の標準値を参考にすると考えやすい．患 者 の peak WR と 標 準 値〔男: peak work rate＝（−0.272×age＋42.29−7）× BW/10，女: peak work rate＝（−0.196×age＋35.38−7）×BW/10〕を比較してパーセント（% peak WR）を求める．まず，% peak WR が低下していれば骨格筋力は低下していると考える．次に，% peak $\dot{V}O_2$ を見て，% work rate と近似していれば心肺系は正常で，% WR より低下していれば心機能も低下していると判断できる．% peak WR は

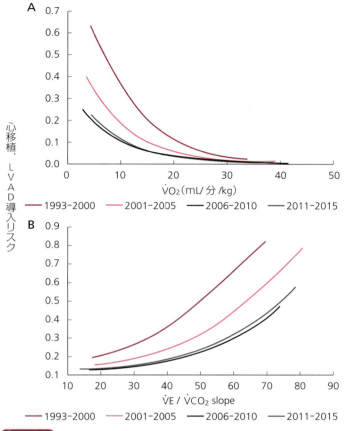

**図 5-22** 時代による最高酸素摂取量の危険度の変遷
(Paolillo S, et al. Eur J Heart Fail. 2019; 21: 208-17)[21]

**表 5-5** 最高酸素摂取量による心不全重症度分類

(安達 仁. 最高酸素摂取量による心不全重症度分類 In: 日本循環器学会, 他. 2021年改訂版 心血管疾患におけるリハビリテーションに関するガイドライン. 2021. p.24)[22]

| 最高酸素摂取量の年齢別標準値に対する予測率 | 心不全重症度 |
|---|---|
| 標準値の 80％以上 | 正常 |
| 標準値の 60〜80％ | 軽症 |
| 標準値の 40〜60％ | 中等症 |
| 検査実施不能，または標準値の 40％未満 | 重症 |

$\Delta \dot{V}O_2/\Delta WR$ を 10 mL/watt，安静時を 3.5 mL/分/kg とし，0 W は 2 Mets なので 2×3.5 を減じた．

　これらの表には通常見かけない 140 kg まで記載されているが，実際の 140 kg の人から受ける印象では，とても 400 ワットを漕ぐようには見えない．体重が 60 kg の人と 140 kg の人とで，体組成が同じで，骨格筋が多いということが前提である．実際には，病院に来るような方で 140 kg ある人の体脂肪率は 30％をはるかに超えていることが多く，この表は適用できないことが多い．このような限界を意識しながら利用してほしい．

## 表 5-6　peak $\dot{V}O_2$ (mL/分)

**male**　peak $\dot{V}O_2$ (mL/min) = $(-0.272 \times age + 42.29) * BW$

| age \ BW | 35 | 40 | 45 | 50 | 55 | 60 | 65 | 70 | 75 | 80 | 85 | 90 | 95 | 100 | 105 | 110 | 115 | 120 | 125 | 130 | 135 | 140 |
|---|---|---|---|---|---|---|---|---|---|---|---|---|---|---|---|---|---|---|---|---|---|---|
| 20 | 1290 | 1474 | 1658 | 1843 | 2027 | 2211 | 2395 | 2580 | 2764 | 2948 | 3132 | 3317 | 3501 | 3685 | 3869 | 4054 | 4238 | 4422 | 4606 | 4791 | 4975 | 5159 |
| 25 | 1242 | 1420 | 1597 | 1775 | 1952 | 2129 | 2307 | 2484 | 2662 | 2839 | 3017 | 3194 | 3372 | 3549 | 3726 | 3904 | 4081 | 4259 | 4436 | 4614 | 4791 | 4969 |
| 30 | 1195 | 1365 | 1536 | 1707 | 1877 | 2048 | 2218 | 2389 | 2560 | 2730 | 2901 | 3072 | 3242 | 3413 | 3584 | 3754 | 3925 | 4096 | 4266 | 4437 | 4608 | 4778 |
| 35 | 1147 | 1311 | 1475 | 1639 | 1802 | 1966 | 2130 | 2294 | 2458 | 2622 | 2785 | 2949 | 3113 | 3277 | 3441 | 3605 | 3769 | 3932 | 4096 | 4260 | 4424 | 4588 |
| 40 | 1099 | 1256 | 1413 | 1571 | 1728 | 1885 | 2042 | 2199 | 2356 | 2513 | 2670 | 2827 | 2984 | 3141 | 3298 | 3455 | 3612 | 3769 | 3926 | 4083 | 4240 | 4397 |
| 45 | 1052 | 1202 | 1352 | 1503 | 1653 | 1803 | 1953 | 2104 | 2254 | 2404 | 2554 | 2705 | 2855 | 3005 | 3155 | 3306 | 3456 | 3606 | 3756 | 3907 | 4057 | 4207 |
| 50 | 1004 | 1148 | 1291 | 1435 | 1578 | 1721 | 1865 | 2008 | 2152 | 2295 | 2439 | 2582 | 2726 | 2869 | 3012 | 3156 | 3299 | 3443 | 3586 | 3730 | 3873 | 4017 |
| 55 | 957 | 1093 | 1230 | 1367 | 1503 | 1640 | 1776 | 1913 | 2050 | 2186 | 2323 | 2460 | 2596 | 2733 | 2870 | 3006 | 3143 | 3280 | 3416 | 3553 | 3690 | 3826 |
| 60 | 909 | 1039 | 1169 | 1299 | 1428 | 1558 | 1688 | 1818 | 1948 | 2078 | 2207 | 2337 | 2467 | 2597 | 2727 | 2857 | 2987 | 3116 | 3246 | 3376 | 3506 | 3636 |
| 65 | 861 | 984 | 1107 | 1231 | 1354 | 1477 | 1600 | 1723 | 1846 | 1969 | 2092 | 2215 | 2338 | 2461 | 2584 | 2707 | 2830 | 2953 | 3076 | 3199 | 3322 | 3445 |
| 70 | 814 | 930 | 1046 | 1163 | 1279 | 1395 | 1511 | 1628 | 1744 | 1860 | 1976 | 2093 | 2209 | 2325 | 2441 | 2558 | 2674 | 2790 | 2906 | 3023 | 3139 | 3255 |
| 75 | 766 | 876 | 985 | 1095 | 1204 | 1313 | 1423 | 1532 | 1642 | 1751 | 1861 | 1970 | 2080 | 2189 | 2298 | 2408 | 2517 | 2627 | 2736 | 2846 | 2955 | 3065 |
| 80 | 719 | 821 | 924 | 1027 | 1129 | 1232 | 1334 | 1437 | 1540 | 1642 | 1745 | 1848 | 1950 | 2053 | 2156 | 2258 | 2361 | 2464 | 2566 | 2669 | 2772 | 2874 |

**female**　peak $\dot{V}O_2$ (mL/min) = $(-0.196 \times age + 35.58) * BW$

| age \ BW | 35 | 40 | 45 | 50 | 55 | 60 | 65 | 70 | 75 | 80 | 85 | 90 | 95 | 100 | 105 | 110 | 115 | 120 | 125 | 130 | 135 | 140 |
|---|---|---|---|---|---|---|---|---|---|---|---|---|---|---|---|---|---|---|---|---|---|---|
| 20 | 1108 | 1266 | 1425 | 1583 | 1741 | 1900 | 2058 | 2216 | 2375 | 2533 | 2691 | 2849 | 3008 | 3166 | 3324 | 3483 | 3641 | 3799 | 3958 | 4116 | 4274 | 4432 |
| 25 | 1074 | 1227 | 1381 | 1534 | 1687 | 1841 | 1994 | 2148 | 2301 | 2454 | 2608 | 2761 | 2915 | 3068 | 3221 | 3375 | 3528 | 3682 | 3835 | 3988 | 4142 | 4295 |
| 30 | 1040 | 1188 | 1337 | 1485 | 1634 | 1782 | 1931 | 2079 | 2228 | 2376 | 2525 | 2673 | 2822 | 2970 | 3119 | 3267 | 3416 | 3564 | 3713 | 3861 | 4010 | 4158 |
| 35 | 1005 | 1149 | 1292 | 1436 | 1580 | 1723 | 1867 | 2010 | 2154 | 2298 | 2441 | 2585 | 2728 | 2872 | 3016 | 3159 | 3303 | 3446 | 3590 | 3734 | 3877 | 4021 |
| 40 | 971 | 1110 | 1248 | 1387 | 1526 | 1664 | 1803 | 1942 | 2081 | 2219 | 2358 | 2497 | 2635 | 2774 | 2913 | 3051 | 3190 | 3329 | 3468 | 3606 | 3745 | 3884 |
| 45 | 937 | 1070 | 1204 | 1338 | 1472 | 1606 | 1739 | 1873 | 2007 | 2141 | 2275 | 2408 | 2542 | 2676 | 2810 | 2944 | 3077 | 3211 | 3345 | 3479 | 3613 | 3746 |
| 50 | 902 | 1031 | 1160 | 1289 | 1418 | 1547 | 1676 | 1805 | 1934 | 2062 | 2191 | 2320 | 2449 | 2578 | 2707 | 2836 | 2965 | 3094 | 3223 | 3351 | 3480 | 3609 |
| 55 | 868 | 992 | 1116 | 1240 | 1364 | 1488 | 1612 | 1736 | 1860 | 1984 | 2108 | 2232 | 2356 | 2480 | 2604 | 2728 | 2852 | 2976 | 3100 | 3224 | 3348 | 3472 |
| 60 | 834 | 953 | 1072 | 1191 | 1310 | 1429 | 1548 | 1667 | 1787 | 1906 | 2025 | 2144 | 2263 | 2382 | 2501 | 2620 | 2739 | 2858 | 2978 | 3097 | 3216 | 3335 |
| 65 | 799 | 914 | 1028 | 1142 | 1256 | 1370 | 1485 | 1599 | 1713 | 1827 | 1941 | 2056 | 2170 | 2284 | 2398 | 2512 | 2627 | 2741 | 2855 | 2969 | 3083 | 3198 |
| 70 | 765 | 874 | 984 | 1093 | 1202 | 1312 | 1421 | 1530 | 1640 | 1749 | 1858 | 1967 | 2077 | 2186 | 2295 | 2405 | 2514 | 2623 | 2733 | 2842 | 2951 | 3060 |
| 75 | 731 | 835 | 940 | 1044 | 1148 | 1253 | 1357 | 1462 | 1566 | 1670 | 1775 | 1879 | 1984 | 2088 | 2192 | 2297 | 2401 | 2506 | 2610 | 2714 | 2819 | 2923 |
| 80 | 697 | 796 | 896 | 995 | 1095 | 1194 | 1294 | 1393 | 1493 | 1592 | 1692 | 1791 | 1891 | 1990 | 2090 | 2189 | 2289 | 2388 | 2488 | 2587 | 2687 | 2786 |

**表 5-7** peak WR (watt)

male   peak WR= (−0.272×age+42.29+3.5) *BW/10

| age BW | 35 | 40 | 45 | 50 | 55 | 60 | 65 | 70 | 75 | 80 | 85 | 90 | 95 | 100 | 105 | 110 | 115 | 120 | 125 | 130 | 135 | 140 |
|---|---|---|---|---|---|---|---|---|---|---|---|---|---|---|---|---|---|---|---|---|---|---|
| 20 | 104 | 119 | 134 | 149 | 164 | 179 | 194 | 209 | 224 | 239 | 254 | 269 | 284 | 299 | 313 | 328 | 343 | 358 | 373 | 388 | 403 | 418 |
| 25 | 100 | 114 | 128 | 142 | 157 | 171 | 185 | 199 | 214 | 228 | 242 | 256 | 271 | 285 | 299 | 313 | 328 | 342 | 356 | 370 | 385 | 399 |
| 30 | 95 | 109 | 122 | 136 | 149 | 163 | 176 | 190 | 203 | 217 | 231 | 244 | 258 | 271 | 285 | 298 | 312 | 326 | 339 | 353 | 366 | 380 |
| 35 | 90 | 103 | 116 | 129 | 142 | 155 | 168 | 180 | 193 | 206 | 219 | 232 | 245 | 258 | 271 | 283 | 296 | 309 | 322 | 335 | 348 | 361 |
| 40 | 85 | 98 | 110 | 122 | 134 | 146 | 159 | 171 | 183 | 195 | 207 | 219 | 232 | 244 | 256 | 269 | 281 | 293 | 305 | 317 | 330 | 342 |
| 45 | 81 | 92 | 104 | 115 | 127 | 138 | 150 | 161 | 173 | 184 | 196 | 207 | 219 | 231 | 242 | 254 | 265 | 277 | 288 | 300 | 311 | 323 |
| 50 | 76 | 87 | 98 | 108 | 119 | 130 | 141 | 152 | 163 | 174 | 184 | 195 | 206 | 217 | 228 | 239 | 249 | 260 | 271 | 282 | 293 | 304 |
| 55 | 71 | 81 | 91 | 102 | 112 | 122 | 132 | 142 | 152 | 163 | 173 | 183 | 193 | 203 | 213 | 224 | 234 | 244 | 254 | 264 | 274 | 285 |
| 60 | 66 | 76 | 85 | 95 | 104 | 114 | 123 | 133 | 142 | 152 | 161 | 171 | 180 | 190 | 199 | 209 | 218 | 228 | 237 | 247 | 256 | 266 |
| 65 | 62 | 70 | 79 | 88 | 97 | 106 | 114 | 123 | 132 | 141 | 150 | 158 | 167 | 176 | 185 | 194 | 203 | 211 | 220 | 229 | 238 | 247 |
| 70 | 57 | 65 | 73 | 81 | 89 | 98 | 106 | 114 | 122 | 130 | 138 | 146 | 154 | 163 | 171 | 179 | 187 | 195 | 203 | 211 | 219 | 228 |
| 75 | 52 | 60 | 67 | 74 | 82 | 89 | 97 | 104 | 112 | 119 | 127 | 134 | 141 | 149 | 156 | 164 | 171 | 179 | 186 | 194 | 201 | 208 |
| 80 | 47 | 54 | 61 | 68 | 74 | 81 | 88 | 95 | 101 | 108 | 115 | 122 | 129 | 135 | 142 | 149 | 156 | 162 | 169 | 176 | 183 | 189 |

female   peak WR= (−0.196×age+35.58+3.5) *BW/10

| age BW | 35 | 40 | 45 | 50 | 55 | 60 | 65 | 70 | 75 | 80 | 85 | 90 | 95 | 100 | 105 | 110 | 115 | 120 | 125 | 130 | 135 | 140 |
|---|---|---|---|---|---|---|---|---|---|---|---|---|---|---|---|---|---|---|---|---|---|---|
| 20 | 86 | 99 | 111 | 123 | 136 | 148 | 160 | 173 | 185 | 197 | 210 | 222 | 234 | 247 | 259 | 271 | 284 | 296 | 308 | 321 | 333 | 345 |
| 25 | 83 | 95 | 107 | 118 | 130 | 142 | 154 | 166 | 178 | 189 | 201 | 213 | 225 | 237 | 249 | 260 | 272 | 284 | 296 | 308 | 320 | 332 |
| 30 | 79 | 91 | 102 | 114 | 125 | 136 | 148 | 159 | 170 | 182 | 193 | 204 | 216 | 227 | 238 | 250 | 261 | 272 | 284 | 295 | 306 | 318 |
| 35 | 76 | 87 | 98 | 109 | 119 | 130 | 141 | 152 | 163 | 174 | 185 | 195 | 206 | 217 | 228 | 239 | 250 | 261 | 272 | 282 | 293 | 304 |
| 40 | 73 | 83 | 93 | 104 | 114 | 124 | 135 | 145 | 156 | 166 | 176 | 187 | 197 | 207 | 218 | 228 | 239 | 249 | 259 | 270 | 280 | 290 |
| 45 | 69 | 79 | 89 | 99 | 109 | 119 | 128 | 138 | 148 | 158 | 168 | 178 | 188 | 198 | 207 | 217 | 227 | 237 | 247 | 257 | 267 | 277 |
| 50 | 66 | 75 | 85 | 94 | 103 | 113 | 122 | 131 | 141 | 150 | 160 | 169 | 178 | 188 | 197 | 207 | 216 | 225 | 235 | 244 | 254 | 263 |
| 55 | 62 | 71 | 80 | 89 | 98 | 107 | 116 | 125 | 134 | 142 | 151 | 160 | 169 | 178 | 187 | 196 | 205 | 214 | 223 | 231 | 240 | 249 |
| 60 | 59 | 67 | 76 | 84 | 93 | 101 | 109 | 118 | 126 | 135 | 143 | 151 | 160 | 168 | 177 | 185 | 193 | 202 | 210 | 219 | 227 | 235 |
| 65 | 55 | 63 | 71 | 79 | 87 | 95 | 103 | 111 | 119 | 127 | 135 | 143 | 150 | 158 | 166 | 174 | 182 | 190 | 198 | 206 | 214 | 222 |
| 70 | 52 | 59 | 67 | 74 | 82 | 89 | 97 | 104 | 111 | 119 | 126 | 134 | 141 | 149 | 156 | 163 | 171 | 178 | 186 | 193 | 201 | 208 |
| 75 | 49 | 56 | 62 | 69 | 76 | 83 | 90 | 97 | 104 | 111 | 118 | 125 | 132 | 139 | 146 | 153 | 160 | 167 | 174 | 180 | 187 | 194 |
| 80 | 45 | 52 | 58 | 65 | 71 | 77 | 84 | 90 | 97 | 103 | 110 | 116 | 123 | 129 | 135 | 142 | 148 | 155 | 161 | 168 | 174 | 181 |

第 5 章　CPX の主要なパラメータ

| 表5-8 | メッツの表：日常活動に必要な酸素消費量 | | |
|---|---|---|---|
| メッツ | 身の回りの行動 | 趣味 | 運動 |
| 1-2 | 食事，洗面 | ラジオ，テレビ | かなりゆっくりとした |
| | 裁縫，編物 | 読書，トランプ | 歩行（1.6 km/時） |
| | 自動車の運転 | 囲碁，将棋 | |
| 2-3 | 乗り物に立って乗る | ボーリング | ゆっくりとした平地歩行 |
| | 調理，小物の洗濯 | 盆栽の手入れ | （3.2 km/時） |
| | 床拭き（モップで） | ゴルフ（電動カート使用） | （2階までゆっくり昇る） |
| 3-4 | シャワー | ラジオ体操 | 少し速歩きの歩行 |
| | 10 kgの荷物を背負って歩く | 釣り | （4.8 km/時） |
| | 炊事一般，布団を敷く | バドミントン（非競技） | （2階まで昇る） |
| | 窓拭き，膝をついての床拭き | ゴルフ（バッグを持たずに） | |
| 4-5 | 10 kgの荷物を抱えて歩く | 陶芸，ダンス | 速歩き（5.6 km/時） |
| | 軽い草むしり | 卓球，テニス | |
| | 立て膝での床拭き | キャッチボール | |
| | 夫婦生活，入浴 | ゴルフ（セルフ） | |
| 5-6 | 10 kgの荷物を片手に下げて歩く | 渓流釣り | すごく速く歩く（6.5 km/時） |
| | シャベル使い（軽い土） | アイススケート | |
| 6-7 | シャベルで掘る | フォークダンス | |
| | 雪かき | スキーツアー（4.0 km/時） | |
| 7-8 | | 水泳，エアロビクスダンス | ジョギング（8.0 km/時） |
| | | 登山，スキー | |
| 8- | 階段を連続して10階以上昇る | なわとび，各種スポーツ競技 | |

　患者指導にメッツの表 表5-8 を使うことがあるが，この元となるデータは，主に体重40 kg，40歳の白人男性のものである．欧米人と日本人とで仕事の仕方に差がある可能性や，健常人と心疾患を有する人とで$\Delta \dot{V}O_2/\Delta WR$に差がある可能性があることを考慮して指導する．負荷中，虚血や不整脈などの危険なサインが出なかった場合，ATレベルの日常活動は全く問題なく，それ以上でも心臓には問題なくできると指導してよい．ただし，長時間の高強度負荷は整形外科的疾患を誘発したり，負荷試験のようにごく短時間は可能でも，長時間・長期にわたると疲労が蓄積して様々な疾患や障害を誘発することは説明が必要である．

## G 「（・）ドット」について

　$\dot{V}O_2$は酸素摂取量のことである．（V）は体積，（・ドット）は時間微分，（$O_2$）は酸素であり，単位時間でどれだけ酸素を消費しているかを示している．スライドの$\dot{V}O_2$にドットをつけると位置がずれてしまうことが多く，また，ブイドットオーツーというと時間がかかるため，スライドではしばしば「$VO_2$」，読むときには「ブイオーツー」とされる．これらは$\dot{V}O_2$のことと解釈してほしい．$\dot{V}E$や$\dot{V}CO_2$など，時間により変化するパラメータにはすべてドットをつける．

## 2　Oscillatory ventilation（EOV）

　VEが周期的に増減を繰り返す現象が認められることがあり 図5-23，oscillatory hyperventilation[23] や exercise oscillatory ventilation（EOV）などとよばれている．全運動時間の60％以上持続，安静時の$\dot{V}E$の15％以上変動することがその定義である[24]．

　ワッサーマンは周期的に変動するのは血流のoscillationが原因であるといっている．動脈圧は呼吸よりもゆっくりとした0.75から1.5分周期のTraube-Hering波で変動するが，心不全では心拍出量は後負荷依存性になっているため，Traube-Heringカーブに従って心拍出量も0.75から1.5分周期で変動する．その結果，まず$\dot{V}O_2$がoscillationを生じ，3秒ほど遅れて$\dot{V}CO_2$がoscillationし，さらに6秒ほど遅れて$\dot{V}E$がoscillateする．健常人でもoscillationのような周期性呼吸を示すことがあるが，多くの場合，$\dot{V}O_2$，$\dot{V}CO_2$，$\dot{V}E$のタイミングが揃っていることが多い．これは別の機序によるoscillationかcontaminationであるといっている．

　呼吸の強弱が発生することには肺血流量の低下のほか，血流速度の低下，化学受容体感受性亢進による過剰応答，さらに$PaCO_2$の低下も重要である．心不全による骨格筋機能障害と自律神経活性異常が過剰換気を誘発して$PaCO_2$はやや低下している．肺血流量が低下して換気血流不均衡分布が増悪すると$PaCO_2$が上昇する．しかし，血流速度が遅いため延髄にある化学受容体へ，上昇した$CO_2$分圧を含んだ血液が到達するのに時間がかかる．しかし，$PaCO_2$の上昇を化学受容体が感知すると応答性が亢進しているために過剰に反応して過剰換気を生じる．すると

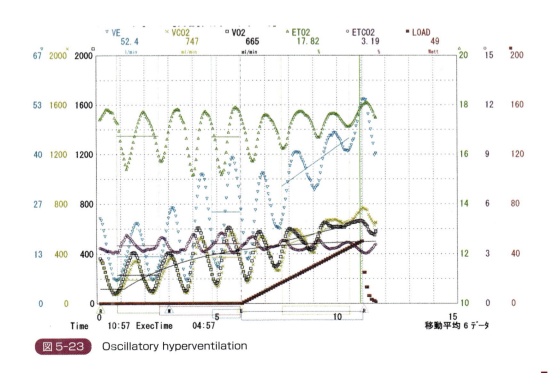

図5-23　Oscillatory hyperventilation

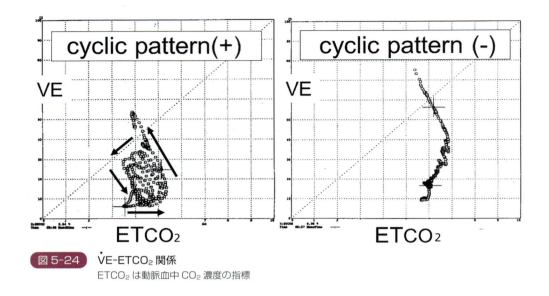

図 5-24　V̇E-ETCO₂ 関係
ETCO₂ は動脈血中 CO₂ 濃度の指標

　PaCO₂ が低下するが，血流速度が遅いために化学受容体での認知が遅れて，しばらく換気が減弱したままになる．この繰り返しが EOV である．これは V̇E と ETCO₂ のグラフを見るとわかりやすい 図5-24 ．

　運動の強度が上がると oscillation は消失する．これは，運動中の交感神経の活性亢進による換気亢進が EOV に勝るからである．

　EOV を示す患者は睡眠時無呼吸症候群を合併しやすい[25]．心不全では臥床すると下半身に貯留していた体液が胸部に移動，すなわちセントラルシフトを起こす．すると PAWP が上昇して肺うっ血をきたし，これが肺に分布する交感神経受容体を刺激して換気を亢進させる．また，同時に体液は頸部にも移動して気道狭窄を誘発する．この機序が EOV 発生の機序とあいまって Cheyne-Stokes 呼吸が生ずる．

　心不全患者に合併した EOV は peak V̇O₂ などとは関係なく，独立した予後規定因子であるとされ[26,27]，EOV を含めた予後予測法が提唱されている 図5-25 [28]．

## 3　酸素脈〔V̇O₂/HR, oxygen pulse（O₂P）〕

　V̇O₂/HR は酸素脈（oxygen pulse）ともよばれる．酸素摂取量を心拍数で除したものであるので，1 回の心拍出量がどれだけ酸素摂取に関与しているかを評価できる指標といえる．Fick が示した酸素摂取量と心拍数との関係式〔V̇O₂＝CO×c(A-V)O₂ diff.〕〔CO：心拍出量，SV：1 回心拍出量，c(A-V)O₂ diff：動静脈酸素含量較差〕から V̇O₂/HR＝SV×c(A-V)O₂ diff. と導け，c(A-V)O₂ diff. は最大負荷時には 14-17 vol% と一定値をとることから，peak V̇O₂/HR は最大負荷時の心拍出量の指標であることがわかる．

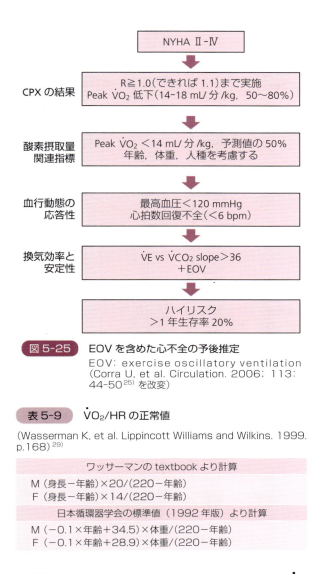

図 5-25 EOV を含めた心不全の予後推定
EOV: exercise oscillatory ventilation
(Corra U, et al. Circulation. 2006; 113: 44-50[25] を改変)

表 5-9 $\dot{V}O_2/HR$ の正常値
(Wasserman K, et al. Lippincott Williams and Wilkins. 1999. p.168)[29]

| ワッサーマンの textbook より計算 |
|---|
| M (身長－年齢)×20/(220－年齢) |
| F (身長－年齢)×14/(220－年齢) |
| 日本循環器学会の標準値（1992年版）より計算 |
| M (－0.1×年齢＋34.5)×体重/(220－年齢) |
| F (－0.1×年齢＋28.9)×体重/(220－年齢) |

$\dot{V}O_2/HR$ の正常値を表 5-9 に示す[29]．日本人は米国人よりも Peak $\dot{V}O_2$ が小さいため，peak $\dot{V}O_2/HR$ も少ない値を示す．当院では 60 代で運動習慣のない人の場合，概ね 10 mL/beat 以上であれば正常であると説明することが多い．有酸素運動療法を行うと AT や peak $\dot{V}O_2$ は増加して標準値の 120～150％位になるが，$\dot{V}O_2/HR$ は 100％以上にはなりにくい．心筋梗塞後に正常の 50％程度に低下していたものが，半年から 1 年におよぶ心臓リハビリテーションによって 100％近くに復することはあるが，さらに 1 年間有酸素運動を続けても 120％になるということは稀である．これは，運動療法の中枢と末梢に及ぼす効果の違いが原因であると考えられる．すなわち，骨格筋機能や血管内皮細胞機能の改善による酸素摂取量の改善のほうが，心機能の改善よりも生じやすいことが原因と思われる．しかし，運動習慣が平均以上の場合やアスリートの場合には $\dot{V}O_2/HR$ は 150％程度にまで増加する．

この指標で注意すべきことは，β遮断薬など心拍数を遅くさせる薬物を使用するとデータが高

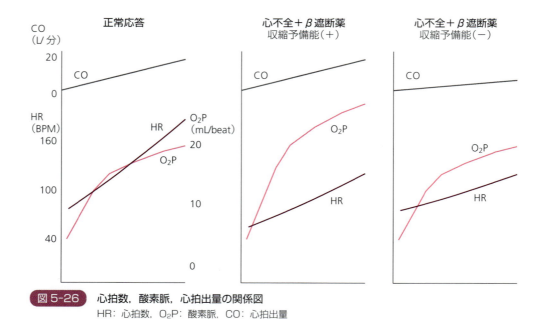

**図 5-26** 心拍数，酸素脈，心拍出量の関係図
HR：心拍数，O₂P：酸素脈，CO：心拍出量

く出ることである．連続した2回のCPXの途中でもβ遮断薬が開始されると，心拍数が減少して$\dot{V}O_2$/HRが高値となるため，前回とデータをそのまま比較することはできない．ただ，$\dot{V}O_2$/HRの高値が心拍数低下への代償で，COの指標であるmax ETCO₂が正常範囲内に収まっている場合，その心臓は「心収縮予備能」を有していると考えるべきである **図 5-26**．HFrEFの一部は心拍応答を低下させてもそれを代償することができず，% peak $\dot{V}O_2$/HRがわずかに% peak $\dot{V}O_2$よりも高値となっても% max ETCO₂を正常範囲に収めるほどの変化は示さない．すなわち，心拍数低下がそのまま心拍出量低下を導くことがある．このような場合，β遮断薬投与は心不全の増悪を導く可能性があると考える．

UCLAのStringerらはランプ負荷中，酸素摂取量と運動強度が最大負荷の何％かがわかれば以下のように1回心拍出量（SV）が計算できることを報告している[30]．

$$SV = \dot{V}O_2 〔(mL/分) \times 100/(c(A-V)O_2 \text{diff}(mL/dL) \times HR(/分)〕$$
$$= \dot{V}O_2 \times 100/〔(5.72+0.10 \times X) \times HR〕$$

ここでXはpeak $\dot{V}O_2$に対する現時点での$\dot{V}O_2$の％

この式は非侵襲的に心拍出量を予測できる式であるが，「peak $\dot{V}O_2$に対する現時点での$\dot{V}O_2$の％」という点に予測が入り，正常人以外には適用しにくい．

この指標に関して注意すべき点がいくつかある．一つ目は，この指標はあくまでも心拍出量（心ポンプ機能）を示す指標であり心筋張力や拡張能そのものを示す指標ではないことである．例えば，肺高血圧症の場合には肺血管拡張が悪いために酸素摂取量が減少することがある．この場合でも$\dot{V}O_2$/HRは低い値を示すが，これは心収縮力そのものが低下したためではなく，後負荷が高いために心拍出量が減少したものである．また，長期臥床により骨格筋が萎縮したり酸化酵素活性が低下しても酸素摂取量は減少する．この場合にも$\dot{V}O_2$/HRは低下するが，これも心

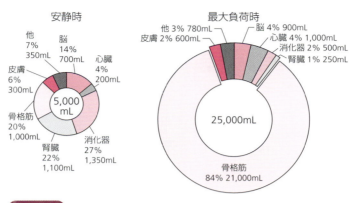

図 5-27　安静時と最大負荷時の血流分配

機能そのものの異常によるものではない．
　第二は，Fick の式に関する誤解である．酸素摂取量は心拍出量と動静脈酸素含量較差の積であると記載したが，正確には活動筋血流量と動静脈酸素含量較差の積である．心臓から拍出された血液は活動筋のみに分布するわけではない．図 5-27 に示すごとく，安静にくらべて運動中は 5 倍以上活動筋に血流が分配されるがそれでも 100％ではない．また，運動強度が AT 以下の場合には血管拡張能を規定しているのは主に一酸化窒素（NO）であり，活動筋のみならず非活動筋の血流も増加する．AT 以上になって交感神経活性が亢進してくると非活動筋の血管は収縮して活動筋のみ血流が増加する．すなわち，運動強度によっても血流分配は異なるのである．さらに，健康な状態と中等症以上の心不全との間でも運動中の血流分配は異なる．そのため，単純に Fick の式から $\dot{V}O_2$/HR を 1 回心拍出量であると考えることはできない．
　ランプ負荷中，$\dot{V}O_2$/HR はやや上に凸の曲線で増加する 図 5-28A．$\dot{V}O_2$/HR の増加パターンは以下の 3 通りある．
　一つは AT 付近までほぼ直線的に増加し続けて，その後やや折れ曲がって最終的に最大負荷量（peak WR）も％ peak $\dot{V}O_2$/HR も予測値の 80％以上に到達するパターン 図 5-28B ①である．これは正常である．
　二つ目は，AT 付近まで正常パターンと同じ傾きで増加し続け，ある時点で平定化するパターン 図 5-28B ②である．これはある時点で SV 増加が鈍化していることを示す．最大付近でかえって減少してしまっている場合もある．最終的に％ peak $\dot{V}O_2$/HR が 80％以上であれば正常応答であるが，80％未満であれば異常と考える．$\dot{V}O_2$/HR が平定化した時点で同時に心電図の ST が有意に低下すれば心筋虚血による心ポンプ機能障害が原因で，ST 低下がなく，基礎に肥満，糖尿病，高血圧，高齢者など，心拡張障害をきたしうる病態があれば拡張障害が表面化したことによる心ポンプ機能低下が原因である．この場合，心拍数が 110/分で平定化することが経験的に多い．大動脈弁狭窄症や小さすぎる人工弁を入れた大動脈弁置換術後でも，正常よりも早期にSV 増加応答が上限に達してしまい，$\dot{V}O_2$/HR は平定化する．
　三番目は AT 付近までの増加応答自体が鈍化している場合である 図 5-28B ③．これは，最初

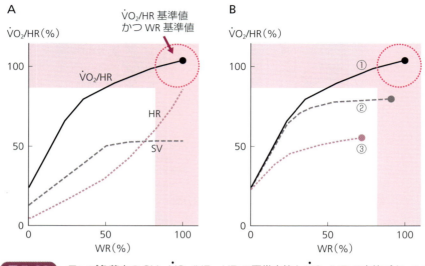

図 5-28　ランプ負荷中の SV，$\dot{V}O_2/HR$，HR の正常応答と $\dot{V}O_2/HR$ の応答パターン
A：正常応答．$\dot{V}O_2/HR$ は最大負荷の 50〜60% 地点で上に凸の形式を描きながら予測地点（破線丸印）に到達する．
B：$\dot{V}O_2/HR$ の 3 種類のパターン
SV：1 回心拍出量，$\dot{V}O_2/HR$：酸素脈

から心ポンプ機能障害がある場合で HFrEF や MR，TR などが原因の場合が多い．二番目と三番目が混在することはよくある．図 5-28B ③のように，最大負荷が予測値よりも低い場合には，peak WR と peak $\dot{V}O_2/HR$ の予測地点を図の丸印のように書き込み，その地点に向かって上に凸の形を示しながら曲線を引き，実測のカーブがその線上に乗っているかどうかで傾きが正常か否かがわかる．

## 4　P$_{ET}$CO$_2$，ETCO$_2$

血液中の $CO_2$ はほぼ完全に肺胞に拡散されるため P$_{(PA)}$CO$_2$（肺動脈血 $CO_2$ 分圧）と P$_A$CO$_2$（肺胞内の $CO_2$ 分圧）はほぼ等しく 45〜48 mmHg くらいである．すべての肺胞で適切なガス交換が行われれば終末呼気中の $CO_2$ 分圧（P$_{ET}$CO$_2$）も 45〜48 mmHg〔ETCO$_2$（終末呼気炭酸ガス濃度）の場合は大気圧が 760 mmHg なら 5.9〜6.3%〕となるが，安静時には中肺野以外ではガス交換が行われておらず，そのような部位では P$_A$CO$_2$ は P$_{(PA)}$CO$_2$ よりも低い数値となる．そして肺全体からの $CO_2$ の集積である P$_{ET}$CO$_2$ も 45〜48 mmHg よりも低い値をとる．すなわち，P$_{ET}$CO$_2$ は肺血流が少なかったり換気血流不均衡が大きい場合に低値となる 図 5-29．そのため，P$_{ET}$CO$_2$ は肺血流量，心拍出量，肺血栓塞栓症による肺血管床減少度の指標となる．P$_{ET}$CO$_2$ と NYHA 分類との間には 図 5-30 に示すような関係があり，心拍出量との間には 図 5-31 のような関係がある[31]．P$_{ET}$CO$_2$ の正常値は安静時は 36〜42 mmHg，運動中は最大で 50 mmHg

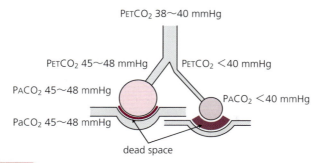

**図 5-29** P$_{ET}$CO$_2$ と肺血流量の関係

左の肺胞には十分な肺血流量があり，肺動脈中の CO$_2$ (P$_A$CO$_2$) がすべて肺胞内 (P$_A$CO$_2$) に移行している．一方，右の肺胞に分布する血流量は少なく，そのため，肺胞内に十分 CO$_2$ が移行せず P$_A$CO$_2$ が低値となっている．肺胞内 CO$_2$ 分圧は呼気としては終末部分に出現する (P$_{ET}$CO$_2$) ため，様々な肺胞から集められた P$_A$CO$_2$ の総和である P$_{ET}$CO$_2$ は低下することが示されている．
骨格筋量が多いと P$_A$CO$_2$ が上昇するため P$_{ET}$CO$_2$ は高値を示す．

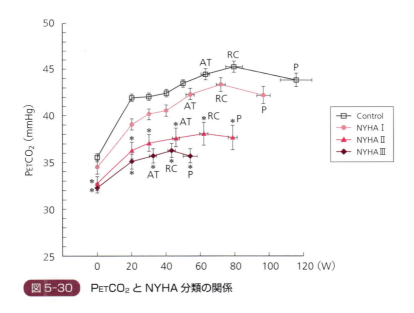

**図 5-30** P$_{ET}$CO$_2$ と NYHA 分類の関係

近くに達する．筆者は RCP における P$_{ET}$CO$_2$ が 45 mmHg あるいは ETCO$_2$ が 6％以上を正常と考えている．

運動中の心拍出量の指標としては $\dot{V}O_2/HR$ があるが，これは β 遮断薬を使用している場合には使用できない．一方，P$_{ET}$CO$_2$ は β 遮断薬を使用していても影響を受けない．そのため，β 遮断薬服用患者では P$_{ET}$CO$_2$ は運動中の心ポンプ機能を推測する上での参考となる．ただし，心拍出量以外の要因で換気血流不均衡分布が存在する場合には心拍出量の指標として使用することはできない．

P$_{ET}$CO$_2$ は肺動脈圧とも関連する．肺高血圧患者の場合には，安静時と AT レベル，最大負荷

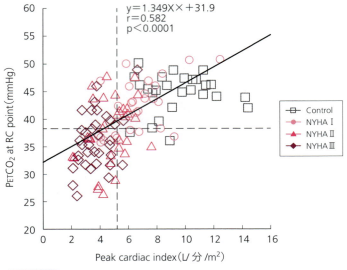

図5-31　P$_{ET}$CO$_2$ と心拍出量の関係

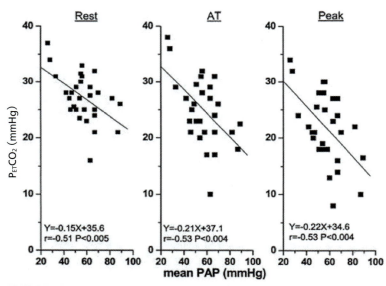

図5-32　平均肺動脈圧（mean PAP）と P$_{ET}$CO$_2$ の関係
(Yasunobu Y, et al. Chest. 2005: 127; 1637-46)[32]

　時の PAP と P$_{ET}$CO$_2$ の間には 図5-32 のような関係がある[32]．また，P$_{ET}$CO$_2$ は右左シャントの存在の指標ともなる．PFO（patent foramen ovale）のように運動負荷により右左シャントが生ずると P$_{ET}$CO$_2$ は突然低下する 図5-33 [33]．

　ランプ負荷中，ガス交換効率は徐々に改善して血液中の CO$_2$ の肺胞への拡散が増加する．そのため P$_{ET}$CO$_2$ は漸増する．しかし，RCP に達して $\dot{V}CO_2$ 以上に $\dot{V}E$ が亢進して両者のミスマッチが生じると拡散される CO$_2$ と外気中の CO$_2$ が混じて P$_{ET}$CO$_2$ は減少し始める．すなわち，

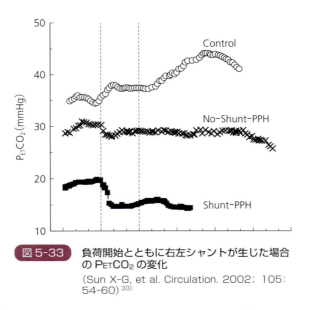

図 5-33 負荷開始とともに右左シャントが生じた場合の P$_{ET}$CO$_2$ の変化
(Sun X-G, et al. Circulation. 2002; 105: 54-60)[33]

P$_{ET}$CO$_2$ は $\dot{V}CO_2$ と $\dot{V}E$ が乖離し始めたサインである.

　P$_{ET}$O$_2$ は負荷中漸減する．これは，運動に伴って $\dot{V}O_2$ が増加するとともに呼吸が深くなり，ガス交換効率が改善して吸気中の O$_2$ 利用が増加し，呼気中に残っている O$_2$ が減少するためである．しかし AT に達して嫌気的代謝の割合が増え，$\dot{V}O_2$ の増加がやや減少するとともに，$\dot{V}O_2$ 以上に $\dot{V}E$ が増加，すなわち酸素の必要量以上に換気が亢進するとガス交換に使われなかった酸素がそのまま呼気中に戻ってくるため P$_{ET}$O$_2$ は増加し始める．P$_{ET}$O$_2$ は $\dot{V}O_2$ と $\dot{V}E$ が乖離し始めた時のサインであり，これは大抵の場合，AT レベルの運動強度で生じる現象である．

　P$_{ET}$CO$_2$ について注意すべきことは，骨格筋量の影響も受ける点である．骨格筋が多量にあり，CO$_2$ 産生能力が高ければ P$_{ET}$CO$_2$ は高値となり，時として 7.5 という数値を示すこともある．心臓リハビリテーションを行い，P$_{ET}$CO$_2$ が数週間で改善した場合は，血管内皮細胞機能改善による心拍出量増加が主要因であり，半年以上徐々に改善する場合は骨格筋量改善も関与していると考えられる．

　P$_{ET}$CO$_2$ と ETCO$_2$ の使い分けについては，パターンや同じ施設で同一人物の前後比較でみるのであればどちらでも構わない．P$_{ET}$CO$_2$ は大気圧の影響を受けるため，標高の異なる施設で得られたデータを比較することはできない．PaCO$_2$ と比較する場合は P$_{ET}$CO$_2$ を使用する．

## 5　TV-RR 関係

　浅く速い呼吸パターンを評価する指標として TV-RR 関係がある．X 軸に呼吸数（RR），Y 軸に 1 回換気量（TV）をプロットする 図5-34．正常な場合，AT あるいは RCP まで呼吸数はほとんど増加せず，1 回換気量のみが増加する．そのため，TV-RR 関係は Y 軸方向に伸びる．その後，比較的突然に 1 回換気量の増加は停止して呼吸数が増加し始め，TV-RR 関係は X 軸方向

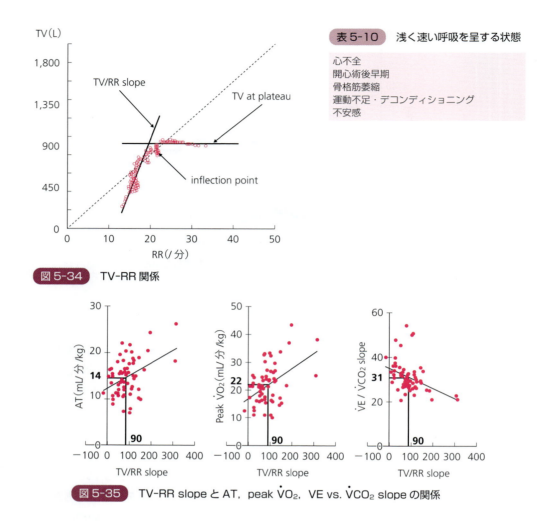

図 5-34 TV-RR 関係

表 5-10 浅く速い呼吸を呈する状態
心不全
開心術後早期
骨格筋萎縮
運動不足・デコンディショニング
不安感

図 5-35 TV-RR slope と AT, peak $\dot{V}O_2$, $\dot{V}E$ vs. $\dot{V}CO_2$ slope の関係

に伸び始める．TV-RR 関係の折れ曲がり点を inflection point（インフレクションポイント）とよぶ．

　Inflection point までの TV-RR 関係を筆者らは TV-RR slope とよんでいる[34]．これは「呼吸の速さ」の指標である．当院の検討では，AT が 14 mL/分/kg，peak $\dot{V}O_2$ が 21 mL/分/kg，$\dot{V}E$ vs. $\dot{V}CO_2$ slope が 31 とほぼ正常な運動耐容能を示す状態では，TV-RR slope は 90 以上を示す 図 5-35 ．

　Inflection point 以後の TV を TV at plateau（TV アットプラトー）とよび，これは「呼吸の浅さ」の指標となりうる．浅く速い呼吸を呈する状態を 表 5-10 に示す．

　実際には，inflection point は全症例で出現するわけではない．Inflection point 後にも TV が漸増したり，呼吸パターンがジグザグなパターンを示したり，運動が進むにつれて呼吸数が減少したりする例も見られる．そのため，slope の傾きやプラトーレベルの TV を数値化するのが困難な場合もある．したがって，この指標は，軽い労作時から異常な呼吸パターンを有するのか否かをパターンで判定する指標と考えるのがよいと思われる．

## 6　RR threshold

　RRをトレンドグラフにプロットすると 図5-36 のようにATを境に急激に増加し始める．ATになるとカテコラミン分泌が増加して$\dot{V}E$を亢進させるが，その頃にはTVはもはや増加できない状況になっているためにRRが増加するものと思われる．ATがBorg指数の11〜13で，これ以上であると息切れせずに会話することが困難である原因である．

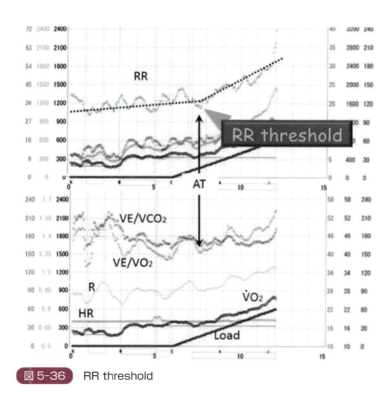

図5-36　RR threshold

## 7　Ti/Ttot

　呼吸異常に関する指標としてTi/Ttotがある 図5-37A ．Tiとはinspiration time（吸気時間）のことで，Ttotはtotal respiration time（総呼吸時間）のことである．したがってTi/Ttotは一呼吸（吸気＋呼気）における吸気に要する時間の割合のことである．最大負荷時に注目すべき指標で，正常例では0.4以上である．Air trappingが生じた場合，呼気が延長してTi/Ttotは0.4以下になる．
　Ti/Ttotが減少する代表的な疾患は肺気腫である．肺胞壁の破壊のために肺胞が融合し，最大負荷付近の呼気時では肺胞周囲のみならず終末細気管支周囲の平滑筋も収縮して，肺胞からの呼

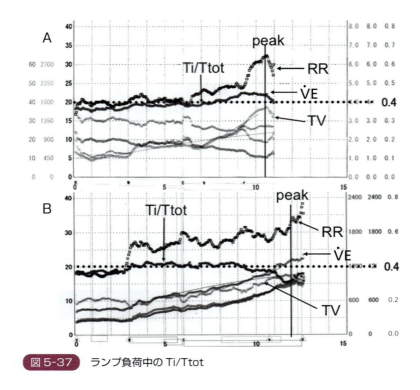

図5-37 ランプ負荷中のTi/Ttot

気の出口を収縮させるために呼吸しにくくなることが原因である．運動終了時に「下肢疲労」の度合いよりも「息切れ感」を強く訴えるとともにTi/Ttotが0.4未満に急激に低下 図5-37B すれば，患者の運動耐容能低下の原因は肺気腫によるair trappingにあるといえる．

## 8 呼吸予備能

息切れ感の評価に有用な指標として呼吸予備能がある．これはMVVとpeak $\dot{V}E$，ICとpeak TVを比較するもので，COPDではMVV-peak $\dot{V}E$ が11 L/分以下，あるいはMVV-peak $\dot{V}E$ とMVVの比が10％未満となる．肺線維症ではpeak TV/ICが80から90％以上になる．ICとpeak $\dot{V}E$ の差は呼吸予備能とはよばないが，吸気に関する予備能が低下する状態を示しているのは事実である．Peak TV/ICの増加は拘束性肺疾患の他，肥満による横隔膜上昇によっても生じる．肺容積が縮小してしまうからである．

## 9 OUES

Oxygen uptake efficiency slope（酸素摂取効率スロープ）の略である[35]．換気することによって酸素がどの程度摂取されるかというもので $\dot{V}E$ vs. $\dot{V}CO_2$ slopeと類似した指標である．ただ，

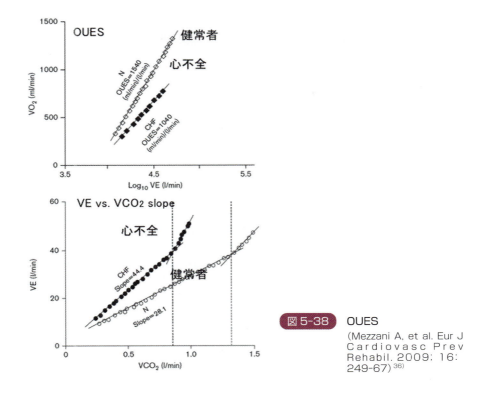

図 5-38　OUES
(Mezzani A, et al. Eur J Cardiovasc Prev Rehabil. 2009; 16: 249-67)[36]

OUES は $\dot{V}E$ vs. $\dot{V}CO_2$ slope と異なり，Y 軸に $\dot{V}O_2$，X 軸に $\dot{V}E$ をログスケールでとっている．VE と $\dot{V}O_2$ の関係は AT と RCP で折れ曲がるが，これを対数曲線ととらえてフィットさせたものである．これは乳酸アシドーシスの程度や骨格筋量，生理学的死腔量などに影響される．1,500 前後が正常で，心不全では 1,000 近くまで低下する 図 5-38 [36]．

## 10　$\Delta HR/\Delta \dot{V}O_2$

　$\dot{V}O_2$ の項目に記述したごとく，心拍数が増加すれば CO と $\dot{V}O_2$ は一般的には増加する．$\dot{V}O_2$ を X 軸，HR を Y 軸にしたのが $\Delta HR/\Delta \dot{V}O_2$ である．

　　$\Delta HR$ は（220-age）$\Delta HR@rest$
　　　$\Delta \dot{V}O_2$ は予測最高酸素摂取量－安静時酸素摂取量
　　男の場合予測最高酸素摂取量は－0.272×age＋42.29 であることから
　　$\Delta HR/\Delta \dot{V}O_2$ はおよそ 0.06 が正常といえる．

　$\Delta HR/\Delta \dot{V}O_2$ が運動終了直前に急峻になる場合，表 5-11 に示すような異常が考えられる．一つは心房

表 5-11　$\Delta HR/\Delta \dot{V}O_2$ が運動終了直前に急峻になる状態

心房細動
拡張障害
心筋虚血
大動脈弁狭窄

細動，二つ目は HFpEF である.

心房細動の場合，心拍数が 110/分以上になると HR 増加に $\dot{V}O_2$ 増加が伴わなくなることがある[5]. もし垂直になれば，HR 増加がまったく $\dot{V}O_2$ を増加させておらず，心臓の負担だけが増加する危険な状態であると考えられる.

HFpEF の場合にも心拍数が 110/分を超えると急峻になる. これは，左室拡張が心拍数増加に追い付かなくなるためである.

■文献

1) Takakura H, Masuda K, Hashimoto T, et al. Quantification of myoglobin deoxygenation and intracellular partial- pressure of $O_2$ during muscle contraction during haemoglobin-free medium perfusion. Exp Physiol. 2010; 95: 630-40.

2) Fick A. Uber die messung des blutquantums in den Herzventrikeln. Sitzungs Berichte fur phys-Med Gesselshaft Wurzburg. 1870 (Neue Folge 2, XVI-XVII).

3) Donald KW, Wormald PN, Taylor SH, et al. Changes in the oxygen content of femoral venous blood and leg blood flow during leg exercise in relation to cardiac output response. Clin Sci. 1957; 16: 567-91.

4) 長山雅俊, 伊東春樹. 心肺運動負荷試験の指標-$\dot{\Delta}VO_2/\Delta WR$. 心臓. 2007; 39 (suppl 2): 30-2.

5) Rawles JM. What is meant by a "controlled" ventricular rate in atrial fibrillation? Br Heart J. 1990; 63: 157-61.

6) Spallone V. Update on the impact, diagnosis and management of cardiovascular autonomic neuropathy in diabetes: What is defined, what is new, and what is unmet. Diabetes Metab J. 2019; 43: 3-30.

7) Kemi OJ, MacQuaide N, Hoydal MA, et al. Exercise training corrects control of spontaneous calcium waves in hearts from myocardial infarction heart failure rats. Cell Physiol. 2012; 227: 20-6.

8) MacArdle W, et al. In: Exercise Physiology. 4th ed. Baltimore: Williams & Wilkins; 1996. p.156.

9) ⟨https://www.tokubetu.or.jp/text_sanketsu/text_sanketsu2-1b.html⟩

10) Hinrichs T, Franke J, Voss SOSS, et al. Total hemoglobin mass, iron status, and endurance capacity in elite field hockey players. J Strength Cond Res. 2010; 24: 629-38.

11) Koike A, Weiler-Ravell D, McKenzie DK, et al. Evidence that the metabolic acidosis threshold is the anaerobic threshold. J Apple Physiol. 1990; 68: 2521-6.

12) Ward SA, Whipp BJ, Koyal S, et al. Influence of body $CO_2$ store on ventilatory-metabolic coupling during exercise. J Appl Physiol Respir Environ Exerc Physiol. 1983; 55: 742-9.

13) 福場良之, 柳川和優. ランプ負荷運動テストにおけるガス交換諸標の解析— aerobic parameter 推定法の実際について. 呼と循. 1997; 45: 1103-11.

14) Ozcelik O, Ward SA, Whipp BJ. Effect of altered body $CO_2$ stores on pulmonary gas exchange dynamics during incremental exercise in humans. Exp Physiol. 1999; 84: 999-1011.

15) Hasselberg NE, Haugaa KH, Sarvari SI, et al. Left ventricular global longitudinal strain is associated with exercise capacity in failing hearts with preserved and reduced ejection fraction. Eur Heart J Cardiovasc Imaging. 2015; 16: 217-24.

16) Froelicher VF. Interpretation of specific exercise test responses. In: Froelicher VF, ed. Exercise and the Heart, 2nd ed. Chicago: Year Book Medical Publishers; 1987. p.83-145.

17) Franciosa JA, Park M, Levine TB. Lack of correlation between exercise capacity and indexes of resting left ventricular performance in heart failure. Am J Cardiol. 1981; 47: 33-9.

18) Itoh H, Taniguchi K, Koike A, et al. Evaluation on severity of heart failure using ventilatory gas analysis. Circulation. 1990; 81 (Suppl II): II31-7.

19） Itoh H, Ajisaka R, Koike A, et al. Heart rate and blood pressure response to ramp exercise and exercise capacity in relation to age, gender, and mode of exercise in a healthy population. J Cardiol. 2013；61：71-8.

20） Weber KT, Kinasewitz GT, Janicki JS, et al. Oxygen utilization and ventilation during exercise in patients with chronic cardiac failure. Circulation. 1982；65：1213-23.

21） Paolillo S, Veglia F, Salvioni E, et al. Heart failure prognosis over time：how the prognostic role of oxygen consumption and ventilatory efficiency during exercise has changed in the last 20 years. Eur J Heart Fail. 2019；21：208-17.

22） 安達　仁. 最高酸素摂取量による心不全重症度分類. In：日本循環器学会 2021 年改訂版 心血管疾患におけるリハビリテーションに関するガイドライン. 2021. p.24.

23） Kremser CB, O'Toole MF, Leff AR. Oscillatory hyperventilation in severe congestive heart failure secondary to idiopathic dilated cardiomyopathy or to ischemic cardiomyopathy. Am J Cardiol. 1987；59：900-5.

24） Corra U, Giordano A, Bosimini E, et al. Oscillatory ventilation during exercise in patients with chronic heart failure：Clinical correlates and prognostic implication. Chest. 2002；121：1572-80.

25） Corra U, Pistono M, Mezzani A, et al. Sleep and exertional periodic breathing in chronic heart failure. prognostic importance and interdependence. Circulation. 2006；113：44-50.

26） Nakade T, Adachi H, Murata M, et al. Relationship between exercise oscillatory ventilation loop and prognosis of heart failure. Circ J. 2019；83：1718-25.

27） Arena R, Myers J, Abella J, et al. Prognostic value of timing and duration characteristics of exercise oscillatory ventilation in patients with heart failure. J Heart Lung Transplant. 2008；27：341-7.

28） Malhotra R, Bakken K, D'Elia E, et al. Cardiopulmonary exercise testing in heart failure. J Am Coll Cardiol HF. 2016；4：607-16.

29） Wasserman K, et al. Principles of exercise testing and interpretation. 5th ed. Philadelphia：Lippincott Williams and Wilkins；1999. p.168.

30） Stringer W, Hansen JE, Wasserman K. Cardiac output estimated noninvasively from oxygen uptake during exercise. J Appl Physiol. 1997；82：908-12.

31） Matsumoto A, Itoh H, Etoh Y, et al. End-tidal $CO_2$ pressure decreases during exercise in cardiac patients：association with severity of heart failure and cardiac output reserve. J Am Coll Cardiol. 2000：36；242-9.

32） Yasunobu Y, Oudiz RJ, Sun X-G, et al. End-tidal $PCO_2$ abnormality and exercise limitation in patients with primary pulmonary hypertension. Chest. 2005：127；1637-46.

33） Sun X-G, Hansen JE, Oudiz RJ, et al. Gas exchange detection of exercise-induced right-to-left shunt in patients with primary pulmonary hypertension. Circulation. 2002；105：54-60.

34） Akaishi S, Adachi H, Oshima S, et al. Relationship between exercise tolerance and TV vs. RR relationship in patients with heart disease. J Cardiol. 2008；52：195-201.

35） Baba R, Nagashima M, Goto M, et al. Oxygen uptake efficiency slope：a new index of cardiorespiratory functional reserve derived from the relation between oxygen uptake and minute ventilation during incremental exercise. J Am Coll Cardiol. 1996；28：1567-72.

36） Mezzani A, Agostoni P, Cohen-Solal A, et al. Standards for the use of cardiopulmonary exercise testing for the functional evaluation of cardiac patients：a report from the Exercise Physiology Section of the European Association for Cardiovascular Prevention and Rehabilitation. Eur J Cardiovasc Prev Rehabil. 2009；16：249-67.

〈安達 仁〉

## 11　$\dot{V}E/\dot{V}CO_2$，$\dot{V}E$ vs. $\dot{V}CO_2$ slope について

$\dot{V}E$ と $\dot{V}CO_2$ には次のような関係がある．

$\dot{V}E = 863 \times \dot{V}CO_2 / [PaCO_2 \times (1-VD/VT)]$

この式を変換すると，$\dot{V}E/\dot{V}CO_2 = 863/[PaCO_2 \times (1-VD/VT)]$ となり，$\dot{V}E/\dot{V}CO_2$ は，$PaCO_2$ と VD/VT で決まる値となる．$PaCO_2$ は動脈の二酸化炭素の値であり，VD/VT は死腔換気である．$\dot{V}E/\dot{V}CO_2$ は通常運動中のトレンドを見た値で表示される．安静時は通常肺の下のほうが押しつぶされ，肺の上部の方は血液が比較的行かないため，換気血流不均衡（V/Q mismatch）が悪化しているが，漸増負荷試験では，運動開始と共に VD/VT であらわされる運動中の換気血流不均衡は，大きく呼吸をすることと血液量が増大するため改善される．そのため VD/VT が小さくなることから，$\dot{V}E/\dot{V}CO_2$ は低下に転じる．$\dot{V}E/\dot{V}O_2$ は AT 以降に上昇し，$\dot{V}E/\dot{V}CO_2$ は呼吸性代償開始点（RCP）まで低下し続け，その後上昇に転じる．その時の最低値を minimum $\dot{V}E/\dot{V}CO_2$ とよぶ 図5-39．また，値としての $\dot{V}E$ vs. $\dot{V}CO_2$ slope は横軸に $\dot{V}CO_2$，縦軸に $\dot{V}E$ を置いた時，漸増負荷試験開始から RCP までの直線の傾きを 1,000 倍した値であるが 図5-40，slope のとり方，通常 minimum $\dot{V}E/\dot{V}CO_2$ と $\dot{V}E$ vs. $\dot{V}CO_2$ slope はほぼ同じ値となる 図5-41 [1]．

これらの値は一般に若者のほうが高齢者より低く，男性のほうが，女性より若干低く欧米でも日本人でも同様である 図5-42 [2]．しかし $\dot{V}E$ vs. $\dot{V}CO_2$ slope は 74 歳で，minimum $\dot{V}E/\dot{V}CO_2$ は 67 歳で男女の値の関係が逆転する．欧米でも日本人でもおおむね同様である 表5-12 [1-3]．最高酸素摂取量（peak $\dot{V}O_2$）は，エルゴメータよりもトレッドミルにおいて高い値となるが，minimum $\dot{V}E/\dot{V}CO_2$ は両者において同じ値となり，$\dot{V}E$ vs. $\dot{V}CO_2$ slope はトレッドミルでやや高い値となる [1]．

Peak $\dot{V}O_2$ は高値であるほどよいが，minimum $\dot{V}E/\dot{V}CO_2$ と $\dot{V}E$ vs. $\dot{V}CO_2$ slope は上昇する場合

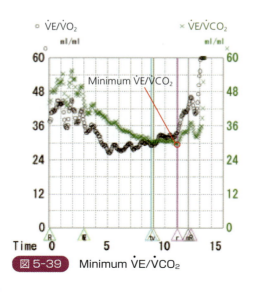

図5-39　Minimum $\dot{V}E/\dot{V}CO_2$

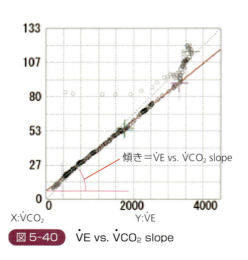

図5-40　$\dot{V}E$ vs. $\dot{V}CO_2$ slope

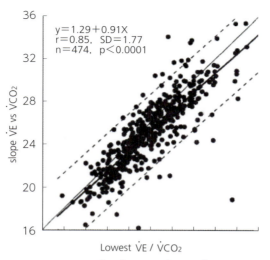

図 5-41　Minimum（lowest）$\dot{V}E/\dot{V}CO_2$ と $\dot{V}E$ vs. $\dot{V}CO_2$ slope の関連性
図のごとく minimum $\dot{V}E/\dot{V}CO_2$ と $\dot{V}E$ vs. $\dot{V}CO_2$ slope はほぼ同じ値となる.
(Sun XG, et al. Am J Respir Crit Care Med. 2002; 166: 1443-8)[1]

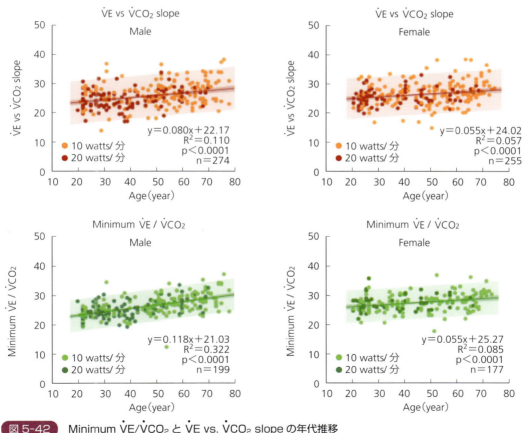

図 5-42　Minimum $\dot{V}E/\dot{V}CO_2$ と $\dot{V}E$ vs. $\dot{V}CO_2$ slope の年代推移
(Ashikaga K, et al. J Cardiol. 2021; 77: 57-64)[2]

| 表5-12 | 欧米と日本における換気効率の正常値 |
|---|---|

(Sun XG, et al. Am J Respir Crit Care Med. 2002; 166: 1443-8[1]; Ashikaga K, et al. J Cardiol. 2021; 77: 57-64[2]; Salvioni E, et al. ESC Heart Fail. 2020; 7: 371-80[3])

| | $\dot{V}E$ vs. $\dot{V}CO_2$ slope | | minimum $\dot{V}E/\dot{V}CO_2$ | |
|---|---|---|---|---|
| 日本人の正常値<br>（Ashikaga[2]）| | | | |
| 年齢（歳）| 男性 | 女性 | 男性 | 女性 |
| 20 | 23.8 | 25.1 | 23.4 | 26.4 |
| 30 | 24.6 | 25.7 | 24.6 | 26.9 |
| 40 | 25.4 | 26.2 | 25.8 | 27.5 |
| 50 | 26.2 | 26.8 | 26.9 | 28.0 |
| 60 | 27.0 | 27.3 | 28.1 | 28.6 |
| 70 | 27.8 | 27.9 | 29.3 | 29.1 |
| 80 | 28.6 | 28.4 | 30.5 | 29.7 |
| Sun ら[1] の正常値 | | | | |
| <20 | 22.9±2.8 | 25.2±2.7 | 23.2±2.0 | 25.4±1.8 |
| 21〜30 | 23.9±2.1 | 24.1±2.1 | 23.9±2.1 | 25.4±2.2 |
| 31〜40 | 25.0±2.7 | 26.9±3.2 | 25.0±2.7 | 22.7±2.3 |
| 41〜50 | 26.1±2.2 | 25.8±2.7 | 26.1±2.2 | 26.5±2.6 |
| 51〜60 | 28.0±2.9 | 26.5±3.4 | 28.0±2.9 | 28.0±3.3 |
| >60 | 29.4±2.3 | 28.7±3.1 | 29.4±2.3 | 29.3±2.6 |
| Salvioni ら[3] の正常値 | | | | |
| 20 | 22.1 | 24.8 | | |
| 30 | 23.1 | 25.4 | | |
| 40 | 24.0 | 25.9 | | |
| 50 | 25.0 | 26.4 | | |
| 60 | 25.9 | 26.9 | | |
| 70 | 26.9 | 27.4 | | |
| 80 | 27.8 | 28.0 | | |

は異常である．異常値となる場合は，$PaCO_2$ や VD/VT を増減させる疾患である．$PaCO_2$ に影響を与える疾患としては，低換気や過換気，慢性のアルカローシスやアシドーシスなどがあげられる．VD/VT を増減させる疾患としては，肺換気血流不均衡を起こす疾患があげられ，肺であれば肺炎，肺気腫，浅く速い呼吸様式などの肺の因子や，肺血栓塞栓症，肺高血圧症，心不全など心拍出量低下する心疾患因子，血管内機能低下などの肺血流の因子があげられる．

心不全では，$PaCO_2$ は過呼吸傾向であれば低値となるため $\dot{V}E/\dot{V}CO_2$ は高値となる．さらに，低心拍出のため肺血流が低下することから，VD/VT は大きくなり，$\dot{V}E/\dot{V}CO_2$ は高値となる．そのため心不全における minimum $\dot{V}E/\dot{V}CO_2$ と $\dot{V}E$ vs. $\dot{V}CO_2$ slope 高値は，予後不良所見である 図5-43 [4]．特に $\dot{V}E$ vs. $\dot{V}CO_2$ slope 35 は peak $\dot{V}O_2$ 14 mL/分/kg に相当することが指摘されており，考慮すべき値である[5]．Peak $\dot{V}O_2$ は通常最高ガス交換比 1.10 以上の負荷をかけることが必要とされ，minimum $\dot{V}E/\dot{V}CO_2$ も，RCP 以降に $\dot{V}E/\dot{V}CO_2$ が上昇に転じるため，minimum $\dot{V}E/\dot{V}CO_2$ の値を得るには RCP 以上の負荷が求められるが，$\dot{V}E$ vs. $\dot{V}CO_2$ slope はある程度の漸増負荷試験が行えれば，その値を求めることができる．そのため下肢筋力が低下した高齢者でも正確な値が求めやすいと考えられる．我々が行った TAVR 後のイベント調査では，平均年齢83歳で

134 CPX・運動療法ハンドブック

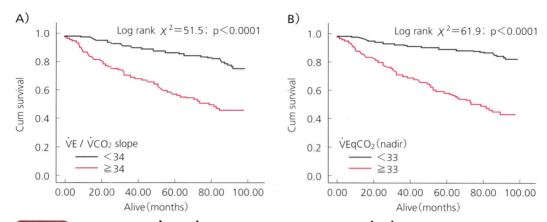

**図 5-43** 心不全における $\dot{V}E$ vs. $\dot{V}CO_2$ slope と minimum (Nadir) $\dot{V}E/\dot{V}CO_2$ のカプランマイヤー曲線
心不全において $\dot{V}E$ vs. $\dot{V}CO_2$ slope 34 以上 (A) および Minimum (Nadir) $\dot{V}E/\dot{V}CO_2$ 33 以上 (B) は予後不良因子.
(Ingle L, et al. Eur J Heart Fail. 2011; 13: 537-42)[4]

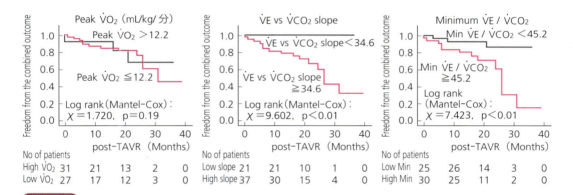

**図 5-44** 経カテーテル的大動脈弁置換術 (TAVR) 後の心血管イベントの予測因子
TAVR 後の心血管イベントの予測因子としては, Peak $\dot{V}O_2$ よりも Minimum $\dot{V}E/\dot{V}CO_2$ と $\dot{V}E$ vs. $\dot{V}CO_2$ slope が有用であったが, 運動負荷が最後まで行えない高齢者が多く, $\dot{V}E$ vs. $\dot{V}CO_2$ slope が既存の値に近くより有用と考えられた.
(Murata M, et al. Circ J. 2019; 83: 2034-43)[6]

あったが, 同年の方の多くが下肢症候限界まで CPX を施行しても RCP に到達できなかった. そのため, minimum $\dot{V}E/\dot{V}CO_2$ は $\dot{V}E$ vs. $\dot{V}CO_2$ slope よりも大きく高く, 通常ほぼ一致する両者の値にずれを生じた. またそのような場合の経カテーテル的大動脈弁置換術 (TAVR) 後の心不全再入院と死亡の予測指標として適切なのは, peak $\dot{V}O_2$ でも minimum $\dot{V}E/\dot{V}CO_2$ でもなく, $\dot{V}E$ vs. $\dot{V}CO_2$ slope であった. その理由の一つには $\dot{V}E$ vs. $\dot{V}CO_2$ slope がある程度の漸増負荷でも正確な値を求めることができることと考えられた 図5-44 [6].

さて, 通常 minimum $\dot{V}E/\dot{V}CO_2$ と $\dot{V}E$ vs. $\dot{V}CO_2$ slope はほぼ同じ値をとるが, ときとして上記の運動不十分ではなく, 疾患のために乖離を起こす場合がある. なぜ乖離が起きるかについて論じたい. 慢性閉塞性肺疾患 (COPD) であるが, Neder らは COPD の GOLD 分類で重症化するほ

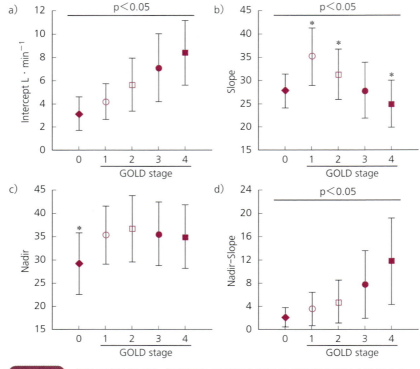

図5-45 慢性閉塞性肺疾患（COPD）における GOLD 重症度分類による Y-int, Minimum $\dot{V}E/\dot{V}CO_2$, $\dot{V}E$ vs. $\dot{V}CO_2$ slope, Minimum $\dot{V}E/\dot{V}CO_2$-$\dot{V}E$ vs. $\dot{V}CO_2$ slope の推移

(Neder JA, et al. Eur Respir J. 2015; 45: 377-87)[7]

ど，minimum $\dot{V}E/\dot{V}CO_2$ と $\dot{V}E$ vs. $\dot{V}CO_2$ slope が乖離することを報告している（図5-45d 参照）[7]．まず $\dot{V}E$ vs. $\dot{V}CO_2$ slope の値は，正常から GOLD 分類 1 までは上昇していくが，その後低下に転じる（図5-45b 参照）．Minimum $\dot{V}E/\dot{V}CO_2$ は正常から GOLD 分類 2 までは上昇するが，その後緩やかに低下に転じる（図5-45c 参照）．そのため GOLD 分類が大きくなるほど（COPD が重症化するほど）minimum $\dot{V}E/\dot{V}CO_2$ と $\dot{V}E$ vs. $\dot{V}CO_2$ slope の乖離は大きくなるとされる．次に $\dot{V}E$ vs. $\dot{V}CO_2$ slope を求めるときの直線の Y 切片であるが，Y-int と表されることが多い 図5-46．これは COPD の一秒率の低下に反比例するとされる 図5-47[8]．つまり GOLD 分類で重症化すると一秒率は低下するため，Y-int は上昇する．図5-48 は Y 軸に $\dot{V}E$，X 軸に $\dot{V}CO_2$ を置いた $\dot{V}E$ vs. $\dot{V}CO_2$ slope を求めるときの同じ図である．RCP までの運動を見ているが，健常者（a）では通常，運動に伴い肺の換気血流不均衡は低下するため，運動前半よりも後半における $\dot{V}CO_2$ の増大に対する $\dot{V}E$ の増大は低下するため，Y-int は比較的下となる．一方で COPD のような安静時から死腔の多い症例は，たとえ健常者（a）と同じ傾きだとしても，初めから最後まで死腔が多く，Y-int は（a）よりも高い値となる（b）．中等度から重症 COPD では，安静時から死腔があるため，健常者と同じ $\dot{V}CO_2$ だとしても高い $\dot{V}E$ となり，運動を開始すると比較的軽度の死腔改善にとどまるため，傾きは小さく，Y-int はより大きくなる（C）図5-48[9]．

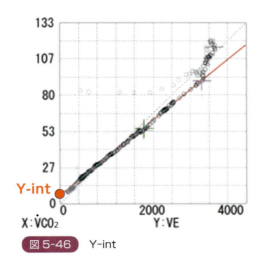

図 5-46　Y-int

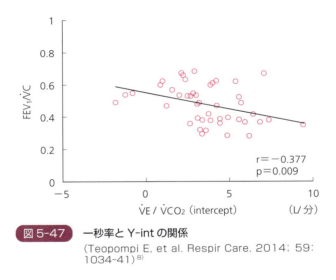

図 5-47　一秒率と Y-int の関係
(Teopompi E, et al. Respir Care. 2014; 59: 1034-41)[8]

　この Y-int は，心不全，心不全＋COPD，COPD で比較しても心不全＋COPD や COPD 症例では Y-int は高値となるので，要観察ポイントとなる．$\dot{V}E$ vs. $\dot{V}CO_2$ slope は心不全では増大して予後不良因子となるが，逆に COPD が重症化した場合は低下し，心不全から見ると pseudo normalization に見えるので注意する必要がある．もし，COPD が重症で $\dot{V}E$ vs. $\dot{V}CO_2$ slope が正常である場合は，同時に Y-int は高値を示しているので，Y-int にも注目して判断する．

　以前我々は，minimum $\dot{V}E/\dot{V}CO_2$ と $\dot{V}E$ vs. $\dot{V}CO_2$ slope が日常臨床で得られる値として何が最も相関しているかを検証した．冒頭の通り $\dot{V}E/\dot{V}CO_2$ は，$863/[PaCO_2\times(1-VD/VT)]$ で表されるが，$PaCO_2$ と VD/VT を確認するには運動負荷カテーテル検査が必要なため，$PaCO_2$ に近似できる値として呼気終末二酸化炭素分圧（$P_{ET}CO_2$）を，VD/VT を肺と心臓の値にそれぞれ近似し

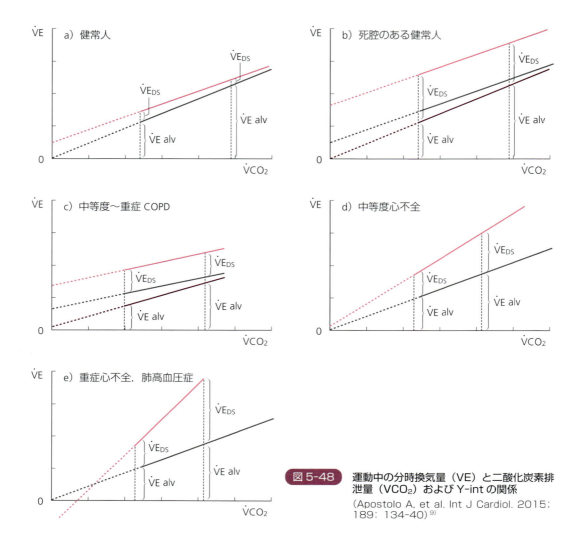

図 5-48 運動中の分時換気量（VE）と二酸化炭素排泄量（VCO₂）およびY-intの関係
(Apostolo A, et al. Int J Cardiol. 2015; 189: 134-40)[9]

1回換気量/呼吸回数比（TV/RR ratio）とY-int，PhysioFlowで求めたCardiac Index（CI）の4つを比較検討したところ，minimum V̇E/V̇CO₂ とV̇E vs. V̇CO₂ slopeに最も影響を与えているのは圧倒的にP_ETCO₂であった 図5-49 [10]．

Minimum V̇E/V̇CO₂ とV̇E vs. V̇CO₂ slope の pseudo normalization に着目すると，P_ETCO₂ が高い場合，minimum V̇E/V̇CO₂ とV̇E vs. V̇CO₂ slope の値は低下するが，COPDのGOLD分類が高くなるにつれ，P_ETCO₂ は高値となる 表5-13 [7]．そのため minimum V̇E/V̇CO₂ とV̇E vs. V̇CO₂ slope はCOPDが重症化すると低下すると考えることができる．同様に心不全においては，心不全が重症化するほどP_ETCO₂ は低下することが知られている 図5-50 [11]．心不全において，P_ETCO₂ はCOPDと反対に低下するため minimum V̇E/V̇CO₂ とV̇E vs. V̇CO₂ slope は上昇する 図5-51 ．

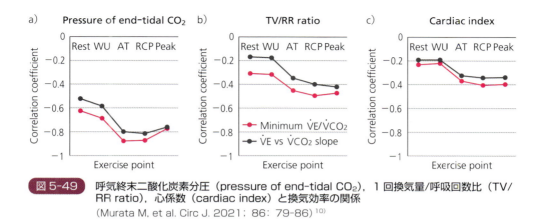

**図 5-49** 呼気終末二酸化炭素分圧（pressure of end-tidal CO₂），1回換気量/呼吸回数比（TV/RR ratio），心係数（cardiac index）と換気効率の関係
(Murata M, et al. Circ J. 2021; 86: 79-86)[10]

**表 5-13** 慢性閉塞性肺疾患（COPD）の GOLD 分類における呼気終末二酸化炭素分圧（P$_{ET}$CO₂）

|  | Controls | GOLD stage 1 | GOLD stage 2 | GOLD stage 3 | GOLD stage 4 |
|---|---|---|---|---|---|
| Subjects | 69 | 81 | 112 | 84 | 39 |
| Time min | 10.1±2.0 | 9.8±1.9 | 8.5±1.5 | 7.8±2.3 | 6.1±1.3 |
| WR % predicted | 125.9±24.4 | 97.1±20.3*,# | 82.5±18.8*,# | 67.3±17.1*,# | 48.9±17.0*,# |
| VO₂ % predicted | 118.4±18.3 | 91.9±23.5*,# | 78.4±22.7*,# | 60.9±17.5*,# | 40.8±11.5*,# |
| VE/MVV | 0.58±0.07 | 0.73±0.10*,# | 0.88±0.07 | 0.89±0.08 | 0.92±0.10 |
| VT L | 1.90±0.42 | 1.79±0.56*,# | 1.39±0.46*,# | 1.11±0.36*,# | 0.95±0.30*,# |
| fR rpm | 38±10 | 35±6* | 34±9* | 33±8* | 25±6*,# |
| EILV/TLC | 0.82±0.04 | 0.86±0.06*,# | 0.91±0.05 | 0.93±0.04 | 0.95±0.03 |
| PETCO₂ mmHg | 31.6±3.8 | 34.6±4.9*,# | 38.4±6.4*,# | 40.9±6.3*,# | 44.4±3.8*,# |
| SpO₂ % | 95±3* | 95±4* | 93±4* | 91±3* | 89±3*,# |
| Dyspnoea scores | 3 (2) | 4 (3)* | 4 (3)* | 5 (2)*,# | 5 (3)*,# |

Data are presented as n, mean±SD or median (interquartile range). WR: work rate, VO₂: oxygen production, VE: minute ventilation, MVV: maximal voluntary ventilation, VT: tidal volume, fR: respiratory frequency, EILV: end-inspiratory lung volume, TLC: total lung capacity, PETCO₂: end-tidal carbon dioxide tension, SpO₂: arterial oxygen saturation measured by pulse oximetry. *: p<0.05 versus controls, #p<0.05 versus other GOLD states.
(Neder JA, et al. Eur Respir J. 2015; 45: 377-87)[7]

　同じ研究において，minimum $\dot{V}E/\dot{V}CO_2$ と $\dot{V}E$ vs. $\dot{V}CO_2$ slope の値の変化は P$_{ET}$CO₂，TV/RR ratio，CI はほぼ並行して同じ動きをしており，これら3つの因子に変化があっても，minimum $\dot{V}E/\dot{V}CO_2$ と $\dot{V}E$ vs. $\dot{V}CO_2$ slope は同じ値となるが，Y-int のみ異なる動きをしていた 図 5-52 [10]．Minimum $\dot{V}E/\dot{V}CO_2$ と $\dot{V}E$ vs. $\dot{V}CO_2$ slope の値が乖離する原因としては Y-int の値によることが示唆された．そのため Y-int が高い場合においては，minimum $\dot{V}E/\dot{V}CO_2$＞$\dot{V}E$ vs. $\dot{V}CO_2$ slope となりやすい．このことは，大きく minimum $\dot{V}E/\dot{V}CO_2$＞$\dot{V}E$ vs. $\dot{V}CO_2$ slope となった場合は COPD を注意深く評価する必要がある．

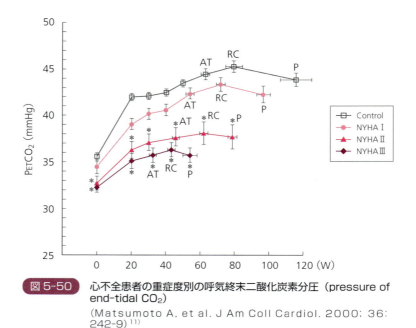

**図 5-50** 心不全患者の重症度別の呼気終末二酸化炭素分圧（pressure of end-tidal $CO_2$）

(Matsumoto A, et al. J Am Coll Cardiol. 2000; 36: 242-9)[11]

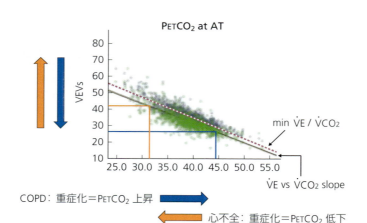

**図 5-51** 心不全と慢性閉塞性肺疾患（COPD）の重症度による呼気終末二酸化炭素分圧（$P_{ET}CO_2$）と換気効率（Ventilatory efficacy variable；VEVs）変化のシェーマ

　反対に Y-int が低いときもある．疾患としては肺高血圧症があげられる．Apostolo は肺高血圧症においては $\dot{V}E$ vs. $\dot{V}CO_2$ slope 高値，Y-int 低値を示すことを報告している 図 5-53 [9]．
図 5-48 の (d) や (e) を見ていただきたい．安静時から死腔が多い COPD の場合に比べ，中等症の心不全や，重症心不全，重症肺高血圧症では，運動開始以降に死腔は大きくなるため，$\dot{V}E$ vs. $\dot{V}CO_2$ slope の傾きは高くなり，Y-int は 0 に近くなったり，場合によってはマイナスにな

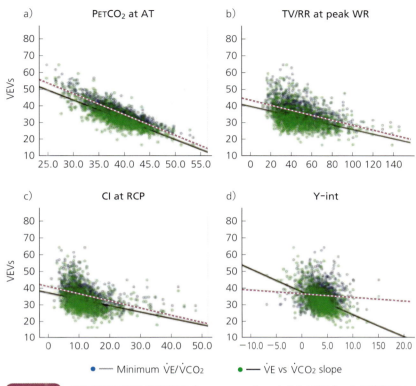

**図 5-52** 呼気終末二酸化炭素分圧（pressure of end-tidal CO₂），1 回換気量/呼吸回数比（TV/RR ratio），心係数（cardiac index）および Y-int と換気効率の関係

(Murata M, et al. Circ J. 2021; 86: 79-86)[10]

**表 5-14** 換気効率と Y-int と疾患の関係

| | | |
|---|---|---|
| min＞slope＋Y-int： | Y-Int ↑ | COPD |
| min＝slope＋Y-int： | Y-Int ≒ 0-3 | CHF |
| min＜slope＋Y-int： | Y-Int ↓ | PH |

ることを示している．特に重症肺高血圧症は，Y-int がマイナスになりやすく，minimum V̇E/V̇CO₂＜V̇E vs. V̇CO₂ slope となる．

まとめると 表5-14 のような関係が認められ，minimum V̇E/V̇CO₂ と V̇E vs. V̇CO₂ slope の関係性，Y-int の値にも注意をはらう必要があり，息切れの鑑別として大切な関連性と考えられる．是非注目していただきたい．

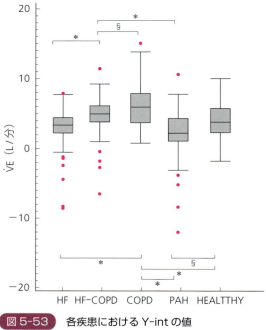

図 5-53 各疾患における Y-int の値
HF：心不全，COPD：慢性閉塞性肺疾患，PAH：肺高血圧症，HEALTHY：健常者
(Apostolo A, et al. Int J Cardiol. 2015；189：134-40)[9]

■文献

1) Sun XG, Hansen JE, Garatachea N, et al. Ventilatory efficiency during exercise in healthy subjects. Am J Respir Crit Care Med. 2002；166：1443-8.

2) Ashikaga K, Itoh H, Maeda T, et al. Ventilatory efficiency during ramp exercise in relation to age and sex in a healthy Japanese population. J Cardiol. 2021；77：57-64.

3) Salvioni E, Corra U, Piepoli M, et al. Gender and age normalization and ventilation efficiency during exercise in heart failure with reduced ejection fraction. ESC Heart Fail. 2020；7：371-80.

4) Ingle L, Sloan R, Carroll S, et al. Prognostic significance of different measures of the ventilation-carbon dioxide relation in patients with suspected heart failure. Eur J Heart Fail. 2011；13：537-42.

5) Poggio R, Arazi HC, Giorgi M, et al. Prediction of severe cardiovascular events by VE/VCO$_2$ slope versus peak VO$_2$ in systolic heart failure：A meta-analysis of the published literature. Am Heart J. 2010；160：1004-14.

6) Murata M, Adachi H, Nakade T, et al. Ventilatory efficacy after transcatheter aortic valve replacement predicts mortality and heart failure events in elderly patients. Circ J. 2019；83：2034-43.

7) Neder JA, Arbex FF, Alencar MC, et al. Exercise ventilatory inefficiency in mild to end-stage COPD. Eur Respir J. 2015；45：377-87.

8) Teopompi E, Tzani P, Aiello M, et al. Ventilatory response to carbon dioxide output in subjects with congestive heart failure and in patients with COPD with comparable exercise capacity. Respir Care. 2014；59：1034-41.

9) Apostolo A, Laveneziana P, Palange P, et al. Impact of chronic obstructive pulmonary disease

on exercise ventilatory efficiency in heart failure. Int J Cardiol. 2015; 189: 134-40.
10) Murata M, Kobayashi Y, Adachi H. Examination of the relationship and dissociation between minimum minute ventilation/carbon dioxide production and minute ventilation vs. carbon dioxide production slope. Circ J. 2021; 86: 79-86.
11) Matsumoto A, Itoh H, Eto Y, et al. End-tidal $CO_2$ pressure decreases during exercise in cardiac patients: association with severity of heart failure and cardiac output reserve. J Am Coll Cardiol. 2000; 36: 242-9.

〈村田 誠〉

## 12　TV/RR グラフと TV/RR ratio

　1回呼吸量〔tidal volume：TV（mL）〕と呼吸回数〔respiratory rate：RR（回/分）〕の割り算である TV/RR ratio は，主には呼吸の安定性を示す値である．分時換気量（VE）は，TV×RR で表されるが，通常の漸増負荷による CPX の場合，安静時から嫌気性代謝閾値（AT）または呼吸性代償開始点（RCP）において，必要な VE は主には TV の増大によって増大し，それ以降から peak 時までは RR が増大することによって，VE が増大する．

　VE＝TV×RR であるが，一呼吸ごとに死腔換気（約 150 mL）が存在するため，TV が大きく RR が少ない呼吸様式のほうが効率がよいことになる．

　さて漸増負荷試験では定常的に仕事率が増大していくため，心臓と同じく呼吸様式も一定の変化方法をとるはずであるが，CPX における呼吸様式は，peak V̇O₂ ほどは調べられていない．一般に呼吸様式は pre Botzinger complex を中心とした延髄呼吸中枢と，延髄化学受容器，頸動脈小体，大動脈小体を用いた二酸化炭素（$CO_2$），酸素（$O_2$），（水素イオン）$H^+$ の増減を感知する化学受容体により調整されている（成書参照）．$O_2$ の濃度が低下すれば，頸動脈小体，大動脈小体で感知され VE が増大する．$CO_2$ が増大すれば，脳脊髄液の $H^+$ が増大し VE が増大する 図 5-54，図 5-55 [1,2]．

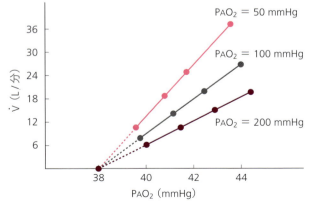

図 5-54　酸素分圧と分時換気量の関係
(Sauders KB. Br J Clin Pharmacol. 1980; 9: 3-9) [1]

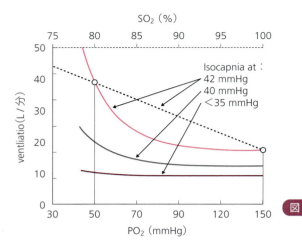

図 5-55　二酸化炭素分圧と分時換気量の関係
〔Duffin J. J Physiol. 2007; 584 (Pt 1): 285-93〕[2]

　漸増負荷試験の CPX では，$\dot{V}E/\dot{V}O_2$ と $\dot{V}E/\dot{V}CO_2$ の trend は，主には，$\dot{V}E$ は $\dot{V}CO_2$ に平行して増大するため，AT までは $\dot{V}E/\dot{V}O_2$ と $\dot{V}E/\dot{V}CO_2$ も低下方向に進むが，AT 以降は $\dot{V}E/\dot{V}O_2$ は増大に転じる一方，$\dot{V}E/\dot{V}CO_2$ は緩やかに低下を続けて RCP になり $\dot{V}E/\dot{V}CO_2$ は増大に転じる．これは，$\dot{V}E$ は安静時から RCP までの運動において $\dot{V}CO_2$ の影響を強く受け，RCP 以降は $\dot{V}CO_2$ に加え，$H^+$ も加味されて変動していることを示唆している．このように呼吸中枢である延髄は一定の法則によって動いていることが示唆される．我々は，peak $\dot{V}O_2$ の値によって，ここに法則性がないかを検討したところ，図 5-56 のように TV/RR グラフを作成することができた．TV と RR の関係は area M を中心に扇形に広がっていくことを見いだした．Area M が何を表しているかは未だに不明であり，今後の検討が待たれる[3]．

　TV と RR の関係について現時点でわかっていることを列挙しておく．

①TV は rest，AT，RCP，peak 時において，% peak $\dot{V}O_2$ が大きいほど高くなる．

②一方で AT の RR は平均 23.0±4.0 回/分，RCP の RR は平均 26.9±5.2 回/分と % peak $\dot{V}O_2$ による変化を受けない．

③Rest から AT までの傾きと % peak $\dot{V}O_2$ の値は±20％と誤差は大きいが概ね % peak $\dot{V}O_2$ と一致する．

TV/RR ratio（rest から AT）：
心疾患患者
　　　　% peak $\dot{V}O_2$＜40　　　　；31.9（13.80−62.5），
　　40≦% peak $\dot{V}O_2$＜60　　　　；47.4（27.9−84.6），
　　60≦% peak $\dot{V}O_2$＜80　　　　；67.0（40.3−121.8），
　　80≦% peak $\dot{V}O_2$＜100　　　；81.8（47.4−143.9），
　　100≦% peak $\dot{V}O_2$　　　　　；122.7（61.6−211.9），
健常者（peak $\dot{V}O_2$ 98.7±9.5％）；87.8（47.6−163.8）mL /beats

中央値（25％タータイル-75％タータイル）

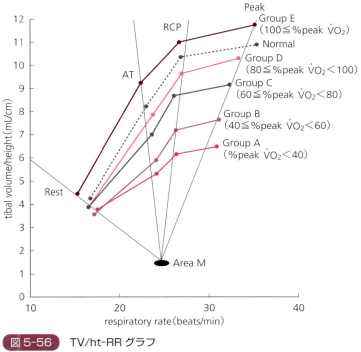

**図 5-56** TV/ht-RR グラフ
(Murata M, et al. J Cardiol. 2020; 76: 521-8)[3]

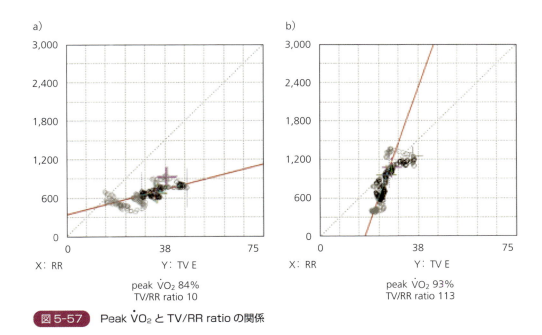

**図 5-57** Peak $\dot{V}O_2$ と TV/RR ratio の関係

**図 5-57a** および **図 5-57b** は，運動耐容能が 80％以上の運動耐容能が保持された方であるが，TV/RR ratio はこのように大きく異なり呼吸の安定性に違いがみられる．**図 5-58a** は

第 5 章　CPX の主要なパラメータ

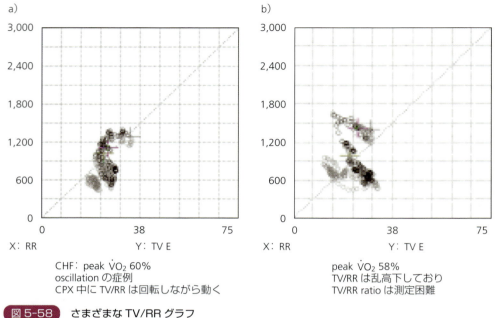

図 5-58　さまざまな TV/RR グラフ

oscillation の症例であるが，TV/RR 曲線は円を描いて動く．また 図 5-58b は CPX に TV と RR が増減を繰り返し乱高下している．このように TV/RR グラフは，呼吸様式を可視化できる点で有用であると考えられる．

■文献
1) Sauders KB. Methods in the assessment of the control of breathing. Br J Clin Pharmacol. 1980; 9: 3-9.
2) Duffin J. Measuring the ventilatory response to hypoxia. J Physiol. 2007; 584 (Pt 1): 285-93.
3) Murata M, Adachi H, Nakade T, et al. Relationship between ventilatory pattern and peak VO₂ and area M regulates the respiratory system during exercise. J Cardiol. 2020; 76: 521-8.

〈村田 誠〉

# 第6章 ランプ負荷試験の実際

## 1 ランプ負荷強度設定法

　ランプ負荷の負荷時間は8分から12分で終了するように負荷法を設定することが理想である．運動強度の変化に対して生体反応は若干遅れがあるため，ランプの速度が急峻だとズレが大きくなり，正確にATやpeakを求めることができなくなってしまう．一方，ランプの程度が緩徐すぎると患者が飽きてしまったり，あるいは自転車エルゴメータの場合はお尻が痛くなってしまい最大負荷に至る前に負荷を自己中断されてしまう可能性があるためである．そのため，表6-1 に示す計算式[1,2] を用いて予測最高酸素摂取量（mL/分）を算出し，$\Delta \dot{V}O_2 / \Delta WR$ を10と仮定して最大負荷量を予測し，それを10で除してランプ負荷強度を設定する方法がある．しかしこの方法は煩雑であるために当院では用いていない．

　当院の決定法を 表6-2 に示す．心疾患患者では最大負荷強度が100ワット前後であることが多いため基本は10ワットランプとする．40歳未満の場合やそれ以上の年齢で日常的に激し

**表6-1** peak $\dot{V}O_2$ 予測式

| | 自転車エルゴメータ | トレッドミル | 単位 | 参考文献 |
|---|---|---|---|---|
| 男 | $-0.272 \times$ 年齢 $+42.29$ | $-0.509 \times$ 年齢 $+61.06$ | mL/分/kg | Itoh H[1] |
| 女 | $-0.1960 \times$ 年齢 $+35.38$ | $-0.208 \times$ 年齢 $+40.65$ | | |
| 男 | $0.9 \times$ 体重 $\times [0.0521 - 0.00038 \times$ 年齢$]$ | | L/分 | Itoh H[2] |
| 女 | $0.9 \times$ 体重 $\times [0.0404 - 0.00023 \times$ 年齢$]$ | | | |

**表6-2** ランプ負荷簡易設定法

| | 自転車エルゴメータ | トレッドミル |
|---|---|---|
| 心疾患患者<br>50歳以上の健常男性<br>40歳以上の健常女性 | 10 w/分 | $\dot{V}O_2$ が2〜3 mL/分増加 |
| 50歳未満の健常男性<br>40歳未満の健常女性 | 20 w/分 | $\dot{V}O_2$ が3〜4 mL/分増加 |
| 鍛錬者 | 30〜40 w/分 | $\dot{V}O_2$ が4〜5 mL/分増加 |

い運動を行っている場合には 20 ワットランプとする．高齢心不全で 50 ワットが最大負荷量の場合，5 分で終了してしまうがやむを得ないと考えている．

心臓リハビリテーションや薬物療法の治療効果判定目的に，CPX を反復して実施する場合には，前後で同じランプ負荷法を用いる．

## 2 安静時に見るべきポイント

安静時に注目するパラメータを 表6-3 に示す．

表6-3 安静時に注目するパラメータ

| パラメータ | ポイント | 意義 |
|---|---|---|
| 心拍数 | 50〜100/分が望ましい | |
| 心電図 | 新たな ST 変化なし<br>新たな心電図変化なし<br>AFL，HR>100 の SVT，VT | |
| 心拍の揺らぎ | 一直線の場合は<br>・交感神経優位<br>・ペースメーカ波形<br>・不整脈（AT あるいは AFL のことが多い） | 交感神経の活性化状況を推測できる |
| 血圧 | 80〜180 mmHg が望ましい | |
| $\dot{V}O_2$ | 1〜1.5 メッツあるいは 200〜500 mL/分 | |
| R | 0.8 前後 | ・急激に上昇した場合は過換気出現を考慮<br>・持続的に 1 近い場合は重症心不全を考慮 |
| $\dot{V}E/\dot{V}CO_2$ | 60 以上の場合は重症心不全の可能性を考え，注意して CPX に臨む | 予後を推測できる |

AFL: 心房粗動，SVT: 上室性頻拍症，VT: 心室頻拍，AT: 心房頻拍

### A 心電図，血圧

運動負荷試験を行ってよいかどうかを判断する重要な情報のひとつである．

心電図は，心拍数，波形，不整脈をみる．心拍数は 50〜100/分以内が望ましい．

不整脈がある場合 CPX 実施可能かどうかを判断するポイントは血圧である．血圧が維持される不整脈は CPX を実施可能である．CPX を実施した時点での不整脈が永続的ではない場合も実施しない．

心房粗動（AFL）の場合は心拍数が 75〜100/分であっても実施しない．負荷中に 1：1 伝導に変化すると，心拍数が 300/分になり血圧が低下して危険だからである．上室性頻拍についても通常は実施しない．特に心拍数が 150/分以上の場合は実施しない．心房粗動や心房頻拍（atrial tachycardia：当院では「ATachy（エータキ）」と表現することが多い）で心拍数が 75/分位のことがある．この場合，不整脈と気づかずに CPX を実施して

148 CPX・運動療法ハンドブック

しまい，運動負荷が進んで，心拍数が全く増加しないことで気づくことがある．運動負荷試験の危険はないが，本来は実施前に不整脈に気づくべきである．

心室頻拍や心室期外収縮が頻発している場合には血行動態が安定していても行わない．万が一，CPX中に心室頻拍が増悪した場合，血圧が低下してショックに陥る危険性が高い．

完全房室ブロックは，慢性のもので血行動態が安定している場合には実施することがある．

血圧に関しては，収縮期血圧が 180 mmHg 以上，あるいは 80 mmHg 未満の場合には行わない．

## B 心拍数

心拍数は呼吸や精神的動揺に伴って容易に変動する．安静時の心拍数は副交感神経により調節されている．副交感神経の活性は速やかに変化するため，健常者では精神状態の変動に伴い心拍数は速やかに変化する．ところが，心不全・重症糖尿病・重症高血圧やデコンディショニングが進んだ状態では交感神経優位となり，安静時の心拍数も交感神経によって調節されるようになる．交感神経活性の変動は時間がかかるため，心拍数の微妙な変動は消失する．したがって，安静時に，心拍数の変動がほとんどなく定規で引いたように一定値の場合には，交感神経活性が副交感神経活性よりも優位に立っているものと考える．自律神経の調節状況が異常であるため，不整脈などの心事故が通常よりも起こりやすいことを予測しながら注意して CPX を行う．

## C 酸素摂取量（$\dot{V}O_2$）

安静時の平均的な $\dot{V}O_2$ は 3.5 mL/分/kg であるが，これは体重 70 kg の 40 歳白人男性の平均値である．日本人でもおおむね当てはまるが体格の小さな人では少なく，大きな人では大きくなる．また，CPX 検査時の安静時は，自転車エルゴメータにまたがり，手や足に少し力が入っていることがある．その場合には $\dot{V}O_2$ は少し高い値を示す．当院では 3.5 mL/分/kg の 1.2〜1.5 倍くらいは許容レベルと考えている．酸素摂取量で表すと 60 kg の人では 250 から 400 mL/分くらいである．したがって，安静時の酸素摂取量が 200 mL/分未満あるいは 500 mL/分以上の場合には検査を中止して機器の校正をしなおす．

## D 二酸化炭素排出量（$\dot{V}CO_2$），ガス交換比（R）

ガス交換比は $\dot{V}CO_2/\dot{V}O_2$ で計算する．安静時のガス交換比は呼吸商とほぼ同じ数値を示す．ただし，基礎代謝量測定検査のような完全な安静状態ではないため，CPX では安静時でもガス交換比とよぶことが多い．

標準的な日本食を食べている場合の R は 0.82〜0.83 位である．脂肪のみを摂取している場合は 0.70 位，炭水化物のみだと 1.0 になる．したがって，安静時ガス交換比が 0.70

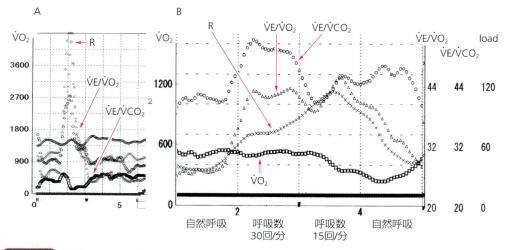

図6-1 過換気による呼気ガス分析パラメータの変化
A: 安静時,周囲の会話に反応して過換気になったため,RとV̇E/V̇CO₂,V̇E/V̇O₂が急峻に上昇した.
B: 通常の呼吸後,2秒に1回の呼吸(30回/分),4秒に1回(15回/分)にし,再び自然な呼吸を行った場合の変化.強制的な過換気により,RとV̇E/V̇CO₂,V̇E/V̇O₂が鋭敏に増加した.

未満あるいは1.0以上の場合は通常は異常値であり,酸素摂取量か二酸化炭素排出量が正しく想定できていない可能性がある.検査を中断して校正をしなおす.

しかし,ガスの校正が正しくても安静時ガス交換比が1以上になることがある.周囲の会話に反応して過呼吸気味になった場合 図6-1 と心不全が比較的重症である.過呼吸気味の場合には呼吸を落ち着かせると徐々に0.8位に戻る.

### E V̇E/V̇CO₂

V̇E/V̇CO₂はCO₂換気当量ともよぶ.CO₂を1 mol排出するのに必要な換気量のことと考えると病態を理解しやすい.換気・血流不均衡分布(ventilation/perfusion mismatch, V̇/Q̇ mismatch)に依存する指標である.安静時の値は経験的に30から50位である.

この数値が異常高値を示す代表的な疾患は,心不全や肺循環制限のために肺血流が制限される場合のほか,胸骨切開術後で呼吸が浅くなる場合や肺胞低換気のある場合である.したがって原発性あるいは二次性の肺高血圧症でも高値となり,各種肺血管拡張薬や酸素などで肺動脈が拡張したかどうか治療効果の判定に使える.また,肺血管拡張予備能や心拍出量の指標として有用である.

安静時V̇E/V̇CO₂の意義とRCP(AT)におけるV̇E/V̇CO₂(minimum V̇E/V̇CO₂, V̇E/V̇CO₂ @RCP, nadir V̇E/V̇CO₂),V̇E vs. V̇CO₂ slopeの意義はV̇/Q̇ミスマッチを反映するという点で同じである.誤差が少なく測定しやすいのはminimum V̇E/V̇CO₂とV̇E vs. V̇CO₂ slopeであるが,患者に負荷をかけることなく測定できるのは安静時V̇E/V̇CO₂の利点である.

心不全では肺動脈が運動中に拡張しないことと心拍出量が少ないことが原因で肺血流量

が増加せず，肺胞周囲でのガス交換効率が低下する．肺動脈が拡張しにくいのは，血管内皮細胞機能が低下しているために血管拡張作用をもつ一酸化窒素（NO）の分泌が低下する一方，血管収縮性のプロスタグランジンやアドレノメデュリン分泌が亢進したりカテコラミン分泌が過剰なためである．これらは心不全が重症になるほど増悪する．したがって，安静時の $\dot{V}E/\dot{V}CO_2$ は心不全の重症度を反映するものと考えられる．心不全の場合，運動療法やβ遮断薬・血管拡張薬などの治療によってこの値は2週間くらいで改善し始める．両心室ペーシング療法（CRT）が奏効する場合，呼気ガスを測定しながらCRTの設定を変化させて心拍出量を変化させてみると，この値は比較的速やかに変化する 図6-2 ．

胸骨切開術後は胸骨部痛のために呼吸が浅くなる．この呼吸様式では，吸気によって肺胞が十分拡張する前に呼気が始まるため，ガス交換効率が悪い．そのために一定の $\dot{V}CO_2$ を得るために多量の換気が必要となり，$\dot{V}E/\dot{V}CO_2$ が高値となる．

術後患者では肺胞周囲のうっ血も数値の悪化に関係している可能性が考えられる．術後，特に運動療法を行わなくても約2週間で $\dot{V}E/\dot{V}CO_2$ は低下する．運動療法を行うと改善の度合いはさらに増す 図6-3 [3]．

重症肺気腫の場合，肺胞低換気による生理学的死腔量／1回換気量（VD/VT）の増加と肺胞圧が毛細血管圧以上になるための肺血流量減少が $\dot{V}/\dot{Q}$ ミスマッチを増大させて，そのために $\dot{V}E/\dot{V}CO_2$ が高値となる．

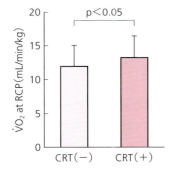
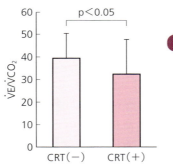

図6-2 $\dot{V}O_2$ と $\dot{V}E/\dot{V}CO_2$ に対する心拍出量の影響
CRTを有効にしてCPXを行う〔CRT（＋）〕と，自己脈でCPXを行う場合〔CRT（－）〕と比べて $\dot{V}O_2$ は増加し $\dot{V}E/\dot{V}CO_2$ は低値となる．これらの値に心拍出量が関連していることを示している．

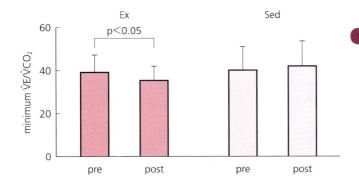

図6-3 $\dot{V}E/\dot{V}CO_2$ に及ぼす運動療法の効果
開心術後患者に2週間の運動療法を行った結果，$\dot{V}E/\dot{V}CO_2$ は有意に改善した．
Ex: 運動療法群，
Sed: 安静群
pre: 運動療法開始前，
post: 2週間後
(Adachi H, et al. Jpn Circ J. 2001; 65: 419-23)[3]

## 3 ウォームアップ

ウォームアップに注目するパラメータを 表6-4 に示す.

表6-4 ウォームアップ中に注目すべき項目

| パラメータ | ポイント | 意義 |
|---|---|---|
| $\dot{V}O_2$ | プラトーになるか | AT以上の場合はプラトーにならない |
| | プラトーになるまでの時間 | 心不全重症度を反映 |
| 心電図 | 心拍数が増加するか | 全く変化しない場合は以下のことを考える<br>①優れたアスリート<br>②交感神経活性有意<br>③ペースメーカ心電図<br>④ AT, AFL |
| $\dot{V}E/\dot{V}CO_2$ の変化 | 運動開始とともに低下 | 正常 |
| | 穏やかに上昇 | ウォームアップの運動レベルがすでにAT以上 |
| | 速やかに上昇 | R-L シャント出現（PFO） |

AT: 心房頻拍, AFL: 心房粗動, PFO: 卵円孔開存

### A 持続時間と強度決定法

　ウォームアップは当院では3分間行っている. 重症心不全では酸素摂取量がプラトーに達するのに3分以上かかることがあるため4分間実施すべきであると一般的にはされている. しかし, 当院では, ウォームアップとして0ワットを用いていて, 重症心不全には有酸素運動ではなくプレトレーニングを用いるため極端に運動耐容能が低い患者はCPXを行わなくなっているため, 3分以内にプラトーにならない症例はいない. このため当院ではウォームアップ実施時間は3分間としている.

　ウォームアップの運動強度は前述のごとく0ワットを用いる. 従来は20ワットを用いていたが, これは以前の自転車負荷装置は20ワット以下の負荷量は不正確であり, 0ワット負荷に設定しても実際には10ワットくらいかかってしまうことがあったためである. また, ウォームアップ負荷強度として20ワットを用いると, ウォームアップ中にAT以上になることがあり, 正確なATを決定できなくなる. 正確に0ワット負荷がかけられる自転車エルゴメータを用いれば, ATが20ワット未満でもATを決定できる.

### B 酸素摂取量 （phase I, phase II, $\tau$ on）

　ウォームアップ開始に伴い酸素摂取量は急速に増加する. 開始後15秒位で一瞬定常状態になり, その後すぐに指数関数的な増加を示す. その後, 3分以内に $\dot{V}O_2$ は定常状態（プラトー）に達する 図6-4A .

　$\dot{V}O_2$ の最初のおよそ15秒間の立ち上がりをphase Iとよぶ. 運動開始に伴って心拍出量とc(A-V)$O_2$ difference（動静脈酸素含有量較差）が急激に増大するための変化で, 骨

152 CPX・運動療法ハンドブック

JCOPY 498-06746

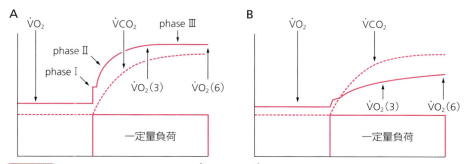

**図 6-4** ウォームアップ開始に伴う $\dot{V}O_2$ および $\dot{V}CO_2$ の変化
A は健常例．$\dot{V}O_2$ は 2 分くらいで定常状態に達し，3 分目〔$\dot{V}O_2(3)$〕と 6 分目〔$\dot{V}O_2(6)$〕で差はない．B は心不全患者．ウォームアップを開始してからなかなか定常状態にならず，3 分目〔$\dot{V}O_2(3)$〕よりも 6 分目〔$\dot{V}O_2(6)$〕のほうが大きい．
運動開始直後に約 15 秒くらい持続する急激な $\dot{V}O_2$ の上昇部分を phase I とよぶ．
$\dot{V}CO_2$ は $\dot{V}O_2$ よりも立ち上がり速度が遅れる．一方，$\dot{V}O_2$ と異なり，運動強度や運動耐容能にかかわらず最終的にはプラトーとなる．

格筋による酸素摂取の増加を示しているわけではない．座位での運動の場合，phase I の 1/3 は $c(A-V)O_2$ difference の急激な増加によるとされている[4]．臥位での運動負荷試験中には phase I は減弱する．

phase I に引き続き生じる $\dot{V}O_2$ の指数関数的な増加を phase II とよぶ．phase II において定常状態の 1/e に到達するまでの時間を立ち上がり時定数（τon：タウオン）とよぶ．τon は安静からウォームアップへの程度素早く移行するかに関する能力の指標であるため，老化あるいは心血行動態の調節能力が低下している心不全では延長[5]する．そして延長の度合いは予後の指標となる[6]．

τon は運動強度に依存するが，健常者の場合には AT 以下の運動強度であれば，運動強度によらず 3 分以内に定常状態に達する．

定常状態になった後の時相を phase III とよぶ．理論的には運動負荷強度が AT 以下の場合，酸素摂取量は変化せずプラトーに達する．同時に心拍数も変化しない．一方，ウォームアップですでに AT を超えている場合には酸素摂取量も心拍数も定常状態にならない（図6-4B）．したがってウォームアップで酸素摂取量が定常状態にならない場合は，ウォームアップ時にすでに AT を超えていることを意味する．また，徐々に心拍数が増加する場合にもその運動強度が AT を超えていることを意味している．このことから，一定負荷での運動療法中に，徐々に心拍数が上昇する場合には，その負荷強度が AT 以上になっていることを示している．

## C $\dot{V}E/\dot{V}O_2$，$\dot{V}E/\dot{V}CO_2$ の変化

$\dot{V}E/\dot{V}O_2$ と $\dot{V}E/\dot{V}CO_2$ はウォームアップ開始に伴い低下する（図6-5）．安静時には図6-6Aに示すごとく，肺尖部付近の肺血流は極端に少ないとともに，肺胞内圧が PAWP 以上であるためガス交換が行われない．一方，下肺野では重力により肺胞が十分

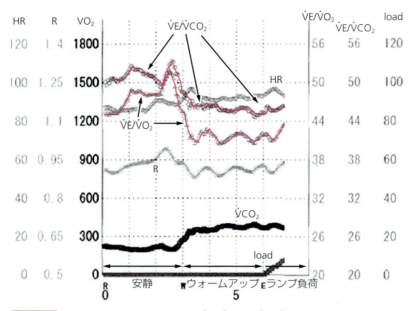

図 6-5 ウォームアップ開始に伴う $\dot{V}E/\dot{V}O_2$ と $\dot{V}E/\dot{V}CO_2$
ウォームアップを開始すると $\dot{V}E/\dot{V}O_2$ と $\dot{V}E/\dot{V}CO_2$ は速やかに低下する．安静時には自律神経活性の変動に伴って換気が容易に変化するため $\dot{V}E/\dot{V}O_2$ と $\dot{V}E/\dot{V}CO_2$ も変動が激しい．
$\dot{V}O_2$ よりも $\dot{V}CO_2$ と $\dot{V}E$ は変化が遅いため，$\dot{V}E/\dot{V}O_2$ の変化のしかたのほうが $\dot{V}E/\dot{V}CO_2$ よりも素早い．

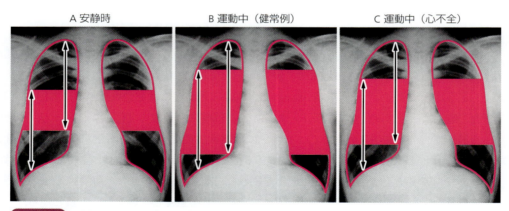

図 6-6 安静時および運動中の換気血流不均衡分布
A: 換気は上 2/3，血流は下 2/3 で行われているため，中央 1/3 の赤い部分でガス交換が行われている．
B: 運動を開始すると呼吸が深くなるとともに血流が増加するためガス交換エリア（赤い部分）が拡大する．
C: 心不全ではその改善率が少ない．

拡張できない状態にある．そのため，極端にいえば，ガス交換は肺の中央 1/3 でしか行われていない．ところが，運動を開始すると ergoreflex により換気が増大する．そのため

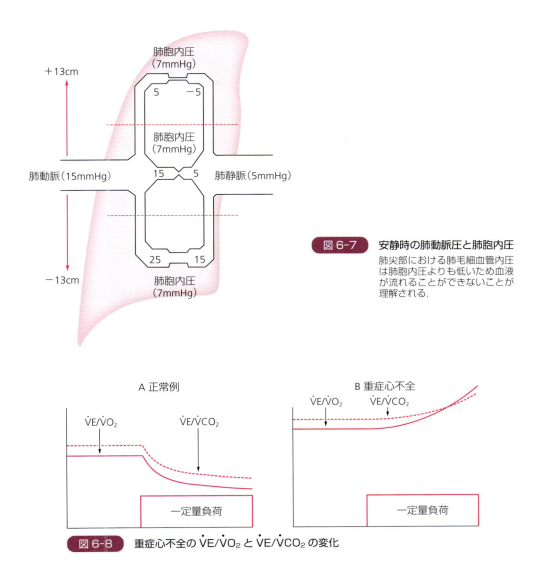

図 6-7 安静時の肺動脈圧と肺胞内圧
肺尖部における肺毛細血管内圧は肺胞内圧よりも低いため血液が流れることができないことが理解される．

図 6-8 重症心不全の $\dot{V}E/\dot{V}O_2$ と $\dot{V}E/\dot{V}CO_2$ の変化

　呼吸が深くなり肺胞が拡張してガス交換に関与する肺胞の表面積（有効ガス交換床）が増大する．同時に心拍出量も増加するため下肢運動開始とともに $\dot{V}/\dot{Q}$ ミスマッチが減少する 図6-6B．心不全では，運動を開始しても肺血流の増加の度合いが少なく換気も浅いままであるため，換気血流不均衡の改善の度合いが少ない 図6-6C．肺胞内圧と静脈圧の関係は 図6-7 の通りである．したがって $\dot{V}E/\dot{V}CO_2$ がどの程度低下するかをみれば，心不全の重症度を推測することができる．

　一方，ウォームアップですでに AT に到達する場合には，これらの値は特徴的な変化を示す．ウォームアップ開始後すぐに $\dot{V}E/\dot{V}O_2$ が増加し始めて $\dot{V}E/\dot{V}CO_2$ 以上の値になる．ウォームアップが RCP 以上の場合には，$\dot{V}E/\dot{V}CO_2$ も明らかに増加する 図6-8．
　被検者の運動耐容能が非常に高いスーパーノーマルの場合には，ウォームアップを開始

第 6 章 ランプ負荷試験の実際

してもこれらの値は変化しない．安静時のガス交換効率が非常に良好なために，安静時の $\dot{V}E/\dot{V}O_2$ と $\dot{V}E/\dot{V}CO_2$ がすでに 20～30 位の場合にこの現象が認められる．当院では，心疾患患者用にウォームアップを 0 ワットに設定しているが，この設定で 20 歳くらいの健常人が負荷試験を行うとこの現象が生じる．

重症心不全とスーパーノーマルの場合には，ともに安静時からウォームアップにかけての $\dot{V}E/\dot{V}CO_2$ の低下が少ないが，その鑑別は容易である．$\dot{V}E/\dot{V}CO_2$ の値が重症心不全では高く，安静時にしばしば 60 以上を示す一方，スーパーノーマルでは安静時にすでに 30 代前半と低い値を示す．$\dot{V}E/\dot{V}CO_2$ の絶対値をみれば間違えることはない．また，当然のことであるが，CPX を行っている患者の姿を見ただけで見分けることができる．

## D 心拍応答

心拍数はウォームアップ開始と同時に増加する．この部分における心拍数の増加応答は副交感神経活性の消退とエルゴリフレックスが要因である．ともに応答性が素早く，酸素摂取量よりも早く変化し始める．かなりの重症心不全であっても CPX 実施可能な場合には副交感神経活性が完全に消退していることはないため，この部分での心拍応答低下が全く消失しているということはない．この部分の応答性が消失するのは 表6-5 に示す場合のように，心拍数制御が洞結節や房室結節伝導性に依存していない場合や液性カテコラミンによってリズムが制御されている場合のみである．前者は心房頻拍や心房粗動，後者は重症糖尿病・高血圧・心不全などである．心室頻拍や房室回帰性上室性頻拍なども変化しないが，これは心電図で見落とすことはない．

心房細動の場合，ウォームアップ開始時の心拍応答が過剰になり，負荷量が 0 ワットであるにもかかわらず心拍数が 100 以上になることがある．過労・ストレスが強かったり心不全を合併して交感神経活性が過剰になるとともに副交感神経活性が減弱していると，房室結節における心房電位の電導性が増強してウォームアップ程度の軽い運動で心拍応答が過剰になる．症状として「動悸」を感じることが多い．この場合には $\beta$ 遮断薬あるいは運動療法によるレートコントロールが必要である．運動療法は禁忌ではなく，むしろ積極的に運動療法で治療するべきである．

表6-5 心拍応答が極端に低下する状況

ペースメーカリズム
除神経（開心術後，心臓移植後，心房細動アブレーション術後）

## 4 ランプ負荷中に得られる指標

ランプ負荷中に注目するパラメータを 表6-6 に示す．トレンドグラフは X 軸に経過時間，Y

156 CPX・運動療法ハンドブック

**表6-6** ランプ負荷中に注目すべきポイント

| トレンドグラフ | | |
|---|---|---|
| パラメータ | 見るべきポイント | 意義 |
| $\dot{V}O_2$ | AT, peak $\dot{V}O_2$ | 運動耐容能の指標 |
| | 直線性 | 虚血・HFpEF などの重症度の指標 |
| | 傾き（$\Delta\dot{V}O_2/\Delta WR$） | 主に骨格筋酸化酵素活性の指標 |
| $\dot{V}O_2$, $\dot{V}CO_2$, $\dot{V}E$ 関係 | 3 つの指標の平行性 | AT, RCP の決定 |
| $\dot{V}E$ | 揺らぎ（oscillation） | 心不全重症度・予後の指標 |
| | 最高値（peak $\dot{V}E$） | 呼吸予備能 |
| $\dot{V}E/\dot{V}CO_2$ | 最低値 | 換気血流不均衡分布の指標 |
| $\dot{V}E/\dot{V}O_2$ | 上昇開始点 | AT 決定 |
| $ETCO_2$ | 最大値 | CO 推定 |
| $ETO_2$ | 上昇開始点 | AT 決定 |
| $\dot{V}O_2/HR$ | 傾き | 心拍出応答の指標 |
| | 最高値（peak $\dot{V}O_2/HR$） | 1 回心拍出量の指標 |
| RR | 増加開始点 | AT あるいは運動耐容能の指標 |
| TV | 最大値 | 肺拘束性障害の程度の把握 |
| HR | 傾き（$\Delta HR/\Delta WR$） | 自律神経活性異常の指標 |
| 心電図 | ST 低下出現部位 | 虚血閾値 |
| Ti/Ttot | 安静時から運動中の値 | COPD 重症度 |
| | 運動終了時のパターン | Air trapping 出現の指標 |
| XY グラフ | | |
| パラメータ | 見るべきポイント | 意義 |
| TV/RR | 傾き（ランプ負荷開始から AT まで） | 浅く早い呼吸の指標 |
| | Breaking point | 運動耐容能に関連 |
| $\Delta HR/\Delta WR$ | 傾き | 主に自律神経活性の指標 |
| $\Delta HR/\Delta\dot{V}O_2$ | 直線性 | 無効な頻脈（心拍応答）の指標 |

軸に各種パラメータをとったもので，XY グラフは X 軸と Y 軸に様々な指標を取ったグラフのことである．

## A 酸素摂取量

　ランプ負荷中，酸素摂取量は 1 ワットにつきほぼ 10 mL 増加する．トレンドグラフの軸の設定を，酸素摂取量と負荷量が 10：1 のスケールで表示するようにしておくと酸素摂取量と負荷量が平行に増加するように示すことができる **図6-9**．負荷量と酸素摂取量との関係を $\Delta\dot{V}O_2/\Delta WR$ という．$\Delta\dot{V}O_2/\Delta WR$ の正常値が約 10 mL/watt ということになる[7]．

　ランプ負荷が始まっても酸素摂取量はすぐには増加し始めない．ウォームアップ時に時定数として評価された「生体反応の遅れ」がここでも観察される．この期間中は体内にある酸素を借りて ATP を産生したり無酸素的に ATP を産生したりしている．健康人でも約

JCOPY 498-06746　　　　　　　　　　　第 6 章 ランプ負荷試験の実際 **157**

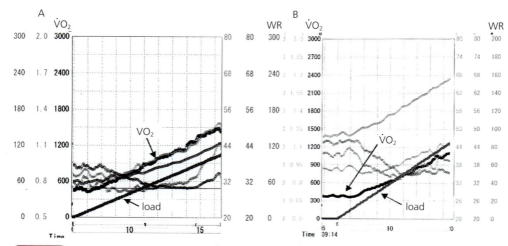

図6-9 ランプ負荷中の酸素摂取量（$\dot{V}O_2$）と仕事率（WR；work rate, load）の関係
$\dot{V}O_2$と仕事率のスケールを10：1にする（A）と両者はほぼ平行して増加するが、スケールが異なっている（B）と平行に増加しない．

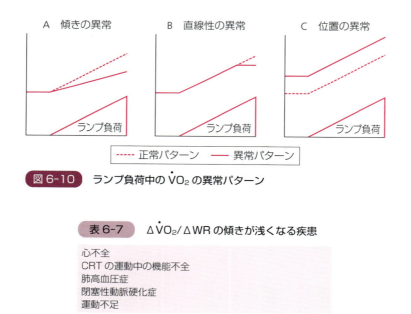

図6-10 ランプ負荷中の$\dot{V}O_2$の異常パターン

表6-7 $\Delta \dot{V}O_2/\Delta WR$の傾きが浅くなる疾患

心不全
CRTの運動中の機能不全
肺高血圧症
閉塞性動脈硬化症
運動不足

1分間，心不全だと2分間くらい酸素摂取量が増加し始めないことがある．

　酸素摂取量増加に関して3つの異常パターンがある．第1は負荷の最初から$\Delta \dot{V}O_2/\Delta WR$が低下しているパターンで，酸素摂取量の「傾きの異常」である 図6-10A ．拡張型心筋症のような心不全症例やデコンディショニングが進んだ症例で認められる．有酸素代謝能力が低下して，ランプ負荷初期から嫌気性代謝の割合が高いことが原因である．表6-7 に$\Delta \dot{V}O_2/\Delta WR$が低下する病態を示す．心不全の場合には7 mL/wattくらいに

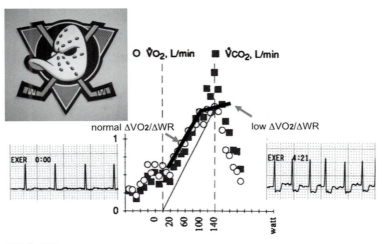

図6-11　アイスホッケーのスティックの形
アナハイム・マイティダックスのマークに描かれたアイスホッケーのスティック．$\dot{V}O_2$ が折れ曲がる形に似ている．

まで低下する．
　第2は $\Delta \dot{V}O_2/\Delta WR$ の「直線性の異常」である 図6-10B．軽労作時には有酸素代謝が正常に行われるが，ある負荷レベルに到達すると嫌気性代謝の割合が増大するような場合と，心拍出量低下を心拍数増加で代償できない場合にこのパターンを示す．中等度以上の虚血範囲を有する狭心症，拡張機能障害〔高血圧，糖尿病，肥満（インスリン抵抗性），心筋症など〕，僧帽弁閉鎖不全症などが基礎疾患にあるとこのパターンを示すことがある．ワッサーマンはアイスホッケーのスティックにたとえて hockey-stick pattern とよんでいる 図6-11．
　第3は，傾きは正常であるが上方にシフトしてしまう「位置の異常」のパターンである 図6-10C．酸素摂取量はウォームアップ時から予測値よりも増加するが，安静時は正常であることが特徴である．これは，巨大肥満の場合に認められる．自分の下肢が重いため，自転車エルゴメータを漕ぐときに要するエネルギー需要が正常な下肢の重さの人間よりも多いことが原因である．このパターンは日本人では稀である．

## B　諸パラメータの典型的変化パターン

　図6-12 に $\dot{V}O_2$, $\dot{V}CO_2$, $\dot{V}E$, $\dot{V}E/\dot{V}O_2$, $\dot{V}E/\dot{V}CO_2$, $ETO_2$, $ETCO_2$, $\dot{V}O_2/HR$, HR, SV の典型的なパターンを示す．運動強度が上がるにつれて，直線的に各指標が大きくなるわけではなく，最大負荷の60％程度，すなわちAT付近で生体の応答性が大きく変化することに注目してほしい．
　RCPが出現し，終了時自覚症状が17以上でガス交換比（R）が1.15以上であれば最大負荷をかけたと考えられる．
　$\dot{V}E/\dot{V}CO_2$ と $ETCO_2$ はRCPにてそれぞれ最低値と最高値をとるため，負荷試験がRCP

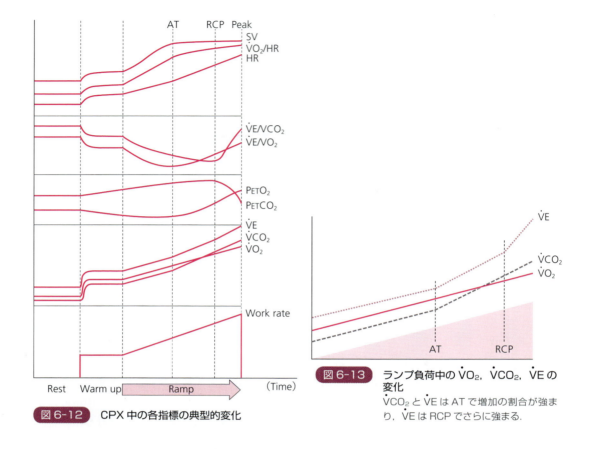

図 6-12 CPX 中の各指標の典型的変化

図 6-13 ランプ負荷中の $\dot{V}O_2$, $\dot{V}CO_2$, $\dot{V}E$ の変化
$\dot{V}CO_2$ と $\dot{V}E$ は AT で増加の割合が強まり，$\dot{V}E$ は RCP でさらに強まる．

に到達しなかった場合には評価できない．その場合には minimum $\dot{V}E/\dot{V}CO_2$ のかわりに $\dot{V}E$ vs. $\dot{V}CO_2$ slope を用いる．

### C $\dot{V}O_2$, $\dot{V}CO_2$, $\dot{V}E$ の関係

当院では，ランプ負荷中，$\dot{V}O_2$, $\dot{V}CO_2$, $\dot{V}E$ が同一画面で見られるように設定している．3者の関係は 図 6-13 に示すように最初はほぼ平行に増加し，AT で $\dot{V}CO_2$ と $\dot{V}E$ が平衡の関係を保ったまま $\dot{V}O_2$ よりも急峻になる．そして，RCP に達すると $\dot{V}E$ のみがさらに急峻になる．

## 5 回復期

### A $\dot{V}O_2/HR$ の jump up phenomenon（ジャンプアップ現象）

運動を中断すると $\dot{V}O_2/HR$ は速やかに減少し始める．しかし，中断直後 1 分以内に酸

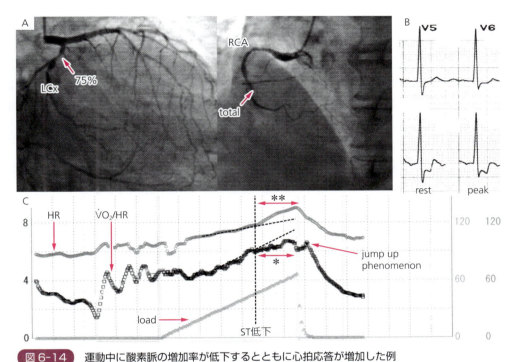

**図 6-14** 運動中に酸素脈の増加率が低下するとともに心拍応答が増加した例
左冠動脈回旋枝近位部に 75% 狭窄，右冠動脈が完全閉塞を示している（A）．負荷開始後 30 ワット付近で ST は有意に低下した（B）．その後，V̇O₂/HR の増加率が低下（＊）し，心拍数の増加率が急峻となった（＊＊）．運動終了と同時に V̇O₂/HR の jump up phenomenon が認められている（C）．

素摂取量と V̇O₂/HR が急峻に増加することがある[8]．これを筆者は jump up phenomenon とよんでいる 図 6-14．

　この現象は心筋虚血がランプ負荷中に出現した場合に認められる．特に，虚血が重症で，運動中に hibernation（ハイバネーション：心筋虚血のために心筋収縮力が低下する現象）と同様な現象を起こしている場合に認められる．

　運動が激しくなるにつれて心拍数が増加し，拡張時間が短縮する．冠血流は拡張期に流れるため，激しい運動中は心筋は虚血になりやすい状態になっている．そのような状態のときに冠動脈に狭窄病変が存在すると，血流不足が生じて hibernation と同じ機序で心ポンプ機能の低下が起こる．運動が終了して，拡張時間が伸びると冠血流が改善して心収縮力が回復する．そのために 1 回心拍出量が増加し，V̇O₂/HR が一時的に増加する．これが jump up phenomenon の原因のひとつである．

　また，運動中，左室拡張末期圧（LVEDP）は上昇する．そのために心内圧側の虚血が誘発されやすくなり，このことも運動中に心ポンプ機能低下を引き起こす原因となる．そして，運動中断後の左室拡張末期圧の低下に伴い虚血が解除され，心拍出量が増加する．

　さらに，運動を中断すると，骨格筋の過剰収縮が停止するとともに血圧が低下して後負荷が減少して骨格筋血流量が増加する．これも運動終了直後に心拍出量が増加する一因で

ある.

## B $\dot{V}O_2$（τoff，タウオフ）

　回復期の酸素摂取動態の指標がτoffである．急激に安静状態になると酸素摂取量は指数関数的に減少する．最大酸素摂取量の1/eになるまでの時間をτoffとよぶ．運動耐容能が高いほど，回復も早いためτoffは小さくなる．心不全の予後を予測できる指標である．

　回復期の酸素摂取量動態は2つのphaseに分けられる．急峻に低下する部分と，ゆっくりと低下する部分である．最初のphaseは副交感神経活性が回復する部分で，2つ目は交感神経活性が減少し始める部分である．はっきりとphaseの移り変わりが認識できる場合もあるが，困難な場合もある．このphaseが切り替わるまでの時間や，負荷終了2分後における酸素摂取量の回復度合いなども，回復期酸素摂取動態に関する指標とされている．

■文献

1）Itoh H, Ajisaka R, Koike A, et al. Heart rate and blood pressure response to ramp exercise and exercise capacity in relation to age, gender, and mode of exercise in a healthy population. J Cardiol. 2013；61：71-8.

2）Itoh H, Taniguchi K, Koike A, et al. Evaluation on severity of heart failure using ventilatory gas analysis. Circulation. 1990；81（Suppl II）：II31-7.

3）Adachi H, Itoh H, Sakurai S, et al. Short-term physical training improves ventilatory response to exercise after coronary arteial bypass surgery. Jpn Circ J. 2001；65：419-23.

4）Casaburi R, Daly J, Hansen JE, et al. Abrupt changes in mixed venous blood gas composition after the onset of exercise. J Apple Physiol. 1989；67：1106-12.

5）Sietsema KE, Daly J, Wasserman K, et al. Early dynamics of $O_2$ uptake and heart rate as affected by exercise work rate. J Appl Physiol. 1989；67：2535-41.

6）Koike A, Koyama Y, Itoh H, et al. Prognostic significance of cardiopulmonary exercise testing for 10-year survival in patients with mild to moderate heart failure. Jpn Circ J. 2000；64：915-20.

7）Hansen JE, Sue DY, Oren A, et al. Relation of oxygen uptake to work rate in normal men and men with circulatory disorders. Am J Cardiol. 1987；59：669-74.

8）Koike A, Itoh H, Doi M, et al. Beat-to-beat evaluation of cardiac function during recovery from upright bicycle exercise in patients with coronary artery disease. Am Heart J. 1990；120：316-23.

〈安達 仁〉

# 第7章
# 9パネルの読み方とパラメータの意義

ワッサーマンはCPXの教科書（Principles of Exercise Testing and Interpretation）の第5版において9パネルの配置を変更したが，本稿では従来通りのパネル位置 図7-1 で解説する．各パネルのポイントを示す．

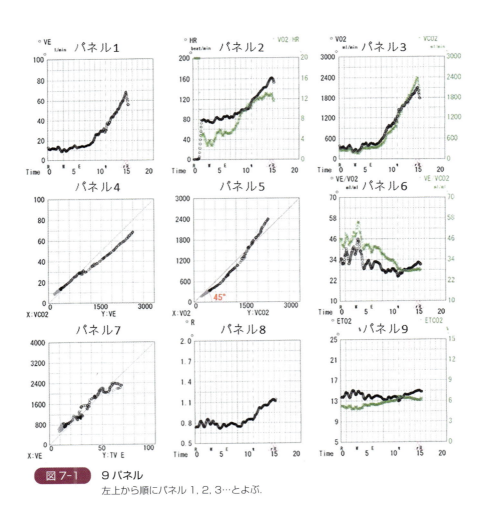

図7-1　9パネル
左上から順にパネル1, 2, 3…とよぶ．

## パネル1 図7-2 V̇E（minute ventilation，分時換気量）

安静時過換気，エア漏れの評価に使用
ATとRCPで2回傾きが急峻になる．

① 過剰換気の有無（①の部分で1以上になったら過換気を疑う）
② 負荷中のマスクからの漏れの評価に使用．回転数が維持できているにもかかわらず②の部分でV̇Eの傾きが低下したらフェイスマスクからガスが漏れた可能性を考える．

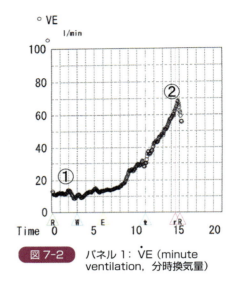

図7-2 パネル1：V̇E（minute ventilation，分時換気量）

## パネル2 図7-3 V̇O₂/HR と HR

運動中の心ポンプ機能（SV：stroke volume，1回心拍出量），心拍応答評価に使用
V̇O₂/HRは最大負荷の60％あたりで傾きが鈍化する．
最終的には予測最高酸素脈（predicted peak V̇O₂/HR）と予測最大負荷量（predicted peak work rate）の交点 図7-4 の黒丸地点）に到達する．

① β遮断薬を使用していない場合はSVの指標となる．β遮断薬により心拍数が低下すれば peak V̇O₂/HR 図7-3 の①の部分）は高値を示す．高値になれる場合は心拍収縮予備能があると考える．β遮断薬を使用して心拍数が低下しても peak V̇O₂/HRが低いままの場合は，β遮断薬によってCO（cardiac output：心拍出量）が低下したことになり危険である．

② 負荷中のパターンを観察する．心電図のST低下を伴ってV̇O₂/HRが平定化 図7-4A した場合には重症心筋虚血を考え，心拍数110/分あたりで平定化し，心エコーで壁肥厚が認められるような場合にはHFpEFの存在を考える．経験的に，安静時心エコーでDcTが250

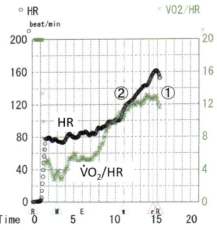

図7-3 パネル2：V̇O₂/HR（酸素脈，O₂ pulse，oxygen pulse），HR
①は peak V̇O₂/HR，最大負荷の60％程度（②）でV̇O₂/HRの傾きは浅くなり，HRは急峻化（ΔHR/ΔWRが増大）する．

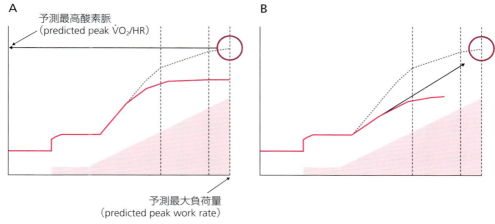

図7-4 V̇O₂/HR の異常パターン
A は V̇O₂/HR の平定化, B は ΔO₂P/ΔWR（V̇O₂/HR の傾き）の低下を示している.
点線は正常パターン.

以上の場合に平定化しやすい.
③ V̇O₂/HR の傾きがランプ負荷初期から低下している場合は HFrEF や MR, TR など心拍出量増加不全の状態を考える. V̇O₂/HR のランプ負荷初期部分の傾きを直線的に伸ばし，予測最高地点より十分上方にない場合は傾きが低下していると考える 図7-4B.
④負荷不十分で中断した場合は % peak V̇O₂/HR と % peak V̇O₂ を比較して心ポンプ機能を評価.
⑤ HR の傾きの変化をみる 図7-3 ②の部分. V̇O₂/HR の平低化を HR で代償できているかを評価する.

### パネル3 図7-5 V̇O₂, V̇CO₂

運動負荷試験の妥当性評価, peak V̇O₂ 決定, AT 決定に用いる

①安静時の V̇O₂ が 250〜500 mL/分で校正が正しく行われているかチェック（①部分）.
②ウォームアップの V̇O₂ （②部分）が予想より大きければ肥満の影響が大きいと考える.
③ Peak V̇O₂ 決定（③の部分）.

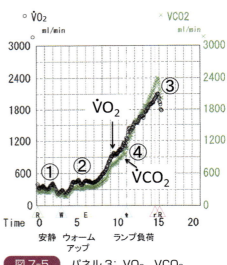

図7-5　パネル3: V̇O₂, V̇CO₂
①は安静時, ②は warm-up, ③は peak, ④は AT 付近.

④ $\dot{V}O_2$/の傾き,直線性,hockey-stick pattern の有無の評価.
⑤ $\dot{V}O_2$ と $\dot{V}CO_2$ の平行性が崩れるポイント(④付近)から AT を推定する.
⑥ ウォームアップで $\dot{V}O_2$ がプラトーにならない場合は,すでに AT を超えたことを示唆.

### ▶ パネル 4 図7-6 $\dot{V}E$ vs. $\dot{V}CO_2$ slope

運動耐容能,$\dot{V}/\dot{Q}$ ミスマッチ,運動中の心拍出量低下の評価に使用

傾き,折れ曲がりの有無,Y 切片を評価する.

標準値が約 30 未満であるため,$\dot{V}E$ のスケールと $\dot{V}CO_2$ のスケールを 30:1 にしておくと異常を見つけやすい.

① slope が 45 度以下であるかどうかをみる.45 度以上の場合は,すなわち値が 30 以上の場合には VD/VT が大きいことを示唆.
② $\dot{V}E$ vs. $\dot{V}CO_2$ slope は RCP 以下の部分で評価する.
③ slope の開始点が高値($\dot{V}E > 15$ L/分)で,その後,傾きが変わる場合は過換気の存在が示唆される 図7-7 .この場合,最初の部分から回帰すると $\dot{V}E$ vs. $\dot{V}CO_2$ slope は本来よりも低い値を示すので注意を要する.
④ ランプ負荷開始時から高値で,負荷中の傾きが変わらない場合,すなわち Y 切片が大きい場合,VD/VT が大きいことを示唆する.閉塞性肺疾患,心不全,肺動脈性高血圧(PAH),慢性血栓塞栓性肺高血圧症(CTEPH)などが原因となる.肺血栓症による血管閉塞のように運動を行っても肺血管床が増加しない場合は,そのまま上昇を続ける 図7-8 [1].
Y 切片は経験的に 5 未満が正常と考えている.

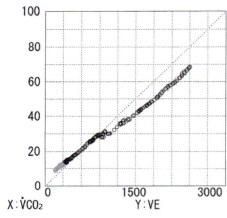

図7-6 パネル4:$\dot{V}E$ vs. $\dot{V}CO_2$ slope
X軸($\dot{V}CO_2$)対Y軸($\dot{V}E$)を 30:1 にすると異常な傾きかどうかを視覚的に判断しやすい.

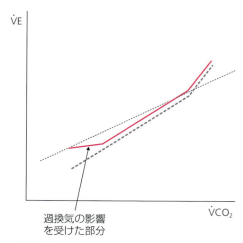

図7-7 Warm-up 時に過換気があった場合の $\dot{V}E$ vs. $\dot{V}CO_2$ slope
Slope の始まりで $\dot{V}E$ が高値になるため,平均すると傾きは浅くなっているように見える.

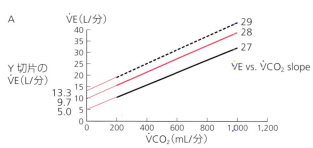
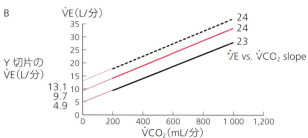

**図 7-8** 死腔と $\dot{V}E$ vs. $\dot{V}CO_2$ slope の関係

A は心不全患者に 0 mL, 250 mL, 500 mL の死腔を負荷した場合の $\dot{V}E$ vs. $\dot{V}CO_2$ slope. B は健常者に負荷した場合の slope. ともに $\dot{V}E$ の Y 切片は大きくなるが $\dot{V}E$ vs $\dot{V}CO_2$ slope は変わらない.
(Gargiulo P, et al. PLoS One. 2014, 9: e87395)[1]

## パネル 5　図 7-9　V-slope

AT 決定，（心不全重症度判定）に用いる

① 直線が 45 度のラインから外れるポイント（①の部分）を AT とする.
② AT においてプロットのドットが急に粗になることがある.
③ AT 以下のスロープを slope 1（S1），AT 以後を slope 2（S2）とよぶ.
④ 乳酸産生が多いほど slope 2 の傾きが急峻になる.
⑤ S1 の傾きは通常 0.95〜1.0 である. ランプ負荷直前に過換気があると 0.7 くらいになる.

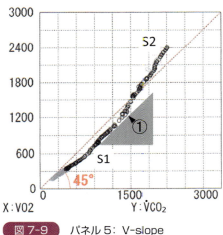

**図 7-9** パネル 5：V-slope

## ▶ パネル6 図7-10 $\dot{V}E/\dot{V}CO_2$, $\dot{V}E/\dot{V}O_2$ のトレンドグラフ

AT決定，心不全重症度判定，生理学的死腔量（$\dot{V}/\dot{Q}$ミスマッチの程度）評価に使用

① $\dot{V}E/\dot{V}CO_2$ の最低値は34くらい．これ以上の場合は生理学的死腔量・換気量比（VD/VT）が大きいことを意味する．
② $\dot{V}E/\dot{V}O_2$ の上昇開始点がAT
③ ウォームアップ時の過換気によりATの手前にATのようなものが出現することがある．Pseudo-thresholdとよぶ．骨格筋量が多い人にも出現する．
④ ATにおいては $\dot{V}E/\dot{V}CO_2 > \dot{V}E/\dot{V}O_2$
⑤ ウォームアップで $\dot{V}E/\dot{V}CO_2 < \dot{V}E/\dot{V}O_2$ になっている場合は，すでにATを超えていることを示す．

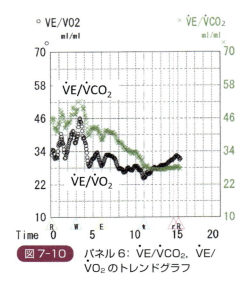

図7-10 パネル6：$\dot{V}E/\dot{V}CO_2$, $\dot{V}E/\dot{V}O_2$ のトレンドグラフ

## ▶ パネル7 図7-11 TV/$\dot{V}E$関係

呼吸予備能，換気様式の評価に使用

① 閉塞性肺疾患の場合，MVVとpeak $\dot{V}E$ の差あるいは比で呼吸予備能を評価する．
② 拘束性障害の場合，ICとpeak TVの差で運動制限の原因になっているかどうかを判断する．
③ 浅く速い呼吸の有無．角度が浅い場合は浅く速い呼吸の存在を考える．

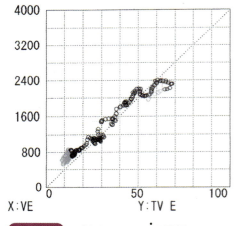

図7-11 パネル7：TV-$\dot{V}E$関係

## パネル8 図7-12 ガス交換比（R）

最大負荷の確認，被検者の緊張状態の把握，AT決定の参考に使用

① ガスの校正が正しく行われているかをまず評価する（①の部分）．日本人の安静時のガス交換比は0.83程度が正常．0.7以下や1.0以上の場合は校正をしなおす．
② 安静時およびウォームアップ時のRが1に近いあるいは1以上なら過換気が行われていた可能性を考える（②の部分）．
③ 最大負荷時のRが1.15以上なら十分負荷をかけたといえる（③の部分）．
④ AT決定時の参考（R＝1ならすでにATに達している）．

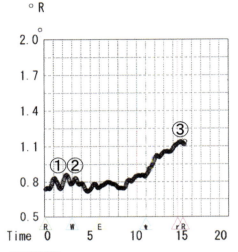

図7-12 パネル8：ガス交換効率（R）
①は安静時，②はwarm-up，③はpeak

## パネル9 図7-13 ETCO₂，ETO₂のトレンドグラフ

生理学的死腔量，心拍出量・肺動脈血流量の評価に用いる

$P_{ET}CO_2(mmHg)=［大気圧(mmHg)-47］×ETCO_2(\%)$

ここで47は体温（37°）における蒸気圧

① ETO₂の増加開始点（①の部分）がAT
② ETCO₂の減少開始点（②の部分）がRCP
③ ETCO₂の最大値（②の部分）は$\dot{V}/Q$ミスマッチがない場合は心拍出量あるいは骨格筋量の指標
④ ETCO₂が突然低下する場合はR-Lシャントの存在を示唆．
⑤ $P_{ET}CO_2>46\ mmHg$，$ETCO_2>6.4\%$なら正常心拍出量（CO）と考えている（群馬県立心臓血管センターの経験的な数値です）．

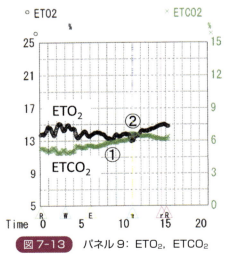

図7-13 パネル9：ETO₂，ETCO₂

以上，9パネルではパネル3，5，6，9で運動耐容能（AT, peak $\dot{V}O_2$）を評価．パネル2，3，5で心血管系の異常を評価．パネル4，6で死腔を評価．パネル1，7で換気を評価する．

■文献
1）Gargiulo P, Apostolo A, Perrone-Filardi P, et al. A non invasive estimate of dead space ventilation from exercise measurements. PLoS One. 2014, 9: e87395.

〈安達 仁〉

# 第8章 パラメータを組み合わせた評価法

## 1 ％ATと％peak $\dot{V}O_2$ の関係

　この二者はほぼ同じ値をとるのが正常である．％ATがほぼ正常，％peak $\dot{V}O_2$ が低下している場合にはRを確認する．Rが1.15以上の場合は十分努力をしたと考えられ，AT以上で酸素摂取量を制限する事態が生じたと考える．Peak $\dot{V}O_2$ が低下するパターンは2種類ある．$\Delta \dot{V}O_2/\Delta WR$ がAT以後も変わらない場合（図8-1 点線）は脚力不足と努力不足が考えられ，$\Delta \dot{V}O_2/\Delta WR$ がAT以後低下する場合（図8-1 破線）は心拍出量が低下する狭心症，高血圧や糖尿病を基礎とする拡張障害，僧帽弁狭窄症などが考えられる．前者の場合，心ポンプ機能は低下しないため％peak $\dot{V}O_2$/HRは％peak $\dot{V}O_2$ 以上である．後者の場合は心ポンプ機能が低下するため％peak $\dot{V}O_2$/HRは％peak $\dot{V}O_2$ と同等あるいは低値を示す．そして後者の場合，β遮断薬が使用されていない場合にはAT以後になると心拍応答が亢進する．

　前者において，努力不足と脚力不足の鑑別は最大負荷時のRに注目する．Rが1.15以上の場合は十分努力を行ったと考えられ，脚力不足と診断する．1.15よりもはるかに低い場合は最大負荷を行わなかったためにpeak $\dot{V}O_2$ が低いものと考える．また，R＜1.15でも回転数を維持できずに終了した場合は脚力不足を疑う．

　急性期に検査を行ったために最大負荷を避けた場合や収縮期血圧が250 mmHgに達したため

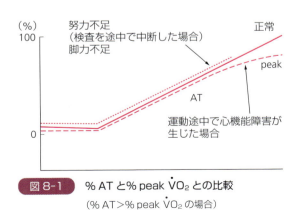

図8-1　％ATと％peak $\dot{V}O_2$ との比較
（％AT＞％peak $\dot{V}O_2$ の場合）

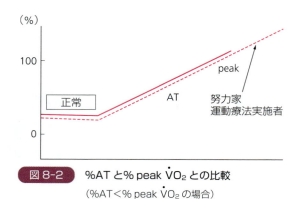

図8-2 %ATと% peak $\dot{V}O_2$との比較
(%AT<% peak $\dot{V}O_2$の場合)

に終了した場合と被検者の努力不足で終了した場合は運動終了時の自覚的運動強度で区別できる．検者の指示により運動を終了した場合はBorg 13〜15を指し，被検者が自己中断した場合にはたとえ実際にはつらくなるレベルに遥かに到達していなくてもBorg 19を訴えることが多い．

%ATが低下している場合は心ポンプ機能が軽度運動負荷時から低下するとともに骨格筋機能も低下している場合である．これは心不全の場合が多い．通常，% peak $\dot{V}O_2$は%ATと同程度の値を示す．被検者がかなり頑張った場合には%AT<% peak $\dot{V}O_2$となり，R>1.15のことが多い．

図8-2のごとく%AT<% peak $\dot{V}O_2$の場合は，日常的に運動を十分行っている症例である．心臓リハビリテーションが有効に行われるとこのようになる．

## 2　% peak $\dot{V}O_2$ vs. % peak WR

0ワットからランプ負荷を開始した場合の2つのパラメータの関係を図8-3に示す．ランプ負荷開始時，酸素摂取量はすでに1メッツであるため200〜300 mL/分から開始される．そのため$\dot{V}O_2$は0%からは始まっていない．

両者の正常な関係は点線で示されるパターンである．最終的に$\dot{V}O_2$，WRともに80%以上の地点に到達する．

% peak WRが低下している場合は3種の異常が考えられる．

% peak $\dot{V}O_2$と% peak WRが同程度低下している場合，負荷終了時のガス交換比（R）が1.0未満の場合には，努力不足あるいは不安感による自己中断である 図8-3 ①．努力不足の場合は負荷終了時にBorg 13位を示す．一方，不安感の場合は，Rが1未満であっても自覚症状はBorg 19ということもある．Rが1.1以上になっていれば，心機能，血管機能，骨格筋機能全体が満遍なく機能低下した状態である．心不全の場合に多く見られる．

% peak $\dot{V}O_2$のほうが% peak WRよりも低下の度合いが著しい場合 図8-3 ②，心機能障害

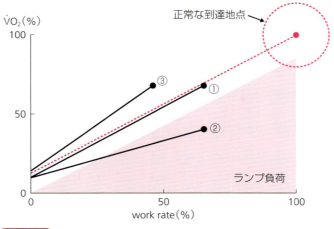

図8-3 ％peak $VO_2$ と％peak WR の関係
グラフ右上の点線エリアに向かってグラフが伸びていれば正常．

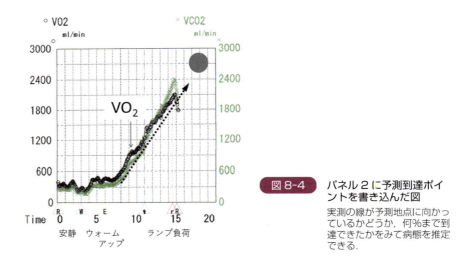

図8-4 パネル2に予測到達ポイントを書き込んだ図
実測の線が予測地点に向かっているかどうか，何％まで到達できたかをみて病態を推定できる．

が下肢筋力低下よりも強い状態あるいは骨格筋の酸化酵素活性が低い状態である．心不全患者はこのようになることがある．

一方，％peak $\dot{V}O_2$ より％peak WR のほうが低下の度合いが著しい場合 図8-3③，骨格筋機能の低下の度合いが急速に悪化した場合である．

9パネルのパネル3に予測peakWR と予測peak $\dot{V}O_2$ の位置を書き込み，$\dot{V}O_2$ がそこに向かって伸びているかどうか線を引くとわかりやすい 図8-4．

第8章 パラメータを組み合わせた評価法 | 173

## 3　% $\dot{V}O_2$ vs. % $\dot{V}O_2$/HR

　運動負荷試験終了時のRが1.15以上の場合，すなわち十分負荷をかけられた場合の心ポンプ機能は，最大負荷時のpeak $\dot{V}O_2$/HRが標準値の何％に到達したかで評価する．80％未満であれば低下と考える．% peak $\dot{V}O_2$/HRが低いのにpeak $\dot{V}O_2$が良好な場合は，心臓リハビリテーションなどによって，心機能障害があるにもかかわらず骨格筋機能や自律神経活性などが改善している場合である．

　一方，運動負荷を十分に掛けられなかった場合，すなわちRが1.0以下の場合には% peak $\dot{V}O_2$/HRと% peak $\dot{V}O_2$を比較し，% peak $\dot{V}O_2$/HR≦% peak $\dot{V}O_2$であれば運動中の心ポンプ機能は低下していると考える．$\dot{V}O_2$/HRは前述のごとく軽く上に凸の形で漸増するパターンをとる一方，$\dot{V}O_2$は負荷量に応じて直線的に増加する．そのため，正常では漸増負荷中の% peak $\dot{V}O_2$/HRは常に% peak $\dot{V}O_2$よりも大きいはずだからである　図8-5 ．

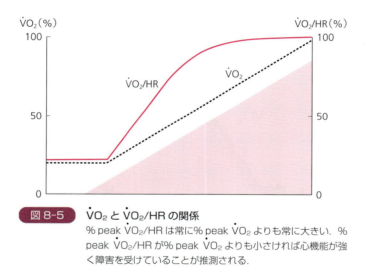

図8-5　$\dot{V}O_2$と$\dot{V}O_2$/HRの関係
% peak $\dot{V}O_2$/HRは常に% peak $\dot{V}O_2$よりも常に大きい．% peak $\dot{V}O_2$/HRが% peak $\dot{V}O_2$よりも小さければ心機能が強く障害を受けていることが推測される．

## 4　% peak WR vs. % $\dot{V}O_2$/HR

　第7章でも記載した通り，9パネルのパネル2にpeak $\dot{V}O_2$/HRとpeak WRの予測地点を書き込み，実測された$\dot{V}O_2$/HRがそこに向かっているかどうかを見ると，この両者の関係が異常かどうか見やすい　図8-6 ．上に凸になる度合いが様々なので，推測の域は出ないが明らかな異常の場合には判断可能である．　図8-7 で，①は正常，②は1回心拍出量の増加不全，特に虚血，拡張障害，大動脈弁輪狭小の場合である．③は骨格筋機能低下と心ポンプ機能がともに低下した，典型的な心不全の場合である．

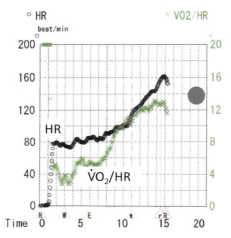

図 8-6 パネル 2 に最大負荷時の予測到達地点をマークしたもの
peak $\dot{V}O_2$/HR と peak WR の最大負荷時予測到達地点（灰色●）をパネル 2 に書き込むと，$\dot{V}O_2$/HR の動態が異常かどうか，どのような異常パターンであるかを知ることができる．

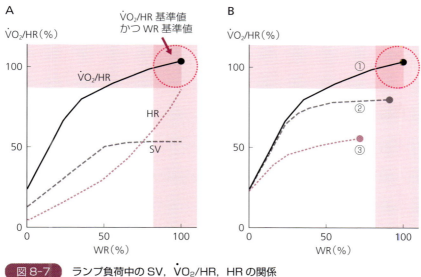

図 8-7 ランプ負荷中の SV，$\dot{V}O_2$/HR，HR の関係
正常では A 図点線の円内に入る．中等度負荷強度まで正常パターンで途中から平定化するパターンが②，最初から傾きが浅いのが①である．

## 5 ETCO₂

β遮断薬使用中には心拍数が低下するため，peak $\dot{V}O_2$/HR を心ポンプ機能の指標と考えることはできない．その代わりに心ポンプ機能を類推できるのは $P_{ET}CO_2$ である．$P_{ET}CO_2$ は肺血流量に依存して運動中に高値となる．右左シャントや肺塞栓症がない場合，肺血流量と心拍出量は同

一である．大気圧が 760 mmHg の場合は 45〜48 mmHg（ETCO$_2$ なら 5.9〜6.3％）以上が正常値である．RCP においてこの数値未満の場合は心拍出量が低いものと考える．P$_{ET}$CO$_2$ と心拍出係数の相関を 図8-8 に示す[1]．プレリミナリーなデータであるが，β遮断薬を使用していない患者において，P$_{ET}$CO$_2$ と％ peak $\dot{V}$O$_2$/HR の間には 図8-9 のような関係がある．このグラフで

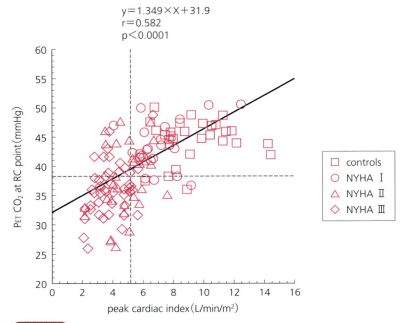

図8-8　P$_{ET}$CO$_2$ と心係数との関係
（Matsumoto A, et al. J Am Coll Cardiol. 2000; 36: 242-9）[1]

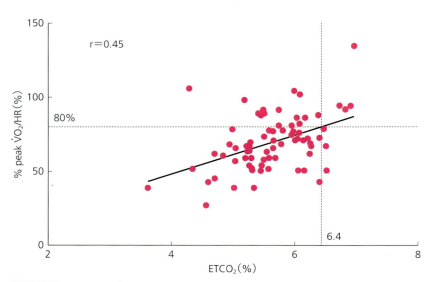

図8-9　％ peak $\dot{V}$O$_2$/HR と ETCO$_2$ の関係
バラツキが大きいが，おおむね peak ETCO$_2$ 6.4 以上であれば正常心機能と考えられる．

は，% peak $\dot{V}O_2$/HR の 80％以上は $P_{ET}CO_2$ の 6.4 に相当している．注意すべき点は，$ETCO_2$ は RCP まで負荷を行わないと評価できない点と，骨格筋量の影響を受ける点である．

## 6　% peak $\dot{V}O_2$ と% $\dot{V}E/\dot{V}CO_2$（VE vs. $\dot{V}CO_2$ slope）の関係（cardio-muscle panel）

　この2つのパラメータは 図8-10 に示すような関係がある．Peak $\dot{V}O_2$ を規定する因子は呼吸機能，心機能，骨格筋機能，肺循環，体循環，貧血，自律神経活性である一方，$\dot{V}E/\dot{V}CO_2$ を規定する因子は生理学的死腔量であり，若干規定している要素が異なる 図8-11 ．心不全の特徴は peak $\dot{V}O_2$ の減少と心拍出量すなわち肺循環の減少である．肺循環の減少は生理学的死腔量増加をもたらすため $\dot{V}E/\dot{V}CO_2$ が高値となる．同時に心不全では骨格筋障害も生じる．すなわち，両指標ともに異常をきたすため，図の曲線上にプロットされる．軽症心不全の場合には基本点 図8-10A に近く，増悪すると左上方にシフトしてゆく．心機能が正常でも極端に安静にしていると運動耐容能低下のほうが著明になるため，曲線よりも下方にシフトする 図8-10B ．この線よりも下方にプロットされる場合には筋力低下が著しい場合が多いと考えレジスタンストレーニングを主体とした運動療法を行う．一方，曲線よりも上方にプロットされる場合がある 図8-10C ．それは生理学的死腔量が大きい場合である[2]．臨床的には心拍出量低下が著しい場合，肺動脈に障害がある場合あるいは肺胞低換気の場合である．肺動脈血流量低下による換気血流不均衡分布の度合いは重症心不全より肺高血圧症のほうが強いため，肺動脈性肺高血圧症（PAH）と慢性血栓塞栓性肺高血圧症（CTEPH）の場合に上方にシフトすることが多い．また，肺気腫，肺水腫の場合も上方にシフトする．ただし肺気腫なら必ずこの位置にあるわけではな

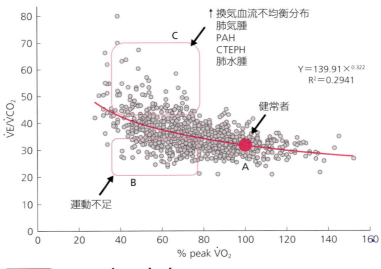

図8-10　% peak $\dot{V}O_2$ と $\dot{V}E/\dot{V}CO_2$ との関係
完全な直線関係ではない．Aの位置にあれば正常

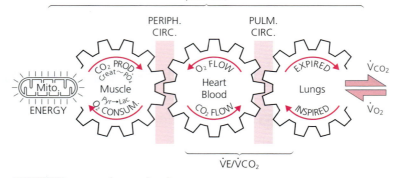

**図 8-11** peak $\dot{V}O_2$ と $\dot{V}E/\dot{V}CO_2$ との意義の違い

peak $\dot{V}O_2$ は歯車すべてが関係するが $\dot{V}E/\dot{V}CO_2$ はおもに肺循環と心拍出量が関係する.

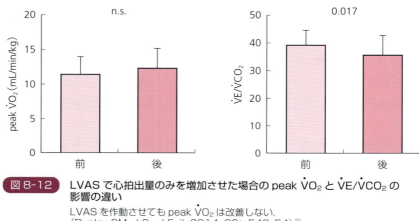

**図 8-12** LVAS で心拍出量のみを増加させた場合の peak $\dot{V}O_2$ と $\dot{V}E/\dot{V}CO_2$ の影響の違い

LVAS を作動させても peak $\dot{V}O_2$ は改善しない.
(Dunlay SM. J Card Fail. 2014, 20: 548-54)[3]

い．上方にシフトするのは RCP における換気効率が著しく低下する場合である．A-aDO$_2$ が開大するタイプの I 型呼吸不全よりも，A-aDO$_2$ は正常だが PaCO$_2$ が増加する II 型呼吸不全で多く見られると考えられる．

　重症心不全が原因で cardio-muscle panel において上方に位置している患者に LVAD で心拍出量のみを増加させると $\dot{V}E/\dot{V}CO_2$ は改善するが peak $\dot{V}O_2$ の改善は不良であることが示されている（図 8-12）[3]．心不全では心ポンプ機能を改善させるだけではなく，運動療法を行わないと予後が改善しないことを示している．

　運動負荷試験が十分できず RCP 以下で中断された場合，minimum $\dot{V}E/\dot{V}CO_2$ は不正確である．その場合には $\dot{V}E$ vs. $\dot{V}CO_2$ slope を用いて評価する．

## 7　$\dot{V}E/\dot{V}CO_2$ と $\dot{V}E$ vs. $\dot{V}CO_2$ slope

　この2つのパラメータは 図8-13 のような関係を示す．この直線よりも上方にプロットされるのは換気血流不均衡が呼吸や肺血流の増大によっても改善しない場合である．不安感のために安静時からウォームアップ時にかけて過換気を示した場合は，$\dot{V}E$ は増大するが $\dot{V}CO_2$ は増加しないため安静時の $\dot{V}E$-$\dot{V}CO_2$ 関係が高値を示す．中等度以上の運動になると通常の $\dot{V}E$-$\dot{V}CO_2$ 関係になるため，$\dot{V}E$ vs. $\dot{V}CO_2$ slope としてはやや浅くなり低値を示す 図8-14 ．

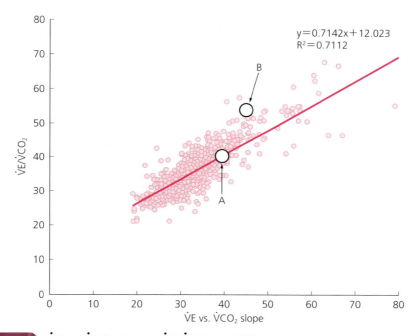

図8-13　$\dot{V}E$ vs. $\dot{V}CO_2$ slope と $\dot{V}E/\dot{V}CO_2$ との関係
　Aは通常の心不全．BはCTEPHなどで運動中の肺血流増加が極端に抑制されている場合．

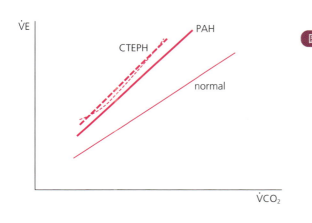

図8-14　PAHとCTEPHの $\dot{V}E$ vs. $\dot{V}CO_2$ slope
　PAHの場合，slopeは標準〔細実線（normal）〕よりも急峻になる（太実線）．CTEPHの場合は始点はPAHよりも上方（$\dot{V}E$ が大きい）にあり，負荷開始とともに正常な肺血管部分は拡張するため若干slopeは浅くなる（太い点線）．負荷が強くなるとPAHのように肺血管拡張が物理的にできないためslopeは急峻になる（細い点線）．平均すると太破線のようになる．

**表 8-1** PAH と CTEPH の鑑別

| | peak $\dot{V}O_2$ | $\dot{V}E$ vs. $\dot{V}CO_2$ slope | minimum $\dot{V}E/\dot{V}CO_2$ |
|---|---|---|---|
| CHF | ↓ | ↑ | ↑ |
| PAH | ↓ | ↑↑ | ↑↑ |
| CTEPH | ↓ | ↑↑↑ | ↑↑↑ |

　換気血流不均衡が呼吸や肺血流が増大しても改善しない場合, すなわち CTEPH のように血栓のために肺血管床が減少している場合には, 運動によって肺胞が拡張しても血流が来ないエリアがあるため $\dot{V}E/\dot{V}CO_2$ は著しく高いままである. 一方, $\dot{V}E$-$\dot{V}CO_2$ 関係は低強度負荷時からすでに高値をとるため, slope の傾きはやや浅くなる. そのため, PAH よりも CTEPH のほうが $\dot{V}E/\dot{V}CO_2$ と $\dot{V}E$ vs. $\dot{V}CO_2$ slope の乖離は大きい.

　Peak $\dot{V}O_2$, $\dot{V}E/\dot{V}CO_2$, $\dot{V}E$ vs. $\dot{V}CO_2$ slope による心不全と PAH, CTEPH の鑑別を **表 8-1** に示す.

■文献
1) Matsumoto A, Itoh H, Eto Y, et al. End-tidal $CO_2$ pressure decreases during exercise in cardiac patients: Association with severity of heart failure and cardiac output reserve. J Am Coll Cardiol. 2000; 36: 242-9.

2) NakadeT, Adachi H, Murata M, et al. Characteristics of patients with a relatively greater minimum $\dot{V}E/\dot{V}CO_2$ against peak $\dot{V}O_2$ % and impaired exercise tolerance. Eur J Appl Physiol. 2018; 18: 1547-53.

3) Dunlay SM. Changes in cardiopulmonary exercise testing parameters following continuous flow left ventricular assist device implantation and heart transplantation. J Card Fail. 2014, 20: 548-54.

〈安達 仁〉

# 第9章
# CPX の臨床応用

## 1 運動耐容能評価

体全体の総合的な機能を評価したものを運動耐容能という．「耐用能」や「耐応能」ではない．指標として最高酸素摂取量（peak $\dot{V}O_2$: peak oxygen uptake）と嫌気性代謝閾値（AT: anaerobic threshold），最大負荷量（peak work rate）を求めることができる．peak $\dot{V}O_2$ は心疾患患者の予後の指標である[1] とともに，心臓移植の適応を決定するための必須項目である[2]．

運動継続が困難になる原因には，下肢疲労，息切れ，胸痛，不整脈，下肢痛，血圧過上昇，$SpO_2$ 低下など様々なものがあるが，どの理由であれ実施可能であった $\dot{V}O_2$ の最高値が peak $\dot{V}O_2$ である．循環器の現場ではきわめて稀であるが，生体固有の $\dot{V}O_2$ の最高値が示される場合がある．生体の機能を総動員してもそれ以上 $\dot{V}O_2$ を増加させることができない状況で，この場合には最大酸素摂取量（max $\dot{V}O_2$）という．最高値は誰が見ても 1 カ所しかないため peak $\dot{V}O_2$ 決定に関して議論が生じることはない．

Peak $\dot{V}O_2$ と NYHA 心機能分類との間には 図9-1 に示すような関係がある[3]．NYHA 心機能分類は患者がどの程度動けるかという観点に注目しているため，CPX から得られる運動耐容能の指標と関係するのは当然であるが，CPX では NYHA 分類よりも客観的である点と数値化できる点が優れている．

一方，心機能の指標である LVEF は運動耐容能と相関を示さない 図9-2 [4]．心機能という体のパーツのひとつの機能が低下しても体全体の機能には影響を及ぼさないことが多いからである．その意味では，運動耐容能は心臓交感神経活性の指標である MIBG とも相関せず，また胸痛の起こりやすさの指標である CCS 分類[5] 表9-1 とも相関関係は示さない．胸痛は必ずしも心ポンプ機能と関連せず，さらに，関連したとしても運動耐容能と関連しないことが多いからである．

運動耐容能は寿命に大きな影響を及ぼす 図9-3 [6]．心機能が低下しても骨格筋機能を改善させれば予後は改善する．そのため，心機能の指標である左室駆出率（EF）は心移植適応の根拠にはならず peak $\dot{V}O_2$ が判定基準に含まれている．

6 分間歩行距離と peak $\dot{V}O_2$ との関連は 図9-4 に示すごとくである[7]．6 分間歩行負荷試験は，可能な限り速く歩くことが原則であるため最大負荷に近い亜最大運動負荷試験である．した

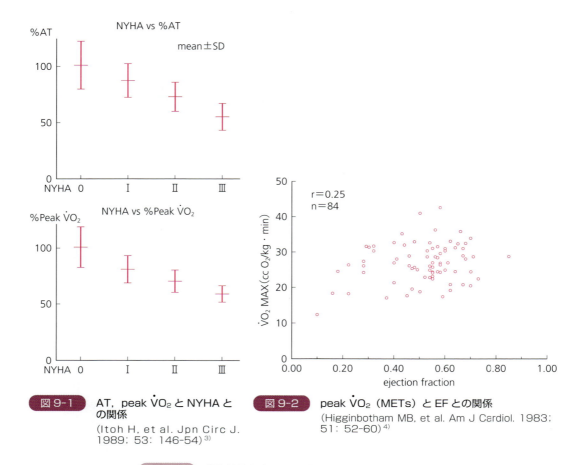

図 9-1 AT, peak $\dot{V}O_2$ と NYHA との関係
(Itoh H, et al. Jpn Circ J. 1989; 53: 146-54)[3]

図 9-2 peak $\dot{V}O_2$ (METs) と EF との関係
(Higginbotham MB, et al. Am J Cardiol. 1983; 51: 52-60)[4]

表 9-1　労作性狭心症の CCS 分類

| 分類 | 胸痛の程度 |
| --- | --- |
| I 度 | 日常生活での胸痛なし<br>激しいあるいは急激なあるいは長時間の労作で胸痛あり |
| II 度 | 日常活動が軽く制限される<br>階段を急いで昇った時，上り坂，食後活動時等のみに胸痛出現<br>普通の速度で 3 階までのぼると胸痛出現 |
| III 度 | 日常活動が相当制限される<br>普通の速度で 2 階までのぼると胸痛出現 |
| IV 度 | どのような活動も胸痛なしではできない<br>安静時にも感じることがある |

(Campeau L. Circulation. 1976; 54: 5223)[5]

がって，単純に最大運動能力の観点から運動耐容能を評価するのであれば 6 分間歩行負荷試験でも事足りるが，なぜ運動耐容能が低下しているのかを考えるための病態評価には不向きである．

　$\dot{V}O_2$ と $\dot{V}CO_2$ の平衡関係が保たれる最大の酸素摂取量を嫌気性代謝閾値とよび，これも運動耐容能の指標である．この指標は，被検者の意思でコントロールすることはできない．しかし，AT と考えられる点が何カ所も出現することがあり，決定が困難なことはある．通常，peak

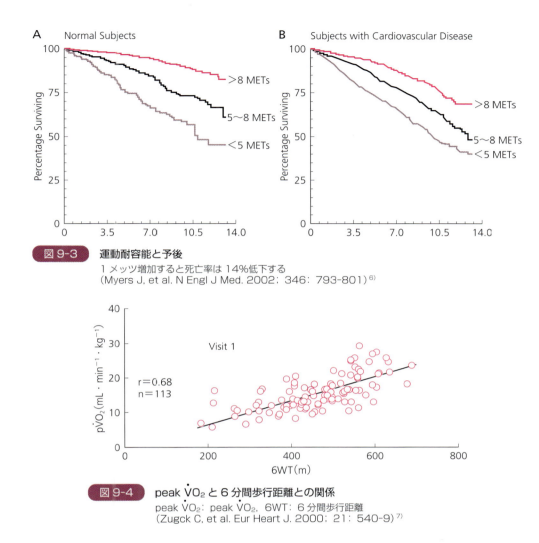

**図 9-3** 運動耐容能と予後
1 メッツ増加すると死亡率は 14% 低下する
(Myers J, et al. N Engl J Med. 2002; 346: 793-801)[6]

**図 9-4** peak $\dot{V}O_2$ と 6 分間歩行距離との関係
peak $\dot{V}O_2$: peak $\dot{V}O_2$, 6WT: 6 分間歩行距離
(Zugck C, et al. Eur Heart J. 2000; 21: 540-9)[7]

$\dot{V}CO_2$ と AT は良好な相関関係を示す．AT 以後，アシドーシスが進みカテコラミン分泌が亢進し，呼吸数が速くなる．AT 以上の活動は，体に種々の負担がかかっているといえる．激しい活動中に心事故を生じる可能性のある場合，AT までの運動と活動を指導する．最大負荷までかけて危険なサインが出現しなかった場合，AT 以上の活動や運動療法も許容する．

## 2 運動処方作成・日常活動指導

運動療法を安全かつ有効なものにするために適切な運動処方作成は必須である．
主な運動療法として有酸素運動と抵抗運動がある．有酸素運動の運動処方作製法はいくつかあるが，最も正確に決定できるのは CPX である．

| 表 9-2 | メッツの表：日常活動に必要な酸素消費量 | | |
|---|---|---|---|
| メッツ | 身の回りの行動 | 趣味 | 運動 |
| 1-2 | 食事，洗面 | ラジオ，テレビ | かなりゆっくりとした |
| | 裁縫，編物 | 読書，トランプ | 歩行（1.6 km/時） |
| | 自動車の運転 | 囲碁，将棋 | |
| 2-3 | 乗り物に立って乗る | ボーリング | ゆっくりとした平地歩行 |
| | 調理，小物の洗濯 | 盆栽の手入れ | （3.2 km/時） |
| | 床拭き（モップで） | ゴルフ（電動カート使用） | （2 階までゆっくり昇る） |
| 3-4 | シャワー | ラジオ体操 | 少し速歩きの歩行 |
| | 10 kg の荷物を背負って歩く | 釣り | （4.8 km/時） |
| | 炊事一般，布団を敷く | バドミントン（非競技） | （2 階まで昇る） |
| | 窓拭き，膝をついての床拭き | ゴルフ（バッグを持たずに） | |
| 4-5 | 10 kg の荷物を抱えて歩く | 陶芸，ダンス | 速歩き（5.6 km/時） |
| | 軽い草むしり | 卓球，テニス | |
| | 立て膝での床拭き | キャッチボール | |
| | 夫婦生活，入浴 | ゴルフ（セルフ） | |
| 5-6 | 10 kg の荷物を片手に下げて歩く | 渓流釣り | すごく速く歩く（6.5 km/時） |
| | シャベル使い（軽い土） | アイススケート | |
| 6-7 | シャベルで掘る | フォークダンス | |
| | 雪かき | スキーツアー（4.0 km/時） | |
| 7-8 | | 水泳，エアロビクスダンス | ジョギング（8.0 km/時） |
| | | 登山，スキー | |
| 8- | 階段を連続して 10 階以上昇る | なわとび，各種スポーツ競技 | |

　まず，AT を十分超えるレベルまで運動負荷を実施し，その時点で SpO₂ 低下，血圧過上昇，心筋虚血，危険な不整脈などがないことを確認する．次に，AT の 1 分前の負荷量，あるいは AT レベルの心拍数で運動処方を作成する．運動療法の結果，運動耐容能が改善するとともに，運動中の安全性が高まれば AT レベルを外れた処方を行うことは可能である．

　日常活動の指導に関しては，AT レベルと負荷中の血圧や酸素化などを考慮する．負荷試験中，特に危険なサインがなかった場合にはメッツの表 表9-2 を用いて指導する．

　労作性狭心症の場合には，虚血が出現するレベルの酸素摂取量，血圧，心拍数を教えて，そのレベル以下の活動を指導する．心不全の場合には，運動耐容能により指導は異なる．Peak $\dot{V}O_2$ が 16 mL/分/kg 未満，あるいは AT が 11 mL/分/kg 未満の場合には AT レベルで肺動脈楔入圧（PAWP）が 25 mmHg 以上になる 図9-5 [8]．このレベルの活動を長時間持続させると肺水腫が生じる可能性があり危険である．しかし，実際にはきつい仕事もしなければならないこともある．その場合には，可能ならばきつい仕事は連続 3 分以内にするように指導する．当院の検討では，重症心不全患者が最大負荷の 85 ％ で運動をすると，運動開始 3 分目頃に LVEDP が 30 mmHg に到達する例が出はじめる 図9-6．そのため，そのような患者がどうしても激しい仕事をしなければならない場合，あるいは高強度インターバルトレーニング（HIIT）を行うときには，2 分くらいで一度休むように指導している．安全を理由に活動を制限することは簡単である．しかし活動制限は患者の予後を悪化させる．医療従事者は，安全かつ有効な活動レベルを積極的に指導するべきである．

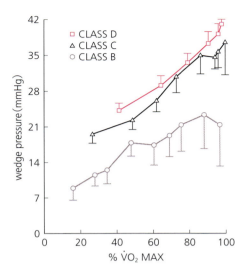

**図 9-5** 心不全重症度別の運動負荷中の肺動脈楔入圧（PAWP）
心不全が重症化するほど運動中の PAWP は上昇しやすい．
Weber-Janicki 分類
B: AT 11〜14, peak $\dot{V}O_2$ 16〜20, C: AT 8〜11, peak $\dot{V}O_2$ 10〜16, D: AT 5〜8, peak $\dot{V}O_2$ 6〜10（単位は mL/分/kg）
(Weber KT, et al. Circulation. 1982; 65: 1213-23)[8]

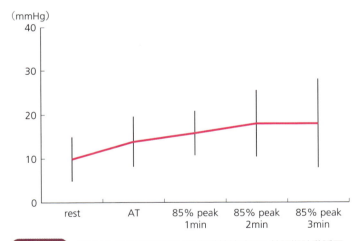

**図 9-6** NYHA Ⅲ の患者における運動持続時間と拡張期肺動脈圧
最大負荷の 85％強度の運動を実施中の拡張期肺動脈圧の変化を見た．拡張期肺動脈圧は一般的には LVEDP（PAWP）に等しい．

## 3 虚血重症度の判定・労作性狭心症治療方針決定

　心筋虚血重症度を評価する方法として CCS 分類が用いられる 表9-1．これはどの程度の活動で胸痛が出現するかで重症度を評価する分類である．心機能の観点からは，どの程度の活動レ

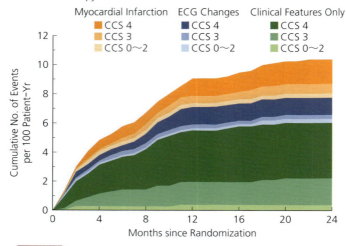

**図 9-7** 狭心症患者の心事故と CCS 分類
CCS 分類 3 と 4 は心事故が多い
(Bruyne B, et al. N Engl J Med. 2014; 371: 1208-17)[9]

$$\text{Duke Treadmill Score} = \text{Exercise Duration (min)} - 5\left(\begin{array}{c}\text{ST}\\\text{Deviation}\\\text{(mm)}\end{array}\right) - 4\left(\begin{array}{c}\text{Angina}\\\text{Index}\end{array}\right)$$

Angina Index
0-none, 1-typical angina, 2-angina causing test cessation

| Score | Risk Group | Stenosis ≧75% | Multivessel Disease | 1-Year Mortality |
|---|---|---|---|---|
| ≧5 | Low | 40.1% | 23.7% | 0.25% |
| −10 to 4 | Intermediate | 67.3% | 55.0% | 1.25% |
| ≦−11 | High | 99.6% | 93.7% | 5.25% |

**図 9-8** Duke Treadmill Score とスコアによる危険度
(Bourque JM, et al. JACC Cardiovasc Imaging. 2015; 8: 1309-21)[10]

ベルで心筋虚血が心ポンプ機能を減弱させ始めるかも狭心症重症度のポイントの一つである．また，合併症の観点からは不整脈が生じるかどうかが重要である．

これらは冠動脈硬化病変の視覚的狭窄度や FFR（fractional flow reserve：冠血流予備量比）などの局所の虚血評価のみではわからず，ランプ負荷を用いる CPX を用いて初めて評価できる．したがって，CPX の結果に基づいた治療方針の決定が最も生命予後を改善すると考えられる．

狭心症は CCS 分類 3，すなわち階段を 2 階まで上る途中で胸痛が出現するレベル以上になると PCI が必要になることが多い **図 9-7**[9]．この図は FAME2 研究の図であるが，心事故を起こすのは圧倒的に CCS 分類 3 あるいは 4 であることが示されている．CCS 分類 3 は 4 メッツであり，以前のガイドラインで奨励されてきた Duke Treadmill Score の高リスク群 **図 9-8**[10] に合致する．すなわち，OMT（optimal medical treatment：理想的薬物療法）と心臓リハビリテーションを行っているにもかかわらず虚血閾値が 4 メッツ以上に改善しない場合には速やかに PCI

**表 9-3** 狭心症のサイン

| 症状・所見 | 機序 |
|---|---|
| 胸痛 | |
| 心ポンプ機能低下 | 虚血による細胞内代謝機能低下 |
| 心拍数増加 | 1回心拍出量低下に対する代償機構<br>痛みによるカテコラミン分泌に対する反応 |
| 呼吸数増加 | 1回心拍出量低下に対する代償機構<br>痛みによるカテコラミン分泌に対する反応 |

**表 9-4** CPX による狭心症の重症度判定

| 指標 | 程度の判定基準 |
|---|---|
| 虚血閾値 | 以下のサインが出現する運動強度<br>　ST 低下<br>　$\dot{V}O_2$/HR の傾き低下（平定化）<br>　過剰心拍応答<br>　過剰換気応答 |
| 心ポンプ機能低下 | $\dot{V}O_2$/HR 平定化の程度 |
| （心室性）不整脈 | 心室期外収縮, 心室頻拍などの出現 |

を行ったほうがよいと考えられる.

　心筋虚血の自覚症状は通常は胸痛であるが, そのほかにも虚血のサインは複数ある **表9-3**. 無痛性心筋虚血の場合, 胸痛で狭心症を診断できないため, 心筋虚血に伴う心ポンプ機能の低下, それに伴う息切れ感と頻脈で狭心症の有無を判断する. 心ポンプ機能低下は, CPX では $\dot{V}O_2$/HR の平定化で評価できる. また, 息切れ感は ST 低下とともに $\dot{V}E$ が急激に増加する現象を捕まえることで虚血による息切れ感と判断できる. 同時に過剰な心拍応答も誘発される. これらは 1 回心拍出量低下による換気不全や心ポンプ機能低下を代償するための応答とともに, 痛みによるカテコラミン分泌によって引き起こされる現象である. $\dot{V}O_2$/HR の平定化, 過剰な心拍応答, 過剰換気の出現などを ST 低下とともに捕まえれば無症候性心筋虚血であっても狭心症の見逃しは減る.

　CPX は狭心症の重症度判定にも有用であり, これが治療方針の決定に役立つ. 重症度判定には虚血閾値と心ポンプ機能低下の程度, 合併症の有無で判断する **表9-4**.

　CPX の結果, 2〜3 メッツで虚血の悪影響が出現するようなら重症である. 一方, 6 メッツくらいの負荷をかけてやっと虚血のサインが見られるなら軽症〜中等症である. この場合は心臓リハビリテーションでしっかりと治療を行えばよい.

　CPX のよい点は, 予後に関係のない末梢冠動脈病変では変化を示さない点である. 虚血の程度が強いほど $\Delta \dot{V}O_2$/$\Delta$WR が受ける影響は大きくなる **図9-9** [11]. すなわち, 胸痛や冠動脈病変があり FFR が 0.8 未満であっても, CPX で異常が出ないような病変は致命的な予後は左右しないと考えられる. 1990 年代初頭, 筆者は 4PD や D1 の枝に病変を見つけて直径 1.5 mm くらいのバルーンで PTCA（経皮的冠動脈形成術）を行っていたが, これらは CPX を行えばまったく無駄な治療であると判断できたであろう.

　ところで, 狭心症治療に $\beta$ 遮断薬は冠攣縮性狭心症ではない限り必須である. $\dot{V}O_2$/HR は分母

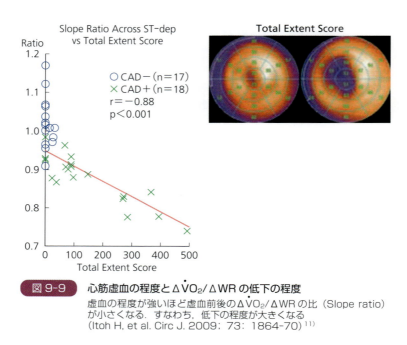

図 9-9 心筋虚血の程度と△$\dot{V}O_2$/△WR の低下の程度
虚血の程度が強いほど虚血前後の△$\dot{V}O_2$/△WR の比（Slope ratio）が小さくなる．すなわち，低下の程度が大きくなる
(Itoh H, et al. Circ J. 2009; 73: 1864-70)[11]

表 9-5 中等度以上の心筋虚血出現時の CPX の変化と β 遮断薬の影響

| BB 使用（−） |
|---|
| peak $\dot{V}O_2$/HR（$O_2$P）低値 |
| peak $\dot{V}O_2$ 正常 |
| △$\dot{V}O_2$/△WR 低下（−） |
| △HR/△WR 増加（虚血出現後） |
| BB が十分量使用されている場合 |
| peak $\dot{V}O_2$/HR 低下度は少なくなる |
| peak $\dot{V}O_2$ 低下 |
| △$\dot{V}O_2$/△WR 低下（虚血出現後） |
| △HR/△WR 不変（虚血出現前後を通して） |

に HR が入っているため，β 遮断薬を服用していると高値を示す．実際には $\dot{V}O_2$/HR のパターンを見て狭心症を診断しているため β 遮断薬が入っていても関係ないが，β 遮断薬は心拍応答にも影響を与える．β 遮断薬は虚血出現後の代償性心拍数増加応答を抑制する．そのため，虚血出現後の 1 回心拍出量（SV）低下が心拍出量（CO）低下を誘発し △$\dot{V}O_2$/△WR も低下させる．表 9-5，図 9-10 に中等度以上の心筋虚血出現時の CPX の変化と β 遮断薬の影響を示す．

狭心症診断の際の運動負荷試験に関して，2019 年の ESC のガイドライン[12]，と 2021 年の安定狭心症のガイドライン[13]からトレッドミル運動負荷試験が消えた．その理由として，診断率が低い点と利用率が低い点があげられている．診断率は ESC では FFR の結果と対比させており，狭心症の診断と冠動脈血流量減少の診断を混乱していることがわかる．ガイドラインの chief editor の Dr. Knuuti が MRI の専門家であることから画像診断に力を入れたくなることもあると

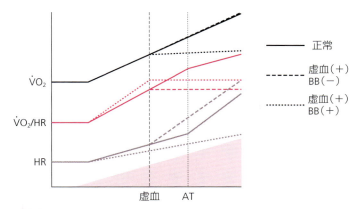

図 9-10 心筋虚血とβ遮断薬が心拍応答，$\dot{V}O_2$，$\dot{V}O_2/HR$ に及ぼす影響
BB：β遮断薬
実線が正常パターン．β遮断薬を服用していると（点線）虚血による心ポンプ機能の低下を心拍数によって代償できないため，虚血出現後 $\dot{V}O_2$ の増加率が減少する．

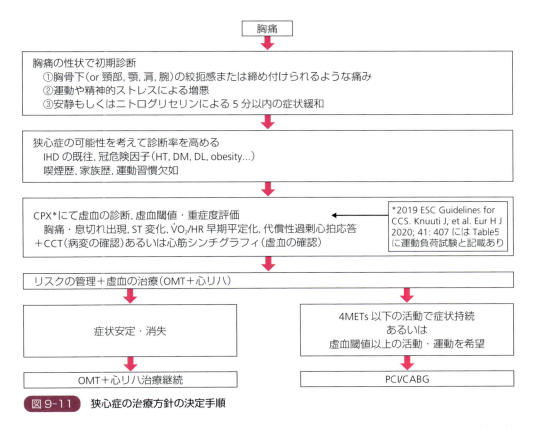

図 9-11 狭心症の治療方針の決定手順

思われる．筆者は，狭心症の尤度が高い症例には，やはり CPX による虚血閾値の判断を労作性狭心症診断・治療の最初のステップに入れたほうがよいと思っている 図9-11．CPX は運動処方もでき，OMT 実施に有用である．

## 4 慢性心不全の病態解明・重症度把握，治療法決定

慢性心不全は心機能低下に伴い全身の機能が低下する症候群（図9-12）であるため，慢性心不全の重症度は心機能ではなく，どの程度動けるかで評価する．そのため簡便な重症度指標としてNYHA機能分類が汎用されている．CPXはさらに数値として運動耐容能を示せるため，慢性心不全の重症度評価の基準となる検査である．心不全重症度・予後判定のために，CPXの指標はSeattle Heart Failure Model[14]には含まれていないが，MECKI score[15]にはpeak $\dot{V}O_2$ と $\dot{V}E$ vs. $\dot{V}CO_2$ slopeが入っている．予後判定にもpeak $\dot{V}O_2$，$\dot{V}E$ vs. $\dot{V}CO_2$ slope，EOV（exercise oscillatory ventilation）などの有用性は数多く報告されている[16-19]．

また，CPXから得られるさまざまなパラメータを活用することにより，労作時の心機能，血管機能，骨格筋機能，自律神経活性などが正常なのか否かを評価でき，目の前の患者のどこの機能が最も低下しているのかを評価できて治療方針をたてることができるメリットがある．

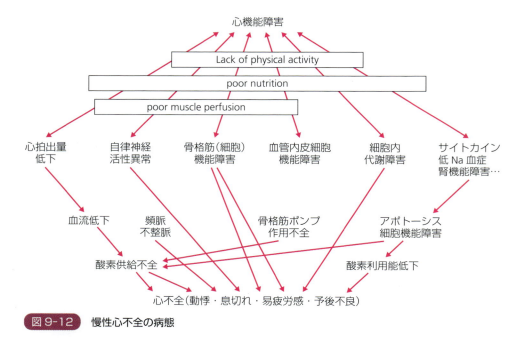

図9-12　慢性心不全の病態

## 5 ペースメーカ至適モードの設定

日常活動レベルを規定しているものは酸素摂取量である．酸素摂取量を増加させるのは心拍出量と心拍数であるため，運動中に心拍数が増加しないと酸素摂取量を充分増加させることができない．CRT-D植込み術後，レートレスポンス機能を適切に設定しないと運動中の酸素摂取量増加度が不十分となりADLや症状は改善しない（図9-13）．

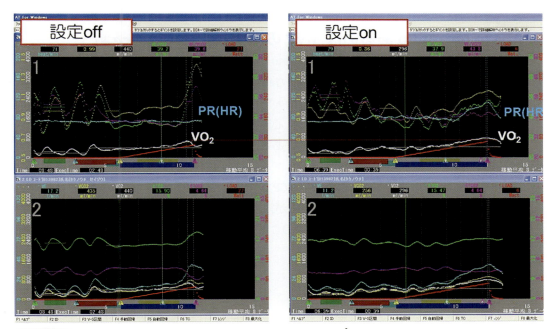

図 9-13　DDD ペースメーカにおける rate response on/off の $\dot{V}O_2$ への影響

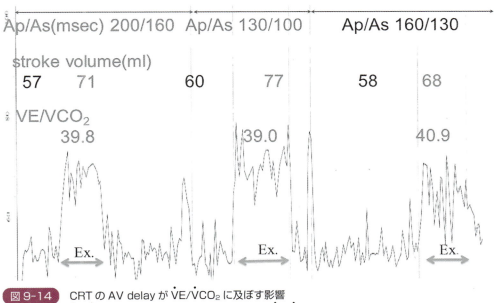

図 9-14　CRT の AV delay が $\dot{V}E/\dot{V}CO_2$ に及ぼす影響
$\dot{V}E/\dot{V}CO_2$ は息切れ感を反映する指標である．$\dot{V}E/\dot{V}CO_2$ が最も低くなる AV delay の設定が患者の自覚症状を軽減させる．

　また，CRT の AV interval（delay）も心拍出量に強く関与する．心エコーで AV delay を設定しても，それが労作時の心拍出量が最も増える設定であるとは限らない．ADL を上げるためには CPX を用いて心拍出量が最も増加する設定を見つける必要がある 図9-14 ．

## 6  MitraClip あるいは MVP の選択と手術の効果予測

　慢性心不全に伴う僧帽弁逆流（MR）は，前方心拍出量を減少させる要因のひとつである．そこで逆流を止めるために僧帽弁置換術（MVR）・形成術（MVP）や MitraClip などの僧帽弁逆流を減少させる治療を行うことがある．しかし，心筋収縮力が後負荷に負けてしまうと，術後，かえって心機能が低下して予後が悪化することがある．そこで，術前にこれらの治療が有効か有害かを判定したい．

　CPX の $\dot{V}E/\dot{V}CO_2$ は血管拡張の指標である．CPX を行い，0～10 ワットというごく軽い運動時に $\dot{V}E/\dot{V}CO_2$ が低下，すなわち有効な血管拡張が得られることが観察できれば血管拡張予備能があると考えられる 図9-15 ， 図9-16 ．このことを確認すれば，MVR（P）や MitraClip 後に

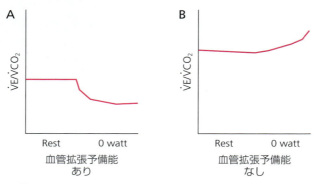

図9-15　心拍出量増加時の $\dot{V}E/\dot{V}CO_2$ の変化
2 メッツ程度の軽労作時に $\dot{V}E/\dot{V}CO_2$ が上昇してしまう場合（図 B）は血管拡張応答がきわめて減弱していることが示唆される．このような症例で MR を止めると血管で増加した心拍出量を受け止められず EF が低下する可能性がある．

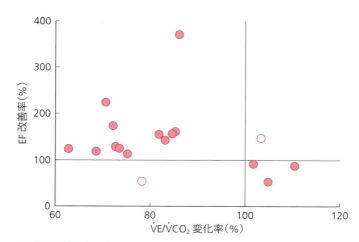

図9-16　$\dot{V}E/\dot{V}CO_2$ 応答と MVR/P 後の EF の変化
20 ワットウォームアップ時に $\dot{V}E/\dot{V}CO_2$ が増加する場合は MVP 後に EF が低下することが多い（自験例）．

図9-17　MitraClip と Alfieri Stitch
僧帽弁中央部をつまんで逆流を減らす手術である．

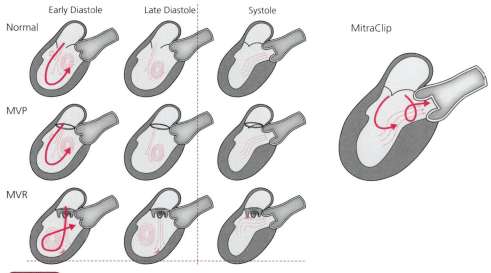

図9-18　Vector Flow Mapping（VFM）による心室内血流
MVP 後の血流は正常であるが，MVR では心室内で血流が交差してしまいエネルギー伝達効率が低下していることが示されている．Edge-to-Edge repair（MitraClip）の後は血流が心尖部に届かずエネルギー伝搬効率が悪いことが想像される．実際，MitraClip 後，心尖部に血栓ができることがある．
(Tsurugaya H, et al. Circ J. 2006; 70: 1332-6)[20]

EF が低下してしまうことは少ない．

　MitraClip は，以前一時期実施されていた Alferi stitch という術式をカテーテルでできるようにした治療法である 図9-17．開心術に耐えられない catecholamine dependent の状態でも実施可能な画期的な手技である．しかし，この術式は左室内の血流を正常とは大きく異なるものにさせてしまう 図9-18 [20]．左室全体を使った心拍出量が得られないため，十分な運動耐容能を得ることができなくなる．AT レベルまでは問題ないが，その後の心拍出応答が低いため，peak $\dot{V}O_2$ が低下する．そのため，MitraClip は低強度の運動耐容能が必要な重症心不全に実施すべき術式であり，趣味としてハイキングや名所旧跡を歩き回る旅行に行きたいと思っている人に実施することは望ましくないと思われる 図9-19．

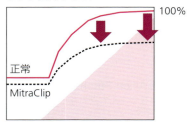
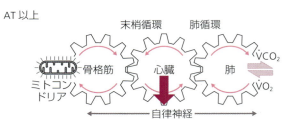

**図9-19** MitraClip 後の運動耐容能
MitraClip により僧帽弁が十分開大できないため，最大負荷時には十分な心拍出量が得られない．ATでは骨格筋や心拍数によって代償されるが，それ以上になると心拍出量増加不全が原因で $\dot{V}O_2$ の増加が不十分になる．

## 7　AS 重症度判定

　有症状の AS に運動負荷試験は禁忌[21]である．しかし，無症状の場合，症状の有無を確認するために運動負荷試験を行うように勧められている（class Ⅱa）[22]．CPX を行えば，どの程度の運動強度で症状や所見が出現するかを確認でき，AS の重症度を判定することができる．
　AS の症状出現機序を 図9-20 に示す．ランプ負荷中 SV は漸増するが，弁口面積に拡張制限がある場合にはない場合よりも少ない 1 回心拍出量でプラトーに達する．すなわち，$\dot{V}O_2/HR$ の平定化が早く出現するほど重症といえる 図9-21．

## 8　息切れの鑑別

　循環器外来で最も多い主訴のひとつが息切れである．「息切れ感」は，呼吸するために努力を必要とする場合に感じるものであるが，意図せず呼吸が速くなってしまう場合にも感じる．基礎疾患としては，心疾患，肺疾患，貧血，体力低下，精神的要因などが多い．呼吸機能検査や心エコー検査，血算などの結果と CPX の各指標を併せることで原因を推測することができる．表9-6 に息切れの病態と諸検査の関係を示す．

## 表 9-6 息切れ感の原因となる病態とパラメータ

| | 心エコー | 呼吸機能検査 | CPX | L/D（BNP 他）併存症 |
|---|---|---|---|---|
| HFrEF | EF 低下 | 正常 | AT 低下<br>Peak $\dot{V}O_2$ 低下<br>Peak $\dot{V}O_2$/HR 低下<br>$\dot{V}O_2$/HR の傾き低下<br>Min.$\dot{V}E$/$\dot{V}CO_2$ 増加<br>浅く速い呼吸 | BNP 上昇 |
| HFpEF | 拡張障害（E/A, DT, E/E'） | 正常 | AT 正常<br>Peak $\dot{V}O_2$ 低下<br>Peak $\dot{V}O_2$/HR 低下<br>$\dot{V}O_2$/HR の傾き正常<br>$\dot{V}O_2$/HR 早期平定化 | BNP 上昇<br><br>高血圧, 肥満, 糖尿病, 鉄欠乏性貧血, 心房細動, 高齢者…… |
| 狭心症 | 正常 | 正常 | AT 正常<br>Peak $\dot{V}O_2$ 低下<br>Peak $\dot{V}O_2$/HR 低下<br>$\dot{V}O_2$/HR の傾き正常<br>$\dot{V}O_2$/HR 早期平定化 | BNP 正常<br><br>肥満・糖尿病・脂質異常症・高血圧・運動不足, 喫煙歴, 家族歴… |
| PFO | （正常） | 正常 | RL シャント像<br>　$P_{ET}CO_2$ 急上昇<br>　$\dot{V}E$/$\dot{V}CO_2$ 急上昇<br>　R 急上昇 | 正常 |
| PAH, CTEPH | 右心負荷 | 正常 | $\dot{V}E$/$\dot{V}CO_2$ 著明高値<br>AT 低下<br>Peak $\dot{V}O_2$ 低下 | 正常（D ダイマー上昇） |
| 閉塞性肺障害（肺気腫など） | 正常 | FEV1.0 %<br><70% | AT 低下<br>Peak $\dot{V}O_2$ 低下<br>$\dot{V}E$/$\dot{V}CO_2$ 増加<br>MVV が $\dot{V}E$ の 80%以上<br>Ti/Ttot<br>　中等症: peak 直前で低下<br>　重症: 常に低値<br>終了時: 息切れ＞下肢疲労<br>$SpO_2$ 低下 | 正常 |
| 拘束性肺障害（肺線維症など） | 正常 | %VC<80% | AT 低下<br>最高酸素摂取量低下<br>最高酸素脈低下～正常<br>$\dot{V}E$/$\dot{V}CO_2$ 増加<br>Peak TV が IC の 80%以上<br>終了時: 息切れ＞下肢疲労 | 正常 |
| 体力不足 | 正常 | 正常 | AT やや低下<br>Peak $\dot{V}O_2$ 低下<br>Peak WR 低下<br>$\dot{V}O_2$/HR 正常 | 正常 |
| 精神的障害・心因性 | 正常 | 正常 | Peak $\dot{V}O_2$ 低下<br>R<1.0 で運動自己中断<br>不安定呼吸 | 正常 |
| 貧血 | 正常 | 正常 | AT 低下<br>Peak $\dot{V}O_2$ 低下 | Hb 低下 |

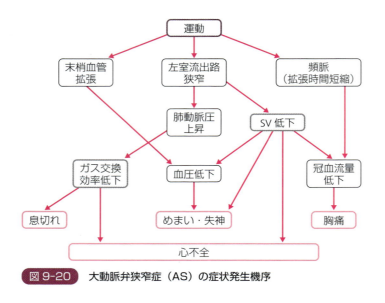

**図 9-20** 大動脈弁狭窄症（AS）の症状発生機序

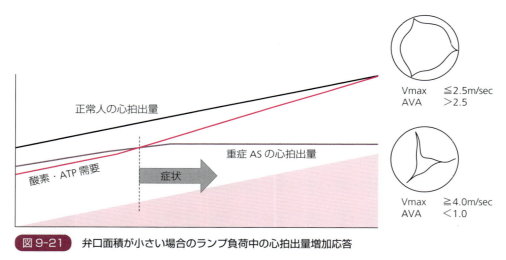

**図 9-21** 弁口面積が小さい場合のランプ負荷中の心拍出量増加応答

例えば歩き初めに息切れを感じる 70 歳男性の例を見てみよう．

男性は基礎疾患として #13 を責任病変とする陳旧性心筋梗塞で CABG を受けたことがある．軽度の僧帽弁閉鎖不全症（MR）も有している．喫煙歴は 1 日 20 本，50 年間である．胆石のため 3 週間入院し，退院後に歩き初めの息切れ感を感じたため当院を受診した．胸部 X 線，心電図は 図 9-22，図 9-23，呼吸機能検査は 表 9-7 のごとくである．CPX では最大負荷付近の 70 ワット付近で ST が低下して虚血陽性になった．$\dot{V}O_2/HR$ は 60 ワットで平定化した 図 9-24．胸痛は感じなかった．最大負荷時の $SpO_2$ は 96％であった．9 パネルのパネル 7（TV-VE 関係のグラフ）と Ti/Ttot，$\dot{V}E/\dot{V}CO_2$ などのトレンドグラフを 図 9-25〜図 9-27 に示す．Cardio-muscle panel では白丸の位置である 図 9-28．CAG 所見はバイパスは開存して

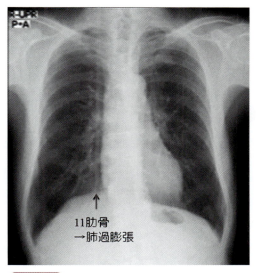

図 9-22　胸部 X 線
第 11 肋骨が横隔膜上に観察され，肺の過膨張が示唆される．

表 9-7　呼吸機能検査

| 項目 | | 実測値 | 予測値 |
|---|---|---|---|
| %VC | (%) | 102 | |
| TV | (L) | 1.25 | |
| ERV | (L) | 0.82 | 1.26 |
| IRV | (L) | 1.26 | |
| IC | (L) | 2.51 | |
| FVC | (L) | 3.15 | 3.25 |
| FEV$_{1.0G}$ (%) | (%) | 78.4 | |
| FEV$_{1.0T}$ (%) | (%) | 74.2 | |
| MVV | | 90.9 | 87.6 |

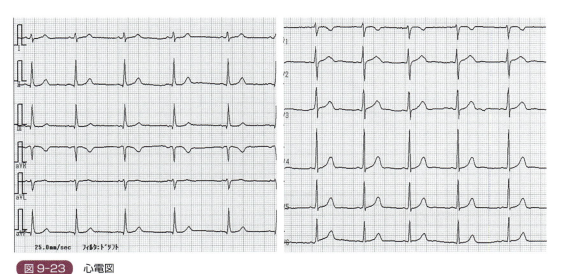

図 9-23　心電図
心拍数は正常範囲内．軸は 90 度．洞調律．I 誘導の voltage が小さく，aV$_L$ の T 波が陰転していれば 6 時 30 分 30 秒症候群である．II 誘導の P 波高は正常範囲内．

いるが，3 枝全体に 50％前後の動脈硬化病変があり，バイパス吻合部の細い枝にも有意狭窄が認められた．心エコーでは EF は 50％，後壁の一部に asynergy があり，軽度の MR を有している 図 9-29 ．β遮断薬は服用していない．

息切れを生じる可能性のある病態として狭心症，肺気腫，僧帽弁閉鎖不全症がありそうである．順番に何が原因か見てみよう．

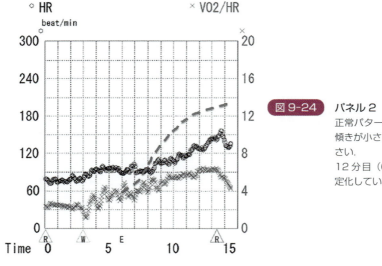

図 9-24 パネル 2
正常パターン（破線）とくらべて $\dot{V}O_2/HR$ の傾きが小さく，最大値（peak $\dot{V}O_2/HR$）も小さい．
12 分目（60 ワット）付近で $\dot{V}O_2/HR$ が平定化している．心拍数は 120 BPM くらい．

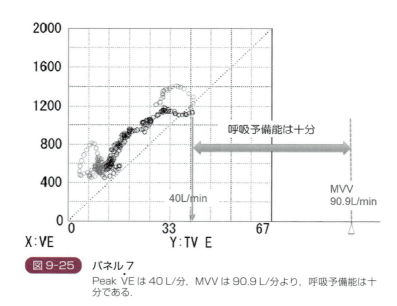

図 9-25 パネル 7
Peak $\dot{V}E$ は 40 L/分，MVV は 90.9 L/分より，呼吸予備能は十分である．

　まず，胸部 X 線で第 11 肋骨が横隔膜上に写っており肺の過膨張があることがわかる．安静時呼吸機能検査では $FEV_{1.0}$（G）が 70％を下回っていて閉塞性障害に分類される．すると息切れの原因は肺気腫であろうか．表 9-8 に本症例における肺気腫らしさを列挙する．
　COPD の特徴である呼吸予備能を見てみると，MVV は 90.9 L 表 9-6，peak $\dot{V}E$ は 50 L/分 図 9-25 と呼吸予備能は十分保たれている．呼吸予備能の見方を 図 9-30 に示す．また air trapping を示唆する Ti/Ttot の急激な低下も 図 9-26 からは見られない．また，酸素化の低下もない．しかし，これらがあったとしても最大負荷付近の指標であり，本症例は歩きはじめの息切れである．歩き初めから息切れを示す場合，air trapping が運動初期から生じているはずであ

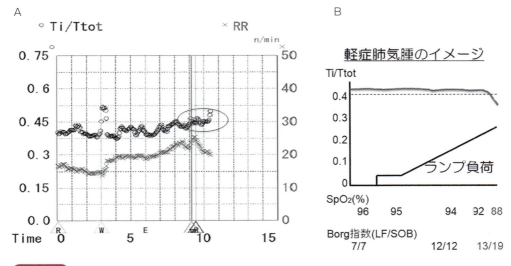

**図 9-26** Ti/Ttot のグラフ
負荷中，0.4 程度を維持し，運動終了時の急激な低下は認めなかった．

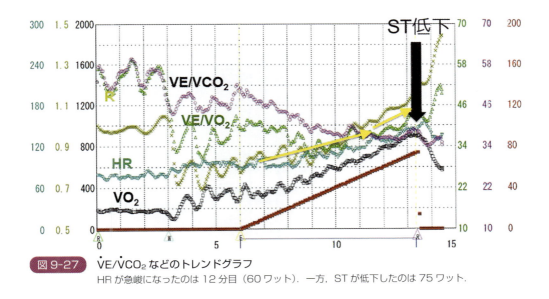

**図 9-27** V̇E/V̇CO₂ などのトレンドグラフ
HR が急峻になったのは 12 分目（60 ワット），一方，ST が低下したのは 75 ワット．

り，Ti/Ttot が負荷中に連続的に減少するはず 図 9-26B である．本症例の Ti/Ttot にはそのような変化は見られない 図 9-26A ．

では，狭心症による息切れ感であろうか．

確かに冠動脈造影検査では狭窄病変が多数あり，微小循環にも狭窄がある可能性を考えると狭心症はありそうだ．しかも，運動負荷により ST が低下し，V̇O₂/HR が平定化している 図 9-24 ．あちこちに動脈硬化があるので，一見 図 9-31 のように SV が低下するほどの重症虚血かと思われるが，よく見ると ST 低下以前に V̇O₂/HR は平定化している．HR が 120 BPM で

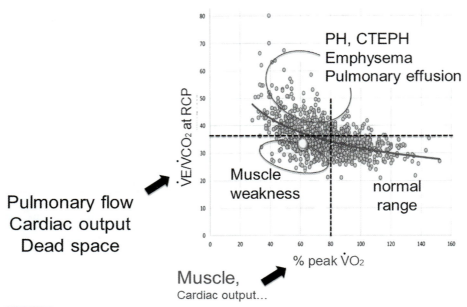

**図 9-28** Cardio-muscle panel
本症例では白丸の位置にある．

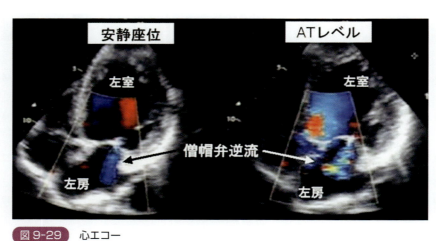

**図 9-29** 心エコー
安静時には mild MR　負荷中に増加している．

平定化していることを考えると，虚血の影響というよりは，慢性虚血による線維化が拡張障害を導き，そのために平定化したと思われる．**表 9-9** にこの患者の狭心症関連の指標をまとめる．

この患者が狭心症を有しているのは事実である．しかし，虚血閾値は 70 ワットで最大負荷付近である．ST が低下しなくても軽労作時から胸痛を感じていれば，痛み刺激による息切れ感も考えられるが，本症例では胸痛はなかった．したがって，心筋虚血による心ポンプ機能低下の観点からも痛みによるカテコラミン刺激の観点からも，「歩き始め」の息切れ感の原因が狭心症と

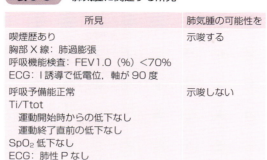

表 9-8 肺気腫に関連する所見

| 所見 | 肺気腫の可能性を |
|---|---|
| 喫煙歴あり<br>胸部 X 線：肺過膨張<br>呼吸機能検査：FEV1.0（％）＜70％<br>ECG：I 誘導で低電位，軸が 90 度 | 示唆する |
| 呼吸予備能正常<br>Ti/Ttot<br>　運動開始時からの低下なし<br>　運動終了直前の低下なし<br>$SpO_2$ 低下なし<br>ECG：肺性 P なし | 示唆しない |

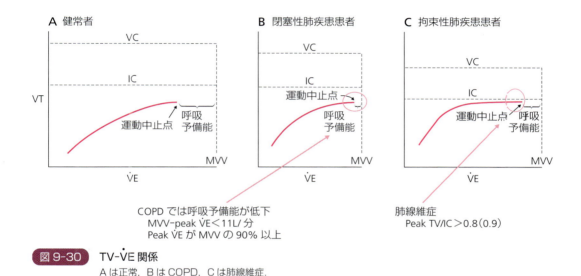

図 9-30　TV-$\dot{V}$E 関係
A は正常，B は COPD，C は肺線維症．

は考えにくい．

　次に，本症例は MR を有している．心臓弁膜症は息切れ感を訴える病気である．MR が原因であろうか．本症例の MR は軽度であり，軽労作時に症状を訴えるほどではない．AT 異常における運動中の MR は 図 9-29 に示すごとく中等度に増悪した．これは息切れ感を感じさせるかもしれない．しかし，本症例の息切れ感は歩き始めに感じられている．したがって，MR も原因とは考えられない．

　そこで，図 9-32 を見てみる．ランプ負荷開始時に呼吸数が増えたり減ったり安定していない．本来ならば TV-RR カーブは上方に延びるのであるが，横方向に行き来している．すなわち，運動開始とともに換気が亢進し，呼吸が不安定になったのである．これは，長期間の入院安静による下肢骨格筋量減少がエルゴリフレックス亢進を導いた結果と思われる．現時点での「歩き始めの」息切れ感は不安定呼吸が原因と考えられる．

　本症例に，今実施することは虚血閾値レベル以下での運動療法である．数カ月行い，下肢骨格

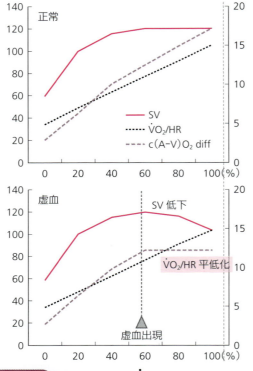

表 9-9 狭心症関連指標

| 所見 | 狭心症の可能性を示唆する |
|---|---|
| 喫煙歴あり<br>ECG: q 波がⅡ, Ⅲ, aV_F 誘導<br>　　　V_1 誘導で陰性 T 波<br>CAG: 狭窄病変（3＋）<br>CPX で ST 低下, $\dot{V}O_2$/HR 平定化 | |

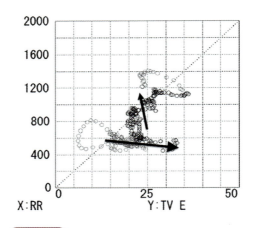

図 9-31 狭心症の SV と $\dot{V}O_2$/HR
図左は虚血出現時の SV と $\dot{V}O_2$/HR. $\dot{V}O_2$/HR の完全な平定化は SV が減少していることを示唆する.

図 9-32 TV-RR 関係
おおむね垂直方向に向かってプロットは進んでおり，一見 TV-RR slope は正常．しかし，運動開始時に注目すると warm up 開始とともに呼吸が一旦早くなっている（右向き矢印）．その後，上方に向かっている（上向き矢印）．

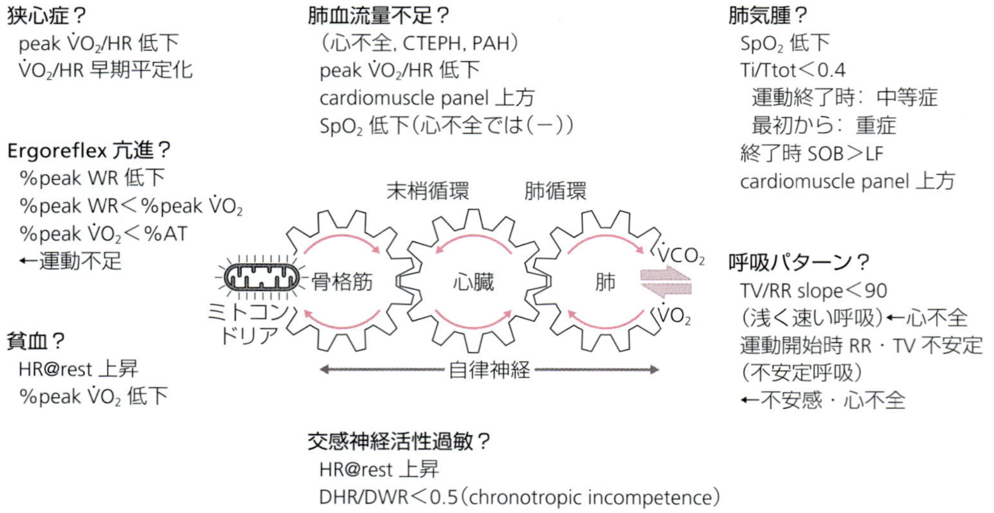

**狭心症？**
peak $\dot{V}O_2$/HR 低下
$\dot{V}O_2$/HR 早期平定化

**Ergoreflex 亢進？**
%peak WR 低下
%peak WR＜%peak $\dot{V}O_2$
%peak $\dot{V}O_2$＜%AT
←運動不足

**貧血？**
HR@rest 上昇
%peak $\dot{V}O_2$ 低下

**肺血流量不足？**
（心不全, CTEPH, PAH）
peak $\dot{V}O_2$/HR 低下
cardiomuscle panel 上方
SpO_2 低下（心不全では（－））

**交感神経活性過敏？**
HR@rest 上昇
DHR/DWR＜0.5（chronotropic incompetence）

**肺気腫？**
SpO_2 低下
Ti/Ttot＜0.4
　運動終了時：中等症
　最初から：重症
終了時 SOB＞LF
cardiomuscle panel 上方

**呼吸パターン？**
TV/RR slope＜90
（浅く速い呼吸）←心不全
運動開始時 RR・TV 不安定
（不安定呼吸）
←不安感・心不全

図 9-33 息切れを示す病態と CPX 指標

筋量と機能が正常化したら，狭心症とMRが問題になる可能性がある．その時にはこれらに対する介入が必要になる．

図9-33 に息切れを示す疾患とCPXなどの特徴，図9-34 にフローチャート，図9-35 に不安定呼吸の模式図を示す．

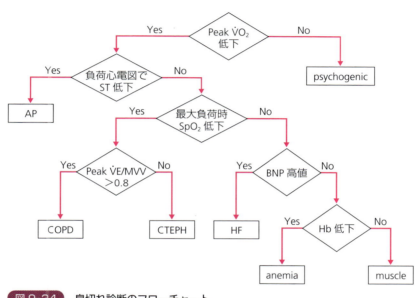

図9-34 息切れ診断のフローチャート

浅く早い呼吸：TV/RR slope＜90（群馬県立心臓血管センターオリジナルの基準値です）
不安定呼吸
（労作時）過剰換気

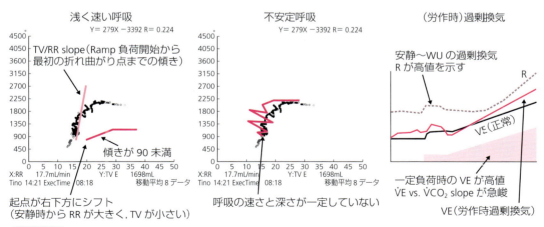

図9-35 不安定呼吸の模式図

## 9　労作時息切れの原因としての卵円孔開存（PFO）の検出

　PFOは少なくなく，成人の3～4人に1人は完全には閉じていないといわれている．脳梗塞や片頭痛の原因となるといわれており，大きなものは手術の対象となる．しかし，安静時心エコーでは閉鎖しているが，運動時のみ右心系の圧上昇に伴って右左シャントを所持させる場合がある．この場合，労作とともに息切れ感を感じさせることがある．

　このような症例にCPXを行うと 図9-36 に示すように $\dot{V}E/\dot{V}CO_2$，$P_{ET}CO_2$，Rの急激な上昇が認められる．これらが右左シャント出現のサインである[23]．

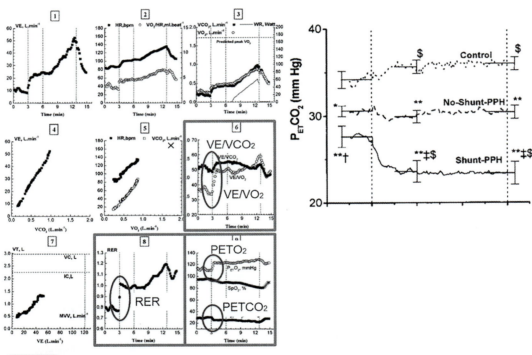

**図9-36** 右左シャントのCPX
(Sun XG, et al. Gas exchange detection of exercise-induced right-to-left shunt in patients with primary pulmonary hypertension. Circulation. 2002; 105: 54-60)[23]

## ■文献

1) Myers J, Gullestad L, Vagelos R, et al. Cardiopulmonary exercise testing and prognosis in severe heart failure: 14 mL/kg/min revisited. Am Heart J. 2000; 139: 78-84.

2) Mancini DM, Eisen H, Kussmaul W, et al. Value of peak exercise oxygen consumption for optimal timing of cardiac transplantation in ambulatory patients with heart failure. Circulation. 1991; 83: 778-86.

3) Itoh H, Koike A, Taniguchi K, et al. Severity and pathophysiology of heart failure on the basis of anaerobic threshold (AT) and related parameters. Jpn Circ J. 1989; 53: 146-54.

4) Higginbotham MB, Morris KG, Conn EH, et al. Determinants of variable exercise performance among patients with severe left ventricular dysfunction. Am J Cardiol. 1983; 51: 52-60.

5) Campeau L. Grading of angina pectoris. Circulation. 1976; 54: 5223.

6) Myers J, Prakash M, Froelicher V, et al. Exercise capacity and mortality among men referred for exercise testing. N Engl J Med. 2002; 346: 793-801.

7) Zugck C, Kruger C, Durr S, et al. Is the 6-minute walk test a reliable substitute for peak oxygen uptake in patients with dilated cardiomyopathy? Eur Heart J. 2000; 21: 540-9.

8) Weber KT, Kinasewitz GT, Janicki JS, et al. Oxygen utilization and ventilation during exercise in patients with chronic cardiac failure. Circulation. 1982; 65: 1213-23.

9) Bruyne B, Fearon WF, Pijls NHJ, et al. Fractional flow reserve-guided PCI for stable coronary artery disease. N Engl J Med. 2014; 371: 1208-17.

10) Bourque JM, Beller GA. Value of exercise ECG for risk stratification in suspected or known CAD in the era of advanced imaging technologies. JACC Cardiovasc Imaging. 2015; 8: 1309-21.

11) Tajima A, Itoh H, Osada N, et al. Oxygen uptake kinetics during and after exercise are useful markers of coronary artery disease in patients with exercise electrocardiography suggesting myocardial ischemia. Circ J. 2009; 73: 1864-70.

12) Knuuti J, Wijns W, Saraste A, et al. 2019 ESC Guidelines for the diagnosis and management of chronic coronary syndromes: The Task Force for the diagnosis and management of chronic coronary syndromes of the European Society of Cardiology (ESC). Eur Heart J. 2020; 41: 407-77.

13) 中埜 信太郎 班長. 2022年 JCS ガイドラインフォーカスアップデート版 安定冠動脈疾患の診断と治療. 2022年3月11日発行.

14) Levy WC, Mozaffarian D, Linker DT, et al. The Seattle Heart Failure Model: prediction of survival in heart failure. Circulation. 2006 113: 1424-33.

15) Agostoni P, Corra U, Cattadori G, et al. Metabolic exercise test data combined with cardiac and kidney indexes, the MECKI score: A multiparametric approach to heart failure prognosis. Int J Cardiol. 2013; 167: 2710-8.

16) Malhotra R, Bakken K, D'Elia E, et al. Cardiopulmonary Exercise Testing in Heart Failure. J Am Coll Cardiol HF. 2016; 4: 607-16.

17) Corrà U, Agostoni PG, Anker SD, et al. Role of cardiopulmonary exercise testing in clinical stratification in heart failure. A position paper from the Committee on Exercise Physiology and Training of the Heart Failure Association of the European Society of Cardiolog. Eur J Heart Fail. 2018; 20: 3-15.

18) Tsurugaya H, Adachi H, Kurabayashi M, et al. Prognostic impact of ventilatory efficiency in heart disease patients with preserved exercise tolerance. Circ J. 2006; 70: 1332-6.

19) Nakade T, Adachi H, Murata M, et al. Relationship between exercise oscillatory ventilation loop and prognosis of heart failure. Circ J. 2019; 83: 1718-25.

20) Akiyama K, Nakamura N, Itatani K, et al. Flow-dynamics assessment of mitral-valve surgery by intraoperative vector flow mapping. Interact Cardiovasc Thorac Surg. 2017; 24: 869-75.

21) 日本循環器学会/日本心臓リハビリテーション学会. 2021年版心血管疾患におけるリハビリテーションに関するガイドライン. 2021.

22) 日本循環器学会. 2020 年改訂版弁膜症治療のガイドライン. 2020.

23) Sun XG, Hansen JE, Oudiz RJ, et al. Gas exchange detection of exercise-induced right-to-left shunt in patients with primary pulmonary hypertension. Circulation. 2002; 105: 54-60.

〈安達 仁〉

# 第10章
# 運動処方

## 1 AT 処方

### A AT 決定法と運動処方

AT 決定法を 表10-1 と 図10-1 に示す．ゴールドスタンダードは V-slope 法である[1]．

V-slope 法は，X 軸に $\dot{V}O_2$，Y 軸に $\dot{V}CO_2$ をとり，ランプ負荷中の $\dot{V}O_2$-$\dot{V}CO_2$ 関係をプロットしたグラフである．必ず $\dot{V}O_2$ と $\dot{V}CO_2$ のスケールは等しくして $\dot{V}O_2$ と $\dot{V}CO_2$ の関係が 45 度の角度になるようにする．また，ランプ負荷以外の部分もプロットしてしまうとグラフがみにくくなるのでランプ負荷以外の部分は除外する．三角定規を使い，$\dot{V}O_2$-$\dot{V}CO_2$ 関係が 45 度以上になる点を AT とする 図10-1E．

ただし，運動負荷試験中に V-slope 法を用いて AT を判定するのは難しい．AT 以後の部分，いわゆる S2 が十分伸びないと 45 度で伸びていく S1 との差別化が困難だからである．AT だけを評価するのが目的で最大負荷までかけたくない場合にはトレンド法を用いて AT を決定し，V-slope 法で確認する．トレンド法とは $\dot{V}E/\dot{V}O_2$ がランプ負荷試験中に上昇に転ずる点を AT とする方法である 図10-1B．

時として V-slope 法における直線が 2 段階に折れ曲がることがある．その場合は第 1 の折れ曲がり点 図10-2右① で 45 度未満の傾きが 45 度になり，次の折れ曲がり点 図10-2右② で 45 度以上になる．2 番目の折れ曲がりが AT である．このような症例の $\dot{V}E/\dot{V}O_2$ をみてみると，弓状に減少から上昇に転じるカーブを描き，その後，再び $\dot{V}E/\dot{V}CO_2$ と平行して低下し始める 図10-2左．この第 1 のポイントは pseudo-threshold（偽閾値）ともよばれており，本来の AT ではない[2,3]．

**表10-1　AT 決定法**

1. $\dot{V}CO_2$，$\dot{V}E$ が $\dot{V}O_2$ から乖離して上昇を開始する点
2. V-slope 法にて slope が 45 度以上になり始める点
3. $\dot{V}E/\dot{V}O_2$ の上昇開始点
4. R 上昇開始点
5. $P_{ET}O_2$ 上昇開始点

参考にするポイント
- peak $\dot{V}O_2$ の 60%位（peak R>1.10 の場合）
- V-slope でドットが疎になる点
- 呼吸数が増加を開始する点（RR threshold）

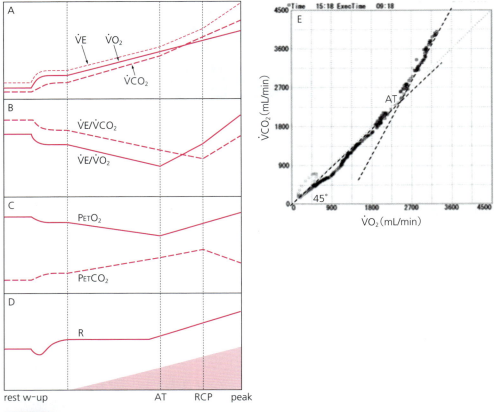

**図 10-1** AT 決定法
A は $\dot{V}O_2$, $\dot{V}CO_2$, $\dot{V}E$ による決定法．B は $\dot{V}E/\dot{V}CO_2$, $\dot{V}E/\dot{V}O_2$ によるトレンド法．C は $P_{ET}O_2$, $P_{ET}CO_2$ のトレンド法．D は R の変化．R は実際には AT の少し前から増加を開始することが多い．E は V-slope 法．

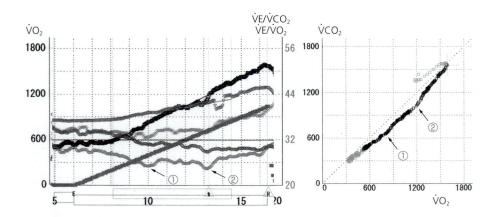

**図 10-2** V-slope 法とトレンド法の pseudo-threshold
トレンド法では①で $\dot{V}E/\dot{V}O_2$ が上昇に転じているが，V-slope をみると，①以前の S1-slope の傾きは浅く不自然である．②が 45 度以上になる点であり，ここが AT である．

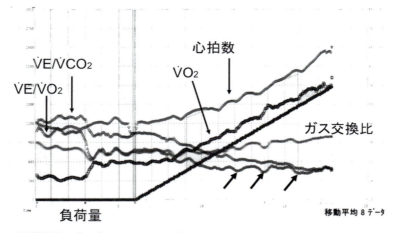

図 10-3　$\dot{V}E/\dot{V}O_2$ が段階的に $\dot{V}E/\dot{V}CO_2$ に近づいていく例
矢印部分のいずれも AT を完全に否定することはできない．

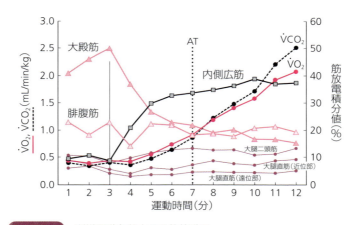

図 10-4　漸増運動負荷中の骨格筋動員
運動が進むにつれて，骨格筋が徐々に動員されていく．新たに運動に参画した骨格筋と，早くから運動に参画していた骨格筋とでは AT になるタイミングが異なる．

　また，45 度から離れるポイントが何カ所も存在することがある 図 10-3．トレンド法では，$\dot{V}E/\dot{V}O_2$ と $\dot{V}E/\dot{V}CO_2$ の平行関係が何度も崩れて，徐々に $\dot{V}E/\dot{V}O_2$ が $\dot{V}E/\dot{V}CO_2$ に近づいていく．この場合，どの点も AT であると思われる．この理由として以下のことが考えられる．

　まず，運動に関与する骨格筋が運動中に変化することである．中等度の運動強度までは下腿と大腿の骨格筋を動員しているが，これらの骨格筋が AT に達して疲労を感じると，被検者は運動の姿勢を変えることがある．今まで運動にあまり参加していなかった大殿筋や中殿筋を運動に参加させて，疲労感を軽減させて自転車エルゴメータを漕ぐようになる 図 10-4．その結果，呼気ガス分析上，AT が複数回出現するようになる．骨格筋が発達

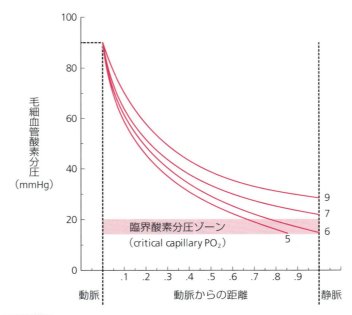

**図 10-5** 動脈側と静脈側の酸素飽和度

骨格筋は，酸素飽和度が 18〜20％未満だと酸素を抽出できない．心拍出量が少ない例では，静脈側に到達する前に 20％未満になるため，同部位にある骨格筋細胞は無酸素運動を強いられる．
(Wasserman K, et al. Principles of exercise testing and interpretation 4th ed. 2005)[4]

して運動耐容能の高い被検者でよく認められる．

　次に，同じ骨格筋群でも動脈側と静脈側とで AT に達する速度が異なることである．図 10-5 に示すごとく，静脈側における酸素飽和度は動脈側に比べてかなり低下している[4]．心拍出量が十分保たれていれば静脈側でも酸素放出は可能であるが，心拍出量が不足している状況では容易に静脈側で低酸素状態となる．場合によっては，組織の低酸素状態が代償的な血管拡張を招き，血流量を増加させて，再び酸素化されることも生じる．このような酸素供給の不均一性も，体全体における AT を複数回生じさせる原因となっている．

　また，AT 付近になるとペダルの回転数を低下させることがある．慌てて回転数をもとに戻すと，これも酸素摂取量に影響を及ぼして AT を複数回出現させる原因となる．

　このように，AT は細胞単位での現象であるのに対して，実際の呼気ガス分析は体全体からの酸素摂取量を反映しているために，AT が複数回存在することもある点を理解しておく必要がある．

　AT 候補が複数カ所存在する場合，どうしたらよいのであろうか．心疾患患者に運動処方を作成する場合には，筆者は，最初のポイントを採用して運動処方を作成している．心疾患患者における運動療法は安全第一である．そのため，運動療法の効果は低いが，体全体が AT になったポイントではなく，体のどこかが AT になったポイントを採用する．

　最大負荷を行った場合，％peak $\dot{V}O_2$ と％AT とは通常同程度になる．しかし，心疾患急

性期（AMI 発症 4 日目や開心術後 7 日目）や心不全患者に対して最大負荷まで行わずに終了し，終了時の Borg 指数が下肢疲労で 15 くらいである場合には，%peak $\dot{V}O_2$ が 60～70％，%AT が 70～80％と，AT と %peak $\dot{V}O_2$ が乖離することがある．

　急性期において，AT の改善速度は比較的速い．以前，心筋梗塞後に 2 週間入院していた時代，急性期と 2 週目に CPX を行っていたが，その時のデータでは 2 週目には AT が 5％程度改善していた．したがって，運動療法開始後，患者が運動処方レベルが軽すぎると訴えた場合には，運動耐容能がすでに改善し始めたことが考えられる．

　心臓リハビリの効果判定を行うために CPX を複数回行うことがある．同じ患者では，$\dot{V}O_2$ や $\dot{V}E/\dot{V}O_2$ の変化パターンはかなり再現性が高い．すなわち，全体では同じようなパターンを示しながら AT と peak が改善するというように変化する．したがって，2 度目の検査の場合には，必ず前回の CPX のグラフを参考にして，同じ定義で AT を採用するようにする．しかし，時として，前回採用した AT における $\dot{V}E/\dot{V}O_2$ の変動が消失していることがある．この場合には，新しい CPX における AT での変化パターンを初回にも採用できるかどうか検討し，%AT と %peak $\dot{V}O_2$ の関係や，実際の今までの運動療法時の疲労感を再検討し，新しい判定ポイントのほうが確からしいのであれば，躊躇せずに前回の AT を訂正して患者に説明する．

　AT が決定できたら，運動処方は決定した時点の 1 分前の負荷量を処方する 図10-6．1 分前に戻るのは，「負荷に対する生体反応の遅れ」が存在するためで，酸素摂取量はある時間前の運動負荷量に対するものであるからである．負荷量が強くなればなるほど生体の応答時間は長くなる．そのため，本来は，AT とした負荷量で一定量負荷を行って時定数を求め，その数値を参考にして何秒前に戻すかを決定するべきであるとされている．しかし，何度も CPX を行うのは実際的ではない．そのため，十分量である 1 分前を採用している．やはり安全性を考慮した判断である．

　一方，酸素摂取量（メッツ）は 1 分前には戻らない．負荷が生体へのインプットであ

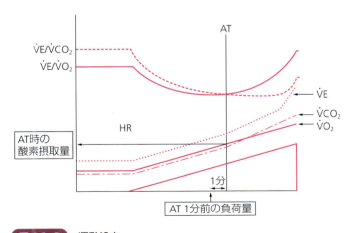

図10-6　運動処方

るのに対して，酸素摂取量は生体からのアウトプットである．したがって，酸素摂取量は決定したポイントそのものの数値を採用する．

## B ATが決定不能な場合の運動処方

時としてCPXでATが決定できない場合がある．

心不全においてoscillation（オシレーション）が生じた場合，AT決定は非常に難しい 図10-7．V-slope法を用いて，45度から離れる点を求めることができることもあるが，トレンド法では複数カ所存在することも多い．その場合には最も低いレベルでのATらしき点を採用する．Oscillationは心不全重症例に多い．したがって，誤って強いレベルで運動処方を作成すると致命的になることがある．軽いほうを選択したほうが安全である．

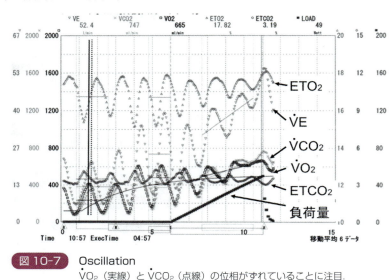

**図10-7** Oscillation
$\dot{V}O_2$（実線）と$\dot{V}CO_2$（点線）の位相がずれていることに注目．

当院では，以前，ウォームアップを10ワットで行い，ランプ負荷の漸増割合を10ワット/分としていた．Oscillationを示すような症例では，多くの場合15～20ワット以下でATとなる．20ワットであれば，運動処方は10ワットとなるが，15ワットでATになった場合，処方レベルは5ワットである．しかし，一般の自転車エルゴメータでは5ワットという負荷量を正確にかけることはできない．そこで，実際には，このような場合には下腿の骨格筋トレーニング，いわゆるプレトレーニングを行っている．

さらに，ウォームアップとして10ワットを用いると，運動耐容能が低いためにウォームアップ中にATを超えてしまうことがある．ウォームアップ終了時に$\dot{V}E/\dot{V}O_2$が$\dot{V}E/\dot{V}CO_2$以上となり，$\dot{V}O_2$がプラトーにならず，運動終点で下肢疲労感がBorg 15以上の場合には明らかにATを超えたと判断できる．この場合には前述のケースと同じように下腿の骨格筋トレーニングを処方する．

## C 自転車エルゴメータとトレッドミルの対比

　当院では，CPX は自転車エルゴメータを用い，運動療法は自転車とトレッドミルと屋外歩行を行っている．

　自転車エルゴメータで作成した運動処方を歩行運動に用いるときには計算式を使用して，トレッドミルでの速度・角度関係を処方している　表 10-2 ．これは酸素摂取量をもとに計算したものである．しかし，実際には，自転車エルゴメータではちょうどよい疲労感なのにトレッドミルではつらく，屋外歩行ではもっとつらいということがある．これは，それぞれの運動様式に用いられる骨格筋が異なるためと考えられる．このような場合には，自覚的運動強度と心拍数を参考に速度角度関係を修正して実際の運動療法を行ってゆく．

---

## 2　心拍処方（Karvonen の式）

　心拍数を目安に運動処方を作成することがある．施設に呼気ガス分析装置がないために CPX ができない場合や，健常者を相手に運動処方を作成するために CPX を行う必要がない場合である．

　最もよく用いられるのは以下に示す Karvonen の式である．

　　　目標心拍数＝（最大心拍数－安静時心拍数）×k＋安静時心拍数

この場合の k は係数である．一般的には 0.4 から 0.6 を用いる．心疾患急性期の場合には 0.2 が適切である．

　最大心拍数は実測値を用いる．そのために本来は最大負荷試験を行わなければならない．不可能な場合には（220－年齢）を用いる．しかし，β遮断薬やヘルベッサーなど心拍応答を低下させる薬物を服用中の患者では（220－年齢）は使ってはならない．予測最大心拍数（220－年齢）は実測による最大心拍数よりもはるかに高い数値を示すからである．万が一（220－年齢）を用いて処方すると，必要以上に強い運動を強いることになる．

　以上より，心拍処方は，急性期の心疾患患者にとって，最大心拍数を実測できず心拍応答も通常と異なることが多いため制限が多く，使いにくい処方法である．

　安定した時期になって最大負荷を実施できるようになり，最大心拍数を実測できるようになれば心拍処方はかなり信頼できる．ただし，β遮断薬使用中の場合には，心拍応答は低いままなので，運動療法中のわずかな心拍数の変化が大きな負荷量の変化となりうる点には留意する　図 10-8 ．

第 10 章　運動処方　213

### 表 10-2　エルゴメータとトレッドミルとの関係

| Speed km/h | Grade % | METs | watt | Speed km/h | Grade % | METs | watt | Speed km/h | Grade % | METs | watt |
|---|---|---|---|---|---|---|---|---|---|---|---|
| 1.3 | 0 | 1.6 |  | 4.2 | 0 | 3 | 30 | 6.3 | 0 | 4 | 55 |
| 1.7 | 0 | 1.8 |  | 3.6 | 1 | 3 | 30 | 5.3 | 1 | 4 | 55 |
| 2.1 | 0 | 2 | 10 | 3.1 | 2 | 3 | 30 | 4.6 | 2 | 4 | 55 |
| 1.8 | 1 | 2 | 10 | 2.7 | 3 | 3 | 30 | 4.1 | 3 | 4 | 55 |
| 1.5 | 2 | 2 | 10 | 2.4 | 4 | 3 | 30 | 3.7 | 4 | 4 | 55 |
| 2.5 | 0 | 2.2 | 15 | 4.6 | 0 | 3.2 | 35 | 5.7 | 1 | 4.2 | 60 |
| 2.1 | 1 | 2.2 | 15 | 3.9 | 1 | 3.2 | 35 | 4.9 | 2 | 4.2 | 60 |
| 1.9 | 2 | 2.2 | 15 | 3.4 | 2 | 3.2 | 35 | 4.4 | 3 | 4.2 | 60 |
| 1.6 | 3 | 2.2 | 15 | 3.0 | 3 | 3.2 | 35 | 3.9 | 4 | 4.2 | 60 |
| 2.9 | 0 | 2.4 | 20 | 2.7 | 4 | 3.2 | 35 | 3.5 | 5 | 4.2 | 60 |
| 2.2 | 2 | 2.4 | 20 | 5.0 | 0 | 3.4 | 40 | 5.3 | 2 | 4.4 | 60 |
| 1.9 | 3 | 2.4 | 20 | 4.3 | 1 | 3.4 | 40 | 4.6 | 3 | 4.4 | 60 |
| 1.5 | 5 | 2.4 | 20 | 3.7 | 2 | 3.4 | 40 | 4.2 | 4 | 4.4 | 60 |
| 3.4 | 0 | 2.6 | 25 | 3.3 | 3 | 3.4 | 40 | 3.8 | 5 | 4.4 | 60 |
| 2.8 | 1 | 2.6 | 25 | 2.9 | 4 | 3.4 | 40 | 3.4 | 6 | 4.4 | 60 |
| 2.5 | 2 | 2.6 | 25 | 5.5 | 0 | 3.6 | 45 | 5.6 | 2 | 4.6 | 65 |
| 2.2 | 3 | 2.6 | 25 | 4.6 | 1 | 3.6 | 45 | 4.9 | 3 | 4.6 | 65 |
| 2.0 | 4 | 2.6 | 25 | 4.0 | 2 | 3.6 | 45 | 4.4 | 4 | 4.6 | 65 |
| 1.8 | 5 | 2.6 | 25 | 3.5 | 3 | 3.6 | 45 | 4.0 | 5 | 4.6 | 65 |
| 1.6 | 6 | 2.6 | 25 | 3.2 | 4 | 3.6 | 45 | 3.6 | 6 | 4.6 | 65 |
| 3.8 | 0 | 2.8 | 30 | 5.9 | 0 | 3.8 | 50 | 5.2 | 3 | 4.8 | 70 |
| 3.2 | 1 | 2.8 | 30 | 5.0 | 1 | 3.8 | 50 | 4.6 | 4 | 4.8 | 70 |
| 2.8 | 2 | 2.8 | 30 | 4.3 | 2 | 3.8 | 50 | 4.2 | 5 | 4.8 | 70 |
| 2.5 | 3 | 2.8 | 30 | 3.8 | 3 | 3.8 | 50 | 3.8 | 6 | 4.8 | 70 |
| 2.0 | 5 | 2.8 | 30 | 3.4 | 4 | 3.8 | 50 | 3.5 | 7 | 4.8 | 70 |

ワット数換算は体重を 60 kg とした．
安静時は 1.2 メッツ（252 mL/min$\dot{V}O_2$）とした．
10 ワット：10 (w)×10 (mL/watt)/3.5/60＋1.2＝1.68 メッツ
20 ワット：20 (w)×10 (mL/watt)/3.5/60＋1.1＝2.15 メッツ

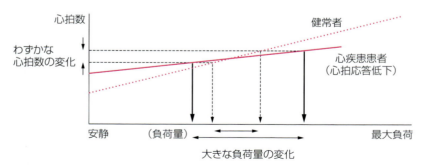

### 図 10-8　心拍処方の問題点
心不全では心拍応答が悪いため，わずかな心拍数の設定の違いでも運動レベルでは大きな違いを生じてしまう．

表10-2のつづき

| Speed km/h | Grade % | METs | watt | Speed km/h | Grade % | METs | watt | Speed km/h | Grade % | METs | watt |
|---|---|---|---|---|---|---|---|---|---|---|---|
| 5.5 | 3 | 5 | 75 | 5.5 | 5 | 6 | 95 | 5.6 | 7 | 7 | 120 |
| 4.9 | 4 | 5 | 75 | 5.0 | 6 | 6 | 95 | 5.2 | 8 | 7 | 120 |
| 4.4 | 5 | 5 | 75 | 4.6 | 7 | 6 | 95 | 4.8 | 9 | 7 | 120 |
| 4.0 | 6 | 5 | 75 | 4.3 | 8 | 6 | 95 | 4.5 | 10 | 7 | 120 |
| 3.7 | 7 | 5 | 75 | 4.0 | 9 | 6 | 95 | 4.2 | 11 | 7 | 120 |
| 5.1 | 4 | 5.2 | 80 | 5.3 | 6 | 6.2 | 100 | 5.8 | 7 | 7.2 | 120 |
| 4.6 | 5 | 5.2 | 80 | 4.8 | 7 | 6.2 | 100 | 5.3 | 8 | 7.2 | 120 |
| 4.2 | 6 | 5.2 | 80 | 4.5 | 8 | 6.2 | 100 | 5.0 | 9 | 7.2 | 120 |
| 3.9 | 7 | 5.2 | 80 | 4.2 | 9 | 6.2 | 100 | 4.7 | 10 | 7.2 | 120 |
| 3.6 | 8 | 5.2 | 80 | 3.9 | 10 | 6.2 | 100 | 4.4 | 11 | 7.2 | 120 |
| 5.4 | 4 | 5.4 | 80 | 5.5 | 6 | 6.4 | 105 | 5.5 | 8 | 7.4 | 125 |
| 4.9 | 5 | 5.4 | 80 | 5.0 | 7 | 6.4 | 105 | 5.1 | 9 | 7.4 | 125 |
| 4.4 | 6 | 5.4 | 80 | 4.6 | 8 | 6.4 | 105 | 4.8 | 10 | 7.4 | 125 |
| 4.1 | 7 | 5.4 | 80 | 4.3 | 9 | 6.4 | 105 | 4.5 | 11 | 7.4 | 125 |
| 3.8 | 8 | 5.4 | 80 | 4.1 | 10 | 6.4 | 105 | 4.3 | 12 | 7.4 | 125 |
| 5.1 | 5 | 5.6 | 85 | 5.7 | 6 | 6.6 | 110 | 5.7 | 8 | 7.6 | 130 |
| 4.6 | 6 | 5.6 | 85 | 5.2 | 7 | 6.6 | 110 | 5.3 | 9 | 7.6 | 130 |
| 4.3 | 7 | 5.6 | 85 | 4.8 | 8 | 6.6 | 110 | 5.0 | 10 | 7.6 | 130 |
| 4.0 | 8 | 5.6 | 85 | 4.5 | 9 | 6.6 | 110 | 4.7 | 11 | 7.6 | 130 |
| 3.7 | 9 | 5.6 | 85 | 4.2 | 10 | 6.6 | 110 | 4.4 | 12 | 7.6 | 130 |
| 5.3 | 5 | 5.8 | 90 | 5.9 | 6 | 6.8 | 115 | 5.9 | 8 | 7.8 | 130 |
| 4.8 | 6 | 5.8 | 90 | 5.4 | 7 | 6.8 | 115 | 5.5 | 9 | 7.8 | 130 |
| 4.5 | 7 | 5.8 | 90 | 5.0 | 8 | 6.8 | 115 | 5.1 | 10 | 7.8 | 130 |
| 4.1 | 8 | 5.8 | 90 | 4.6 | 9 | 6.8 | 115 | 4.8 | 11 | 7.8 | 130 |
| 3.8 | 9 | 5.8 | 90 | 4.4 | 10 | 6.8 | 115 | 4.5 | 12 | 7.8 | 130 |

## 3 自覚的運動強度による処方

　ATレベルにおける自覚的運動強度はBorg 12〜13である．したがって，運動療法を開始する場合，軽い負荷量で開始し，30秒から1分目ごとに自覚的運動強度を尋ね，「ややきつい」と感じるレベルになるまで負荷量を徐々に増やしていく方法である．

　この方法は簡便で信頼性がある一方，患者が我慢強かったり負けず嫌いな場合には自覚症状を軽く申告したり，運動療法のモチベーションが低い場合には自覚症状を強く申告したりすることがあるため注意が必要である．Borgスコアを 図10-9 に示す．

| | | |
|---|---|---|
| 7 | 非常に楽である | |
| 8 | | |
| 9 | かなり楽である | |
| 10 | | |
| 11 | 楽である | |
| 12 | | 設定運動強度 |
| 13 | ややきつい | |
| 14 | | |
| 15 | きつい | |
| 16 | | |
| 17 | かなりきつい | |
| 18 | | |
| 19 | 非常にきつい | |
| 20 | | |

図 10-9　Borg スコア

## 4　トークテストによる処方（坂道が多い地域での運動処方）

運動強度を他覚的に評価して運動処方を行う方法がトークテストである[5].

これは，運動中に 30 秒間くらいの文章を比較的ゆっくりと読ませ，息切れの度合いを第三者が判定するものである．息があがって音読できない場合には運動強度が強すぎ，まったく普通に音読できてしまう場合には運動強度が低すぎると判断できる．トークテストによる処方は CPX による AT 処方とかなり良好な相関を示す 図 10-10．米国でのトークテストに用いられる文章を 図 10-11 に示す．日本でも，この程度の長さの文章を選んで音読させるとよいと思われる．

ただし，評価する第三者のスキルが必要である．実際の AT 処方の患者がどの程度の息切れを示しているか，ある程度経験していないと，正確な運動処方は出せない．

患者の体調は日によって変化する．疲労の強い日に運動療法に参加していそうなときには，スタッフが声をかけて少し会話をしてみる．いつもよりも息切れが強い場合には，運動強度を 10％くらい弱める．トークテストはこのように日々の運動療法の微調整にも応用可能である．

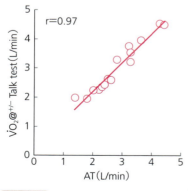
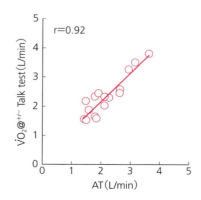

図 10-10　トークテストと AT との相関
トークテストが陽性になったときの $\dot{V}O_2$ は AT と良好な相関を示す．

図 10-11　米国でトークテストに用いられる文章
米国では誰もがなじんでいる文章である．この文章を 30 秒から 1 分程度で読みあげてもらう．

## 5　RR threshold を用いた運動処方

　ランプ負荷中の呼吸数の変化様式を 図 10-12 に示す．AT 付近で，ちょうど胸郭の拡張能が限界に近くなり，それ以上呼吸を深く吸いにくくなくなるとともに，カテコラミン分泌が亢進して換気刺激を増強し始めるために呼吸数増加が顕著になる．したがって，多くの場合，呼吸数が増加し始めるポイント（RR threshold）は AT と一致する．

　一方，重症心不全では運動中に PAWP が上昇して肺うっ血が出現することがある．肺胞周囲へ漏出した血漿成分は換気受容体を刺激して呼吸数を亢進させる 図 10-13 ．これは AT とは無関係に出現する．すなわち，PAWP が低下しきっていないような重症心不全の場合，運動中の呼吸数増加は肺うっ血の出現を示唆している可能性がある．したがって，RR threshold は運動療法中の心事故を予防するうえで重要な指標であり，AT よりも RR threshold を優先して運動レベルを決めたほうがよい．

## 6　重症心不全への処方

　重症心不全患者では，oscillation のために AT が求められないことが多い．また，CPX を行うことにより心不全が増悪する可能性があるため，CPX そのものを行わないこともある．筆者は，重症心不全の場合，運動療法の最初の目的は，自律神経活性の安定化と骨格筋ポンプ作用の改善および血管内皮細胞機能の改善にあると思っている．自律神経活性が安定すれば致死的不整脈を抑制でき，アンカロンやソタロール，シンビットなどの使用量を減らすことができる．また，

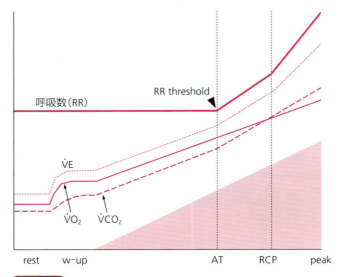

図 10-12　RR threshold
通常，心疾患患者の場合，RR threshold（呼吸数増加開始点）は AT 付近に存在する．
若くて健康な人ほど RCP に近づく．

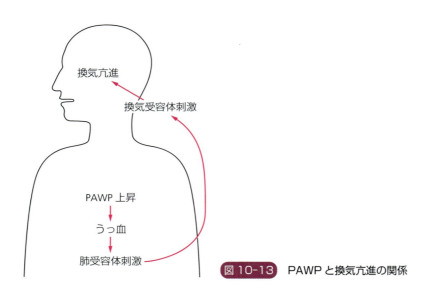

図 10-13　PAWP と換気亢進の関係

　ICD の作動回数も減り，患者の不安感を和らげることができる．骨格筋ポンプ作用と血管内皮細胞機能が改善すれば，直接的に心拍出量を増加させることができるとともに，血管内皮細胞機能の改善は後負荷と前負荷を軽減させて，心負荷をとることができる．そのため，カテコラミン製剤の点滴や内服を減らすことが可能となる．
　この目的のうち，自律神経活性の改善と骨格筋機能の改善は，有酸素運動ではなく小筋肉群の抵抗運動によっても，得ることができる．重症心不全にとって，より安全に実施可能なのは，自

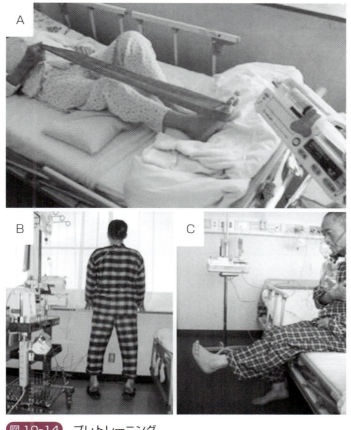

図 10-14　プレトレーニング
A: ベッド上でのセラバンドを用いたレジスタンストレーニング
B: ベッドサイドでの爪先立ち
C: 自重によるレジスタンストレーニング

転車での有酸素運動よりもベッドサイドでの下腿筋トレーニングである．2011年の欧州のガイドラインでも急性心不全症候群回復期には，まずプレトレーニングとして小筋群の運動を行うように勧告されている[6]．したがって，カテコラミンがなかなか中止できないような重症心不全にはCPXを行わずに下腿のトレーニングを行っている 図10-14 ．

最近，加圧トレーニングの効果が報告されている．加圧トレーニングは成長ホルモンの分泌を促し，骨格筋の改善を促進させる．当院でも骨格筋萎縮の甚だしい心不全患者には，大腿と上腕の加圧トレーニングを行っている 図10-15 ．加圧トレーニング中に実施した心エコーでは，心拡張能の指標であるDcTは改善，下大静脈径は縮小し，三尖弁逆流が強まった．三尖弁逆流が強まったことをどのように考えるか評価が分かれる点であると思われる．右心不全が腹水貯留や下腿浮腫やアナサルカ（全身浮腫）の原因となっている場合には，このトレーニング法はこれらの状況をかえって増悪させる可能性があり，禁忌であるかもしれない．一方，右心不全はメインではなく左心不全がメインの場合には，三尖弁逆流は心収縮力が増強した証拠であると考えて，望ましい効果であると考えることもできる．患者の状況に応じて，実際に実施している最中

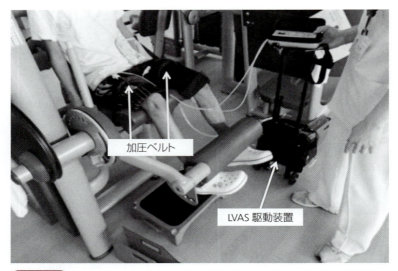

図 10-15　加圧トレーニング

にいろいろな評価を加えながら個別化された心臓リハビリを行うことが重症心不全患者には必要である．

## 7　不整脈患者への処方

　慢性心房細動，心室性および上室性期外収縮，血行動態の安定した非持続性心室頻拍にとって運動療法は必須である．運動療法によって心房細動はレートコントロールを達成でき，期外収縮と心室頻拍は発生頻度を減少させることができる．

　これらの患者への運動処方は通常の AT 処方で構わない．ただし，AT より低い運動強度で心房細動の心拍応答が過剰な応答を示したり，再現性をもって VT が出現する場合には，心拍数が 110/分のレベルあるいは VT が出現する直前のレベルで運動療法を行う．これらは自律神経の過剰応答が原因で生じるが，自律神経活性は運動療法開始 2 週目に安定し始める．したがって，患者には「最初の 1～2 週間は，ちょっと大変かもしれないけれども注意しながら頑張ってやりましょう．その後，少しずつ症状がとれてきますよ」と説明しておくと，「やっぱりだめだ」といってわずか数回で運動療法を中断してしまうことがなくなる．

## 8　ICD，CRT-D 患者への処方

　ICD が留置されている患者では，運動中に ICD が誤作動しないような注意が必要である．
　ICD が VT と Vf を認識する心拍数（VT ゾーン）をまず知っておく．そして，ICD がこれらを

認識後，どのように作動するかを確認する．

通常，心不全に対して CRT-D が植え込まれている患者では，β遮断薬とアンカロンが処方されている．そのため，運動中の心拍応答は極端に悪く，VT ゾーンまで運動中に心拍数が増加することはない．しかし，心室頻拍（VT）に対する ICD の場合には洞機能が正常のことも多く，負荷量が強すぎると洞性頻拍が VT ゾーンに入ってしまう可能性もある．

筆者は洞調律で ICD が作動されたことはないが，上室性頻拍症が負荷中に生じ，ICD が VT と誤認して作動されたことがある．この場合，運動をただちに中断したことによって，上室性頻拍症であったが心拍数が徐々に低下して ICD の作動は止まったが，いつまでも作動している場合にはベラパミルを点滴静注して心拍数を低下させる必要があったものと思われる．

ICD を植え込まれている患者に運動負荷試験および運動療法を実施する場合のチェック項目は 表10-3 のごとくである．

表 10-3 　CRT-D（ICD）植え込み患者に運動を行う時のチェックポイント

| ポイント | 備考 |
| --- | --- |
| VT zone | HR がいくつ以上で作動するか |
| 作動様式 | ATP（高頻拍ペーシング），カルディオバージョン，除細動 |
| pacing rate | lower rate と upper rate |
| rate response 機能 | on か off か |
| AV delay | |

## 9 　ポジティブリモデリングと運動処方

最近，動脈硬化病変の進展およびプラークラプチャの認識が変化してきた[7]．図10-16 に示すように，動脈硬化病巣はしばらくは血管内腔を保持しながら外側に向かって進展し，狭心症を起こさない程度の時期に，すでにプラークラプチャは発生し，しかも，ACS に進展しない程度のプラークラプチャが少なからず起こっていることがわかってきた 図10-17 [8]．

患者の生命予後に関連するのは狭心症ではなく心筋梗塞である．狭心症の症状の有無，心筋シンチグラフィでの心筋虚血陽性所見の有無，FFR による虚血の有無[9] などは，死亡や心筋梗塞発症などの予後を予測することはできない．動脈硬化を起こす危険因子があり，それに伴うわずかなプラークがラプチャを起こせば，それだけでその患者は危険なのである．

したがって，冠危険因子が存在する場合には心臓リハビリが必要であると考えたほうがよい．この場合の運動処方は AT レベルあるいはそれ以下の運動強度である．CPX を行い，AT レベルで虚血や不整脈が出現しないことを確認し，有酸素運動を 1 回 30〜60 分間，週 5〜7 回行う．ACS の原因であるインスリン抵抗性や炎症に有効なのは，AT レベルの運動で十分である．

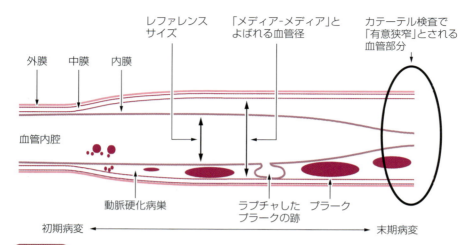

**図 10-16** 動脈硬化病変の進展様式

動脈硬化病変は，末期になるまで血管内腔を保持しながら外側へ進展する（ポジティブリモデリング）．内腔狭窄が生じる前にプラークがラプチャすることも少なくない．また，カテーテル治療を行う場合，バルーンやステントのサイズは狭窄部近隣の比較的太い部分の血管径（レファレンスサイズ）を参考にして決定する．したがって，カテーテル治療によって，一見，きれいに拡張したようにみえても，プラークが多量に残っていることが多い．そのため，急性冠症候群は予防しえない．

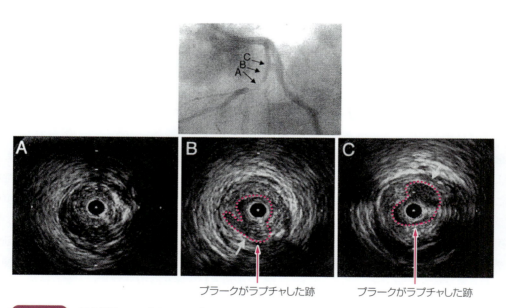

**図 10-17** 無自覚性のラプチャードプラーク

上図は冠動脈造影所見．左冠動脈前下行枝に強い狭窄を認める（C）．ABCは冠動脈エコー（IVUS）所見．AではIVUSがウェッジするほど内腔が狭くなっている．注目すべき点はBとCで，冠動脈造影では正常にみえるが，IVUSでは，過去にプラークラプチャが起こった所見を示している．
(Seguchi O, et al. Intern Med. 2003；42：53-5)[8]

## 10　HR＜110の勧め

　たいていの場合，心疾患患者においてATに合致する心拍数は110/分くらいである．これは大変望ましい．心拍数が110/分以上になると心拍出量が低下することがあるからである．

　前述のごとく，拡張不全が合併していると運動中に心拍出量が低下することがある．左室拡張末期圧の上昇が1つの原因であるが，図10-18 に示すごとく，心拍数が110/分を超えると左室拡張末期圧は急速に上昇する[10]．したがって，心拍数の観点からみると，110回というのは1つのクリティカルポイントである．また，心筋張力も心拍数110以上で急激に増悪する 図10-19 [11]．すなわち心拍数が110を超えると心筋収縮力が低下し始めることが多いのである．この観点からみても110回というのは1つのクリティカルポイントである．従来から，「運動療法の心拍数は110を超えるな」といわれてきた．これらの事実は，この格言を支持する理由であると思われる．

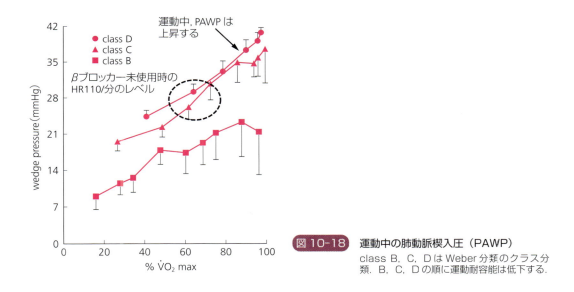

図10-18　運動中の肺動脈楔入圧（PAWP）
class B，C，DはWeber分類のクラス分類．B，C，Dの順に運動耐容能は低下する．

## 11　運動処方レベルの確認法

　運動処方が誤って作成された場合，CPXのときだけ体調が良好であった場合など，運動療法が不適切なレベルで行われていることがある．これは危険なことである．危険な状態で運動療法を行っていないかどうかを確認する方法を 表10-4 に示す．また，アスピリンやチクロピジンなどを忘れずに服用しているかどうかも，しっかりと確認する．心臓リハビリ中に致命的な心事故を起こしてはならない．

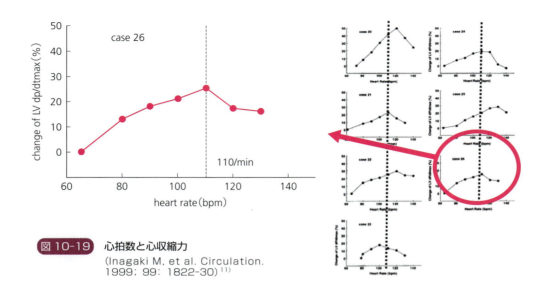

図 10-19 心拍数と心収縮力
(Inagaki M, et al. Circulation. 1999; 99: 1822-30)[11]

表 10-4 心不全患者が運動療法を行う前の注意点

| ポイント | 注意点 |
|---|---|
| 顔色・表情 | 眼の下の色合いに注目する（黒ずんでいないか）表情がこわばっていないか |
| 血圧 | 低すぎないか |
| 心拍数 | 早すぎないか |
| 不整脈 | 有・無 |
| 息切れなどの症状 | 有・無 |
| $SpO_2$ | 90％以上あるか |
| BNP | |

## 12 HIIT（high intensity interval training）

　HIIT は最大運動強度の 85％程度と「軽い〜中等度の」運動強度を繰り返す運動療法である．効果としては，peak V̇O₂，冠危険因子，ミトコンドリア酸化酵素活性[12]，自律神経活性[13] の改善など，心疾患予防にも虚血性心疾患にも心不全にも望ましい効果を発揮する．そのため，HIIT の対象疾患の運動耐容能や心疾患重症度は多岐にわたり，処方レベルも幅が広い．
　メニュー作成法として，運動負荷装置がない場合には，予測最高心拍数と中等度レベルといわれている心拍数 110/分の中間よりやや早い心拍数，あるいは Borg 17 程度と心拍数 110/分を繰り返す．CPX がある場合には，最大運動強度，最高心拍数，AT を求めることができるので，例えば AT が 5 メッツ，HR 120/分，110 ワット，peak が 9 メッツ，HR 180/分，200 ワットである場合には，200 ワットの 85％である 170 ワット，あるいは HR 153/分と，90〜100 ワットあるいは 120/分で構成する．持続時間は 30 秒ずつという施設もあれば，3 分間ずつ，

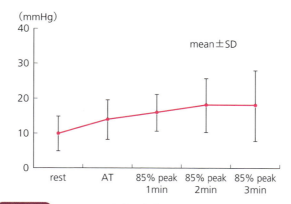

**図 10-20** NYHA Ⅲ患者の負荷強度と dPAP
運動負荷中の dPAP（肺動脈拡張気圧）を右心カテーテルで測定した結果．
dPAP は PAWP と考えることができる．最大負荷の 85%で運動を行うと，3 分目の平均圧は 20 mmHg 未満であるが+1SD が 25 mmHg に達してしまい，症例によっては異常高値になってしまうことが示された．

あるいは 3 分と 4 分という施設もある．心臓病一次予防の場合や，最大負荷まで行っても虚血が出現しない狭心症症例ではこの処方で問題はない．

しかし，心不全の場合には注意を要する．もちろん，心不全にとって，ミトコンドリア活性の亢進は ATP 産生能力の向上および酸素の節約による活性酸素過剰産生の抑制・炎症の予防の点で効果的である．また，自律神経活性安定化は突然死を避けるために必須である．そのため，HIIT はぜひ実施すべきである．しかし，心不全では運動強度増強に呼応して PAWP が上昇する．PAWP が一定値以上になると心不全が急激に増悪する．そのために高強度トレーニングは漫然と行うべきではない．図 10-20 にカテコラミン点滴を離脱した直後の NYHA Ⅲ 心不全患者における運動負荷中の拡張期肺動脈圧（dPAP）を示す．dPAP は左房機能不全や肺動脈弁膜症がない限り PAWP や LVEDP と近似するものである．その結果，高強度運動を続けると，肺水腫が始まる可能性のある圧である 28 mmHg を上回った症例が 3 分目に数例で認められた．一方，2 分目には 1 例も認められなかった．そのため，当院ではプレトレーニングを終わったような重症心不全患者には，高強度部分を 2 分間で実施している．

## 13 エキセントリックトレーニング

エキセントリックトレーニングは，筋肉が収縮しながら引き延ばされる状態を利用したトレーニング法である．筋量や筋力の増強効果が強く，フレイル，心不全，神経疾患，糖尿病，がんなどの運動療法に有用である[14]．

器具を用いて本格的な筋肉のバルクアップを目指す場合は負荷強度と運動時間を漸増する方法があるが，筆者はフレイルの高齢者で，運動を行わない人に勧めているため，日常活動において

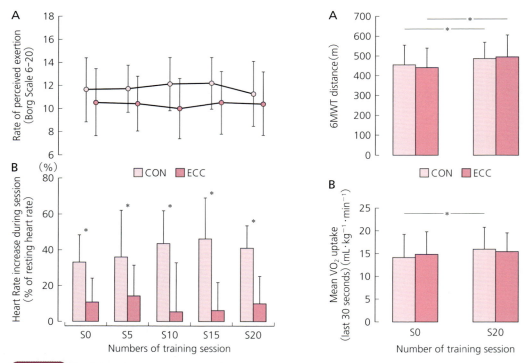

**図 10-21** エキセントリックトレーニングとコンセントリックトレーニングの比較

ECC（エキセントリックトレーニング）は CON（コンセントリックトレーニング）と比べて，運動中の自覚的強度が低く（A），心拍数上昇の程度も穏やかで（B）あったが，CON と同様 6 分間歩行距離を改善させた．歩行中の平均酸素摂取量は増加させなかった．ECC は骨格筋酸化酵素活性に作用して酸素利用効率を改善させた可能性がある．
(Besson D, et al. Ann Phys Rehabil med. 2013; 56: 30-40)[5]

階段一段を 2〜3 秒時間をかけて降りたり，椅子に座るときに数秒かけて座ったりするなど，重力に従った移動をゆっくりと行う動作を勧めている．スロートレーニング的な要素も加わっている．「さて，運動をするぞ」ということではなく，「移動を運動に変えることができる」と説明すると少しは実施してくれる．心不全に対する検討で，通常のコンセントリックトレーニングと同等の効果を，より軽い自覚的強度で得られることが示されている 図10-21 [15]．しかし，関節障害をきたす危険性は残っており，また，ゆっくりとした動作ではバランスを崩しやすいので，高齢者の場合には手すりが必要なこともある．エキセントリックトレーニングの至適運動強度を決定するための運動負荷試験はないが，実施時の自覚症状として Borg 13 を超えないように指導している．

■文献

1) Beaver WL, Wasserman K, Whipp BJ. A new method for detecting anaerobic threshold by gas exchange. J Appl Physiol. 1986; 60: 2020-7.
2) 福場良之, 柳川和優. ランプ負荷運動テストにおけるガス交換諸標の解析. 呼吸と循環 45. 東京: 医学書院. 1997. p.1103-11.
3) Ward SA, Whipp BJ. Influence of body $CO_2$ store on ventilatory-metabolic coupling during

exercise. In: Honda Y, et al. Control of Breathing and Its Modelling Perspective. New York: Plenum Press, 1992. p.425-43.

4) Wasserman K, Hansen JE, Sue DY, et al. Principles of exercise testing and interpretation 4th ed. Philadelphia: Lippincott Williams. and Wilkins, 2005.

5) Persinger R, Foster C, Gibson M, et al. Consistency of the Talk Test for Exercise Prescription. Med Sci Sports Exerc. 2004; 36: 1632-6.

6) Piepoli MF, Conraads V, Corrà U, et al. Exercise training in heart failure: from theory to practice. A consensus document of the heart failure association and the European association for cardiovascular prevention and rehabilitation. Eur J Heart Fail. 2011; 13: 347-57.

7) Glagov S, Weisenberg E, Zarins CK, et al. Compensatory enlargement of human atherosclerotic coronary arteries. N Engl J Med. 1987; 316: 1371-5.

8) Seguchi O, Maehara A, Morii I, et al. Ruptured atherosclerotic plaque distant from maximal stenosis in acute myocardial infarction. Intern Med. 2003; 42: 53-5.

9) De Bruyne B, Pijls NH, Kalesan B, et al. Fractional Flow Reserve-Guided PCI versus medical therapy in stable coronary disease. N Engl J Med. 2012; 367: 991-1001.

10) Weber KT, Janicki JS. Cardiopulmonary exercise testing for evaluation of chronic cardiac failure. Am J Cardiol. 1985; 55: 22A-31A.

11) Inagaki M, Yokota M, Izawa H, et al. Impaired force-frequency relations in patients with hypertensive left ventricular hypertrophy. A possible physiological marker of the transition from physiological to pathological hypertrophy. Circulation. 1999; 99: 1822-30.

12) Ramos-Filho D, Chicaybam G, de-Souza-Ferreira E, et al. High intensity interval training (HIIT) induces specific changes in respiration and electron leakage in the mitochondria of different rat skeletal muscles. PLoS ONE. 2015; 10: e0131766.

13) Kiviniemi AM, Tulppo MP, Eskelinen JJ, et al. Cardiac autonomic function and high-intensity interval training in middle-age men. Med Sci Sports Exerc. 2014; 46: 1960-7.

14) LaStayo P, Marcus R, Dibble L, et al. Eccentric exercise in rehabilitation: safety, feasibility, and application. J Appl Physiol. 2014; 116: 1426-34.

15) Besson D, Joussain C, Gremeaux V, et al. Eccentric training in chronic heart failure: feasibilityand functional effects. Results of a comparative study. Ann Phys Rehabilmed. 2013; 56: 30-40.

〈安達 仁〉

# 第11章
# CPX の実例

　本章では様々な症例を 33 例示す.

　症例ごとに単位が異なるので，確認してからご覧いただきたい.

　HR：心拍数（回/分），R：ガス交換比，$\dot{V}O_2$：酸素摂取量，$\dot{V}E/\dot{V}O_2$：分時換気量/酸素摂取量，$\dot{V}E/\dot{V}CO_2$：分時換気量/二酸化炭素排泄量，WR：仕事率，rest：安静時，WU：warm up，AT：嫌気性代謝閾値，RCP：呼吸性代償開始点，peak：最高負荷時，$\dot{V}E$：分時換気量，$\dot{V}O_2$/HR：$O_2$ pulse：酸素脈，$\dot{V}E$：分時換気量，TV：1 回換気量，RR：呼吸回数，$ETO_2$：呼気終末酸素，$ETCO_2$：呼気終末二酸化炭素，SOB：息切れ.

　特に断りのない場合は，安静時 3 分，WU 3 分の後，Ramp 10 による漸増負荷試験が当院におけるルーチンのプロトコールである.

228　CPX・運動療法ハンドブック

## CASE 1 ▶ 低体重健常者: 20歳代女性　150 cm, 45 kg　図11-1, 図11-2

特記事項なし. 学生.

[解釈] 運動耐容能は peak $\dot{V}O_2$ 36.3 mL/分/kg, 同性同年比 123% と良好な値を示している. 体重が低く mL/分/kg 換算ではやや大きめの値をとるが, 体重補正を行っても peak $\dot{V}O_2$ は良好である (体重補正 peak $\dot{V}O_2$ 112%). 運動中の $O_2$ pulse は panel 2 の通り AT 以降にやや増大不良となるが, 漸増負荷試験中増大は継続している. 心拍応答も良好である. 換気効率もまた良好である. Peak $ETCO_2$ 7.41%, peak WR 145 watts (予測 WR の 137%) と良好な下肢筋力の値も認めており低体重の若年健常者と考えられる.

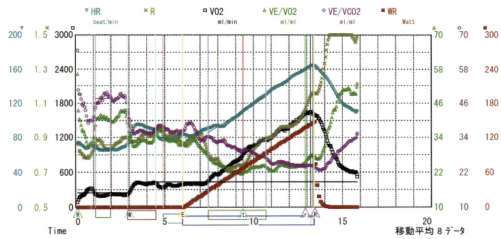

|  | Rest | WU | AT | RCP | Peak |
|---|---|---|---|---|---|
| HR/分 | 66 | 80 | 110 | 160 | 164 |
| $\dot{V}O_2$, mL/kg/分 (%) |  |  | 20.0 (116) | 36.4 | 36.3 (123) |
| Load, watt | 0 | 0 | 66 | 138 | 145 |
| Minimum $\dot{V}E/\dot{V}CO_2$ |  | 23.8 | $\dot{V}E$ vs $\dot{V}CO_2$ slope |  | 21.0 |
| Peak $\dot{V}O_2/HR$ (%) |  | 9.9 (120) | $\Delta\dot{V}O_2/\Delta WR$ |  | 10.6 |
|  |  |  | Peak R |  | 1.15 |

図11-1　CASE 1: 低体重健常者

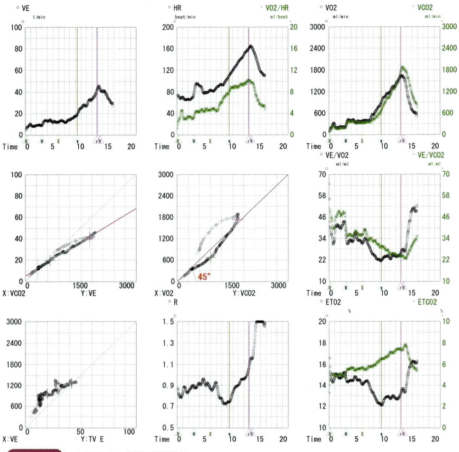

図11-2 CASE 1：低体重健常者

## CASE 2 ▶ 中年健常者：40歳代前半男性　170 cm，69 kg　図11-3，図11-4

特記事項なし．Ramp 30．Borg scale：leg fatigue 20/SOB 18．

[解釈] 運動耐容能は peak $\dot{V}O_2$ 39.1 mL/分/kg，同性同年比124％と良好な値．RCPから peak $\dot{V}O_2$ まで下肢回転数は変化ないが，$\dot{V}O_2$ は増大不良となっており，最大酸素摂取量（max $\dot{V}O_2$）を認める．運動中の $O_2$ pulse は，同様にRCPから低下に転じるがこれは $\dot{V}O_2$ の増大不良に起因するものと考えられる．これは症例1の若年者は認めておらず，中年では健常者であるが運動中の $O_2$ pulse の増大不良は中年頃から認められると考えられる．一方で予測最高心拍数は179 bpmであり今回は最高心拍数185 bpmであることを考えると心機能は限界であったとも考えられる．換気効率に異常はなく，peak WR 267 watts（予測WRの152％）と下肢筋力も保たれている．

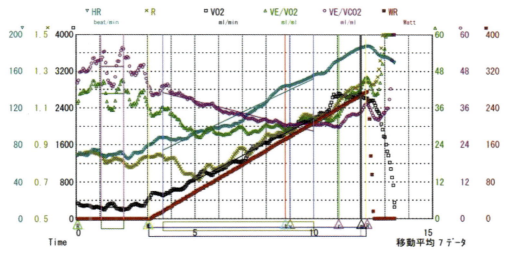

|  | Rest | WU | AT | RCP | Peak |
|---|---|---|---|---|---|
| HR/分 | 69 | 79 | 144 | 172 | 185 |
| $\dot{V}O_2$, mL/kg/分（％） |  |  | 26.8 (154) | 39.1 | 39.1 (124) |
| Load, watt | 0 | 0 | 171 | 239 | 267 |
| Minimum $\dot{V}E/\dot{V}CO_2$ |  | 29.6 |  | $\dot{V}E$ vs $\dot{V}CO_2$ slope | 27.7 |
| Peak $\dot{V}O_2$/HR（％） |  | 14.6 (100) |  | $\Delta\dot{V}O_2/\Delta WR$ | 14.6 |
|  |  |  |  | Peak R | 1.23 |

図11-3　CASE 2：中年健常者

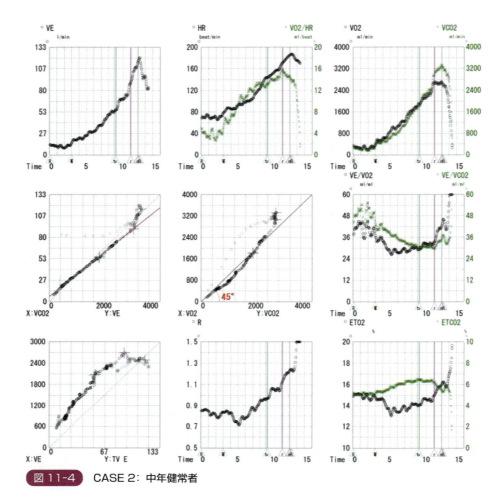

図 11-4　CASE 2：中年健常者

## CASE 3 ▶ 高齢健常者: 80歳代前半女性　149 cm, 51 kg　図11-5, 図11-6

高齢健常者の症例. Borg scale: leg fatigue 20.

[解釈] 運動耐容能は peak $\dot{V}O_2$ 16.0 mL/分/kg, 同性同年比81％と保持されている. 運動中の $O_2$ pulse はやや増大不良気味だが概ね良好（peak $O_2$ pulse 81％）. 心拍応答も良好. 換気効率はやや低下し軽度過呼吸傾向であったためと考えられる.

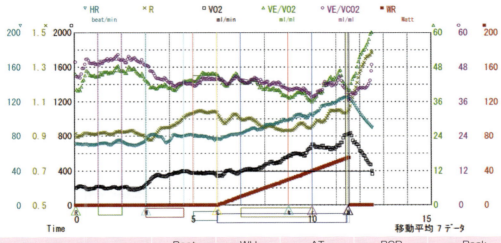

|  | Rest | WU | AT | RCP | Peak |
|---|---|---|---|---|---|
| HR/分 | 72 | 79 | 98 | 104 | 124 |
| $\dot{V}O_2$, mL/kg/分（％） |  |  | 11.1 (80) | 13.7 | 16.0 (81) |
| Load, watt | 0 | 0 | 30 | 40 | 55 |
| Minimum $\dot{V}E/\dot{V}CO_2$ |  | 37.5 |  | $\dot{V}E$ vs $\dot{V}CO_2$ slope | 38.3 |
| Peak $\dot{V}O_2$/HR（％） |  | 6.6 (81) |  | $\Delta \dot{V}O_2/\Delta WR$ | 7.89 |
|  |  |  |  | Peak R | 1.04 |

図11-5　CASE 3: 健常高齢者

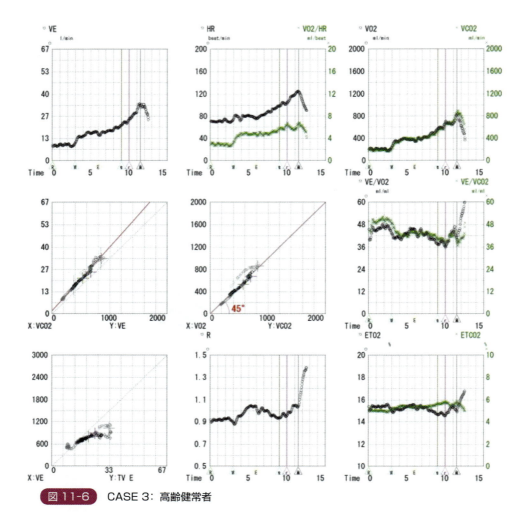

図11-6 CASE 3: 高齢健常者

## CASE 4 ▶ 肥満症例：50歳代男性　161 cm, 155 kg　図11-7, 図11-8

非心疾患術前検査の心機能評価目的にて来院．糖尿病，脂質異常症，高血圧あり．
Borg scale leg fatigue 19/SOB 20 で息切れが強くなり検査終了．

[解釈] 安静時より酸素摂取量は高値であり 430 mL/分．運動下肢の WU より著明に増大し 1,200 mL/分となる．その後も増大し peak $\dot{V}O_2$ は 2,191 mL/分と高値である．Trend のグラフの黒線（$\dot{V}O_2$）が安静時から高く，WU で大きく上がりその後も高い位置をとるのが obesity 症例の特徴である．一方でこれらの酸素摂取量を体重で除するため，% peak $\dot{V}O_2$ は 55％と低下する．仮に体重が半分の 75 kg であった場合，peak $\dot{V}O_2$＝2,191/75＝29.2 mL/分/kg と倍になり，110％となる．このように obesity 症例では，% peak $\dot{V}O_2$ は低値となる．$O_2$ pulse は 2,191/139＝15.8 と高く，obesity では ％ $O_2$ pulse も高くなる傾向となる．換気効率が軽度増悪しているのは，筋肉量自体が少なく peak $ETCO_2$ 4.9％と低いことが原因と考えられる．TV/RR はそこまで過呼吸気味ではない．Peak R が 1.02＜1.15 であるものの息切れで検査が終了になったことによるが，少なくとも運動中の心機能異常は認めなかった．

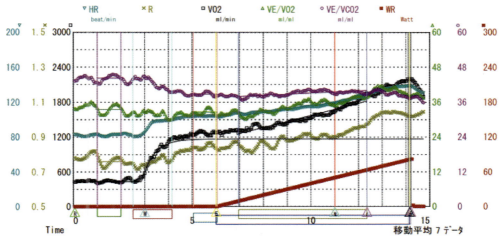

|  | Rest | WU | AT | RCP | Peak |
|---|---|---|---|---|---|
| HR/分 | 82 | 104 | 119 | 129 | 139 |
| $\dot{V}O_2$, mL/kg/分（％） |  |  | 10.5（69） | 12.6 | 14.1（55） |
| Load, watt | 0 | 0 | 50 | 63 | 81 |
| Minimum $\dot{V}E/\dot{V}CO_2$ |  | 36.7 | $\dot{V}E$ vs $\dot{V}CO_2$ slope |  | 43.0 |
| Peak $\dot{V}O_2$/HR（％） |  | 15.8（128） | $\Delta\dot{V}O_2/\Delta WR$ |  | 13.8 |
|  |  |  | Peak R |  | 1.02 |

図11-7　CASE 4：肥満症例

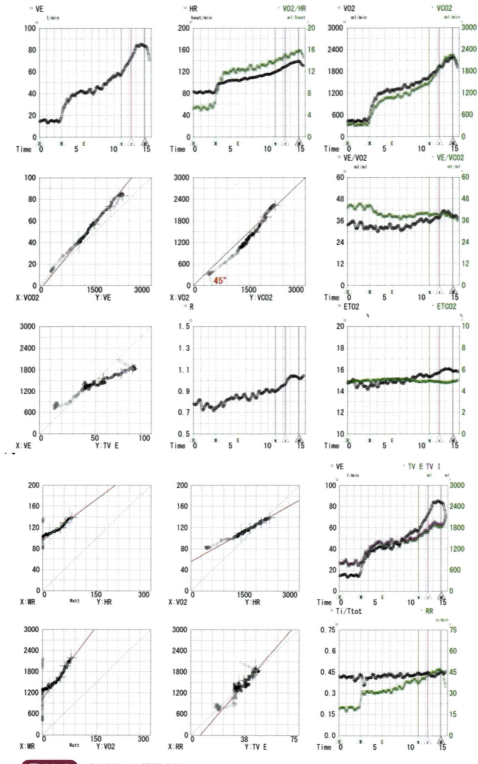

図 11-8　CASE 4：肥満症例

## CASE 5 ▶ 大動脈弁狭窄症による大動脈弁置換術後：60歳代女性
図11-9，図11-10

術後10日目のCPX．Borg scale：leg fatigue 20．

[解釈] 運動耐容能は peak $\dot{V}O_2$ 11.5 mL/分/kg，同性同年比52％と低下している．運動中の $O_2$ pulse は術後効果にて増大しているが，開心術後の典型的所見である著明な心拍応答不良を認め運動中の心拍数の増大はほぼ認めない．また開心術後早期であるため換気効率は増悪しているが，胸郭の動揺や疼痛，時として胸水の残存から浅く速い呼吸によるものと考えられる．また peak WR は予測 WR の45％と低下している．開心術後早期の心拍応答不良，換気効率増悪，下肢筋力低下の所見を認め，その後の心臓リハビリテーションが望まれる．

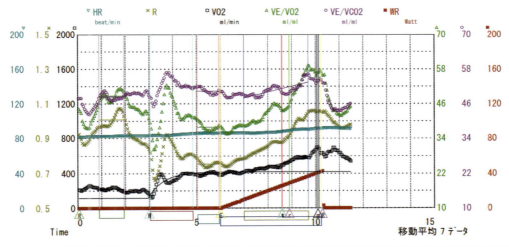

|  | Rest | WU | AT | RCP | Peak |
|---|---|---|---|---|---|
| HR/分 | 83 | 86 | 88 | 89 | 91 |
| $\dot{V}O_2$, mL/kg/分 (%) |  |  | 8.3 (57) | 9.0 | 11.5 (52) |
| Load, watt | 0 | 0 | 26 | 29 | 41 |
| Minimum $\dot{V}E/\dot{V}CO_2$ |  | 47.9 | $\dot{V}E$ vs $\dot{V}CO_2$ slope |  | 55.5 |
| Peak $\dot{V}O_2$/HR (%) |  | 7.6 (88) | $\Delta\dot{V}O_2/\Delta WR$ |  | 7.30 |
|  |  |  | Peak R |  | 1.05 |

図11-9　CASE 5：大動脈弁置換術後

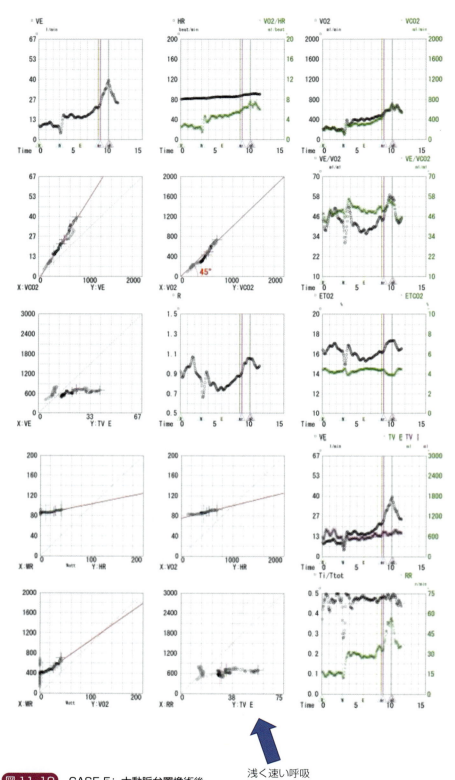

図 11-10　CASE 5：大動脈弁置換術後

浅く速い呼吸

## CASE 6 ▶ 大動脈弁狭窄症による TAVR 術後：70 歳代後半　男性
### 図 11-11，図 11-12

TAVR 術後 4 カ月後の CPX．持続性心房細動に対してβ遮断薬とアミオダロンを内服．

[解釈] 運動耐容能は peak $\dot{V}O_2$ 13.7 mL/分/kg，同性同年比 62％と低下している．運動中の $O_2$ pulse は術後効果にて増大している．持続性心房細動に対してβ遮断薬とアミオダロンを内服しており心拍応答は不良である．心拍応答の低下を認める．換気効率は肺疾患を反映して軽度増悪している．下肢筋力も低下しており，TAVR 後の心臓リハビリテーションにて下肢筋力改善が望まれる．

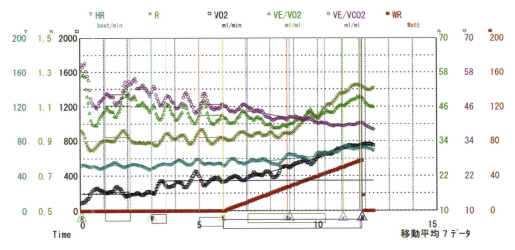

|  | Rest | WU | AT | RCP | Peak |
|---|---|---|---|---|---|
| HR/分 | 52 | 54 | 65 | 67 | 72 |
| $\dot{V}O_2$, mL/kg/分（％） |  |  | 8.9 (27) | 12.1 | 13.7 (62) |
| Load, watt | 0 | 0 | 27 | 46 | 58 |
| Minimum $\dot{V}E/\dot{V}CO_2$ |  | 39.3 | $\dot{V}E$ vs $\dot{V}CO_2$ slope |  | 35.8 |
| Peak $\dot{V}O_2$/HR（％） |  | 10.5 (84) | $\Delta \dot{V}O_2/\Delta WR$ |  | 8.95 |
|  |  |  | Peak R |  | 1.23 |

図 11-11　CASE 6: TAVR 術後

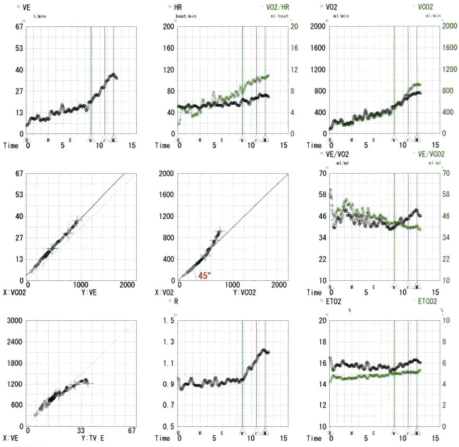

図11-12　CASE 6：TAVR 術後

## CASE 7 ▶ 拡張型心筋症による機能性僧帽弁閉鎖不全に対して MitraClip 術後: 80 歳代前半男性 図11-13, 図11-14

MitraClip 術後 2 カ月. 左室駆出率 23％.

[解釈] 運動耐容能は peak $\dot{V}O_2$ 20.2 mL/分/kg, 同性同年比 98％と保持されている. 運動中の $O_2$ pulse は良好で, 心拍応答も良好である. 換気効率も軽度悪化しているがおおむね良好である. TV/RR もおおむね安定していた. Peak WR は予測 peak WR の 74％であり, 下肢筋力は軽度低下しているが, 運動耐容能は良好である.

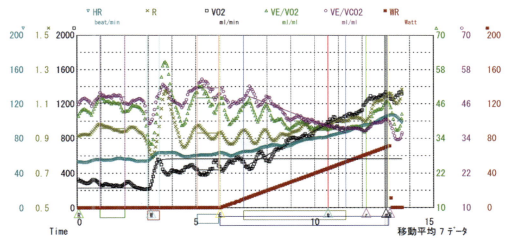

|  | Rest | WU | AT | RCP | Peak |
|---|---|---|---|---|---|
| HR/分 | 56 | 61 | 82 | 96 | 105 |
| $\dot{V}O_2$, mL/kg/分 （%） |  |  | 15.2 (113) | 18.6 | 20.2 (98) |
| Load, watt | 0 | 0 | 45 | 61 | 70 |
| Minimum $\dot{V}E/\dot{V}CO_2$ |  | 36.5 | $\dot{V}E$ vs $\dot{V}CO_2$ slope |  | 29.3 |
| Peak $\dot{V}O_2$/HR （%） |  | 12.6 (106) | $\Delta \dot{V}O_2/\Delta WR$ |  | 13.9 |
|  |  |  | Peak R |  | 1.15 |

図11-13 CASE 7: MitraClip 術後

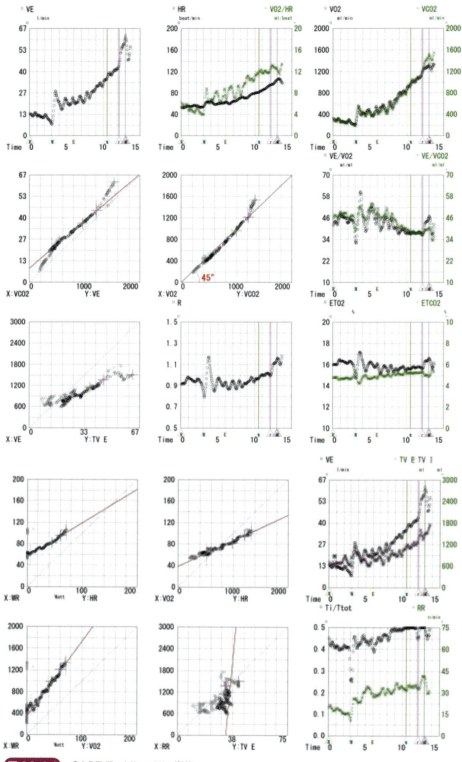

図 11-14　CASE 7：MitraClip 術後

## CASE 8 ▶ 僧帽弁置換術後：70歳代後半女性　図11-15，図11-16

僧帽弁置換術後＋大動脈バイパス術後（LITA-LAD, SVG-OM）術後1カ月後のCPX．左室駆出率26％．心臓リハビリテーション運動処方目的．下肢症候限界で検査終了．

[解釈] 運動耐容能は peak $\dot{V}O_2$ 9.4 mL/分/kg，同性同年比43％と低下している．運動中の $O_2$ pulse は増大しているが緩慢．心拍応答不良は著明．開心術後に多く認められる所見である．換気効率も高度に悪化．呼吸様式は乱高下とまではいかないが，運動の中盤までは TV が増大し，運動の後半では呼吸回数が増える典型的な正常所見からは遠い．下肢筋力の低下（peak WR は予測 WR の56％）も認めており，心臓リハビリテーションによるそれぞれの改善が望まれる．

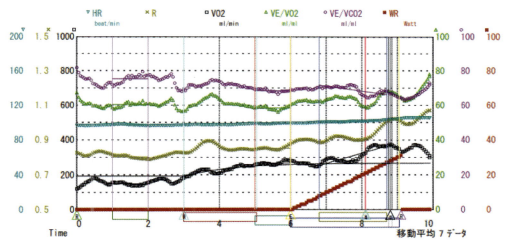

|  | Rest | WU | AT | RCP | Peak |
|---|---|---|---|---|---|
| HR/分 | 97 | 98 | 101 |  | 103 |
| $\dot{V}O_2$, mL/kg/分（％） |  |  | 8.2 (52) |  | 9.4 (43) |
| Load, watt | 0 | 0 | 21 |  | 28 |
| Minimum $\dot{V}E/\dot{V}CO_2$ |  | 64.3 | $\dot{V}E$ vs $\dot{V}CO_2$ slope |  | 57.8 |
| Peak $\dot{V}O_2$/HR（％） |  | 3.6 (34) | $\Delta\dot{V}O_2/\Delta WR$ |  | 5.58 |
|  |  |  | Peak R |  | 1.01 |

図11-15　CASE 8：僧帽弁置換術後

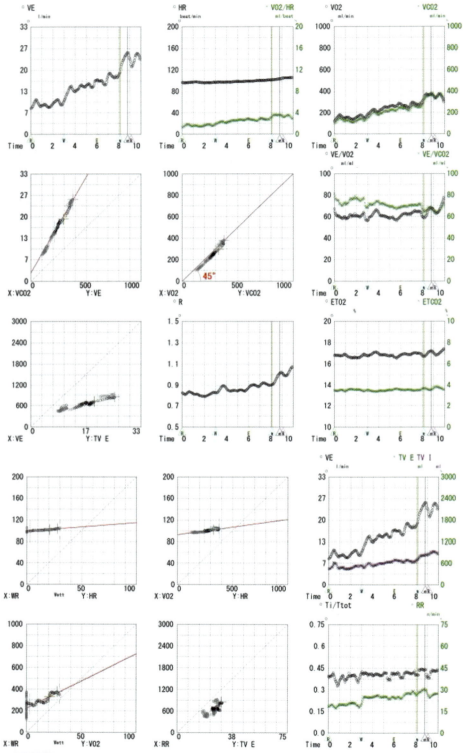

図 11-16　CASE 8：僧帽弁置換術後

## CASE 9と10 ▶ 長期強心剤点滴後の拡張型心筋症に対して3週間の心リハ前後の比較：50歳代前半男性　図11-17〜図11-20

拡張型心筋症の方．左室駆出率20％，左室拡張末期径78 mm．長期強心剤点滴離脱後のCPX.

[解釈] CASE 9（3週間の心リハ前：下肢症候限界で検査終了），CASE 10（3週間の心リハ後：Peak R 1.15で検査終了）．心リハ前のCPXにおいて，運動耐容能はpeak $\dot{V}O_2$ 7.4 mL/分/kg，同性同年比28％と高度に低下．同時に心拍応答不良，換気効率の高度悪化，下肢筋力の低下（peak WRは予測peak WRの37％）を認めた．点滴は離脱できたが退院困難のため，3週間の入院心リハ後にCPXを再検した．入院心リハ前後で比較するとpeak $\dot{V}O_2$，$O_2$ pulse，換気効率，下肢筋力はそれぞれ改善した．安静時心拍数は96 bpmから46 bpmに大きく低下した一方，peak時の心拍数はほぼ同様であり，心拍応答は大きく改善した（ΔHR/ΔWR×100は52.1から89.0）．なお，図11-19・図11-20において，Panel 2の矢印の$O_2$ pulseが低下しているが，これは同じ時間のPanel 1の$\dot{V}E$も低下していることから一時的なマスクからの空気漏れがあったためと考えられる．Panel 3の$\dot{V}O_2$と$\dot{V}CO_2$も同様である．

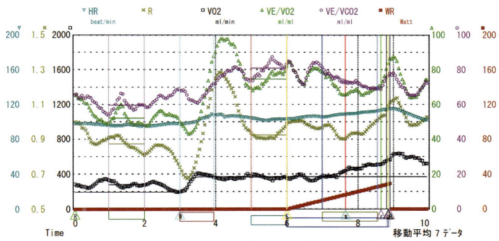

|  | Rest | WU | AT | RCP | Peak |
|---|---|---|---|---|---|
| HR/分 | 96 | 103 | 109 | 113 | 115 |
| $\dot{V}O_2$, mL/kg/分（％） |  |  | 5.9 (36) | 6.8 | 7.4 (26) |
| Load, watt | 0 | 0 | 16 | 26 | 28 |
| Minimum $\dot{V}E/\dot{V}CO_2$ |  | 68.8 | $\dot{V}E$ vs $\dot{V}CO_2$ slope |  | 61.4 |
| Peak $\dot{V}O_2$/HR（％） | 4.9 (31) |  | $\Delta\dot{V}O_2/\Delta WR$ |  | 9.90 |
|  |  |  | Peak R |  | 1.09 |

図11-17　CASE 9：3週間の心リハ前

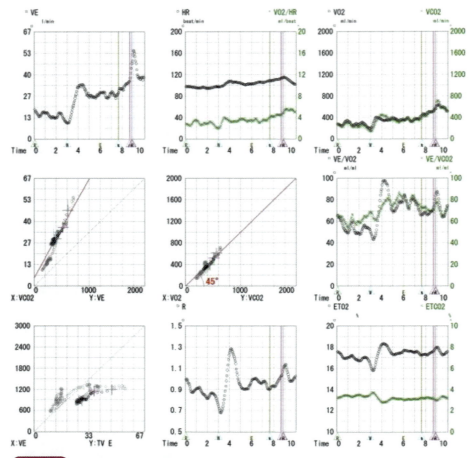

図 11-18 CASE 9: 3 週間の心リハ前

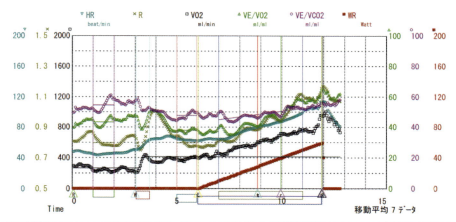

|  | Rest | WU | AT | RCP | Peak |
|---|---|---|---|---|---|
| HR/分 | 46 | 63 | 80 | 87 | 113 |
| $\dot{V}O_2$, mL/kg/分（%） |  |  | 8.6 (56) | 10.1 | 13.5 (51) |
| Load, watt | 0 | 0 | 28 | 39 | 59 |
| Minimum $\dot{V}E/\dot{V}CO_2$ |  | 43.2 | $\dot{V}E$ vs $\dot{V}CO_2$ slope |  | 51.9 |
| Peak $\dot{V}O_2$/HR（%） |  | 8.4 (54) | $\Delta \dot{V}O_2/\Delta WR$ |  | 8.04 |
|  |  |  | Peak R |  | 1.15 |

図 11-19　CASE 10：3 週間の心リハ後

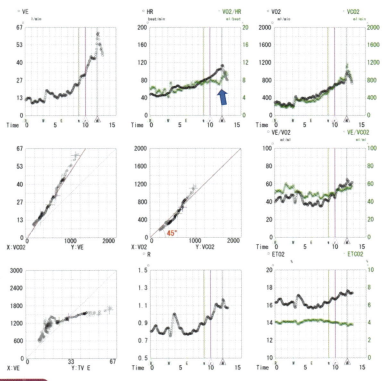

図 11-20　CASE 10：3 週間の心リハ後

## CASE 11 ▶ HFpEF：60歳代男性 図11-21，図11-22

HFpEFおよび陳旧性脳梗塞の方．肺動脈楔入圧22 mmHg．WR 65 watts，心拍数 90 bpm，3.4 METsより多源性心室期外収縮多発．

[解釈] 運動耐容能は peak $\dot{V}O_2$ 12.3 mL/分/kg，同性同年比49％と高度に低下．また $O_2$ pulseはAT以降低下傾向．換気効率も低下している．呼吸様式はTVとRRが脳梗塞のためか，浅くなったり深くなったりと乱高下している．そのため $\dot{V}E$ や $\dot{V}O_2$，$\dot{V}CO_2$ なども乱高下している．

負荷10分目から $\dot{V}O_2$/HRの増加がにぶり，ΔHR/ΔWRが大きくなっている．$\dot{V}O_2$-HR関係のパネルを見ると，10分目で $\dot{V}O_2$ が650 mL/分あたりから傾きが急峻になっている．心拍数増加が心拡張障害のために $\dot{V}O_2$ の増加を導いていないことが考えられる．

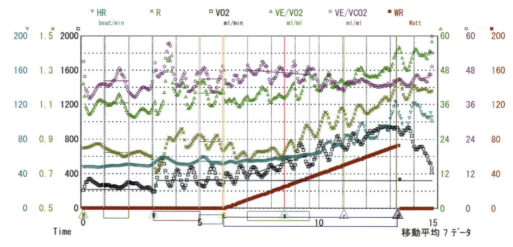

|  | Rest | WU | AT | RCP | Peak |
|---|---|---|---|---|---|
| HR/分 | 49 | 54 | 57 | 80 | 120 |
| $\dot{V}O_2$, mL/kg/分（％） |  |  | 7.7 (51) | 9.3 | 12.3 (49) |
| Load, watt | 0 | 0 | 25 | 50 | 73 |
| Minimum $\dot{V}E/\dot{V}CO_2$ |  | 40.8 |  | $\dot{V}E$ vs $\dot{V}CO_2$ slope | 40.1 |
| Peak $\dot{V}O_2$/HR（％） |  | 7.8 (51) |  | Δ$\dot{V}O_2$/ΔWR | 6.82 |
|  |  |  |  | Peak R | 1.23 |

図11-21　CASE 11：HFpEF

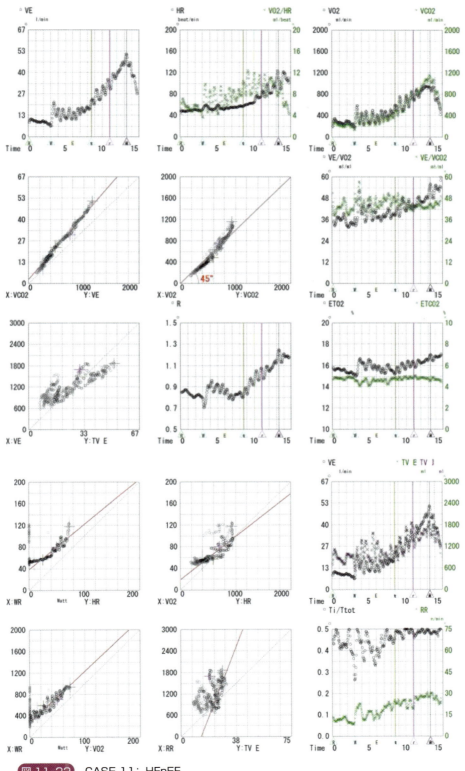

図 11-22　CASE 11: HFpEF

## CASE 12 ▶ 安定狭心症（冠動脈3枝病変）：60歳代男性 　図11-23 ，　図11-24

無症状の安定狭心症三枝病変〔右冠動脈 #2 75％，左前下行枝 #6 90％，#7 75％（FFR 0.50）#8 distal 90％，左回旋枝動脈 #13 90％〕．検査中の胸痛など症状なし．

[解釈] 運動耐容能は peak $\dot{V}O_2$ 22.8 mL/分/kg，同性同年比96％と保持されている．RCP（69 watts）より $O_2$ pulse の増大不良を認め，80 watts，HR 113/分，5.9 METs より $V_{5,6}$ の ST 低下を認め，典型的な ischemic cuscade の所見であった．以上より RCP 以降の無症候性虚血変化を認めるが，そこまでの運動負荷に虚血性変化の所見は認めないため，AT 処方による運動強度は問題ないと考えられる．

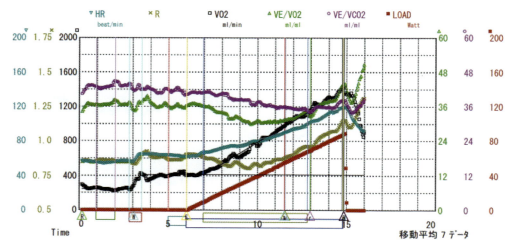

|  | Rest | WU | AT | RCP | Peak |
|---|---|---|---|---|---|
| HR/分 | 55 | 63 | 70 | 102 | 119 |
| $\dot{V}O_2$, mL/kg/分（%） |  |  | 15.8 (101) | 18.6 | 22.8 (96) |
| Load, watt | 0 | 0 | 55 | 69 | 88 |
| Minimum $\dot{V}E/\dot{V}CO_2$ |  | 34.2 | $\dot{V}E$ vs $\dot{V}CO_2$ slope |  | 32.7 |
| Peak $\dot{V}O_2$/HR（%） |  | 11.9 (86) | $\Delta\dot{V}O_2/\Delta WR$ |  | 12.4 |
|  |  |  | Peak R |  | 1.15 |

図11-23　CASE 12：安定狭心症（冠動脈3枝病変）

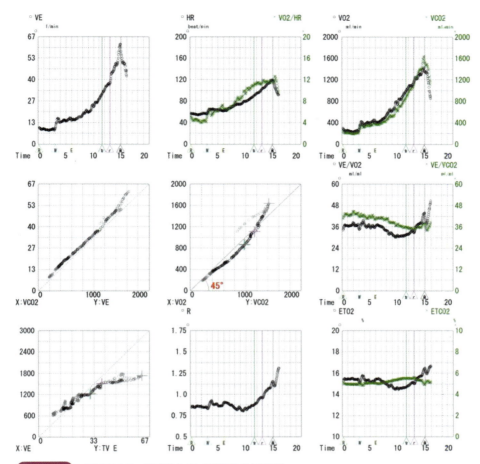

図11-24 CASE 12：安定狭心症（冠動脈3枝病変）

## CASE 13 ▶軽度の動脈硬化症：70歳代前半女性　図11-25，図11-26

Coronary CTにて冠動脈左主幹部の中等度狭窄，#6-7の軽度狭窄，#3中等度狭窄．
併存疾患：糖尿病，高血圧症，脂質異常症，喫煙歴

[解釈] 運動耐容能は peak $\dot{V}O_2$ 12.7 mL/分/kg，同性同年比56％と低下している．WR 70 watts，3.2 METs，心拍数96 bpmより有意なST低下を認めたが，$O_2$ pulseに低下は認めず，運動中の虚血性変化は軽度と思われた．心拍応答不良はHbA1c 9.1％の糖尿病による神経障害またはβ遮断薬（ビソプロロール5.0 mg/日）の影響と考えられた．

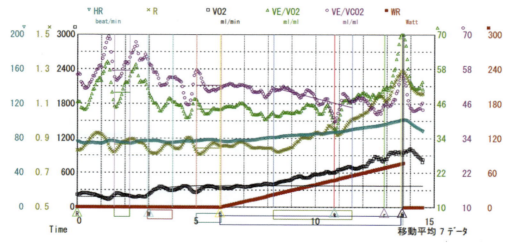

|  | Rest | WU | AT | RCP | Peak |
|---|---|---|---|---|---|
| HR/分 | 75 | 78 | 87 | 96 | 101 |
| $\dot{V}O_2$, mL/kg/分（％） |  |  | 8.2 (52) | 11.3 | 12.7 (56) |
| Load, watt | 0 | 0 | 47 | 69 | 77 |
| Minimum $\dot{V}E/\dot{V}CO_2$ |  | 39.8 | $\dot{V}E$ vs $\dot{V}CO_2$ slope |  | 40.4 |
| Peak $\dot{V}O_2$/HR（％） |  | 9.2 (65) | $\Delta\dot{V}O_2/\Delta WR$ |  | 7.37 |
|  |  |  | Peak R |  | 1.29 |

図11-25　CASE 13：軽度の動脈硬化症

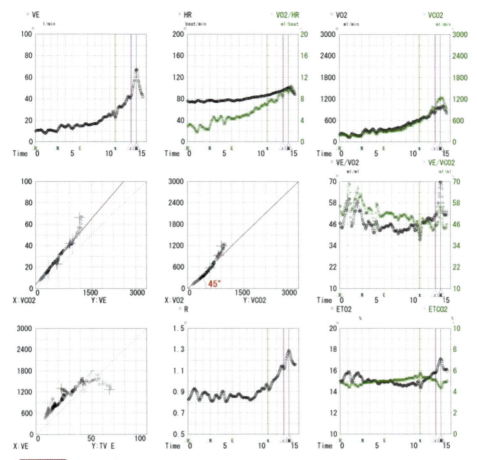

図11-26 CASE 13: 軽度の動脈硬化症

## CASE 14 ▶ 急性心筋梗塞：60歳代女性 図11-27，図11-28

冠動脈左前下行枝（#7）の急性心筋梗塞．Peak CPK 3,190 IU/L．緊急PCI後の経過は良好で術後8日目にCPXし翌日退院．

[解釈] 運動耐容能はpeak $\dot{V}O_2$ 13.7 mL/分/kg，同性同年比60％と低下している．運動中の $O_2$ pulseは増大しており保持されている．換気効率は非常に悪化しており，呼吸様式は過換気であった．また予測peak WR 49％と低下していることから，運動中のergoreflex亢進が示唆された．

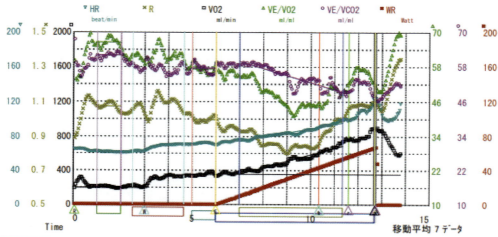

|  | Rest | WU | AT | RCP | Peak |
|---|---|---|---|---|---|
| HR/分 | 61 | 72 | 91 | 99 | 125 |
| $\dot{V}O_2$, mL/kg/分（％） |  |  | 9.4 (62) | 11.8 | 13.7 (60) |
| Load, watt | 0 | 0 | 43 | 56 | 67 |
| Minimum $\dot{V}E/\dot{V}CO_2$ |  | 47.5 | $\dot{V}E$ vs $\dot{V}CO_2$ slope |  | 43.0 |
| Peak $\dot{V}O_2$/HR（％） |  | 7.2 (79) | $\Delta \dot{V}O_2/\Delta WR$ |  | 9.41 |
|  |  |  | Peak R |  | 1.10 |

図11-27 CASE 14：急性心筋梗塞

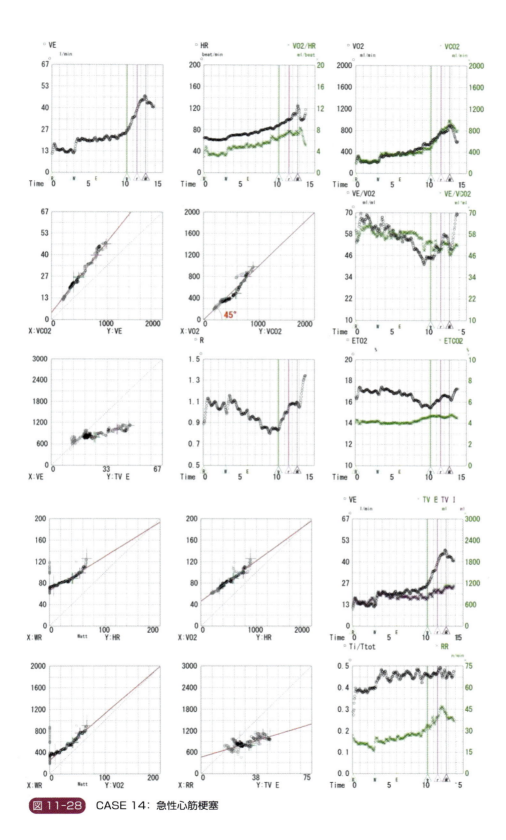

図 11-28　CASE 14：急性心筋梗塞

## CASE 15 ▶ 肥大型心筋症拡張相：70歳代後半男性　図11-29，図11-30

左室駆出能22％．

**[解釈]** 運動耐容能は peak $\dot{V}O_2$ 13.9 mL/分/kg，同性同年比66％と低下．安静時より呼吸は安定せず，規則性が認められ oscillation であった．AT を超えた付近から oscillation は消失した．TV/RR は乱高下しており換気効率も大きく低下していた．また peak WR は予測 peak WR の60％であり，下肢筋力低下もみられた．通常 oscillation は $\dot{V}E$ で判断され，基礎値の15％以上の変動が認められる．また $\dot{V}E$，$\dot{V}CO_2$，$\dot{V}O_2$ の周期性時相は $\dot{V}O_2 > \dot{V}E > \dot{V}CO_2$ となる．

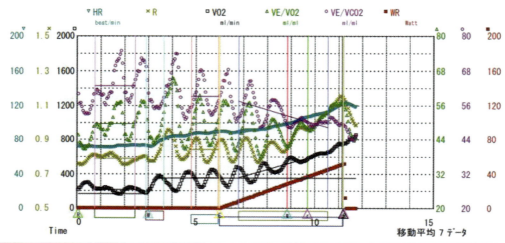

|  | Rest | WU | AT | RCP | Peak |
|---|---|---|---|---|---|
| HR/分 | 72 | 88 | 99 | 107 | 120 |
| $\dot{V}O_2$, mL/kg/分（％） |  |  | 9.6（70） | 9.7 | 13.9（66） |
| Load, watt | 0 | 0 | 28 | 37 | 52 |
| Minimum $\dot{V}E/\dot{V}CO_2$ |  | 48.2 |  | $\dot{V}E$ vs $\dot{V}CO_2$ slope | 47.7 |
| Peak $\dot{V}O_2$/HR（％） |  | 6.9（46） |  | $\Delta\dot{V}O_2/\Delta WR$ | 9.25 |
|  |  |  |  | Peak R | 1.15 |

図11-29　CASE 15：肥大型心筋症拡張相

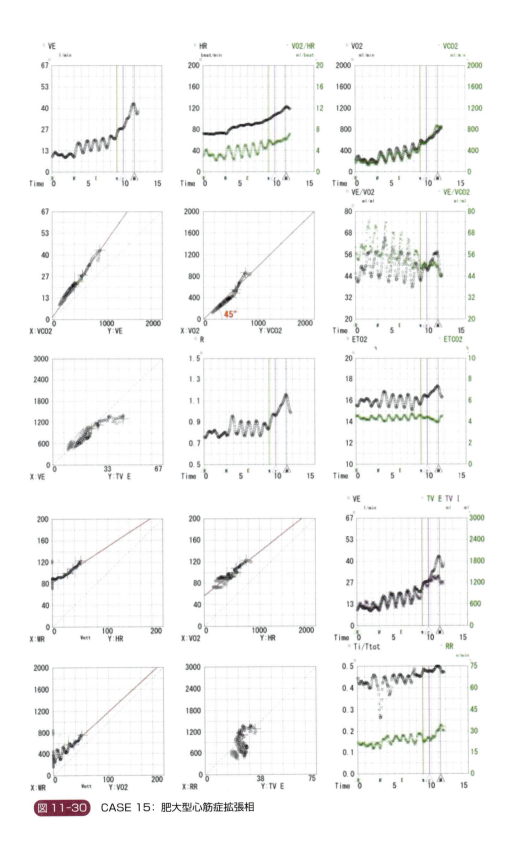

図 11-30 CASE 15: 肥大型心筋症拡張相

## CASE 16 ▶ 心臓移植後: 40歳代後半男性　図11-31, 図11-32

拡張型心筋症による LVAD 植込み後に心臓移植.

[解釈] 運動耐容能は peak $\dot{V}O_2$ 9.3 mL/分/kg, 同性同年比 43％ と大きく低下. 運動中の $O_2$ pulse は増大している. 心拍応答は大きく低下しており, 負荷終了後の心拍数の低下もまた不良である. これは除神経による影響である.

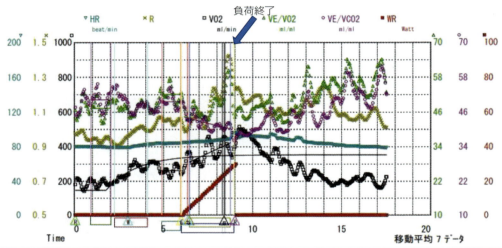

|  | Rest | WU | AT | RCP | Peak |
|---|---|---|---|---|---|
| HR/分 | 79 | 84 | 85 |  | 88 |
| $\dot{V}O_2$, mL/kg/分（％） |  |  | 7.6 (47) |  | 9.3 (43) |
| Load, watt | 0 | 0 | 3 |  | 24 |
| Minimum $\dot{V}E/\dot{V}CO_2$ |  | 36.2 | $\dot{V}E$ vs $\dot{V}CO_2$ slope |  | 34.3 |
| Peak $\dot{V}O_2$/HR（％） |  | 5.1 (43) | $\Delta\dot{V}O_2/\Delta WR$ |  | 7.26 |
|  |  |  | Peak R |  | 1.40 |

図11-31　CASE 16: 心臓移植後

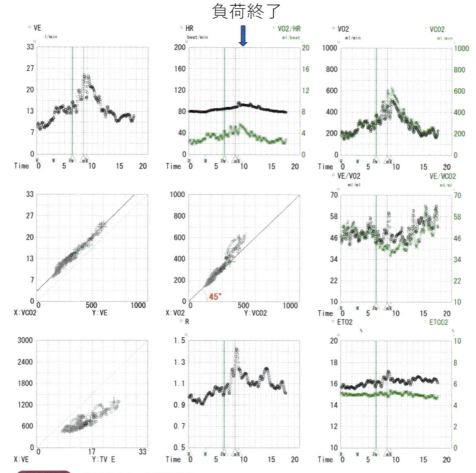

図 11-32　CASE 16：心臓移植後

## CASE 17 ▶ 心房粗動：70歳代前半男性　図 11-33，図 11-34

安静時は洞調律．WU に 3-1 心房粗動（AFL）が出現．25 watts，2.0 METs から心拍数 120 bpm の 2-1 心房粗動．

[解釈] 運動耐容能は peak $\dot{V}O_2$ 10.3 mL/分/kg，同性同年比 44％と大きく低下．運動中に AFL を認め心拍数は段階的に増大するが，運動中の $O_2$ pulse は増大している．また WR は予測 WR の 44％と大きく低下している．運動耐容能の低下の主因として下肢筋力があげられる．

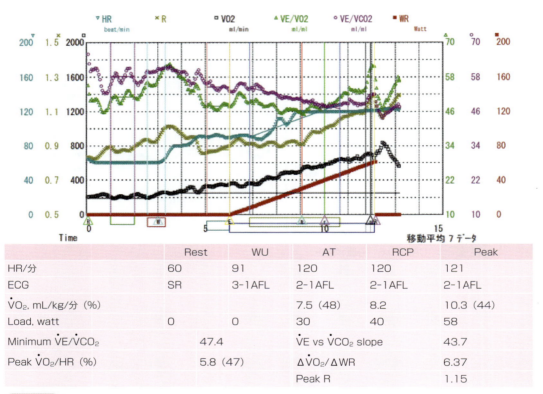

|  | Rest | WU | AT | RCP | Peak |
|---|---|---|---|---|---|
| HR/分 | 60 | 91 | 120 | 120 | 121 |
| ECG | SR | 3-1AFL | 2-1AFL | 2-1AFL | 2-1AFL |
| $\dot{V}O_2$, mL/kg/分（％） |  |  | 7.5 (48) | 8.2 | 10.3 (44) |
| Load, watt | 0 | 0 | 30 | 40 | 58 |
| Minimum $\dot{V}E/\dot{V}CO_2$ |  | 47.4 |  | $\dot{V}E$ vs $\dot{V}CO_2$ slope | 43.7 |
| Peak $\dot{V}O_2$/HR（％） |  | 5.8 (47) |  | $\Delta\dot{V}O_2/\Delta WR$ | 6.37 |
|  |  |  |  | Peak R | 1.15 |

図 11-33　CASE 17：心房粗動

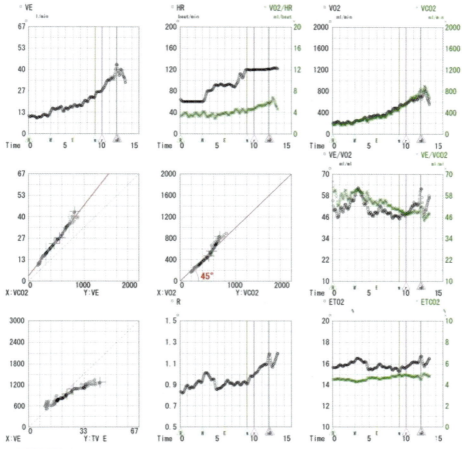

**図11-34** CASE 17: 心房粗動

## CASE 18 と 19 ▶ 心房細動アブレーション前後の CPX：70 歳代前半男性
### 図 11-35 〜 図 11-38

アブレーション前の心電図は心房細動．アブレーション後の心電図は洞調律．

[解釈] CASE 18（アブレーション前）運動耐容能は peak $\dot{V}O_2$ 15.3 mL/分/kg，同性同年比 66％と低下．運動中の $O_2$ pulse の増大はしているが増大は緩慢である．CASE 19（アブレーション後）運動耐容能は peak $\dot{V}O_2$ 18.1 mL/分/kg，同性同年比 79％とアブレーション前より改善．運動中の $O_2$ pulse はアブレーション前より増大．一方で最高心拍数はアブレーション後に低下しており，過剰であった心拍応答は低下している．換気効率も改善している．一方で peak WR は 81 から 78 watts とほぼ同様．アブレーション前では主に心拍数により必要な心拍出量を増大させ，アブレーション後は主に 1 回心拍出量の増大によって心拍出量を増大させている所見であった．

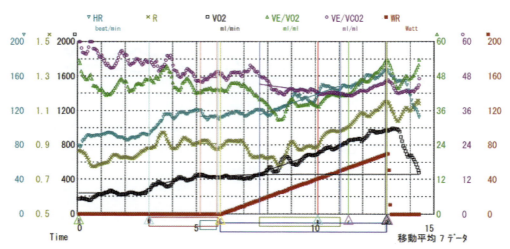

|  | Rest | WU | AT | RCP | Peak |
|---|---|---|---|---|---|
| HR/分 | 90 | 114 | 138 | 147 | 168 |
| $\dot{V}O_2$, mL/kg/分（％） |  |  | 11.0 (70) | 13.4 | 15.3 (66) |
| Load, watt | 0 | 0 | 39 | 60 | 81 |
| Minimum $\dot{V}E/\dot{V}CO_2$ |  | 41.3 |  | $\dot{V}E$ vs $\dot{V}CO_2$ slope | 36.1 |
| Peak $\dot{V}O_2$/HR（％） |  | 5.8 (40) |  | $\Delta\dot{V}O_2/\Delta WR$ | 10.0 |
|  |  |  |  | Peak R | 1.15 |

図 11-35　CASE 18：心房細動アブレーション前

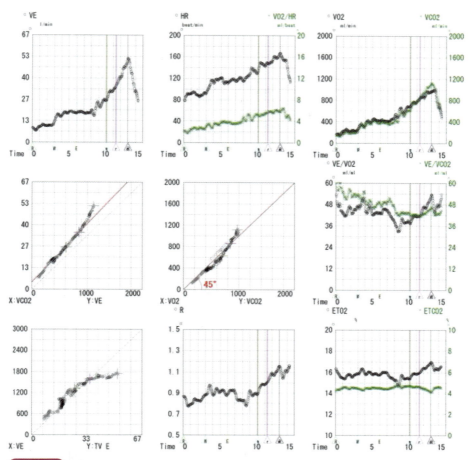

**図 11-36** CASE 18：心房細動アブレーション前

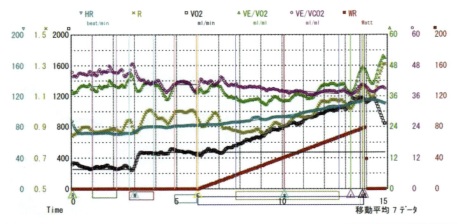

|  | Rest | WU | AT | RCP | Peak |
|---|---|---|---|---|---|
| HR/分 | 72 | 81 | 99 | 110 | 113 |
| $\dot{V}O_2$, mL/kg/分（%） |  |  | 12.5 (80) | 17.1 | 18.1 (79) |
| Load, watt | 0 | 0 | 41 | 72 | 78 |
| Minimum $\dot{V}E/\dot{V}CO_2$ |  | 36.4 |  | $\dot{V}E$ vs $\dot{V}CO_2$ slope |  | 34.6 |
| Peak $\dot{V}O_2$/HR（%） |  | 10.3 (73) | $\Delta \dot{V}O_2/\Delta WR$ |  | 10.8 |
|  |  |  | Peak R |  | 1.16 |

図11-37　CASE 19：心房細動アブレーション後

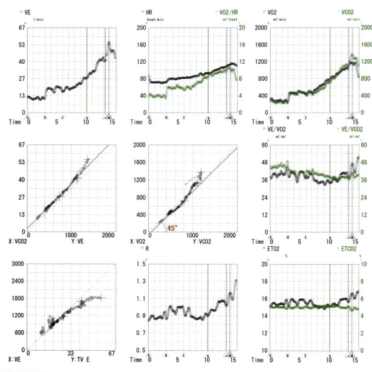

図11-38　CASE 19：心房細動アブレーション後

## CASE 20 と 21 ▶ 大動脈弁狭窄症にて大動脈弁置換術後，三束ブロックにてペースメーカ植え込み後の胸部圧迫感精査目的の CPX：70 歳代後半男性 図11-39 〜 図11-42

[解釈] CASE 20（ペースメーカ調整前）．CASE 21（ペースメーカ調整後）．運動耐容能は peak $\dot{V}O_2$ 12.0 mL/分/kg，同性同年比 56％ と低下．A sense，V sense であった PM 波形が AT より A sense，V pacing 波形に変化．その結果 AV delay が長かったため，AT 以降に心拍数が低下に転じた．心電図の ST 変化や運動中の $O_2$ pulse 低下は認めなかった（下肢症候限界で検査終了．運動後半から胸部違和感あり）．AV delay を短くして 1 カ月後に CPX 再検．下肢症候限界まで施行．検査終了時まで胸部違和感は認めなかった．運動耐容能は増大し，$O_2$ pulse は RCP 付近では平定化するが前回に比べて大きく増大した．換気効率も改善した．心拍数低下は認めなかった．運動中のペースメーカによる心拍数低下が胸部圧迫感の原因であった．

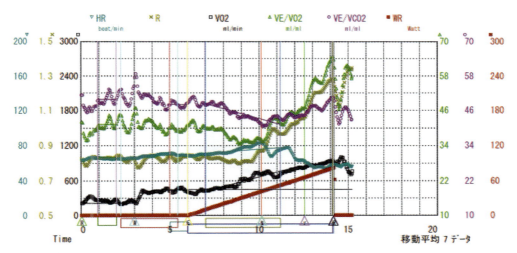

|  | Rest | WU | AT | RCP | Peak |
|---|---|---|---|---|---|
| HR/分 | 65 | 69 | 83 | 62 | 58 |
| $\dot{V}O_2$, mL/kg/分（％） |  |  | 9.3 (67) | 10.6 | 12.0 (56) |
| Load, watt | 0 | 0 | 41 | 65 | 81 |
| Minimum $\dot{V}E/\dot{V}CO_2$ |  | 40.5 | $\dot{V}E$ vs $\dot{V}CO_2$ slope |  | 40.5 |
| Peak $\dot{V}O_2$/HR（％） |  | 15.9 (96) | $\Delta\dot{V}O_2/\Delta WR$ |  | 7.59 |
|  |  |  | Peak R |  | 1.28 |

図11-39　CASE 20：PM 調整前

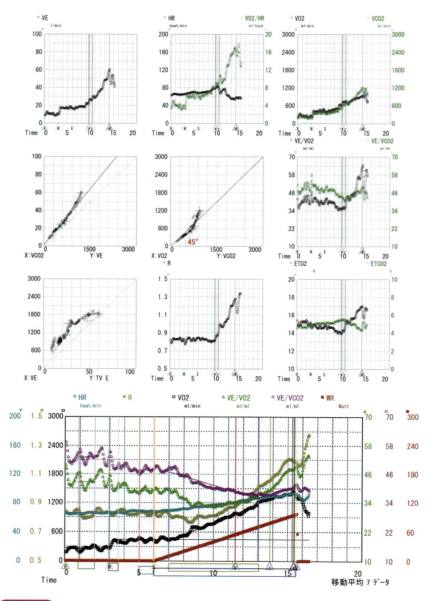

図 11-40　CASE 20: PM 調整前

|  | Rest | WU | AT | RCP | Peak |
|---|---|---|---|---|---|
| HR/分 | 65 | 67 | 80 | 89 | 93 |
| $\dot{V}O_2$, mL/kg/分 (%) |  |  | 12.6 (92) | 16.5 | 18.5 (86) |
| Load, watt | 0 | 0 | 54 | 78 | 94 |
| Minimum $\dot{V}E/\dot{V}CO_2$ |  | 36.9 | $\dot{V}E$ vs $\dot{V}CO_2$ slope |  | 32.9 |
| Peak $\dot{V}O_2$/HR (%) |  | 15.3 (92) | $\Delta \dot{V}O_2/\Delta WR$ |  | 12.1 |
|  |  |  | Peak R |  | 1.19 |

図 11-41　CASE 21: PM 調整後

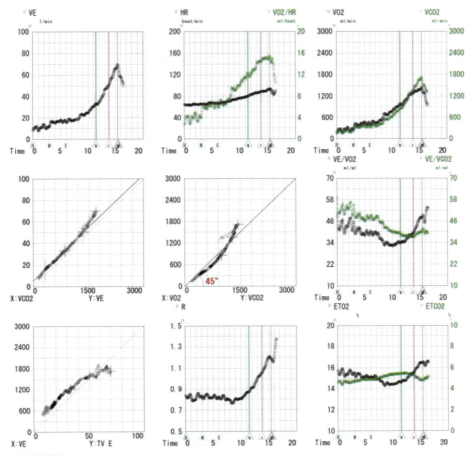

図 11-42　CASE 21：PM 調整後

第 11 章　CPX の実例　267

## CASE 22 と 23 ▶ 虚血性心疾患による HFrEF．一次予防目的の ICD 植え込み後：50 歳代男性　図 11-43 〜 図 11-46

虚血性心疾患による HFrEF．左室駆出率 33% と低値で，血圧低下のためカルベジロールを減量しイバブラジンを追加．薬剤変更後心拍数は低下したが息切れは変わらず，息切れ精査のため CPX 施行．

[解釈] CASE 22（ペースメーカ調整前），CASE 23（ペースメーカ調整後）．運動耐容能は peak $\dot{V}O_2$ 15.9 mL/分/kg，同性同年比 63% と低下．運動中の $O_2$ pulse は増大しているが，A pacing V sense であったが心拍数は増大不良．また運動中の呼吸は乱れており換気効率も低下していた．ICD に rate response（RR）を導入し CPX 再検．心拍応答は著明に改善した．Peak 時の心拍数は 63 bpm から 121 bpm に増大した．運動耐容能も大きく増大．呼吸様式も安定し換気効率も大きく改善した．ICD の心拍応答不良が息切れの原因であった．

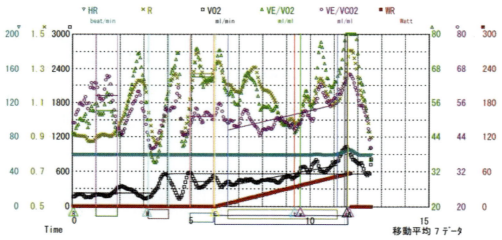

|  | Rest | WU | AT | RCP | Peak |
|---|---|---|---|---|---|
| HR/分 | 59 | 59 | 59 | 59 | 63 |
| $\dot{V}O_2$, mL/kg/分（%） |  |  | 10.3 (67) | 10.3 | 15.9 (63) |
| Load, watt | 0 | 0 | 36 | 36 | 55 |
| Minimum $\dot{V}E/\dot{V}CO_2$ |  | 44.4 | $\dot{V}E$ vs $\dot{V}CO_2$ slope |  | 47.0 |
| Peak $\dot{V}O_2$/HR（%） |  | 10.4 (64) | $\Delta \dot{V}O_2/\Delta WR$ |  | 13.6 |
|  |  |  | Peak R |  | 1.28 |

図 11-43　CASE 22：ICD-RR 調整前

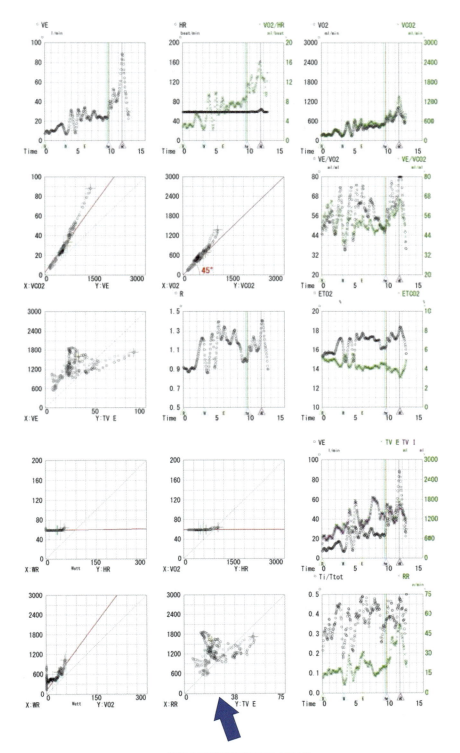

運動中の呼吸は乱高下している

図11-44 CASE 22: ICD-RR調整前

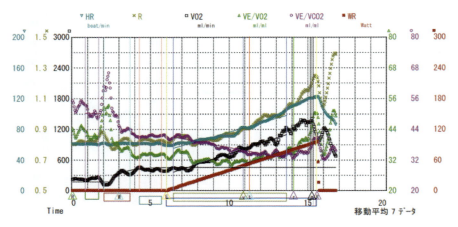

|  | Rest | WU | AT | RCP | Peak |
|---|---|---|---|---|---|
| HR/分 | 61 | 61 | 83 | 111 | 121 |
| $\dot{V}O_2$, mL/kg/分（％） |  |  | 13.7（90） | 20.3 | 22.5（88） |
| Load, watt | 0 | 0 | 49 | 81 | 92 |
| Minimum $\dot{V}E/\dot{V}CO_2$ |  | 32.7 |  | $\dot{V}E$ vs $\dot{V}CO_2$ slope | 30.8 |
| Peak $\dot{V}O_2$/HR（％） |  | 11.2（75） |  | $\Delta \dot{V}O_2/\Delta WR$ | 10.9 |
|  |  |  |  | Peak R | 1.25 |

図 11-45　CASE 23：ICD-RR 調整後

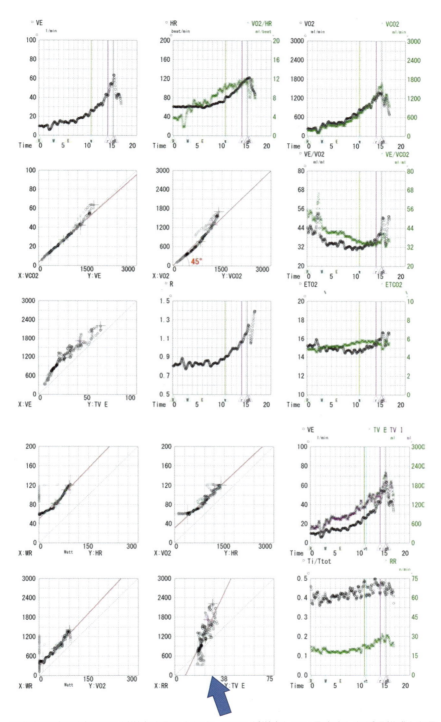

運動中の呼吸は主に TV が増大することによって VE が増大している安定した呼吸様式となる

図 11-46 CASE 23: ICD-RR 調整後

## CASE 24 ▶ ファロー四徴症術後, 心室中隔欠損残存, 右-左シャント: 40 歳代女性 図11-47, 図11-48

運動耐容能精査目的に CPX 施行.

[解釈] 運動耐容能は peak $\dot{V}O_2$ 9.6 mL/分/kg, 同性同年比 41％と大きく低下. 運動中の $O_2$ pulse も増大不良であり, 特に RCP からは平定化する. Peak $O_2$ pulse の数値としても低値である. 換気効率は大きく低下しており, Y 切片（−1.4）は陰性となり肺高血圧を疑う所見を認める. Panel 9 では WU より $ETCO_2$ は大きく低下し, その後もゆっくりと低下する右左シャントが示唆される所見であった. ファロー四徴症術後の心室中隔欠損残存症例であるが, 肺高血圧を呈し心室の右左シャントが示唆された.

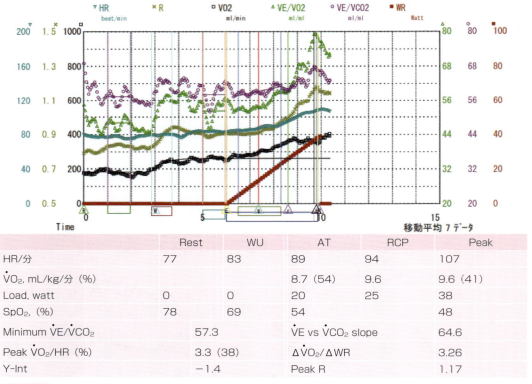

|  | Rest | WU | AT | RCP | Peak |
|---|---|---|---|---|---|
| HR/分 | 77 | 83 | 89 | 94 | 107 |
| $\dot{V}O_2$, mL/kg/分 (%) |  |  | 8.7 (54) | 9.6 | 9.6 (41) |
| Load, watt | 0 | 0 | 20 | 25 | 38 |
| $SpO_2$, (%) | 78 | 69 | 54 |  | 48 |
| Minimum $\dot{V}E/\dot{V}CO_2$ |  | 57.3 | $\dot{V}E$ vs $\dot{V}CO_2$ slope |  | 64.6 |
| Peak $\dot{V}O_2$/HR (%) |  | 3.3 (38) | $\Delta\dot{V}O_2/\Delta WR$ |  | 3.26 |
| Y-Int |  | −1.4 | Peak R |  | 1.17 |

図11-47 CASE 24: ファロー四徴症術後, 心室中隔欠損残存

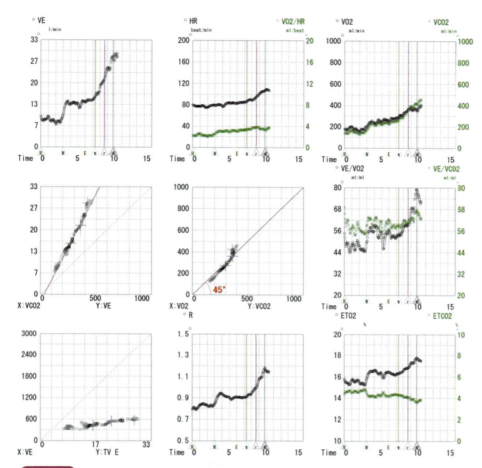

図11-48 CASE 24：ファロー四徴症術後．心室中隔欠損残存

## CASE 25 ▶ HFrEF＋軽症 COPD：70 歳代後半男性　図11-49，図11-50

高血圧性心不全および心房細動による HFrEF（左室駆出率 39％）と 1 秒率 75.8％と診断基準には至らないが 1 秒率低下傾向であり，喫煙歴（40 本/日×20 年間）も加味して COPD が疑われる症例．

[解釈] 運動耐容は peak $\dot{V}O_2$ 10.7 mL/分/kg，同性同年比 49％と大きく低下．Oscillation を認めるが前回 CPX（未提示）と比較し改善傾向．運動中の $O_2$ pulse は増大している．一方で換気効率は大きく増悪．Y 切片は 5.8（＞4.06）と高値，一部には心不全および oscillation による換気効率の増悪もあるが，病歴と Y 切片から無症候性の潜在的な COPD も疑われた．

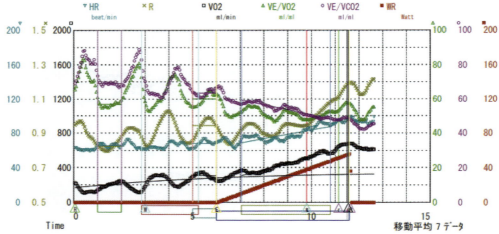

|  | Rest | WU | AT | RCP | Peak |
|---|---|---|---|---|---|
| HR/分 | 66 | 68 | 84 | 95 | 96 |
| $\dot{V}O_2$, mL/kg/分（％） |  |  | 8.0 (50) | 10.2 | 10.7 (49) |
| Load, watt | 0 | 0 | 38 | 51 | 55 |
| $SpO_2$ (％) | 98 | 98 | 98 |  | 97 |
| Minimum $\dot{V}E/\dot{V}CO_2$ |  | 47.6 |  | $\dot{V}E$ vs $\dot{V}CO_2$ slope | 39.3 |
| Peak $\dot{V}O_2$/HR (％) |  | 7.0 (63) |  | $\Delta\dot{V}O_2/\Delta WR$ | 7.62 |
| Y-Int |  | 5.8 |  | Peak R | 1.18 |

図 11-49　CASE 25：HFrEF＋軽症 COPD

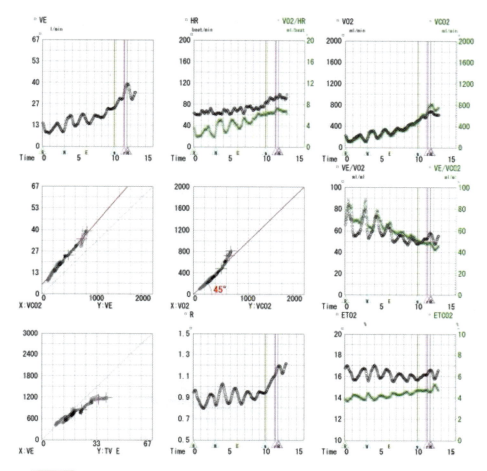

図 11-50 CASE 25: HFrEF＋軽症 COPD

## CASE 26 ▶ HFrEF と COPD：60 歳代男性　図11-51，図11-52

拡張型心筋症による HFrEF および 1 秒率 45.8％と低下した GOLD 分類 3 の COPD の方．Peak R 1.09 であるが息切れ強くなり検査終了（Borg scale：SOB 20）．

[解釈] 運動耐容は peak $\dot{V}O_2$ 10.5 mL/分/kg，同性同年比 43％と大きく低下．運動中の $O_2$ pulse は増大している．心拍応答は不良．心拍予備能も保持されている．一方で MVV-peak VE＝5＜18 L/分と呼吸予備能は低下しており，peak 時の $SpO_2$ 低下（80％），Ti/TOT＜0.40，Y 切片 4.30＞4.06 と運動中の肺閉塞性障害の所見を認めており，運動中の息切れの原因は HFrEF ではなく，COPD と判断された．

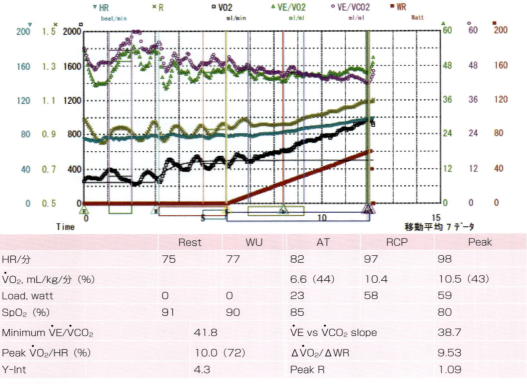

|  | Rest | WU | AT | RCP | Peak |
|---|---|---|---|---|---|
| HR/分 | 75 | 77 | 82 | 97 | 98 |
| $\dot{V}O_2$, mL/kg/分（％） |  |  | 6.6 (44) | 10.4 | 10.5 (43) |
| Load, watt | 0 | 0 | 23 | 58 | 59 |
| $SpO_2$（％） | 91 | 90 | 85 |  | 80 |
| Minimum $\dot{V}E/\dot{V}CO_2$ |  | 41.8 |  | $\dot{V}E$ vs $\dot{V}CO_2$ slope | 38.7 |
| Peak $\dot{V}O_2$/HR（％） |  | 10.0 (72) |  | $\Delta\dot{V}O_2/\Delta WR$ | 9.53 |
| Y-Int |  | 4.3 |  | Peak R | 1.09 |

図11-51　CASE 26：HFrEF と COPD

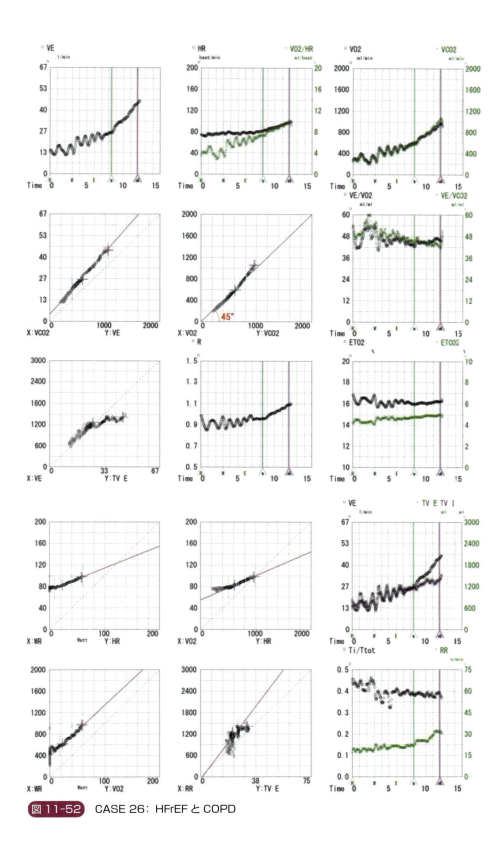

図 11-52 CASE 26: HFrEF と COPD

## CASE 27 ▶ 巨大ブラ＋COPD：40歳代男性　図 11-53，図 11-54

CT にて巨大ブラを認める COPD の方．1秒率は 20.6％と低下した GOLD 分類 4 の COPD．呼吸が落ち着かず検査を慎重に開始．安静時ガス交換比が 1.0 を過換気で超えている．

[解釈] 運動耐容能は peak $\dot{V}O_2$ 12.2 mL/分/kg，同性同年比 45％と大きく低下．運動開始時より Ti/TOT は 0.4 を下回り，運動中全てにおいて呼気延長を認める．AT になる前に息切れが強くなり検査終了．Min $\dot{V}E/\dot{V}CO_2$ ≫ $\dot{V}E$ vs. $\dot{V}CO_2$ slope，Y 切片高値の所見であり，肺閉塞性障害が疑われる．

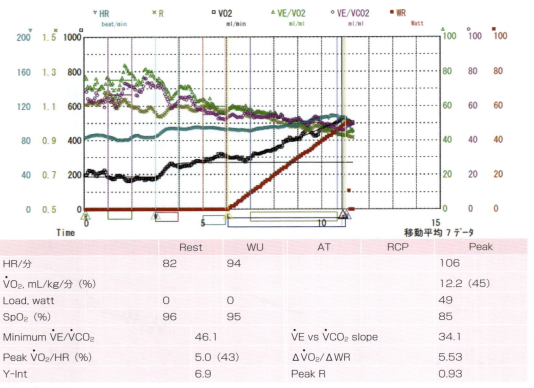

|  | Rest | WU | AT | RCP | Peak |
|---|---|---|---|---|---|
| HR/分 | 82 | 94 |  |  | 106 |
| $\dot{V}O_2$, mL/kg/分（％） |  |  |  |  | 12.2 (45) |
| Load, watt | 0 | 0 |  |  | 49 |
| $SpO_2$（％） | 96 | 95 |  |  | 85 |
| Minimum $\dot{V}E/\dot{V}CO_2$ |  | 46.1 | $\dot{V}E$ vs $\dot{V}CO_2$ slope |  | 34.1 |
| Peak $\dot{V}O_2$/HR（％） |  | 5.0 (43) | $\Delta \dot{V}O_2/\Delta WR$ |  | 5.53 |
| Y-Int |  | 6.9 | Peak R |  | 0.93 |

図 11-53　CASE 27：巨大ブラ

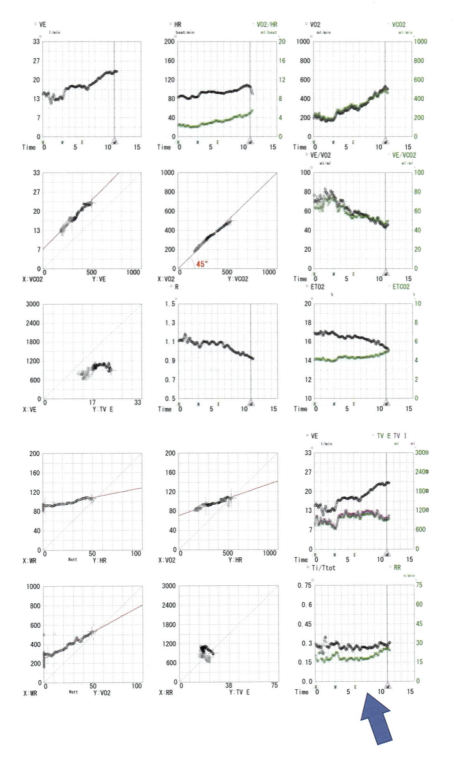

検査全般の Ti/TOT 低下

図 11-54　CASE 27: 巨大ブラ

## CASE 28 ▶ HFpEF＋心房細動，薬剤性間質性肺炎：60歳代男性 図11-55，図11-56

心電図は心房細動．検査終了時 Borg scale：leg fatigue 20/SOB 19．

[解釈] 運動耐容能は peak $\dot{V}O_2$ 16.6 mL/分/kg，同性同年比69％と低下．運動中の $O_2$ pulse は増大しており，心拍予備能も保持されている．一方で換気効率は大きく低下しており，peak 時の $SpO_2$ の低下も認めることから，現在の運動制限の因子としては間質性肺炎が疑われた．

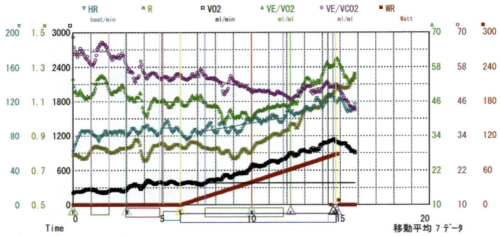

|  | Rest | WU | AT | RCP | Peak |
|---|---|---|---|---|---|
| HR/分 | 81 | 89 | 97 | 109 | 125 |
| $\dot{V}O_2$, mL/kg/分（％） |  |  | 10.0 (64) | 13.4 | 16.6 (69) |
| Load, watt | 0 | 0 | 40 | 60 | 77 |
| $SpO_2$（％） | 97 | 97 | 94 |  | 88 |
| Minimum $\dot{V}E/\dot{V}CO_2$ |  | 46.5 |  | $\dot{V}E$ vs $\dot{V}CO_2$ slope | 47.4 |
| Peak $\dot{V}O_2$/HR（％） |  | 8.9 (69) |  | $\Delta\dot{V}O_2/\Delta WR$ | 8.33 |
| Y-Int |  | 3.1 |  | Peak R | 1.15 |

図11-55　CASE 28：IP

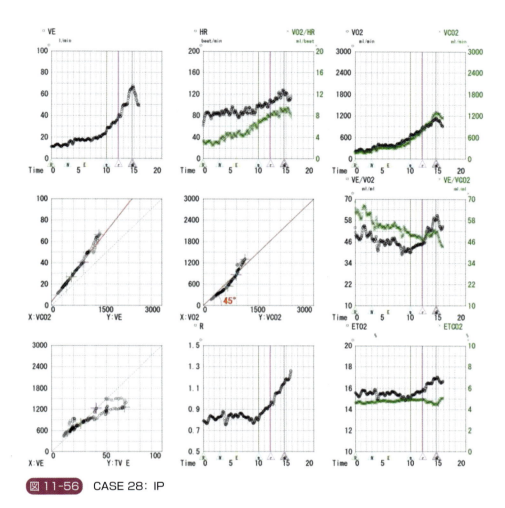

図 11-56　CASE 28: IP

## CASE 29 と 30 ▶ イバブラジン内服症例：50 歳代男性　178 cm，110 kg
### 図 11-57 ～ 図 11-60

拡張型心筋症による HFrEF の方．カルベジロール 20 mg，カンデサルタン，スピロノラクトン，エンパグリフロジン，ピモベンタン内服中の方．

[解釈] CASE 29（イバブラジン投与前 CPX）　下肢症候限界で検査終了．運動耐容能は peak V̇O₂ 13.3 mL/分/kg，同性同年比 51％ と低下しているが，体重補正を行うと良好（80.6％）．運動中の O₂ pulse は保持されているが，安静時心拍数は高く，心拍応答不良も認める（ΔHR/ΔWR×100：34.0）．予測 WR と比較すると peak WR は 36％ と下肢筋力低下．現在の運動制限因子として下肢筋力低下が示唆される．

CASE 30（イバブラジン 5.0 mg/日投与 3 カ月後 CPX）　下肢症候限界で検査終了．運動耐容能は低下している（peak V̇O₂ 14.8 mL/分/kg，同性同年比 54％）が前回より改善．運動中の O₂ pulse も増大している．安静時心拍数は前回より低下し，心拍応答（ΔHR/ΔWR×100）は 34.0 から 48.0 と増大．Peak WR はほぼ前回と同様．イバブラジンによる運動耐容能増大が示唆された．

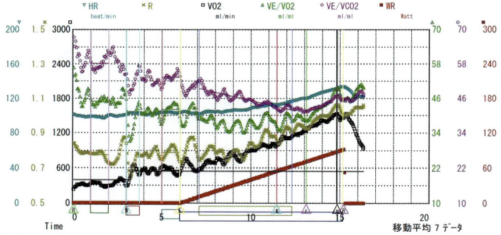

|  | Rest | WU | AT | RCP | Peak |
|---|---|---|---|---|---|
| HR/分 | 98 | 103 | 112 | 120 | 133 |
| V̇O₂, mL/kg/分（%） |  |  | 9.8 (64) | 11.2 | 13.3 (51) |
| Load, watt | 0 | 0 | 60 | 70 | 91 |
| Minimum V̇E/V̇CO₂ |  | 41.2 |  | V̇E vs V̇CO₂ slope | 36.0 |
| Peak V̇O₂/HR（%） |  | 10.6 (66) |  | ΔV̇O₂/ΔWR | 9.84 |
|  |  |  |  | Peak R | 1.01 |

図 11-57　CASE 29: Pre IVA

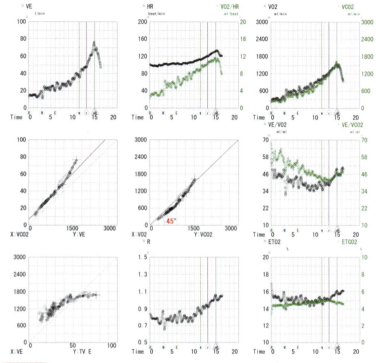

図 11-58　CASE 29: Pre IVA

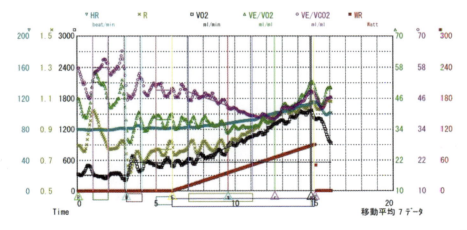

|  | Rest | WU | AT | RCP | Peak |
|---|---|---|---|---|---|
| HR/分 | 79 | 82 | 94 | 109 | 115 |
| $\dot{V}O_2$, mL/kg/分（%） |  |  | 9.8 (61) | 14.3 | 14.8 (54) |
| Load, watt | 0 | 0 | 48 | 80 | 88 |
| Minimum $\dot{V}E/\dot{V}CO_2$ |  | 37.9 | $\dot{V}E$ vs $\dot{V}CO_2$ slope |  | 37.9 |
| Peak $\dot{V}O_2$/HR（%） |  | 13.7 (83) | $\Delta \dot{V}O_2/\Delta WR$ |  | 15.0 |
|  |  |  | Peak R |  | 1.08 |

図 11-59　CASE 30: Post IVA

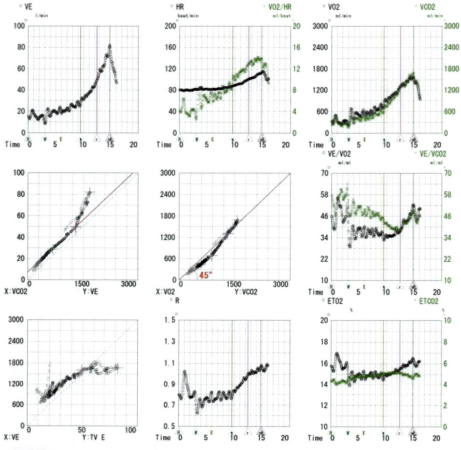

図 11-60　CASE 30: Post IVA

## CASE 31 ▶ 慢性血栓閉塞性肺高血圧症：60歳代後半女性　156 cm, 48.6 kg
図11-61, 図11-62

慢性血栓閉塞性肺高血圧症の方．

[解釈] 運動耐容能は peak $\dot{V}O_2$ 12.9 mL/分/kg，同性同年比53％と低下している．運動中の $O_2$ pulse も緩慢な増大．換気効率は大きく低下しており，Y切片もマイナスで肺高血圧を示唆する所見．Panel 9 より $ETCO_2$ は運動開始後から低下しており，肺高血圧症を示唆する所見．

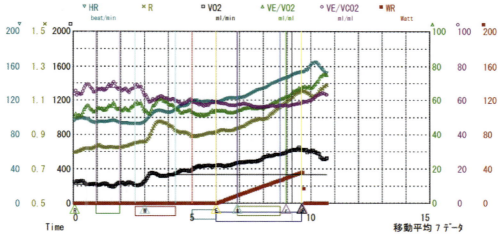

|  | Rest | WU | AT | RCP | Peak |
|---|---|---|---|---|---|
| HR/分 | 96 | 118 | 134 | 147 | 152 |
| $\dot{V}O_2$, mL/kg/分（％） |  |  | 10.9 (69) | 12.1 | 12.9 (53) |
| Load, watt | 0 | 0 | 20 | 29 | 34 |
| $SpO_2$（％） | 93 | 91 | 91 | 91 | 91 |
| Minimum $\dot{V}E/\dot{V}CO_2$ |  | 55.7 | $\dot{V}E$ vs $\dot{V}CO_2$ slope |  | 56.2 |
| Peak $\dot{V}O_2$/HR（％） |  | 4.1 (45) | $\Delta\dot{V}O_2/\Delta WR$ |  | 3.96 |
| Y-Int |  | −1.5 | Peak R |  | 1.15 |

図11-61　CASE 31：PH

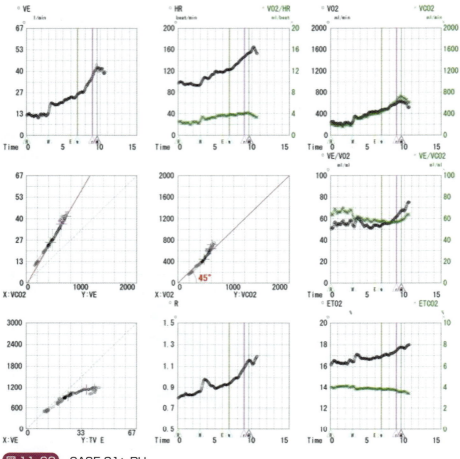

図 11-62　CASE 31：PH

## CASE 32 と 33 ▶ 拡張型心筋症＋心房細動症例へカルベジロール投与：50 歳代後半男性 図11-63 〜 図11-66

左室収縮能 45％の拡張型心筋症と慢性心房細動の方．エナラプリル，アルダクトン，ジゴキシン，利尿薬投与の後カルベジロール 5 mg 投与後前と投与後 7 日目の CPX．CPX 中の心電図波形はすべて心房細動．

[解釈] CASE 32（カルベジロール投与前）　運動耐容能は peak $\dot{V}O_2$ 23.9 mL/分/kg，同性同年比 91％と保持されている．運動中の $O_2$ pulse は RCP 以降に低下に転じる．心拍応答は過剰である．

CASE 33（カルベジロール投与後）　運動耐容能は前回より改善し，同性同年比 100％となった．運動中の $O_2$ pulse は AT 以降平定化するが低下度合いは前回より改善．換気効率は前回と変わりなし．心拍応答は引き続き過剰．

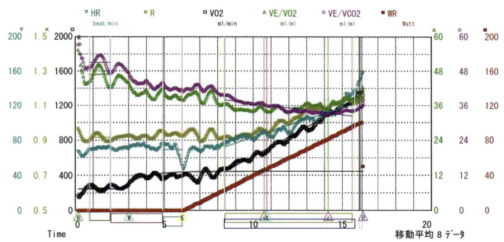

|  | Rest | WU | AT | RCP | Peak |
|---|---|---|---|---|---|
| HR/分 | 69 | 69 | 86 | 111 | 151 |
| $\dot{V}O_2$, mL/kg/分（%） |  |  | 11.8 (73) | 20.0 | 23.9 (91) |
| Load, watt | 0 | 0 | 47 | 81 | 100 |
| Minimum $\dot{V}E/\dot{V}CO_2$ |  | 32.3 | $\dot{V}E$ vs $\dot{V}CO_2$ slope |  | 29.2 |
| Peak $\dot{V}O_2$/HR（%） |  | 8.9 (58) | $\Delta\dot{V}O_2/\Delta WR$ |  | 11.0 |
|  |  |  | Peak R |  | 1.14 |

図11-63　CASE 32: Pre BB

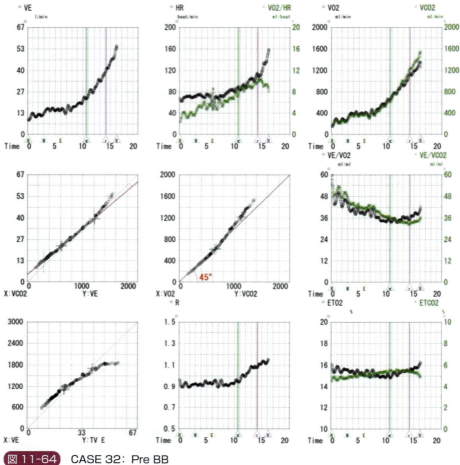

図 11-64　CASE 32: Pre BB

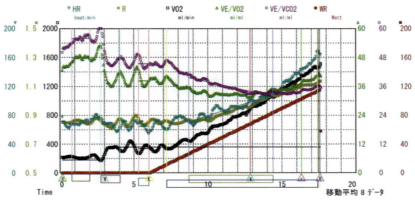

|  | Rest | WU | AT | RCP | Peak |
|---|---|---|---|---|---|
| HR/分 | 69 | 65 | 101 | 143 | 166 |
| $\dot{V}O_2$, mL/kg/分 (%) |  |  | 15.9 (98) | 24.3 | 26.3 (100) |
| Load, watt | 0 | 0 | 68 | 102 | 112 |
| Minimum $\dot{V}E/\dot{V}CO_2$ |  | 32.7 |  | $\dot{V}E$ vs $\dot{V}CO_2$ slope | 29.3 |
| Peak $\dot{V}O_2$/HR (%) |  | 8.8 (58) |  | $\Delta\dot{V}O_2/\Delta WR$ | 11.2 |
|  |  |  |  | Peak R | 1.13 |

図 11-65　CASE 33: Post BB

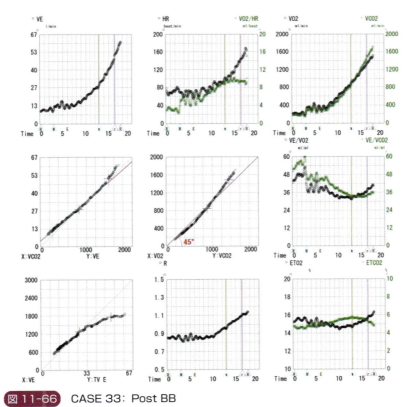

図 11-66　CASE 33: Post BB

〈村田 誠　安達 仁〉

# 第12章
# CPX のレポート

## 1 報告書に記載したい内容

図12-1 が当院の CPX 報告書の様式である．結論の欄が数行しかなく，そこに簡便かつ正確に記載しなければならない．そのため，重要な点のみを簡便に記載するようにしている．しかし，本章では，記載スペースの制約がない場合に何を考えてどのように記載しているかについて記す．報告書を書くにあたり 表12-1 のことを意識している．

## 2 CPX の依頼目的

CPX を依頼される理由は 表12-2 のことが多い．

胸痛の有無・原因精査の場合は心電図所見・胸痛・$\dot{V}O_2$/HR 平定化の有無から判断して，"positive for ischemia" あるいは "negative for ischemia" と記載する．CPX 上，心筋虚血を指示する所見がないにもかかわらず胸痛がある場合は，心膜炎や大血管疾患，肺高血圧症，胸膜炎，消化器疾患，整形外科疾患，Tieze 症候群，Mondor 病，心因性などを疑うが，CPX でそれらを診断することはできないため，他の疾患の可能性については記載しない．

表 12-1　CPX レポートを記載するにあたり意識するポイント

CPX の依頼目的
運動終了理由/虚血・不整脈の有無
運動耐容能
運動中の心機能
骨格筋機能
血管内皮細胞機能
自律神経応答
呼吸器疾患関連
結語

表 12-2　CPX の依頼理由

胸痛の有無・原因精査
虚血閾値の検索
狭心症重症度判定
息切れの原因精査
不整脈
運動処方作成依頼
運動許容範囲の確認
MVP（R）/MitraClip の効果予測
無症候性 AS の重症度判定
Rate response の設定

## 心肺運動負荷試験報告書　CPX-No.
### 検査日

なまえ
**名前**　　　　　　　　年齢　　歳 ○男 ○女　所属科

**I.D.**　　　　　身長　　cm 体重　　kg BMI　　　BFR　　％ Wt　　cm

%VC　％ FEV1.0%　％ IC　L MVV　L/min 気圧　　hPa

FEV1.0　　L × 40 ＝ eMVV　L/min

smoking :　　本/日×　年間

**診断**　□AMI □OMI □DCM □HHD □AP □DL □p/s CABG □p/s A/MVR □DM □Af □VT

| TTE :　*EF LAD IVST Dd E/A Dct E/E' MR AR TR　　　LD: *Hb *Crea *Na *Mecki score |
| --- |
| % |

**Rp.**　□ β blocker　□ACEI　□anti-platelet　□aspirin　□diuretic

**測定**　プロトコール　　　　　　測定項目 :

測定装置　○#1 ○#2.　終了時 : leg fatigue(),SOB(),CP()　.　　peak R: .

|  | rest | 0 watt | AT | RCP | peak |
| --- | --- | --- | --- | --- | --- |
| HR<br>BP<br>ECG | / | / | / | / | / |

| AT | ml/min/kg | watts | ％ (ito ％) | METs |
| --- | --- | --- | --- | --- |
| RCP | ml/min/kg | watts | | METs |
| peak | ml/min/kg | watts | ％ (ito ％) | METs |
|  | （予測 peak WR | watts ％ peak WR | ％ ) | |

minimum VE/VCO2　　　　　　　VE vs. VCO2 slope　　　　Y-int

peak VO2/HR　　　（　%）ml/beat　時定数　　　　　sec

△VO2/△WR　　　ml/min/watt　max ETCO2(PETCO2)　% (　mmHg)

**結論**

判読医

様の運動処方は以下のとおりです.

| HR@AT | beat/min | METs |
| --- | --- | --- |
| ergometer | watt | |
| velocity | | km/hr |
| incline | | % |

**図 12-1**　当院の CPX 報告書様式

診断欄はスペースが狭いため，DCM，OMI，HHD，IDA など略語を多用する．運動耐容能と心臓リハビリテーションに関与する疾患名を優先的に書く．

Rp 欄には胃薬や睡眠導入剤などは必ずしも記載せず，運動耐容能や心拍応答と心臓リハビリテーションに関連する薬物を記載する．

結論欄には表 12-4～表 12-6 のように要点を簡便に，なるべく CPX を知らないスタッフにも理解できるように記載する．

虚血閾値の判定は $\dot{V}O_2$/HR が早期に平定化し始めたワット数，心拍数，収縮期血圧，$\dot{V}O_2$（メッツ）を記載する．虚血閾値が 4 メッツ以下の場合は重症であると記載する．

息切れの原因精査の場合は，運動終了時の Borg 指数に注目し，SOB>LF の場合は肺気腫の存在を疑い，呼吸予備能，最大負荷時の $SpO_2$，Ti/Ttot，$\dot{V}E$ vs. $\dot{V}CO_2$ slope の Y 切片，cardiomuscle panel での位置について記載する．喫煙歴も確認して喫煙欄に必ず記載する．肺気腫らしくない場合には心不全の特徴を有しているか，骨格筋機能低下か心因性（不安定呼吸）かを確認して，それらを指示する指標を記載する．

不整脈の場合は，どの負荷レベルでどのような不整脈が出現したかを記載する．不整脈によって，収縮期血圧，$\dot{V}O_2$/HR，$\dot{V}O_2$，$\Delta$HR/$\Delta\dot{V}O_2$ に影響を与えたかどうかも記載する．これらは不整脈の重症度の指標である．

運動処方作成依頼の場合は，AT の負荷量を記載し，最大負荷までの間に危険な兆候があったかどうかを記載する．

運動許容範囲の確認の場合は，最大負荷において有意な ST 変化はなかったか，危険な不整脈は出なかったか，収縮期血圧が 250 mmHg 未満であったかについて記載する．

MVP（R）の効果予測の場合は，0 ワット warm-up において $\dot{V}E$/$\dot{V}CO_2$ が上昇するか否かを記載する．

無症候性 AS の重症度判定の場合はどの程度のワット数で収縮期血圧が低下し始めるか，$\dot{V}O_2$/HR が平定化し始めるかを記載する．

Rate response の設定の場合は，何種類かの rate response で AT レベルまで運動負荷を繰り返し，最も高い AT が得られた rate response を記載する．

## 3 運動負荷終了理由/虚血・不整脈の有無

運動負荷終了理由として考えられることを 表12-3 に示す．

十分な負荷が得られたと考えるのは，R が 1.10 以上，Borg 指数が 17 以上，RCP が得られている場合である．このような場合は "until exhaustion" と表現される．

「回転数を維持できず終了」というのは上記の「十分な負荷」を満たす前に回転数が 40 RPM を割ってしまったために負荷を中断した場合に記載する．下肢筋力低下が主であるが，$SpO_2$ が著しく低下している場合には COPD が原因のこともある．ただし COPD の場合には下肢筋力が

表12-3 運動負荷終了理由

十分な負荷が得られて終了（until exhaustion）
回転数を維持できず終了
VT にて終了
有意な虚血のために終了
自己判断にて終了

低下していることも多く，また低酸素が下肢脱力を誘発することもあるため，下肢筋力低下と呼吸不全両者の混在が原因ということもありうる．

VT や有意な虚血のために終了した場合には，それらが発生した運動強度，血圧，心拍数，メッツ数を記載する．負荷を中断するべき不整脈は VT だけではなく，AFL や AFib，房室ブロックなども同様である．

「自己判断にて終了」というのは呼気ガス分析上，中断するような身体的状況ではないにもかかわらず回転を止めてしまった場合で，終了時 Borg 13 の場合も 19 の場合もある．

## 4 運動耐容能

運動耐容能は AT と peak $\dot{V}O_2$ から考慮する．予測値と比較した％表示も必須である．80％未満の場合，低下と判断する．体重が標準値と大きく異なる場合には，標準体重であった場合の数値とも比較する．

## 5 運動中の心機能

運動中の心機能は $\dot{V}O_2/HR$ の傾き（$\Delta(\dot{V}O_2/HR)/\Delta WR$），peak $\dot{V}O_2/HR$，maximum $ETCO_2$ で評価する．$\dot{V}O_2/HR$ は $\beta$ 遮断薬の影響を受けるため評価に注意が必要である．同一患者で $\beta$ 遮断薬前後で比較する場合は「心収縮予備能」を評価できるため，その結果を記載することもある．また，％ peak $\dot{V}O_2$ と％ peak $\dot{V}O_2/HR$ を比較して，％ peak $\dot{V}O_2$ が低下しているときにそれと同程度に％ peak $\dot{V}O_2/HR$ が低下している場合は心ポンプ機能の低下を考える．

## 6 骨格筋機能

骨格筋力は％ peak WR，％ AT と％ peak $\dot{V}O_2$ の比較などで評価する．％ peak WR が 80％未満の場合，筋力低下を考える．％ AT よりも％ peak $\dot{V}O_2$ が低い場合，運動後半における心ポンプ機能低下をきたす要素がない場合には骨格筋力低下を考える．

骨格筋機能は $\Delta\dot{V}O_2/\Delta WR$ で評価する．低下している場合には酸化酵素活性が低下している可能性があると記載する．

## 7 血管内皮細胞機能

当院では CPX の時に impedance cardiography を併用しているため，そのデータから評価して

いる．最大負荷時の SVRi（全身血管抵抗指数）が 1,000 dyne・sec・cm$^{-5}$ 未満の場合，血管内皮細胞機能が低下していると記載する．血圧の影響を受ける指標であるが，心不全のように血圧上昇応答が低下していても，最大負荷時の SVRi が 1500 などと高値を示す場合には異常と考える．なお，SVR の標準値は 1,200±200 とされている．

## 8 自律神経応答

　安静時心拍数が早く，ランプ負荷中の ΔHR/ΔWR が 0.6 よりも大きく下回り，十分負荷をかけたにもかかわらず 220−年齢の予測最高心拍数よりも大きく下回っている場合，交感神経活性が亢進していると考える．一方，安静時心拍数が正常範囲内で変動（ゆらぎ）が大きい場合には副交感神経活性が有意であると考え，必要ならば記載する．

## 9 呼吸器疾患関連

　COPD が疑われる時，呼吸予備能，SpO$_2$，Borg 指数，cardiomuscle panel，Ti/Ttot，IC-peak TV を評価し，運動耐容能の規定因子が呼吸機能障害であるのかどうかを記載する．

## 10 結論

　運動耐容能が低下している場合，制限因子がなにか，心臓リハビリテーションで治療可能か，どのような心臓リハビリテーションが望まれるかを記載する．　表12-4 〜 表12-7 に結論欄の記載例を示す．要点を簡便に，なるべく CPX を知らないスタッフにも理解できるように記載する．

表12-4　狭心症の場合の結論欄の記入例

結論: positive for ischemia（4.8 METs，HR 104，SBP 148 にて ST 有意に低下）
　　　 negative for arrhythmia
運動耐容能正常（AT 84%，peak V̇O$_2$ 78%）
運動中の心機能: 傾き正常だが HR 104 で平定化
Cardiomuscle panel: 中央
心拍応答低下（ΔHR/ΔWR 0.48）
※虚血閾値以下での心リハが望まれる

**表 12-5** HFrEF の場合の結論欄の記入例

結論: negative for ischemia/arrhythmia
運動耐容能低下（AT 76%, peak $\dot{V}O_2$ 66%）
運動中の心機能低下: peak $\dot{V}O_2P$ 66%, 傾き低下, $ETCO_2$ およそ 70%, 心拍応答低下
骨格筋機能低下: % AT＞% peak $\dot{V}O_2$, % peak WR 低下, $\Delta\dot{V}O_2/\Delta WR$ 低下
浅く速い呼吸（＋）: TV/RR 580　Cardiomuscle panel: やや下方
血管内皮細胞機能低下
※有酸素運動および抵抗運動, 食事療法が望まれる, 85% peak での HIIT 可

「スペースが狭いため $\dot{V}O_2$/HR はしばしば $O_2P$ と記載される.
骨格筋量増大による骨格筋ポンプ増強＋エルゴリフレックス改善および筋力改善による運動耐容能改善を目ざして」と記載したいがスペースの関係で省略している. カルテにはなるべく省略しないで記述する.

**表 12-6** HFpEF の場合の結論欄の記入例

結論: negative for ischemia/arrhythmia
運動耐容能正常下限, 骨格筋機能正常, 心拍応答正常
$O_2P$ 早期平定化（HR 110）
※虚血なく HFpEF と思われる. HR 110 未満における拡張障害治療目的の心リハが
　望まれる

換気応答が正常な場合, 記載しないこともある.

**表 12-7** 肺気腫合併心不全の場合の結論欄の記入例

結論: negative for ischemia
運動耐容能低下, 心機能正常下限
骨格筋機能低下: % peakWR 70%, % AT＞% peak $\dot{V}O_2$
MVV≒peak $\dot{V}E$, 運動終了時 Borg19＞LF, $SpO_2$ 低下, Ti/Ttot 低下（－）
※運動耐容能低下の主要因は COPD

〈安達 仁〉

# 第13章
# 運動療法実施法
# リアルワールド

## 1 心筋梗塞

　急性冠症候群（ACS: acute coronary syndrome）患者に対する心臓リハビリテーション（以下，心リハ）は，表13-1-1 に示されるように運動耐容能や冠危険因子を改善し，QOL（quality of life）を向上させ，再発・心血管死亡率や総死亡率を低下させることなど様々な効果が認められていて[1]，推奨クラス・エビデンスレベルにおいても高く推奨されており，心リハを実施しないとデメリットが上回ってしまう．また，日本循環器学会の急性冠症候群ガイドライン[2]では，クリニカルパスを用いて急性期心臓リハビリテーションを行うことも強く推奨されている．「急性期心臓リハビリテーションプログラム」は 表13-1-2 のガイドライン[1] の基準

表 13-1-1　急性冠症候群患者に対する心臓リハビリテーションの推奨とエビデンスレベル

| | 推奨クラス | エビデンスレベル | Minds推奨グレード | Minds エビデンス分類 |
|---|---|---|---|---|
| 運動耐容能の改善，QOL の向上，予後の改善を目的に，回復期心臓リハビリテーションを継続する． | I | A | A | I |
| 急性期にクリニカルパスを用いて急性期心臓リハビリテーションを行う． | I | A | B | II |
| 予後，身体活動度，追加治療の必要性の評価のために，退院前または退院後早期に運動負荷試験を行う． | I | A | B | II |
| 外来心臓リハビリテーションへの導入率を高めるため，主治医が積極的に心臓リハビリテーションを勧める． | I | A | A | I |
| 外来心臓リハビリテーションにおいて，中・高リスク例であっても安定状態であれば，外来では通院監視型運動療法と非監視型在宅運動療法を併用する． | I | A | A | I |
| 急性心筋梗塞後のリスクを評価し，低リスク例では早期退院を考慮する． | IIa | A | B | II |
| 良好な早期再灌流が達成され，明らかな合併症を伴わない患者に対し，早期離床のため CCU での急性期早期から心臓リハビリテーションを考慮する． | IIa | B | B | II |
| 運動療法にはレジスタンストレーニングも組み合わせることを考慮する． | IIa | B | B | II |

（日本循環器学会．日本心臓リハビリテーション学会合同ガイドライン 心血管疾患におけるリハビリテーションに関するガイドライン（2021 年改訂版）．2021. p.39.
https://www.j-circ.or.jp/cms/wp-content/uploads/2021/03/JCS2021_Makita.pdf. [1] 2023 年 7 月閲覧）

296　CPX・運動療法ハンドブック

**表 13-1-2** 急性期心臓リハビリテーションプログラムの基準

| 1週間プログラム |
|---|
| ① CK/CK-MB 最高値 <1,000/100 IU/L |
| ② Killip 分類クラス I〜II |
| ③ 心筋梗塞の既往なし |
| ④ PCI 成功 |
| ⑤ LVEF≧30% |
| **2週間プログラム** |
| 上記②〜⑤すべてを満たす症例 |
| **3週間プログラム** |
| 1，2週間プログラムに属さない症例 |

(日本循環器学会．慢性冠動脈疾患ガイドライン（2018年改訂版）．2018. p.77. https://www.j-circ.or.jp/cms/wp-content/uploads/2018/11/JCS2018_kimura.pdf. 2013年7月閲覧)

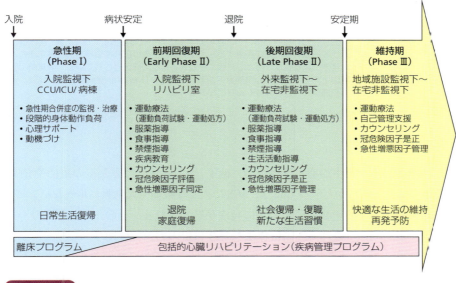

**図 13-1-1** 心臓リハビリテーション時期的区分
(Izawa H, et al. Circ J. 2019; 83: 2394-8)

に沿って行うとされている．心リハは包括的かつ長期の介入プログラムであり，発症（手術）当日から離床までの「急性期（第 I 相：phase I）」，離床後の「回復期（第 II 相：phase II）」（前期回復期，後期回復期），社会復帰以降の生涯を通じて行われる「維持期（第 III 相：phase III）」に分類されている 図 13-1-1 [1]．離床プログラムと並行して患者教育を行い患者本人に病態や予防の重要性を早期より理解してもらうことで，退院後のアドヒアランスを向上させることにもつながる．

## A 急性期〜維持期までの運動療法の流れ

急性期（第 I 相：phase I）の心リハは，ACS を発症し緊急で経皮的冠動脈インターベンション（PCI：percutaneous coronary intervention）治療後の集中治療室より超急性期

| 表13-1-3 | 心筋梗塞後の合併症 |
|---|---|
| 心不全と心原性ショック | 梗塞により壊死に陥った心筋量が多いと，左室のポンプ機能が低下し左心不全をきたす．広範囲前壁梗塞や多枝病変患者にみられる．急性心筋梗塞の重症度はKillipによるポンプ失調分類にみられるようにKillip Ⅱ～Ⅲ型が急性左心不全，Ⅳ型が新原性ショックで，その順に死亡率が高くなる． |
| 心室不整脈 | 発症後数日間は心室期外収縮（PVC）が多く出現する．6個/分以上のPVC，多源性PVC，3連発以上のPVC，R on Tは心室頻拍や心室細動に移行する可能性が高く注意を要する． |
| 心室頻拍（$\dot{V}T$），心室細動（$\dot{V}F$） | 最も重篤な不整脈で，発症から1時間以内が多く，心臓突然死の多くを占めている． |
| 徐脈性不整脈 | 特に下壁梗塞では反射性副交感神経の緊張のため，洞性徐脈をきたす．また，房室結節の虚血によって種々の房室伝導障害をきたしやすい．高度徐脈となった場合は一次ペーシングが必要であるが，一時的なことが多く永久ペースメーカが必要になることは少ない．逆に前壁梗塞に房室ブロックを合併した場合は予後不良である． |
| 再灌流不整脈 | 再灌流直後に，前壁梗塞では心室不整脈が，下壁梗塞では徐脈性不整脈が一過性に出現することがある．まれにVFに移行する場合がある． |
| 心破裂 | 急性心筋梗塞に伴う心破裂には，左室自由壁破裂，心室中隔穿孔と乳頭筋断裂がある．乳頭筋断裂は右冠動脈あるいは回旋枝の閉塞に伴って起こり，僧帽弁の後乳頭筋が断裂し，急激な僧帽弁逆流のため肺水腫となる． |
| 心筋炎 | 発症当日から数週間以内の比較的早期にみられる場合と，Dressler症候群とよばれる比較的遅れた時期に発生するものがある．前者は広範前壁梗塞に合併することがあり，梗塞による炎症が直接心外膜に波及することが原因とされている．吸気時の胸痛，心電図上のST上昇，心膜摩擦音が聴取される．Dressler症候群では，発熱，全身倦怠，白血球増多，心膜液貯留などがみられる． |

から開始される．集中治療室獲得性筋力低下（ICU-AW）は退院後の生活やQOLに影響を及ぼすことが明らかとなっており，ACSで人工呼吸器や大動脈バルーンパンピングなどの生命維持装置を使用している場合に発症が懸念される．そのため，呼吸リハビリテーション，予防的体位管理，腹臥位療法など3日以内の超急性期リハビリテーションを行うとされている[2]．また，重症心筋梗塞の場合には，安静臥床に伴う骨格筋機能低下やデコンディショニングからの回復を目的とした運動療法を行う．その場合は，ベッド上でのフィジオロールやセラバンドを用いた上下肢トレーニングやベッドサイドにおける自重によるプレトレーニングから開始する．ACS発症後は循環不全の場合もあるため，現行治療や医師指示を確認し，発症後の合併症 表13-1-3 を把握した上で進めることがきわめて重要である．当院ではPCI後2日目より主治医から理学療法士へのリハビリテーション指示が出されることが多く，心筋梗塞後のクリニカルパス 表13-1-4 に従って運動療法を進める．ADLや身体機能に大きな問題がなくクリニカルパスの心肺運動負荷試験（CPX: cardiopulmonary exercise testing）を実施後，運動療法室で集団運動療法を開始していく．運動療法開始時はメディカルチェックを行い，運動を安全に実施できる状態かどうか確認する．運動療法の構成内容は10分間のウォーミングアップ，15～30分間の有酸素運動，10分間クーリングダウンを実施する．近年では患者の高齢化，フレイルや重複疾患を有している患者が多く一律に有酸素運動を実施できないこともある．患者の身体的評価に基づき，低強度レジスタンストレーニングやバランス練習など患者個々に応じ

**表 13-1-4** 群馬県立心臓血管センターの心筋梗塞後のクリニカルパス

| 病日 | PCI後1日目<br>( / ) | 2日目<br>( / ) | 3日目<br>( / ) | 4日目<br>( / ) | 5日目<br>( / ) | 6日目<br>( / ) |
|---|---|---|---|---|---|---|
| 負荷試験<br>(実施日/実施者/評価日/医サイン) | | ・午前: 自動座位 (5分)<br>( / )<br>・午後: 2分間歩行<br>(70/min, 2 METs)<br>( / ) | 200 mを4分かけて歩行<br>(2.5 METs)<br>( / ) | CPX | 入浴負荷<br>( / ) | |
| 安静度 | 圧迫帯除去後、<br>ヘッド<br>アップ30° | 室内フリー | 病棟内フリー | CPX終了後<br>・4 METs以上<br>院内フリー、入浴可<br>(抗血小板内服。残存病変<br>なし)<br>・4 METs以下<br>①治療再考<br>②翌日入浴負荷<br>(元々のADLで判断) | | |
| 食事 | 飲水量指示 | ・循環器疾患普通食<br>(1800 kcal、塩分6 g)<br>・飲水制限なし | | | | |
| 看護ケア | | 全身清拭、陰部洗浄、<br>介助洗髪、足浴 | ・下半身シャワー<br>・体重測定<br>・検査は車いす<br>・ロビーまで歩行可 | 4 METs以上: 入浴 | | |
| 運動療法<br>(実施者サイン) | | 上下肢自他動運動 (監視下) | 200 m歩行×2回<br>(監視下) | ・CPX実施患者→運動療法<br>・CPX適応外→ADL練習。<br>低強度レジスタンストレー<br>ニング | AM・PM:<br>運動療法室で有酸素運動+<br>低強度レジスタンストレーニン<br>グ<br>心筋シンチの日は中止 | |
| 患者教育<br>(実施者サイン) | | ・パンフレットを渡す<br>・狭心症、心筋梗塞、<br>安静について | 合併症、冠危険因子、発症し<br>やすい病態、減塩食の説明 | 心リハ、日常生活 | 医師から心リハの説明 | 日常生活 |
| 検査 | | | | dual 心筋シンチ | 心筋シンチ×2 | |

冠動脈疾患 Risk factor check　□脂質異常症 (TC, TG, HDL, LDL)　□糖尿病/食後高血糖 (HbA1c, OGTT)　□高尿酸血症　□高血圧症　□冠動脈疾患家族歴　□喫煙　□睡眠時無呼吸症候群 (PULSOX, PSG)　□肥満　□腎機能障害　□ストレス　□運動不足

た運動処方で実施する.

　前期回復期，後期回復期（第Ⅱ相: phase Ⅱ）は，①運動負荷試験による予後リスク評価，②運動処方に基づく積極的な運動療法，③生活習慣改善を含む二次予防教育，④復職・心理カウンセリングなどを包括的に体系的に実施するとされている．入院時の運動療法では，CPX 結果に基づく嫌気性代謝閾値（AT: anaerobic threshold）レベルでの強度を体験し退院後の自主トレーニング時の運動強度に反映させる．退院後の可能な運動種類を聴取し，実施可能な運動を実際に体験することが重要である．また，患者は退院後の運動時にウォーミングアップ（w-u）とクーリングダウン（c-d）を省く傾向にある．w-u と c-d の重要性を説明し，自主トレーニングの時に反映させ，最終的には運動プログラムを自己管理できるようにする.

　維持期（第Ⅲ相: phase Ⅲ）は，社会復帰以降，生涯を通じて継続されることが重要で，回復期心リハで獲得した運動耐容能，生活習慣や冠危険因子の是正を維持する．年齢，職業，日常生活レベルに応じた運動プログラムが自宅やスポーツジムなど民間運動療法施設などで行われる．また，近年は高齢フレイルや併存疾患を有している患者が多く，150 日間の保険期間終了後は介護保険サービスの移行や地域医療と連携しシームレスな心リハの継続が望まれる.

## B　リスク管理，メディカルチェック

　心筋梗塞後は合併症 表13-1-3 に注意して運動療法を進めることが重要である．特に運動中に注意するべきことは不整脈である．心筋梗塞の病巣が完全に線維化して安定するのに 6 週間かかる．その間は心筋に炎症があるものと考え，不整脈の発症に注意する．また，冠危険因子を有する心筋梗塞患者は，狭窄度は強くないが動脈硬化病変が存在することである．ACS は冠動脈の狭窄率に関係なく発症する．冠動脈の直径は 4 mm 程度であり，血管を閉塞させる血栓は容易に完成する．そのため，狭窄率が 15% しかなくても責任病変となることは十分ありうる．プラークラプチャを防ぐために肉体的・精神的ストレスを避けて運動療法を行う必要がある[3]．患者のリスクを層別化するために米国心臓病協会（AHA）[4] は運動療法のリスクについて，対象者の疾患重症度や臨床的特徴，運動耐容能，既往歴などによって 4 つのクラスに分け，クラスごとに活動，監視の必要性，心電図と血圧モニタリングについての指針を示しているので参考にしてもらいたい.

　糖尿病合併患者は，神経障害のため痛みを感じにくくなり，心筋梗塞を起こしても胸部症状を感じにくいこと（無症候性心筋筋虚血）があるので，心電図変化，心拍数増加，血圧などの客観的なモニタリングが必要である．亜急性冠閉塞（SAT: subacute thrombosis）や新規の ACS などの予防をするために，AT での強度で運動療法を実施し，脱水にも十分注意し水分補給を心掛けることが必要である.

　心筋梗塞患者でも高齢化やサルコペニア，フレイル，カヘキシアの患者が増加している．心血管疾患に関する合併症だけでなく，身体活動能力や身体機能の評価を実施し患者の全体像を把握することが重要である．心血管疾患におけるリハビリテーションに関する

ガイドライン[1] でも，身体機能を測定・評価することを強く推奨している．心リハでは身体機能の改善が心リハの大きな目的であるとともに，身体機能評価を実施してウィークポイントを把握しプログラムを立案することがきわめて重要である．身体活動能力の評価では，NYHA 機能分類（NYHA: New York Heart Association Functional Classification）は簡易的で有用性があるが，主観的な要素も影響されてしまうことも考慮しおくこともポイントと思われる．心疾患にとっては筋力・筋量は予後にも関連していて欠かせない評価となっており，膝伸展筋力や SPPB（Short Physical Performance Battery）を測定し，包括的に下肢機能を評価したうえで身体的フレイルを把握することも重要である．その他には歩行やバランス評価も必ず実施して，転倒リスクも評価しリハビリ時の転倒にも十分注意する．

## C ウォーミングアップ，クーリングダウン

ウォーミングアップは自転車エルゴメータなどを用いて低強度の運動を実施する．安静時から徐々に高め，トレーニング時の目標心拍数幅の下限または最高酸素摂取量の 40％未満の強度で実施する．当院集団運動療法では，静的ストレッチもしくは動的ストレッチをメインとして全身のストレッチを行っている 図13-1-2 ．バランス機能が悪い場合は上肢・下肢の大筋群を中心としたストレッチやプレトレーニング 図13-1-3 を実施する．クーリングダウンでは，運動後の身体の興奮状態を徐々に静めることを調整し静脈還流量減少の防止や副交感神経の急激な回復を防止する．エクササイズマットなどを使用し，臥位や座位などでリラックスした体勢で行う 図13-1-4 ．よりリラックスできるように静かなスペースで実施し，ヒーリングミュージックなどを BGM としてリラクゼーション効果を高めるようにしている．重症者や呼吸器疾患患者は運動時の息切れが出現しやすいため，当院では呼吸筋ストレッチも含めて実施している 図13-1-5 ．ウォーミングアップとクーリングダウンの効果を表に示す 表13-1-5 ．

## D 運動強度

適切な運動処方の目安としては AT 処方，Karvonen 法，自覚的運動強度，トークテストによる方法がある．当院では AT レベルでの運動強度の 1 分前の運動強度を用いた AT 処方を採用している．運動強度は CPX の時だけ体調がよかったことや，その日の体調や病態によって異なるため，自覚的運動強度やトークテストを用いて息切れ感を目安にして運動強度を調整する．心筋梗塞患者の場合は β 遮断薬を内服していることが多く薬物の影響により心拍応答が不良になることがある．そのため，予測最高心拍数を用いたKarvonen では係数を 0.2 もしくは 0.3 が好ましい．できれば，ランプ負荷で最高心拍数を実測し，係数を 0.5 もしくは 0.6 に設定することが望ましい．自覚的運動強度は「楽〜ややきつい」のレベルで実施する．「ややきつい」の運動強度は Borg 指数「13」であるが，この運動強度は AT に相当する 表13-1-6 ．患者によって自覚的運動強度と適確な運動強度が決定できない場合がある．この時はトークテストを実施して運動強度を決定す

JCOPY 498-06746　　　　第 13 章　運動療法実施法リアルワールド　301

図 13-1-2　ウォーミングアップ

図 13-1-3　ウォーミングアップ（バランス機能が悪い場合）

**図 13-1-4** 整理体操
呼吸を意識しながら，反動をつけずに実施する．
各種目に 10～15 秒程度かけて実施する．

る．「トークテスト」では，30 秒間くらいの文章を比較的ゆっくりと読ませて息切れの度合いを判定するものである．運動によって産生される $CO_2$ の増加や緩衝しきれずに血中の乳酸濃度が上昇した時に呼吸ドライブが亢進し呼吸数を増やし会話ができなくなる．一方，まったく普通に音読できてしまうと運動強度が低すぎると判定する．また，トークテストと AT 処方は強い相関関係も認められている 図13-1-6 [5]ので，厳密なトークテストが実施できればその日の AT 相当の運動負荷で実施していることとなる．また，RR threshold を用いた運動処方では，AT 付近で胸郭の拡張能の限界が近くなり深く吸いにくくなり，カテコラミンが分泌して換気亢進するとい点でも AT と一致するといわれている．

### E　有酸素運動

　有酸素運動では，自転車エルゴメータ・トレッドミル・クロストレーナーなどの機器があるが，運動療法開始初期は，運動中の心拍数・血圧・自覚症状がモニタリングしやす

## 表 13-1-5　ウォーミングアップとクーリングダウンの効果

| ウォーミングアップ | |
|---|---|
| 身体を安静状態から運動へ移行させる準備段階.　時間は 10〜20 分 | |
| ①整形外科的障害の予防 | 骨格筋や腱などの結合織の伸展性や柔軟性を高め，関節の可動域を広げる. |
| ②心臓の後負荷の減少 | NO や血液循環を促進し血管を拡張させることにより，血管抵抗を減少し心臓の後負荷を減少させる. |
| ③心室性不整脈など異常不整脈出現の抑制 | 交感神経へのスムーズな移行により，急激な換気の増大やカテコラミン分泌を抑えることにより不整脈を抑制させる. |
| ④血小板凝縮能の亢進の予防 | 急激な交感神経の亢進を抑えることにより，凝縮能の亢進を予防する. |
| ⑤効率よい酸素使用 | 体温を上昇させることにより，酸素解離曲線を右方変位させ，ヘモグロビンから酸素を放出しやすくさせる. |
| クーリングダウン | |
| 運動後の身体の興奮状態を徐々に鎮める調整段階であり，疲労をより早く回復させるためのメンテナンス段階でもある.　時間は 10〜20 分 | |
| ①運動直後の静脈還流量減少の防止 | 急激に運動を止めることにより，筋ポンプ作用が減少し静脈還流量が減少することを防ぐ. |
| ②運動直後の副交感神経の急激な回復の防止 | 運動を突然中断した後に生じる血管迷走神経反射亢進（血圧低下，冷汗，気分不快感，顔面蒼白，徐脈，失神など）を防ぐ. |
| ③運動後の神経性.液性の回復を図る | 運動後の副交感神経の回復や副腎からのカテコラミン分泌が減少するのに 2〜3 分を要する |
| ④疲労物質の除去と回復の促進 | 疲労物質を除去し，全身の疲労を回復させる. |

## 表 13-1-6　Borg scale

| 指数 | 自覚的運動強度 | 運動強度（%） |
|---|---|---|
| 20 | もう限界 | 100 |
| 19 | 非常にきつい | 95 |
| 18 | | |
| 17 | かなりきつい | 85 |
| 16 | | |
| 15 | きつい | 70 |
| 14 | | |
| 13 | ややきつい | 55 |
| 12 | | |
| 11 | 楽である | 40 |
| 10 | | |
| 9 | かなり楽である | 20 |
| 8 | | |
| 7 | 非常に楽である | 5 |
| 6 | | |

適した運動強度（13 は AT に相当）

肩関節周辺のストレッチ

①肩を上げながら吸う　　　　②肩を下げながら吐く

頸部のストレッチ

①頸部を倒し上肢を下に　　　②息を吸いきったら吐きながら
　伸ばしながら息を吸う　　　　元に戻す

肩甲帯のストレッチ

①組んだ手を前に突き出して　②息を吸いきったら吐きながら
　背中を丸めて息を深く吸う　　元に戻す

胸部のストレッチ

①背部で組んだ上肢を伸ばし　②息を吐ききったらゆっくり吸い
　ながら胸を張り息を吐く　　　ながら元に戻す

心臓外科の手術から2か月経ってから実施

**図 13-1-5**　呼吸筋ストレッチ
4種目のストレッチを1セット5回ずつ実施する

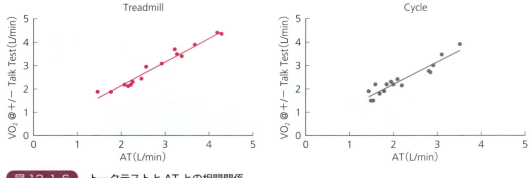

図 13-1-6　トークテストと AT との相関関係
(Persinger R, et al. Medicine and Science and Exercise. 2004; 36: 1632-6[5] を改変)

く，運動強度が一定に保ちやすい自転車エルゴメータを使用するのがよい．重症患者や高齢者では乗り降りが簡単で転倒リスクが少なく，運動中のバイタルチェックがしやすいリカンベントタイプを選択する 図13-1-7-a ．肥満患者や膝や股関節に可動域制限がある場合は，リカンベントタイプよりアップライトを選択する 図13-1-7-b ．高度の肥満，膝や股関節に大きな制限があり自転車エルゴメータでの運動を実施できない場合はアッパーボディエルゴメータを使用する 図13-1-7-c ．自転車エルゴメータに慣れて安定した患者は，退院後の自主トレーニング（ウォーキングなど）に応用しすいトレッドミルを使用し 図13-1-7-d ，適性の運動負荷（歩行速度・時間・距離）を実際に体験して自主トレーニングに反映させる．また，ある程度運動耐容能が高く，全身運動を進める場合にはクロストレーナー 図13-1-7-e を用いる場合もある．

## F　レジスタンストレーニング

近年では安全性や効果も多く報告されるようになり，筋力低下や虚弱な患者に対して低強度からのレジスタンストレーニングの実施や持久性トレーニングに加えてレジスタンストレーニングを実施することはガイドラインでも推奨されている．レジスタンストレーニング開始時期 表13-1-7 と導入プロトコルを 表13-1-8 に示す．また，主なマシンを用いたトレーニングを 図13-1-8 に示す．処方の基本は1RM（1 Repetition Maximum，1回のみ持ち上げられる最大負荷）を測定した後に運動負荷を決定する．1RM以外では滴定法 表13-1-9 を用いた運動強度の決定やハンドヘルドダイナモメーター（$\mu$TAS）を用いて膝伸展筋力（kgf）を測定し1RM＝膝伸展筋力×0.187＋0.188を算出する方法[6]もある．レジスタンストレーニングのモニタリング項目を表に示す 表13-1-10 [7]．超高齢者や重症患者の開始導入時期はプレトレーニング 図13-1-3 から開始し慣れてきたらマシンへ移行する．

## G　インターバルトレーニング

短時間の高強度運動と低強度運動（あるいは休憩）を交互に繰り返す運動療法であり，

a. リカンベントエルゴメータ

b. アップライトエルゴメータ

c. アッパーボディエルゴメータ

d. トレッドミル

e. クロストレーナー

図13-1-7 有酸素運動の主な種目

表13-1-7 レジスタンストレーニングの開始時期

|  | 発症からの期間 | 運動療法の参加経験 |
| --- | --- | --- |
| 狭心症 | 2週間以上 | 2週間継続 |
| 心筋梗塞 | 5週間以上 | 4週間継続 |

表13-1-8 レジスタンストレーニングの導入プロトコル

強度　上肢：30〜40％　1RMから開始
　　　下肢：50〜60％　1RMから開始
　　　※12〜15回を軽く持ち上げられるか，RPE<12以下で
　　　　実施できるようになれば，10％1RMずつ漸増する．
回数　10〜15回　2〜3セット
頻度　2〜3回/週

図 13-1-8　各マシンを用いたトレーニング

表 13-1-9　レジスタンストレーニングの強度設定方法（適定法）

| ％1RM | 連続で運動が可能な回数 |
|---|---|
| 100 | 1回（1RM） |
| 90 | 5回（5RM） |
| 80 | 8回（8RM） |
| 70 | 12回（12RM） |
| 60 | 17回（17RM） |
| 40 | 20回（20RM） |

## 表 13-1-10　レジスタンストレーニングのモニタリング項目

**【運動前のモニタリング】**

1. 体重が増加（3日間で2kg以上の増加）し，心不全症状が出現している場合は一旦中止
   ：体重が減少し心不全症状が改善すれば再開
2. 血中BNPが上昇傾向（前回の値より100pg/mL以上の上昇）
   ：レジスタンストレーニングの負荷量を軽減（－10% 1RM）
3. 新たな心房細動，心房粗動の出現
   ：その日は中止し，心房細動が減少または心拍数コントロールがつき次第再開，心房粗動の消失または減少で再開
4. 食後1時間以内，同一時間帯に造影剤を使用した検査
   ：最低でも1時間以上空けて実施

**【運動中のモニタリング】**

5. 自覚症状（倦怠感の持続，前日の疲労感の残存，同一負荷量におけるRPE 2以上の上昇，またはRPE＞15）
   ：その日は中止し次回に症状が改善していれば再開
6. 運動中の呼吸数＞40回/分
   ：その日は中止しプレトレーニング程度
7. 心拍数増加傾向（安静時または同一負荷量における心拍数30拍/分以上の上昇）で，心不全症状の出現
   ：その日は中止しプレトレーニング程度，心拍数が減少し，症状が改善すれば再開
8. 運動中に上室性または心室性期外収縮の増加
   ：その日は中止し，上室性・心室性期外収縮が減少すれば再開
9. 運動中の血圧低下（20mmHg以上）
   ：その日は中止．次回も同等の負荷量で実施し血圧低下があれば，負荷量を軽減（－1C% 1RM）

**【運動後のモニタリング】**

10. 運動後の疲労感が翌日にも遷延している
    ：レジスタンストレーニングの負荷量を軽減（－10% RM）
11. 体液量（体重，浮腫，胸水貯留）が増加している
    ：息切れの症状があれば中止し，症状がなければレジスタンストレーニングの負荷量を軽減（－10% RM）

(Perera D, et al. N Engl J Med. 2022; 387: 1351-60)[7]

## 表 13-1-11　インターバルトレーニングのプロトコル

| トレーニングの頻度 | 週3回 |
|---|---|
| ウォームアップ | 強度：最高心拍数の60%，または最大負荷（仕事率）の20〜30%<br>時間：5〜10分 |
| 運動の強度 | 高強度：最高心拍数の85〜95%<br>中強度：最高心拍数の60〜70% |
| インターバル | 3〜4分の高強度運動×4回<br>3〜4分の中強度運動×3回 |
| クールダウン | 強度：最高心拍数の50%，または最大負荷（仕事率）の20%<br>時間：5分 |
| 持続時間 | 40〜50分 |
| 運動の種類 | 自転車エルゴメータ，トレッドミル |

毎回短時間の低強度もしくは休憩が入ることで，心臓や身体への負担が少ないとされている．近年では，高強度と中強度を繰り返す高強度インターバルトレーニングのエビデンスも蓄積されている．一般的なプロトコルを　表13-1-11 [1] に示す．ただし，低心機能症例では，運動開始時の心拍応答が不良であることを考慮して，はじめの2〜3セットは30〜40%に設定することもある．また，運動機能や心機能が著しく低い場合は10〜

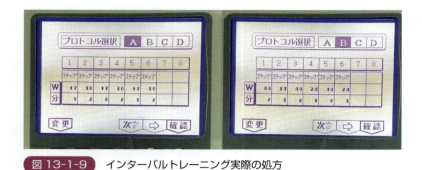

図13-1-9　インターバルトレーニング実際の処方

20ｗ程度の低負荷と60秒間の休憩を繰り返すインターバルトレーニング方法もあり，開始時期は患者個々に応じたプロトコルを設定することが望ましい．図13-1-9に実際の処方を示す．

■文献
1) 日本循環器学会/日本心臓リハビリテーション学会合同ガイドライン．心血管疾患におけるリハビリテーションに関するガイドライン（2021年改訂版）．〈https://www.j-circ.or.jp/cms/wp-content/uploads/2021/03/JCS2021_Makita.pdf〉
2) 急性冠症候群ガイドライン（2018年改訂版）．〈https://www.j-circ.or.jp/cms/wp-content/uploads/2020/02/JCS2018_kimura.pdf〉
3) 安達　仁．非薬物療法の進歩とエビデンス運動療法．日本内科学雑誌．2017；106：246-52．
4) Fletcher GF, Ades PA, Kligfield P, et al. American Heart Association Exercise, Cardiac rehabilitation, and prevention committee of the council on clinical cardiology, council on nutrition, physical activity and metabolism, council on cardiovascular and stroke nursing, council on epidemiology and prevention. Exercise standards for testing and training: A scientific statement from the American Heart Association. Circulation. 2013；128：873-934.
5) Persinger R, Foster C, Gibson M, et al. Consistency of the talk test for exercise prescription. Medicine and Science and Exercise. 2004；36：1632-6.
6) 平澤有里，長谷川輝美，他．健常者の等尺性膝伸展筋力．理学療法ジャーナル．2004；4：330-3．
7) 猪熊正美，臼田　滋，生須義久，他．入院高齢者心不全患者における早期レジスタンストレーニングの安全性と身体機能への効果-ランダム化比較試験-．理学療法学．2020；47：540-50．

〈猪熊正美〉

## 2 狭心症

### A ガイドラインにおける安定狭心症への心臓リハビリテーション

安定労作性狭心症の初期治療は OMT と心臓リハビリテーション（心リハ）である[1]. 薬物療法とともに生活習慣の改善を最初に実施し, 胸痛が持続する場合には侵襲的治療を考慮するように記述されている. 安定狭心症に対する心リハは死亡率と再入院率を減少させるが, 心リハが実施されるのはほとんどが ACS や PCI 後の患者で, CCS は 0〜24% であると記載されている. 残念ながら日本ではもっと少ないと思われる. ガイドラインには, 狭心症患者に対する心リハは, PCI 前であれ後であれベネフィットがあると述べている.

一方, 日本の安定狭心症のガイドライン[2]には「心臓リハビリテーション」という言葉はなく, 合同研究班参加学会にも心臓リハビリテーション学会は誘ってもらえていない. ただし「生活習慣の改善」という項目があり, その中で生活習慣の改善の順守は心血管リスクの重要な予防効果があると記載されている.

運動療法と生活習慣の改善は心リハそのものであるので, 日本のガイドラインも心リハを推奨していると考えてよいものと思われる.

### B 安定狭心症に対する心臓リハビリテーションの危険性

まず, 有意狭窄病変を PCI で拡張せずに心リハで治療することの危険性を知っておく必要がある. 結論からいうと, 心リハで治療を行っていても死亡率や心筋梗塞発生率が増えてしまうことはない[3-6]. 有意狭窄を有している虚血性心不全においても PCI は心不全再入院率や死亡率を改善させない[7]. ただし, 心リハで治療を開始しても胸痛が 4 メッツ以内, すなわち 2 階に上りきる前に胸痛が出現し, それが増悪する場合には速やかに PCI あるいは CABG が必要である. その連携がとれていれば死亡率や心筋梗塞発生率は最初から PCI を行った人たちと同等に保たれる. ただし患者に, PCI は予後を改善させないと説明した結果, 患者が薬さえ飲んでいれば何もしなくてもいいのだと思ったら大きな間違いで, 心リハスタッフの過失である. 禁煙を含めた生活習慣の改善を行えば予後は変わらないということをしっかりと伝えなければいけない.

心リハで治療を開始しても胸痛を制御できず, PCI や CABG が必要になるのは CCS 2〜4 の胸痛で来院した患者の 30% 弱である 図13-2-1 [4]. これは必ずしも狭窄率が強い場合や FFR の値が低い場合とは限らない. 臨床症状として CCS 分類 3, 4 の人たちに多い. そのため, 心リハスタッフは日常生活の症状に耳を傾けていれば, 10 人のうち 7 人は PCI をしなくても済むことを示している.

なぜ PCI で狭窄病変を拡張しても ACS は減らないのであろか. ACS 発症は狭窄率とは関係がないからである[8]. 狭窄内部のプラークの正常と被膜の状態が ACS に関与する.

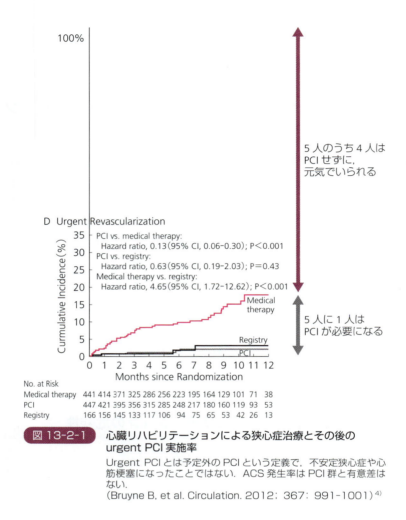

図 13-2-1　心臓リハビリテーションによる狭心症治療とその後の urgent PCI 実施率

Urgent PCI とは予定外の PCI という定義で，不安定狭心症や心筋梗塞になったことではない．ACS 発生率は PCI 群と有意差はない．
(Bruyne B, et al. Circulation. 2012; 367: 991-1001)[4]

動脈硬化のリスクファクターと ACS のトリガーは若干異なる．心リハスタッフは狭窄が強くても死んでしまうわけではないこと，狭窄がわずかでも ACS になることがあることを患者に説明する．

## C 安定狭心症に対する PCI の危険性

　PCI 実施時には体のどこかへの穿刺，放射線被曝，造影剤使用を避けられない．最近は以前と比べて造影剤の質は格段によくなったが，やはり腎障害を誘発する懸念がある．特に eGFR が 45 未満の場合には行わないほうがよいとされている．照射時間も 10 分以内で済むこともあるが，CTO（完全閉塞病変）や複雑病変の場合は数十分に及ぶこともある．患者のみならず術者の皮膚，甲状腺，眼，生殖器などへの影響が心配である．
　さらに，PCI は 2 回目の PCI を誘発することがある．COURAGE trial では 30％，FAME2 study でも数％の PCI 群の患者が二度目の PCI を受けている．ステントの再狭窄

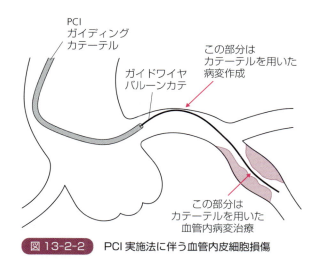

図13-2-2　PCI実施法に伴う血管内皮細胞損傷

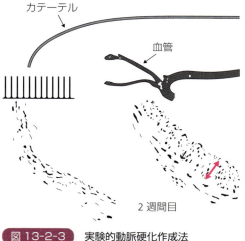

図13-2-3　実験的動脈硬化作成法
血管へのワイヤ操作2週間目には内膜肥厚が始まっている（矢印）
(Lindner V. Circ Res. 1993; 73: 792-6[9])を参考に作成)

であれば仕方ないが，ステント留置病変よりも手前で新規病変が発症した場合は，前回のPCIが新たな病変を誘発した可能性がある．PCI実施時には，病変にワイヤをクロスさせるために手前の血管壁にワイヤを押し付けてpushability（ワイヤを押し進める力）を増加させることがある．その際，押し付けられた部分の内皮細胞が障害を受けてそこに新たな病変が形成されるのである 図13-2-2 ．ワイヤで血管をこすって動脈硬化病変を作成することは，以前から動物実験の世界では確立した手法である 図13-2-3 [9]．

## D　ACSにさせないための心臓リハビリテーション

　CCS治療の第一の目標の一つはACSにさせないことである．

　ACSのトリガーを 表13-2-1 に示す[10]．血管内皮組織内に，血管内腔内で増加した変性LDLが急激に蓄積してリピッドコアを短時間のうちに成長させる．LDLを増加させるのは爆食であり，変性させるのは高血糖や喫煙，高血圧，ストレスなどである．その結果，線維性被膜が薄くなり，それらの因子に加えて排気ガスやたばこなどによる高濃度のPM2.5に曝露されると被膜に炎症が生じる．そこに，怒りや悲しみなどのストレスが加わったり，大きな血圧変動が加わると被膜にびらん（erosion）や

表13-2-1　ACSのトリガー

| |
|---|
| traffic exposure（人口寄与危険割合 7.4%） |
| physical exertion（6.2%） |
| alcohol（5.0%） |
| coffee（5.0%） |
| PM10（4.8%） |
| negative emotions（3.9%） |
| anger（3.1%） |
| heavy meal（2.7%） |
| positive emotions（2.4%） |
| sexual activity（2.2%） |
| cocaine use（0.9%） |
| marijuana smoking（0.8%） |
| respiratory infections（0.6%） |

(Nawrot TS, et al. Lancet. 2011; 377: 732-40)[10]

ラプチャーが生じて，そこに修復目的で血小板が集まってきて血栓が形成される．リピッドコアの成長と炎症は短時間で生じ，最終的に冠動脈の直径 3.5〜4 mm をふさぐ程度の大きさに血栓が成長するのは数十秒である．

このことを考えると，日常的に冠危険因子をコントロールして LDL を変性させないように指導することはもちろんであるが，最終的にプラークをラプチャさせないためにストレスを除去し，心を平穏に保つように指導することが重要である．有酸素運動は炎症を改善させ[11]，ACS 発症率を減らす．

## E  CCS の症状を緩和させるための心臓リハビリテーション

CCS 治療のもう一つの大きな目的は胸痛の除去である．PCI はこの点が優れている．30秒ほどのバルーン拡張で見事に胸痛を消すことができる．心リハを含む OMT は胸痛除去に数週間かかる．あるいは，同じ程度の労作では胸痛は消えるが激しい労作での胸痛を消せないこともある．患者がそのレベルの活動を行わなければ，治療目標は達したと考えられる．

胸痛発症の原因は心筋の酸素需要に酸素供給が追いつかないことにある．心リハは 表 13-2-2 に示す機序で需要を減少させて供給を増加させる．

運動療法と β 遮断薬は交感神経活性を抑制して一定負荷時の血圧と心拍数を低下させる．収縮期血圧と心拍数の積は心筋酸素需要の指標である．したがって，一定負荷時の血圧と心拍数を減らすことは，その負荷量に対する心筋酸素需要を減らすことになり，心筋虚血を減少させることになる．また，有酸素運動は血管内皮細胞機能を改善させて心筋細胞に分布する血管床を増加させる[12] とともに冠危険因子の改善により動脈硬化を退縮させる．さらに，心リハは血中総コレステロールレベルを低下させることによって赤血球膜のコレステロール含有量を減少させる．その結果，赤血球膜の流動性が増大して変形能が高まる．赤血球は毛細血管径よりも大きいために変形して毛細血管を通過しなければならないが，変形能が亢進していれば容易に通過することができて，末梢組織に酸素を届けることができるようになる．これらは心筋への酸素供給の増加を促す．

表 13-2-2　心臓リハビリテーションの狭心症治療機序

| 心筋酸素需要軽減 | 一定量負荷時の心拍数・収縮期血圧低下 |
|---|---|
| 心筋酸素供給増加 | プラーク退縮<br>心筋への血管床増加<br>赤血球膜流動性改善（赤血球変形能改善） |

## F  運動負荷試験

労作性狭心症患者に対する CPX は有意な虚血所見が出現したら 1 分以内に中断する．心筋虚血の所見は 表 13-2-3 に示す通りである．

CPX 報告書には虚血出現時の症状，虚血閾値の心拍数，血圧，酸素摂取量（メッツ）

314 ｜ CPX・運動療法ハンドブック

を記載する．

> **表 13-2-3** CPX において心筋虚血を示唆する主な所見
>
> 胸痛
> ST の有意な低下
> $\dot{V}O_2/HR$ の早期平定化
> HR の代償性過剰応答

## G 運動療法

　動脈硬化の原因となるインスリン抵抗性と炎症を抑制するためには有酸素運動が有用である．有酸素運動は AT レベルで実施するが，労作性狭心症に罹患した患者が 50 歳代の場合，AT が 5 メッツ以上のことがある．5 メッツは平地歩行で時速 6.4 km 程度であり，AT がこれ以上になるとジョギングが AT レベルということになる．しかし，この場合，ジョギングを運動療法として推奨はしない．もちろん，ジョギングが好きな場合は許可するが，ジョギングは関節障害を発生させることもあり危険な場合がある．しかも，狭心症の運動療法の目的は，再度記載するがインスリン抵抗性と炎症抑制である．これは，運動強度が弱くても達成可能である[13]．そのため，AT よりも低い運動強度をこまめに実施することが推奨される運動療法である．特に，食後高血糖とそれに引き続き生じる高インスリン血症と反応性低血糖を抑制するために食後 10～15 分後から始める活動である 図 13-2-4 [14]．この時間に行う運動療法は，胃の内部に食べ物が残っている状況なので「運動」ではなく「生活活動」が望ましいと思われる．

　患者が競技スポーツに参加したがっている場合は PCI を行ってから許可する．ただし，ESC のガイドラインでは虚血が誘発されても無症状で EF＞50％，不整脈が負荷試験で誘発されない場合は高強度の運動も許可すると記載されている[15]．

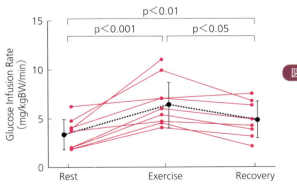

**図 13-2-4** 運動に伴うインスリン抵抗性改善様式

AT レベルの運動開始 15 分目 (exercise) に glucose infusion rate が上昇した．これは，インスリン抵抗性が改善したことを示している．しかし，単回運動では，運動中止 15 分目に元に戻っている．
(Oguri M, et al. J Cardiol. 2009; 53: 8-14)[14]

# ■文献

1) Knuuti J, Wijns W, Saraste A, et al. 2019 ESC Guidelines for the diagnosis and management of chronic coronary syndromes: The Task Force for the diagnosis and management of chronic coronary syndromes of the European Society of Cardiology (ESC). Eur Heart J. 2020; 41: 407-77.

2) 2022 年 JCS ガイドライン フォーカスアップデート版 安定冠動脈疾患の診断と治療. 中埜 信太郎, 香坂 俊班長. 2022 年 3 月 11 日発行.

3) Boden WE, O'Rourke RA, Teo KK, et al. For the COURAGE Trial Research Group. Optimal medical therapy with or without PCI for stable coronary disease. N Engl J Med. 2007; 356: 1503-16.

4) Bruyne B, Pijls NHJ, Kalesan B, et al. for the FAME 2 Trial Investigators. Fractional flow reserve-guided PCI versus medical therapy in stable coronary Disease. Circulation. 2012; 367: 991-1001.

5) Al-Lamee R, Thompson D, Dehbi H-M, et al. Percutaneous coronary intervention in stable angina (ORBITA): A double-blind, randomised controlled trial. Lancet. 2018; 391: 31-40.

6) Maron DJ, Hochman JS, Reynolds HR, et al. for the ISCHEMIA Research Group. Initial invasive or conservative strategy for stable coronary disease. N Engl J Med. 2020; 382; 1395-407.

7) Perera D, Clayton T, O'Kane PD, et al. Percutaneous revascularization for ischemic left ventricular Dysfunction. N Engl J Med. 2022; 387: 1351-60.

8) Falk E, Shah PK, Fuster V. Coronary plaque disruption. Circulation. 1995; 92: 657-71.

9) Lindner V. Mouse model of arterial injury. Circ Res. 1993; 73: 792-6.

10) Nawrot TS, Perez L, Künzli N, et al. Public health importance of triggers of myocardial infarction: a comparative risk assessment. Lancet. 2011; 377: 732-40.

11) Milani RV, Lavie CJ, Mehra MR. Reduction in C-reactive protein through cardiac rehabilitation and exercise training. J Am Coll Cardiol. 2004; 43: 1056-61.

12) Gielen S, Schuler G, Hambrecht R. Exercise training in coronary artery disease and coronary vasomotion. Cirulation. 2001: 103; e1-6.

13) Kimura T, Matsumoto K, Kameda N, et al. Percutaneous electrical muscle stimulation attenuates postprandial hyperglycemia in obese and pre-obese Japanese men. Int J Sport and Health Sci. 2010; 8: 1-6.

14) Oguri M, Adachi H, Ohno T, et al. Percutaneous electrical muscle stimulation attenuates postprandial hyperglycemia in obese and pre-obese Japanese men. J Cardiol. 2009; 53: 8-14.

15) Pelliccia A, Sharma S, Gati S, et al. 2020 ESC Guidelines on sports cardiology and exercise in patients with cardiovascular disease. Eur Heart J. 2021; 42: 17-96.

〈安達 仁〉

## 3 開心術後

### A 開心術後の心臓リハビリテーション

　開心術後の心臓リハビリテーション（心リハ）は，冠動脈バイパス術（coronary artery bypass graft surgery, off-pump coronary artery bypass graft surgery），弁置換術，弁形成術，心房・心室中隔縫合術，大血管置換術など，心膜切除を行う心臓外科手術が開心術にあたる．最近では低侵襲心臓弁膜症手術 MICS（minimally invasive cardiac surgery）も多く行われている．心臓外科術後の過度な安静はディコンディショニングを生じたり，呼吸器合併症やイレウスなどの各種合併症を誘発する．急性期心臓リハビリでは，循環動態の安定化と並行し進めていくことが重要であり，　表 13-3-1　のように介入の効果も期待できる．また当院では，術前訪問を行い術後の心リハの流れや目的を説明し，術前の身体機能の評価も実施している．

### B 【Phase I: 急性期】術後～1週間: 個別プログラム

　ICU 入室中の急性期の患者は，毎朝，医師とコメディカルで患者ラウンドを実施し，現状や今後の方針について担当医師より説明がなされ，患者のリハビリ進行についても適宜相談できる．

　当院では以前から通称「階段パス」　図 13-3-1　を利用し，開心術後のリハビリを進めている．術後 0 日はヘッドアップ，四肢関節可動域練習，ポジショニング・呼吸練習など，ベッド上にて介入し，術後 1 日目からこの離床プログラムに準じ拡大する．起居動作は胸骨保護を目的に，創部を片手で抑え，寝返り実施後，起き上がるよう指導している　図 13-3-2　．

　しかしながら術後 1 日目はルート類の多さや離床に対する不安・疼痛コントロールの

表 13-3-1　開心術後のリハビリの効果

| | |
|---|---|
| 運動耐容能（peak $\dot{V}O_2$） | 改善 |
| 運動時の換気亢進<br>換気効率（$\dot{V}E$ vs. $\dot{V}CO_2$ slope） | 改善 |
| 自律神経活性，安静時心拍数 | 安定化 |
| 心機能 | 改善 |
| 血管内皮細胞機能 | 改善 |
| 冠危険因子 | 改善 |
| 骨格筋機能 | 改善 |
| 身体活動量 | 増加 |
| QOL | 改善 |
| うつ状態 | 改善 |

第 13 章　運動療法実施法リアルワールド

## 心臓外科手術後のリハビリテーション

### 筋力トレーニング記録表　　　　　実施したら○をつけましょう（10 回　2〜3 セット）

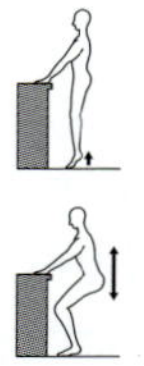

| | | | | | | | | | | | | | | | | |
|---|---|---|---|---|---|---|---|---|---|---|---|---|---|---|---|---|
| かかと上げ | | | | | | | | | | | | | | | | |
| スクワット | | | | | | | | | | | | | | | | |

### リハビリテーション進行表　　　　　☆マークより遅れないようにしましょう

| | 0 | 1 | 2 | 3 | 4 | 5 | 6 | 7 | 8 | 9 | 10 | 11 | 12 | 13 | 14 |
|---|---|---|---|---|---|---|---|---|---|---|---|---|---|---|---|
| 運動療法 | | | | | | | | | | | | | | | |
| 階段昇降 | | | | | | | | | | | | | | | |
| 200m 歩行 | | | | | | | | | | | | | | | |
| 100m 歩行 | | | | | | | | | ☆ | | | | | | |
| 60m 歩行 | | | | | | | | | | | | | | | |
| 30m 歩行 | | | | | | | | | | | | | | | |
| 起立・体重測定 | | | | | | | | | | | | | | | |
| 端座位 | | | | | | | | | | | | | | | |
| ヘッドアップ 30〜90 度 | | | | | | | | | | | | | | | |

手術日

手術日または
IABP 抜去からの日数

/ 　　　 / 　/ 　/ 　/ 　/ 　/ 　/ 　/ 　/ 　/ 　/ 　/ 　/ 　/ 　/

（　　　　　　　　　　　　　　　　　　）様のリハビリテーションスケジュール

予定どおり進められるようにお手伝いしますので，一緒にがんばりましょう

**図 13-3-1**　　階段パス

手術後の日数を横軸，達成度を縦軸に示している．達成度を視覚的に確認することで，患者自身のモチベーション向上をはかることや，家族，他スタッフへの進行状況の確認にも役立つ．進行に遅延が生じていても，一番近い課題を視覚的に確認することが可能であり，目標設定が容易に行える．

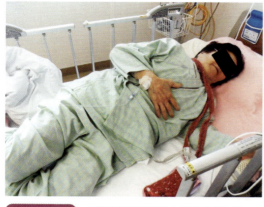
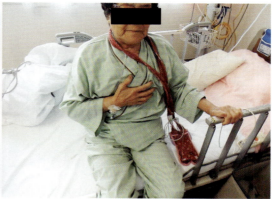

**図 13-3-2** 開心術後の寝返りと起き上がり法
寝返り〜起き上がり時には胸骨保護を実施し離床動作を促す．

**表 13-3-2** 心臓手術後の離床開始基準

以下の内容が否定されれば離床を開始できる．

1. 低心拍出量症候群（low output syndrome：LOS）により
   ① 人工呼吸器，大動脈内バルーンパンピング装置，経皮的心肺補助装置などの生命維持装置が装着されている．
   ② ノルアドレナリンなどのカテコラミン製剤などが大量に投与されている．
   ③ カテコラミン製剤投与下で収縮期血圧が 80〜90 mmHg 以下．
   ④ 四肢冷感，チアノーゼを認める．
   ⑤ 代謝性アシドーシスを認める．
   ⑥ 尿量 0.5〜1.0 mL/kg/h 以下が 2 時間以上続いている．
2. スワン・ガンツカテーテルが挿入されている．
3. 安静時心拍数が 120/min 以上．
4. 血圧が不安定（体位交換だけで血圧が下がる）．
5. 血行動態の安定しない不整脈（新たに発生した心房細動，Lown IVb 以上の心室外収縮）．
6. 安静時に呼吸困難や頻呼吸（呼吸回数 30/min を超える）．
7. 術後出血傾向が続いている．

(日本循環器学会．日本心臓リハビリテーション学会合同ガイドライン心血管疾患におけるリハビリテーションに関するガイドライン（2021 年改訂版）．2021．p.50．https://www.j-circ.or.jp/cms/wp-content/uploads/2021/03/JCS2021_Makita.pdf．2023 年 7 月閲覧）

不良などで動作練習を行いながらの起居は実施困難なこともあり，個々の状況に合わせ介助量を調節する．

　心血管疾患におけるガイドライン 表 13-3-2 に則し離床を開始する．Phase I は介入時の循環動態について把握しリハビリを行うことが重要となるため，各種データ確認が必要となる．患者背景として，診断名や術前の既往歴・心不全増悪の有無，冠危険因子，術前の冠動脈カテーテル検査や心エコー検査・胸部 X 線などの結果・手術様式を確認する．術後の機械的補助の有無や種類，使用薬剤の種類や量，それぞれの使用目的を把握する．その上での呼吸状態，血圧，脈拍，中心静脈圧，動脈血ガス分析結果や各種ラボデータ，尿量，ドレーンからの出血量や性状を確認し，リハビリ介入可能な状態かを確認する．実際の介入時にも機械類や薬剤を確認し，意識レベルや疼痛の評価，術創の位置，カテーテルシースが鼠径に残存していないかを確認する．四肢冷感や下腿浮腫の有無，貧血の有

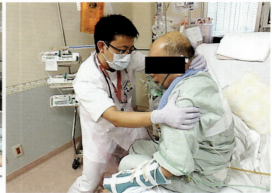

図 13-3-3　ICUでの心臓リハビリテーション

無，呼吸時の胸郭の動きや聴診を行い，リハビリ進行の目標を決める．体動時の心拍応答や呼吸状態・疼痛状況・自覚症状の変化を確認しながら運動負荷量や時間を調整していく．可能な範囲での情報収集（病前生活・職歴・趣味などを家族や本人に聴取）を進め，プログラムを進行するうえで必要な情報を得る．

生命維持装置〔IABP（intra-aortic balloon pumping），PCPS（percutaneous cardio pulmonary support）〕などを装着している症例については，医師の指示がある場合，刺入部への負担を避け，ベッド上での関節拘縮予防を目的とした介入を実施することもある 図 13-3-3 ．

鎖骨下静脈からのCHDFを実施中の症例については，循環動態が安定し医師の許可があれば起立まで実施可能だが，ルート類に注意をはらう必要がある．人工呼吸器装着症例において，医師の指示のもと，呼吸器離脱に向けて端座位練習を実施することがある．いずれにおいても挿管チューブやルート類に細心の注意をはらう必要がある．

MICS術後患者は翌日から歩行が許可されることが多いが，創部痛が強いことも多く，疼痛コントロールをはかりながら積極的に離床を進め，1週間未満で退院する者がほとんどである．

### C 【Phase II：回復期】術後2週間〜退院まで：個別・集団運動療法

病棟歩行自立に達し，順調に運動療法へ移行した症例に対し，術後経過や心エコー結果・Phase I に得た病前の活動性情報を基に運動療法を実施する．

#### ① ウォームアップ

運動前は骨格筋の血管拡張や血管抵抗の減少を図るためストレッチを実施する 図 13-3-4 ．胸骨管理のため，胸郭を大きく広げる運動や大胸筋の強い収縮を伴う動作は避ける 図 13-3-5 ．

#### ② 運動種目の選定

トレッドミルは床が直接動くため，慣れない運動になることが多く，運動効率が

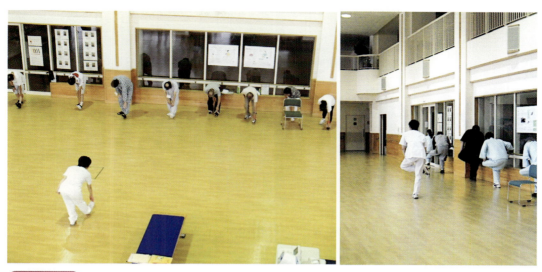

図 13-3-4　ストレッチ

図 13-3-5　悪い例
胸郭を大きく広げる運動（左）や上肢を後ろに回して休憩をとること（右）は避ける．

悪くなり酸素摂取量も増大するため，当院では自転車エルゴメータ（以下エルゴ）から開始することが多い．エルゴ開始初期は最少設定負荷をウォームアップ目的に3分間（心拍が定常状態になる）実施し，その後CPXで得られた運動処方（ATレベル）より低い運動負荷を目標に，過負荷とならないよう漸増（5分→10分→15分と運動負荷時間の延長）していく．運動前後の血圧の変化，息切れ，自覚的運動強度を聴取し，随時負荷を調整していく．β遮断薬使用時にはBorgスケール11（楽）〜13（ややきつい）程度に調整し処方された心拍数までは負荷を上げないよう実施している．

図 13-3-6　整理体操
自転車エルゴメータなど（左）運動後には，整理体操（右）を実施する．

### 3 クールダウン

エルゴなど運動後は運動負荷量を下げ，急激な血圧低下を防ぐため約1分間のクールダウンを実施し，筋疲労改善や副交感神経を活躍する目的として，整理体操を実施する 図 13-3-6．

### 4 退院支援

自宅復帰や復職に関する必要な動作について随時練習を行い，退院〜外来プログラムへ移行する準備をしていく．また，看護師，栄養士と協働し生活指導や栄養指導を行い，医師による疾病理解のための勉強会も実施している 図 13-3-7．また退院後自己管理が可能となるよう，朝食前，就寝前の血圧と脈拍測定，朝食前の体重をファイルに記入し，入院中に自己管理が可能となるよう促している 図 13-3-8．

## D 【Phase Ⅲ：維持期】外来プログラム

上記集団プログラムを継続するほか，入院期と大きく異なることとして，自己管理が重要となる点である．入院中に習慣づけた血圧や脈拍測定，体重測定結果を自身で記録をとり，外来リハビリ参加時に持参し，療法士，看護師が確認をとる．体重増加傾向であれば心不全徴候ではないかと考え，血圧が高値であれば服薬状況や塩分管理の情報を聴取するきっかけとなり，必要であれば医師に指示を仰ぐことが可能となる．また，非監視下での自主トレーニングも継続的に実施するよう促している．

さらに，Phase Ⅲにおいては，なんのために心リハを行うのかを意識して実施することが重要である．

狭心症に対する冠動脈バイパス術後患者であれば，バイパスをしていない血管や吻合部以外の部分に新規動脈硬化病変ができないようにしたり，すでに存在している小さなプラークが増大してACSを発症しないようにさせることが治療目標である．そのため，冠

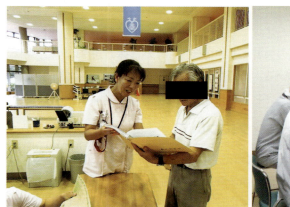

**図 13-3-7** チームで行う心臓リハビリテーション
多職種が看護面談（上段左），勉強会（上段右），栄養相談（下段）などを実施する．

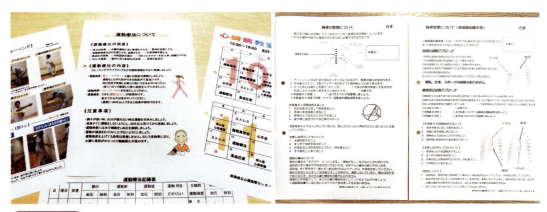

**図 13-3-8** 自己管理ファイル
自主トレーニングメニューや，血圧・脈拍測定表，胸骨管理用紙をファイリングし，自己管理を促すツールとして活用している．また，疾患管理の勉強会開催予定日を記載し，希望するプログラムについて参加していただくよう促している．

危険因子の管理が介入目標となり，特に最上流に位置する内臓脂肪を少なくさせるための心リハ，すなわち有酸素運動が重要となる．

また，広範囲心筋梗塞や弁置換術後の患者においては，心リハは体力回復以外に，併存する心不全の治療という役割も担っている．そのためには骨格筋ポンプ機能改善やエルゴリフレックス安定化を目的としたレジスタンストレーニングが重要である．

## E 開心術後のレジスタンストレーニングについて

開心術後は胸骨管理が重要となり，上肢機器については術後8週まで使用禁止としている．また，上肢機器使用開始時には，創部痛や胸骨の軋轢音がないか慎重に観察し実施する．下肢機器については，随時創部の状態に応じ早期から開始する．開始直後は機器に慣れないことで，上肢に力を込めてしまう危険性があるため注意を促している．機器種目増加については，機器使用の慣れなどに応じ，順次増やしていく．負荷設定については，表13-3-3 のプロトコールに沿い，下肢は1RMの50～60％を，上肢は1RMの30～40％の負荷量を10回1セットとし，2セットを実施する．筋疲労がBorgスケール11～13を維持しながら適時負荷を増量していく．

表13-3-3 レジスタンストレーニングのプロトコール

| | |
|---|---|
| 強度 | 上肢：30～40％ 1RMから開始<br>下肢：50～60％ 1RMから開始<br>※12～15回で軽く感じたら負荷を5％増加する<br>（レジスタンス機器使用では1段階錘を上げる） |
| 回数 | 10～15回/セット×1～3セット |
| 頻度 | 2～3回/週 |

〈中野晴恵〉

## 4 当院 ICU での早期・急性期心臓リハビリテーション

### A ICU での早期・急性期心臓リハビリテーション

2009 年の Schweickert WD らの報告[1] 以降，ICU での早期リハビリテーションが積極的に行われている．安静臥床により早期から筋萎縮が始まるといわれており[2,3]，2022 年の報告[4] では，介入のタイミングが遅れるほど介入効果が薄れる可能性も述べられている．ICU 期からの早期リハビリテーションは，挿管時間やせん妄の減少，退院時の心身機能や自宅退院率の向上，PICS の予防などを促すとされ，当院でも多職種協働で早期からの心臓リハビリテーション（心リハ）を積極的に実施している．

### B 当院での実施対象患者

当院の ICU での早期リハビリテーションは主に心臓血管外科手術後患者や重症心不全患者が多く，介入対象患者の中には，機械的な補助を用いられている患者もいる．基本的には集中治療における早期リハビリテーションのためのエキスパートコンセンサス[5] で明示されている離床開始基準に沿ってリハビリテーションを実施しているが，順調にリハビリテーションが進む患者ばかりではない．順調に離床を進められない患者においても，医師の指示の下，最大限に安全に配慮し，当院では可能な限りのリハビリテーションを提供している．

### C 介入前の情報収集

介入前の情報収集（診断名，既往歴，治療方針，手術内容，創部の部位，経過，各種検査結果など）で，患者の状態の理解に努める．患者がどのような治療サポートを受け，どんな反応を示しているのかを理解する．まずは機械的補助の有無と内容を確認する．循環補助装置（ECMO，IABP），CHDF，人工呼吸器など，機械補助や多量の持続点滴薬を使用していたとしても，治療に対してどんな反応を示しているのかどうかを理解するよう努める．離床に伴い危険がないかの確認もしておく（鼠径部のシース，コントロールされていない開放創，筋弛緩薬での深鎮静）．

まずは循環について，血圧や脈拍，尿量が確保されているかを確認する．経過表をみて，時間尿や 1 日の尿量が確保されていれば，治療サポートで循環が維持できているとおおよそ理解できる．腎機能障害等で尿量が確保されていなくとも，CHDF で除水ができていれば，治療サポートで患者の状態は維持できていると解釈している．循環が維持できていない場合は積極的な離床の対象外にはなるが，拘縮予防の関節運動や無気肺予防の体位変換には努めている．

次に呼吸状態について，動脈血ガスで $PO_2$ が 60 torr 以上か，$PCO_2$ が 40 を大きく超えて $CO_2$ の貯留傾向がないか（換気ができているか）を確認する．$PO_2$ が低値の際，そ

第 13 章 運動療法実施法リアルワールド 325

の理由が低循環によるものか，それ以外の理由（術後の一時的な胸水貯留や肺炎など）なのかを理解して介入している．低循環が理由で低酸素血症となっている場合は起座位にはしていない．

続いて代謝について，動脈血ガスでpHやBEを確認しアシドーシスへの著明な傾きがないかみる．この際も，何が理由でアシドーシスに傾いているのかを理解するよう努める．低循環が理由でアシドーシスとなっている場合は起座位にはしていない．腎機能障害が理由でアシドーシスとなっている場合，重炭酸イオンでの補正やCHDFで加療されることが多い．加療開始後の患者の反応がよければなるべく起座位としている．

循環，呼吸，代謝の状態は，一時点ではなく，全体の経過を追うことで，患者の状態が改善傾向にあるのか，増悪傾向にあるのかを把握し介入している．

## D 介入前の事前調整

朝のうちに担当看護師と介入時間の調整をしている．ICU患者は処置やケア，検査などがある．また，機械的補助のある患者を起座位にする際にはマンパワーを要する，さらにリハビリテーションの予定時間に合わせて疼痛や鎮静コントロールをはかるなど，介入効果が最大限となるよう調整している．さらに，CHDF中で脱水傾向にある患者は起座位にした際に脱血不良アラームが鳴ってしまうことがあるが，臨床工学技士に一時的に除水量を調整してもらうことでリハビリテーション続行可能なことも多い．いずれにせよ，これらを許可する医師や看護師，臨床工学技士などのリハビリテーションへの理解が大前提である．介入前には，医師に安静度を確認しておく．看護師に患者の状態を簡単に聴取し，これから行おうとしている介入内容や手伝ってほしいことを明確に伝える．その際，看護師から否定的な意見が出れば他のスタッフ（Dr・Ns・PT）にも相談し最終的なリハビリテーション内容を決定している．当院では多職種で協力してICUでの早期リハビリテーションを実施している．

## E 状況別の当院でのリハビリテーションの目的と内容

介入時には，視診触診などで基本的なバイタルサイン（四肢冷感や浮腫，皮膚は乾燥か湿潤か，呼吸様式や回数，貧血かなど），鼠径からのシース有無をチェックした上で，積極的離床が困難な状況にある患者に対しては，基本的な関節可動域の確保はもちろん，自動運動が可能な患者には随意運動を促し廃用性筋力低下を予防していく．姿勢変換に制限がなければ背面開放を行い（完全側臥位，前傾側臥位，長座位，端座位，腹臥位），無気肺やVAP（ventilator-associated pneumonia：人工呼吸器関連肺炎）予防に努めている．人工呼吸器装着中やCHDF中など，ルート類が多い患者においても，多職種で対応することで安全に行っており，当院では直近1年間に人工呼吸器肺炎を起こした患者はいない．当院において，端座位とすることが絶対禁忌となる場合は，鼠径部からの動脈へのシース留置，筋弛緩薬での深鎮静，治療に応答しない重症循環・呼吸不全がほとんどである．医師の指示の下，できる限り端座位での背面開放が行えるよう介入し，覚醒度が

326 | CPX・運動療法ハンドブック

RASS-3以下の患者においても安全を確保の上，背面開放を実施している．そうすることで，自律神経系の廃用予防，起座位時での循環維持や忍容性（広義でいう運動耐容能）の低下を防ぎ，その後の積極的離床練習に備えている．さらに，長時間の臥床は頭頸部の筋緊張が上がる患者が多く，頭頸部が後屈位で拘縮を起こしやすい．起座位にすると重力の影響で自然と頭頸部の屈曲位をとりやすく，無理なく可動域の改善をはかることができる．頭頸部の屈曲運動は嚥下時に必要な動きであり，回復期のスムーズな嚥下で栄養を確保することは患者の回復に影響を及ぼすため，頭頸部の柔軟性の確保は重要事項と考えている．加えて，自己喀痰の可否は肺の合併症予防に重要であり，咳嗽と体幹機能は密接に関わるとされる[6]．体幹機能の低下予防のためにも，できる限り起座位としている．積極的離床期にない患者を姿勢変換目的に起座位にする際は，四肢関節運動を行った後，少しずつギャッチアップを行い，フルギャッチアップでもバイタルサインに変動がないことを確認後に全介助で長座位や端座位としている．長座位では下肢が下垂しないため，比較的血圧を維持しやすい印象があるが，柔軟性の乏しい患者は後方重心となり十分に背面開放をしにくいのが特徴である．長期間臥床した患者を抗重力位にする際，まずはギャッチアップ，慣れたら端座位と段階を踏んで離床練習をすることが多いが，早期から端座位練習を行っておくことで，患者自体の抗重力位への忍容性が確保されており，リハビリをすすめることへの療法士自身や多職種スタッフの不安が少なく，機械的サポートの離脱後，すぐに起立や歩行練習を始めることができる．

　起座位が困難な場合，ルート類に配慮しながら90度以上の側臥位〜前傾側臥位にポジショニングし背面開放を行っている．マンパワーが2人以下で比較的簡便に実施することができることが利点だと思われる．腹臥位とするにはマンパワーが最低3人以上必要となり，姿勢を戻す際にも同様の人数が必要なことから当院で行うことは少ないが，患者の状況に応じて適したポジショニングを行っている．リハビリテーション介入時間以外のポジショニングについても看護師と相談・協力しながら実施している．

　エキスパートコンセンサスに準じて積極的な離床時期にいる患者であれば，端座位〜立位〜歩行練習へと積極的に離床を進めている．

　離床練習時にはルート類が抜去されないよう細心の注意をはらう．そのため，端座位とする前に，姿勢変換後もルート類が安全な位置となるよう位置修正をしてから介入をしている（図13-4-1 参照）．人工呼吸器を装着中であれば，呼吸器側に起座位とすることが多い．人工呼吸器に加え，CHDF中であればCHDF側に起座位としている（人工呼吸器の管のほうが長いことが多いため）．ドレーンは起こす側と反対側に置いたままでも端座位までなら当院の場合は間に合うが，起立以上を実施する可能性があれば事前に起こす側へドレーンを移動しておく．他にも，尿カテーテルや対外式ペーシング，点滴類の位置関係を整えてから介入している．

## F　病態ごとの当院での対応

　大まかに，大血管疾患患者と重症心不全患者では考え方を変えて対応している．大血管

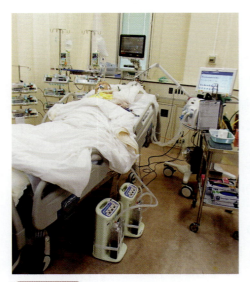

図13-4-1　ICU在室中の患者
ルート類が多く，離床前にはこれらの抜去を防ぎ安全に行うためルート類を整理してから介入を行っている．

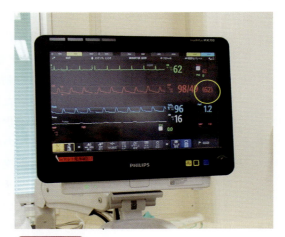

図13-4-2　平均血圧
○で示した部分は平均血圧である．ICUでの早期リハビリテーション中は，収縮期血圧だけでなく平均血圧でバイタルサインの変化を見ていることが多い．

疾患患者の場合は心臓自体に問題があるわけではない．術後は一時的に体液量貯留による心不全状態になることがあるが，基礎疾患や手術侵襲によって心機能の低下がなく，明らかな状態悪化傾向もなくリハビリ介入中のバイタルサインの安定を確認できれば，術後翌日より20〜40分程度の端座位を実施している．特に緊急手術をした症例などは体液量の貯留が多く，人工呼吸器やCHDFなどの機械的補助が長期化する患者もいるが，離脱すれば速やかに起立・歩行練習と進めている．一方，重症心不全でICUに在室している患者は，心機能低下により循環不全に陥っていることが多く，大量の薬剤に加え，ECMOやIABP，CHDF，NPPVなどが用いられていることが多い．過負荷で状態悪化をさせないように，少量頻回を原則とし，ECMOやIABP刺入部以外の関節拘縮予防や側臥位（医師に許可された角度）から始め，鼠径のシースが抜去され離床の安全が確保されてから，まずはギャッチアップ，端座位5〜10分，その後は5分ずつ延長しバイタルサインの変化をみるなど，患者の予備力に応じて，慎重に離床練習を行っている．リハビリテーション中，大血管疾患の場合は収縮期血圧でリハビリテーション続行の可否をみているが，それ以外の疾患の場合は平均血圧でみていることが多い．一般的には平均血圧が65 mmHg以上でリハビリテーションを行っているが，場合により医師と相談の上，平均血圧が65 mmHg未満でもリハビリテーションを続行することはある（図13-4-2 参照）．いずれにしても個々の患者の目標を多職種で情報共有し，チーム医療で取り組むことが重要と考える．

## ■文献

1) Schweickert WD, Pohlman MC, Pohlman AS, et al. Early physical and occupational therapy in mechanically ventilated, critically ill patients: a randomised controlled trial. Lancet. 2009; 373: 9678: 1874-82.

2) Thomason DB, Biggs RB, Booth FW. Protein metabolism and beta-myosin heavy-chain mRNA in unweighted soleus muscle. Am J Physiol. 1989; 257: R300-305.

3) Levine S, Nguyen T, Taylor N, et al. Rapid disuse atrophy of diaphragm fibers in mechanically ventilated humans, N Engl J Med. 2008; 358: 1327-35.

4) Schweickert WD, Bhakti K P, John P, et al. Timing of early mobilization to optimize outcomes in mechanically ventilated ICU patients. Intensive Care Med. 2022: 1-3.

5) 日本集中治療医学会早期リハビリテーション検討委員会. 集中治療における早期リハビリテーション ～根拠に基づくエ キスパートコンセンサス～. 日集中医誌. 2017; 24: 255-303.

6) 片桐 夏樹, 羽根田 陽平, 赤塚 清矢, 他. 体幹屈伸運動の有無が咳嗽時およびハフィング時最大呼気流速に与える影響. 日呼ケアリハ学誌. 2020; 28: 429-33.

〈中野晴恵〉

# 5 術後せん妄への心臓リハビリテーション

　当院での術後の心臓リハビリテーション（心リハ）は，理学療法士・作業療法士がICUからそれぞれの役割でリハビリテーションを実施している．主に理学療法士は離床練習や合併症予防，作業療法士は精神機能障害や退院後を見据えた日常生活機能練習を行っている．術後せん妄に対する心リハは多職種で対応することが基本であり，当院では作業療法士を中心に多職種で術後せん妄に対するアプローチを行っている．

## A せん妄について

　せん妄とは精神・認知機能障害で[1]，過活動型，・低活動型・混合型に分類される[2]．術後リハビリテーションの経過を大きく阻害する要因の一つが術後せん妄であり，予後不良の独立因子でもあるが，これは手術を契機に発症する意識障害の特殊型であり，急性可逆性の脳代謝障害であると考えられている．しかしながら，アメリカ精神医学会編『精神疾患の診断・統計マニュアル第5版』（DSM-5）には可逆性とは明記されておらず，2009年の研究結果では，せん妄の罹患が3～4日間で約1年後50％の生存率と報告されており，せん妄の発症は予後の悪化に影響することが示唆されている．心臓外科手術患者の11～46％がせん妄を発症すると報告[3-5]され，せん妄はICU滞在期間の延長，術後合併症の増加，死亡率および長期的な認知機能低下に関連する．アメリカ精神医学会では術後せん妄診断基準を，注意や意識障害が数時間から数日にかけて持続し，その程度が日内変動を示し，記憶・見当識障害など他の認知機能障害を伴い，それらの症状を説明できる既往歴を有しないとしている．術後せん妄の発症は，不穏行動などの医療管理上の問題だけでなく，医療費の増大などの問題もあり[6]，術後せん妄に対する心リハは重要性を増していると考えられる．

## B 術後せん妄の危険因子

　図13-5-1は1990年Lipowskiらがまとめた，せん妄発症の関連因子である[7]．

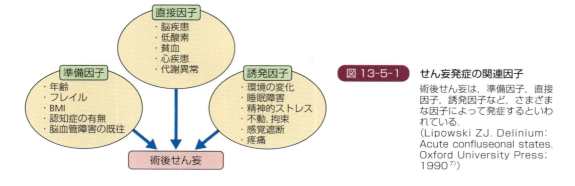

図13-5-1　せん妄発症の関連因子
術後せん妄は，準備因子，直接因子，誘発因子など，さまざまな因子によって発症するといわれている．
(Lipowski ZJ. Delinium: Acute confluseonal states. Oxford University Press; 1990[7])

術後せん妄の発症には，年齢・既存の認知症・入院時の重症度の高い疾患・抑うつなどの準備因子，低酸素や代謝異常の直接因子，環境や疼痛などの誘発因子があり，これらによって術後せん妄が発症するとされる．

## C 術後せん妄の評価

当院では療法士や看護師が主に評価を行っている．評価指標は CAM-ICU を用いることが多い．当院で使用している評価項目は以下のとおりである．

### ① 日本語版 CAM-ICU（Confusion Assessment Method for the Intensive Care Unit[8]）

ICU におけるせん妄評価法として開発された観察評価法である．所見 1〜4 で構成され，覚醒度の評価から始まり，簡単な質問を行っていき，それぞれ陽性または陰性で評価される．評価には患者の協力が必要である（表13-5-1・図13-5-2）．

### ② 日本語版 NEECHAM 混乱・錯乱状態スケール（JNCS: Japan NEECHAM Confusion Scale[9]）

せん妄の初期段階でも得点に反映される．観察のみで完遂できるが，項目は比較的多いのが特徴である．観察項目は認知・情報処理（3 項目），行動（3 項目），生理学的コントロール（3 項目）の計 9 項目で，合計得点が 0〜19 点は "中等度から重度の混乱・錯乱状態"，20〜24 点は "軽度または発生初期の混乱・錯乱状態"，25〜26 点は "混乱・錯乱していないがその危険性が高い"，27〜30 点は "混乱・錯乱していない" と評価される．

### ③ ICDSC（Intensive Care Delirium Screening Checklist[10]）

せん妄の程度を評価できる．意識レベルの変化，注意力の欠如，失見当識：時間，幻覚・妄想・精神障害，精神運動的な興奮あるいは遅滞，不適切な会話あるい

表13-5-1 RASS（Richmond Agitation- Sedation Scale）

鎮静評価として使用しており，CAM-ICU でも用いられる．

| スコア | 用語 | 説明 | |
|---|---|---|---|
| +4 | 好戦的な | 明らかに好戦的な，暴力的な，スタッフに対する差し迫った危険 | |
| +3 | 非常に興奮した | チューブ類またはカテーテル類を自己抜去：攻撃的な | |
| +2 | 興奮した | 頻繁な非意図的な運動，人工呼吸器ファイティング | |
| +1 | 落ち着きのない | 不安で絶えずそわそわしている，しかし動きは攻撃的でも活発でもない | |
| 0 | 意識清明な | 落ち着いている | |
| −1 | 傾眠状態 | 完全に清明ではないが，呼び掛けに 10 秒以上の開眼およびアイコンタクトで応答する． | 呼び掛け刺激 |
| −2 | 軽い鎮静 | 状態呼び掛けに 10 秒未満のアイコンタクトで応答 | 呼び掛け刺激 |
| −3 | 中等度鎮静 | 呼び掛けに動きまたは開眼で応答するがアイコンタクトなし | 呼び掛け刺激 |
| −4 | 深い鎮静状態 | 呼び掛けに無反応，しかし，身体刺激で動きまたは開眼 | 身体刺激 |
| −5 | 昏睡 | 呼び掛けにも身体刺激にも無反応 | 身体刺激 |

(Sessler CN, et al. Am J Respir Crit Care Med. 2022; 168: 1388-44)

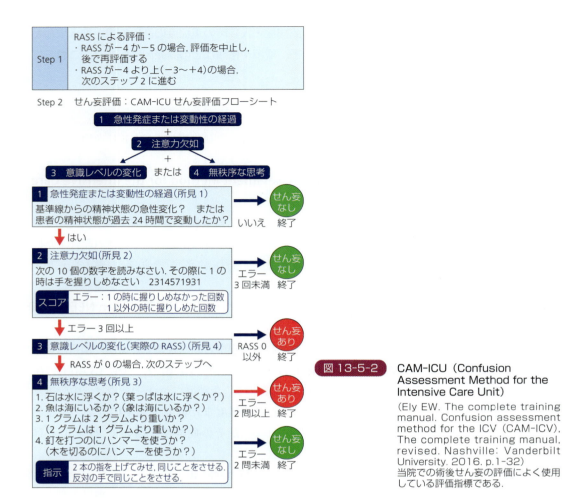

図 13-5-2 CAM-ICU（Confusion Assessment Method for the Intensive Care Unit）
(Ely EW. The complete training manual. Confusion assessment method for the ICV (CAM-ICV). The complete training manual, revised. Nashville: Vanderbilt University. 2016. p.1-32)
当院での術後せん妄の評価によく使用している評価指標である．

は情緒，睡眠/覚醒サイクルの障害，症状の変動の 8 項目のチェックからなる．観察のみで完遂できる．4 点以上でせん妄がありと判定され，最高が 8 点の評価指標．2 点から 3 点は要注意といわれているが，1 点でも注意が必要と考えている．

### ❹ DSM-5 によるせん妄の診断基準

　①注意・意識の障害，②短期間のうちに出現，注意・意識水準の変化，1 日内で重症度の変動を伴う，③認知の障害を伴う，④①〜③は他の神経認知障害や覚醒水準の著しい低下によらない，④他の医学的疾患，物質中毒・離脱，毒物曝露，複数の病因等のによる直接的な生理学的結果によるかの 5 項目からなり，すべてを満たすとせん妄と診断される．過活動型，低活動型，活動水準混合型の特定を行うよう示されている．当院でも，評価を終えた段階でこれらの特定を行い症例に応じて多職種で協力しながら対応している（表 13-5-2）[12] 詳細は文献 11 を参照．）．

| 表13-5-2 | せん妄のサブタイプ |
|---|---|
| 過活動型せん妄 | 24時間以内に以下のうち2項目以上の症状（せん妄発症前より認める症状ではない）が認められた場合<br>・運動活動性の量的増加<br>・活動性の制御喪失<br>・不穏<br>・徘徊 |
| 低活動型せん妄 | 24時間以内に以下のうち2項目以上の症状（せん妄発症前より認める症状ではない）が認められた場合（活動量の低下または行動速度の低下は必須）<br>・活動量の低下<br>・行動速度の低下<br>・状況認識の低下<br>・会話量の低下<br>・会話速度の低下<br>・無気力<br>・覚醒の低下/引きこもり |
| 混合型 | 24時間以内に，過活動型ならびに低活動型両方の症状が認められた場合 |

(Meagher D, Moran M, Raju B, et al. A new data-based motor subtype schema for delirium. J Neuropsychiatry Clin Neurosci. 2008: 20: 185-93) [12]

## D 術後せん妄に対する薬物治療

術後せん妄に対する予防や治療に関して，エビデンスの確立された薬物治療はない．しかし，日々のリハビリテーション実施の際，意識レベルの管理目的に鎮静薬は役立つこともある．せん妄は日内で意識レベルが変動する病態であることから，鎮静剤の調整で$-2 \leqq RASS \leqq +1$のタイミングを作り介入することに鎮静薬は有用であると考えている．

## E 術後せん妄に対する心臓リハビリテーション

術後せん妄へのアプローチとして，早期離床・リハビリテーションが効果的であり，ABCDEFバンドル，多職種協働での対応が推奨されている．ABCDEFバンドルでは，覚醒をさせ，せん妄の確認を行うだけでなく，Fの家族を含めた対応も重要とされている．多職種協働では，薬剤調整など医師にしかできないことも多く，日々のリハビリテーション場面では適宜相談しながら実施している．

朝のうちに担当看護師に患者の状況を聴取し，必要に応じて鎮静薬・鎮痛薬の調整やマンパワーの確保をお願いし介入時間の調整をしておく．せん妄の特徴である，日内変動があることを最大限に有利に生かし，看護師の協力を得ながら最適なタイミングでリハビリテーション介入を行うことが重要だと思われる．

介入時には，基本的に患者が不快とすることは極力行わないように心がけている．患者の話を傾聴し，普段興味をもっていることや日常生活の話を引き出すことで比較的落ち着いて話ができる患者は多い．傾聴する中で，日常生活での習慣として行っていること，患者のやりたいことは何かを聞き出し，できる限り実現させるよう努めている．患者からの聴取が困難な場合は，家族から普段の患者の趣味や習慣などを聴取し，介入時に話題にす

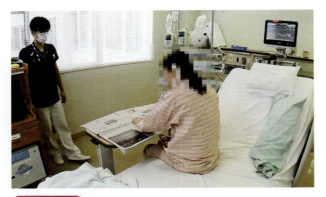

**図 13-5-3** 術後せん妄患者に対する関わり
当患者は新聞を読むことが日課であったことから，ICU内であっても新聞を読み身の回りのことをできるだけ自身で行ってもらう介入を行った．

ることでスムーズな会話ができることもある．

　ICU内であってもできるだけ日常の状態に近づけるべく，補聴器や眼鏡を使用していれば着け，TVや新聞を読んで過ごしていたのならばそのようにし，トイレ歩行の希望があればルート類が多くとも介助を行い，できる限りストレスの軽減に努めている図 13-5-3．

　特にICUでの入院生活は普段の日常とは異なる環境下となるため，担当看護師と協力し，夜間は照明を暗くする，アラームなどの音が響かないように音量や設定を調整する，日中は車いすに座り好きなTVや音楽を聴いて過ごす，家族と電話するなど，多職種で術後せん妄の改善に向けたアプローチをしている．

　不穏傾向にある患者に対する離床練習は一筋縄にはいかないことが多い．患者が自ら動きたくなるような提案（トイレに行く，外の景色を見に行く）などを工夫し対応している．しかしながら行ったはいいものの，戻ることを拒絶される可能性もあるため，その際にはすぐ応援に来てもらえるよう，事前に担当看護師に相談後に介入している．

　家族にも協力を依頼し，リハビリテーションの時間に合わせて面会に来てもらい，家族に会いに行くことを動機づけとして，十分な感染対策をした上でリハビリテーションを行うこともある．患者の術後せん妄の状態が改善傾向となれば，徐々に病院側の規則やスタッフの都合，周りの患者への配慮について話をし，注意を周囲に向けさせ病院での規律下での生活がスムーズに送れるようにしていく．

■文献
1) 小野博史. 術後精神障害のアセスメントと看護. 大阪大看誌. 2013；19：1-8.
2) Lipowski ZJ. Delirium（acute confusional states）. JAMA. 1987；258：1789-92.
3) Pisani MA, Kong SY, Kasl SV, et al. Days of delirium are associated with 1-year mortality in an older intensive care unit population. Am J Respir Crit Care Med. 2009；180：1092-77.
4) 松田好美，竹内登美子，寺内英真，他. 日本語版NEECHAM混乱/錯乱状態スケールの有用

性. 岐阜大医紀. 2008; 55: 32-42.

5) Inouye SK, Westendorp RG, Saczynski JS, et al. Delirium in elderly people. Lancet. 2014; 383: 911-22.

6) American Psychiatric Association. In: Desk Reference to the Diagnostic Criteria from DSM-5 [TM]. Washington, DC: American Psychiatric Pub. 2013; p.292.

7) Lipowski ZJ. Delirium: acute confuseonal states. Oxford University Press; 1990.

8) Ely EW, Truman B, Tsuruta R, et al, 訳. ICU のためのせん妄評価法（CAM-ICU）トレーニング・マニュアル. 2014 [cited 2014 Jan 15]. 〈http://www.icudelirium.org/docs/CAM_ICU_training_ Japanese.pdf〉

9) Neelon VJ, Champagne MT, Carlson JR, et al. The NEECHAM confusion scale: Construction, validation, and clinical testing. Nursing Research. 1996; 45: 324-330.

10) Bergeron N, Dubois M J, Dumont M, et al. Intensive care delirium screening checklist: Evaluation of a new screening tool. Intensive Care Med. 2001; 27: 859-64.

11) 日本精神神経学会 日本語版用語（監修），高橋三郎，大野　裕（監訳）. DSM-5 精神疾患の診断・統計マニュアル. 東京: 医学書院; 2014. p.588-9.

12) Meagher D, Moran M, Raju B, et al. A new data-based motor subtype schema for delirium. J Neuropsychiatry Clin Neurosci. 2008; 20: 185-93.

〈山下遊平〉

# 6　ステージC・D：心不全・LVAD植え込み患者

## A　心不全患者に対する心臓リハビリテーション

　本邦では団塊の世代が後期高齢者となる2025年からその子供たち団塊ジュニア世代が65歳以上となる2035年をピークに心不全患者数は増加の一途を辿るとされており 図 13-6-1 [1]，心臓リハビリテーション（心リハ）の担う役割は今後益々大きくなってくる．

　生命予後とADLの改善を目的とした心不全に対する心リハについては世界的に推奨されており，本邦でも2006年に保健適用となって以降その効果についての報告が散見される．2021年に改訂された「心血管疾患におけるリハビリテーションに関するガイドライン」においても様々な有効性が示されている．

　心不全のリスクと病態の進展をステージ分けした「心不全とそのリスクの進展ステージ」 図 13-6-2 [2] を理解しておくことは，各ステージにおける適切な治療と進展予防の指針になるため，メディカルスタッフ側の熟知はもちろん，患者自身にも理解させることが重要である．「急性・慢性心不全診療ガイドライン」[3] では，既往を含めた心不全症候を有する患者を「ステージC　心不全ステージ」，おおむね年間2回以上の心不全入院を繰り返し，有効性が確立された全ての薬物治療・非薬物治療について治療ないし治療が考慮されたにもかかわらずNYHA Ⅲ度（通常以下の活動で心不全症状が出現し身体活動が高度に制限される）より改善しない患者を「ステージD　治療抵抗性心不全ステージ」と

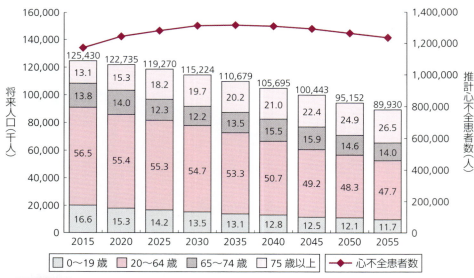

図 13-6-1　人口および年齢構造と心不全患者の将来推計（2015～2055年）（眞茅みゆき，他. In: 北風政史, 編. 心不全診療Q＆A. 2版. 中外医学社；2015. p.2-6）[1]

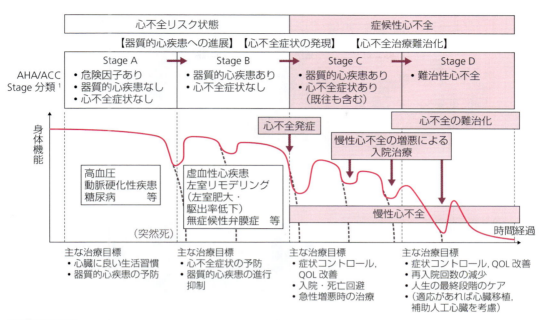

図 13-6-2 心不全とそのリスクの進展ステージ（厚生労働省．脳卒中，心臓病その他の循環器病に係る診療提供体制の在り方に関する検討会．脳卒中，心臓病その他の循環器病に係る診療提供体制の在り方について（平成29年7月））[2]

定義されている．ステージC・Dでは予後の改善と症状の軽減が治療目標となるが，その中でもステージCはステージの進行抑制による予後の改善が，ステージDでは終末期における症状軽減が，より重要な課題となる．

心不全は急性発症（増悪）後，適切な治療を受けることで状態が代償され慢性心不全に移行していくため，心不全に対する心リハは，急性期・前期回復期・後期回復期・維持期の各フェーズによってその目的や押さえておくべきポイントは異なる．当院では各フェーズに対応できるよう体制を整えており，切れ目ない心リハの提供を目指している（図 13-6-3）．

## B フェーズに応じた心臓リハビリテーションのポイント

### 1 フェーズ1（急性期：ICU/CCU：ベッドサイドでの介入）

心不全患者に対する心リハを行う際には，まず心不全が診断名ではなく，心臓のポンプ失調により十分な血流が供給できなくなることで生じる，全身の臓器の機能不全からなる症候群であることを理解しておくことが重要である．心不全には基礎疾患などの原因が存在するため，それらを医師のカルテや各種検査結果，投薬状況などから総合的に把握したうえでリスク管理や目標設定，自己管理に必要な教育的介入へ繋げていく．

急性期の心リハの目的は，①状態が安定し積極的な離床が開始となるまでのデコンディショニングの予防，②状態に応じた安全な（過度の心負荷とならない）離

**フェーズ1（急性期：ICU・CCU，ベッドサイドでの介入）**

安静を必要とする時期には廃用予防を目的に，状態に応じて過度の安静や活動量低下を予防しつつADLの再獲得を目的に介入．

**フェーズ2（前期回復期：入院　リハビリ室）**

状態が安定しADLが自立レベルとなったら積極的に運動療法へ移行する．運動耐容能の向上，退院後の安全で効果的な運動継続，生活習慣の是正を目的に介入．

**フェーズ3（後期回復期：外来　リハビリ室）**

運動耐容能の改善，社会復帰，QOLの改善を目的に介入．また，自己管理方法の確認・修正や心不全増悪のサインの有無を確認し，再入院を予防する．

**フェーズ4（維持期：地域・メディカルフィットネス）**

自己管理の継続による主病変の進展予防，心不全増悪による再入院の予防，QOLの維持・向上が目標．

図13-6-3　心不全患者に対する心臓リハビリテーションの流れと目的

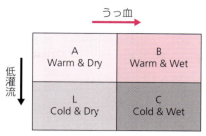

Wet(うっ血所見)：起坐呼吸,頸静脈圧の上昇,浮腫,腹水,肝頸静脈逆流
Cold(低灌流所見)：小さい脈圧,四肢冷感,傾眠傾向,低 Na 血症,腎機能悪化

図 13-6-4　Nohria-Stevenson 分類
(Anju Nohria A, et al. Am J Cardiol. 2003; 41: 1797-804)[4]

表 13-6-1　心不全に対するリハビリ進行基準

| Noria-Stevenson 分類の所見 | 状態 |
|---|---|
| うっ血所見 | 体重増加（浮腫も含む）：1 週間で 2 kg 以上の体重増加<br>運動を行ったその日の利尿減少や翌日の体重増加，夜間の息切れ感の出現がない<br>BNP の増加：前回より 100 pg/mL 以上の増加がない（病態による）<br>$SpO_2<91\%$ |
| 低灌流所見 | 腎機能の悪化：Cr>2.5 mg/dL ではない<br>運動時の血圧低下：収縮時血圧 80 mmHg 未満にならない<br>安静時の心拍数：100 拍/分以上にならない<br>運動時の心拍数：120 拍/分以上にならない<br>四肢の冷感が悪化していない |
| その他 | 安静時息切れの増悪なし |

(Anju Nohria A, et al. Am J Cardiol. 2003; 41: 1797-804)[4]

床・ADL の拡大，③不安や抑うつといった精神面のフォロー，④早期退院に向けた運動耐容能の改善，などがあげられる．入院後心リハが処方されるタイミングは主治医によって異なるが，介入にあたっては当然ながら治療の経過・心不全の代償の程度によって注意点は変化する．そのため，介入前の情報収集と介入中（の自覚症状や血行動態，その他の身体所見など）の評価が非常に重要であり，実際には運動負荷をかける時間より情報収集や評価の時間が長くなる場合も多くある．
　まず，心臓の状態を把握することが必要となる．検査結果や投薬状況から心不全の病態分類である Nohria-Stevenson 分類 図 13-6-4 に当てはめるとイメージしやすい．心臓の状態に対してどのような治療が行われているのか，目安となるリハビリ進行基準 表 13-6-1 と併せて確認することが必要となる．Nohria 分類の wet & cold （うっ血＋低灌流）の状態で IABP や ECMO といった循環補助装置が使用されている場合には，生命維持が最優先となり基本的にはリハビリの介入は行わない．しかし，長期的な使用が余儀なくされている症例や循環動態が安定し自覚症状もない場合には，拘縮予防や最低限のデコンディショニング予防に，ベッド上で

表 13-6-2　酸素流量と吸入酸素濃度（FiO₂）の関連

| 鼻カニューレ | | フェイスマスク | | リザーバー付きマスク | |
| --- | --- | --- | --- | --- | --- |
| 酸素流量（L/分） | FiO₂（%） | 酸素流量（L/分） | FiO₂（%） | 酸素流量（L/分） | FiO₂（%） |
| 1 | 24 | 5～6 | 40 | 6～7 | 60 |
| 2 | 28 | 6～7 | 50 | 7～8 | 70 |
| 3 | 32 | 7～8 | 60 | 8～10 | 80 |
| 4 | 36 | | | 10～12 | 90 |
| 5 | 40 | | | | |

（松木恵里. In: 道又元裕. 編. 人工呼吸器ケア「なぜ・何」大百科. 照林社. 2005. p.160-1）[5]

表 13-6-3　狭心薬の投与量に応じた介入内容の目安

| 種類 | 用量 | 治療の目的 | 目安となる介入内容 |
| --- | --- | --- | --- |
| ノルアドレナリン | | 血圧維持・上昇 | 介入中止 |
| ドブタミン塩酸塩 | 3γ以上 | 心筋収縮力アップ | 慎重にベッド上～端座位・立位 |
| | 3γ以下 | 尿量維持・増加 | 立位・歩行 |
| ドパミン塩酸塩 | 5～10γ | 血圧維持・上昇 | ベッド上 |
| | 2～5γ | 心筋収縮力アップ | 端座位・立位でのプレトレ |
| | ～2γ | 尿量維持・増加 | 立位・歩行 |

ROM-ex や徒手的な抵抗運動を実施する場合もある．その際には，カテーテルが挿入されている側の股関節を屈曲させることのないように注意する．

　次に，少なくとも介入前 24 時間以内の血圧や心拍数の異常，呼吸状態の悪化の有無，尿量・体重の変化を確認する．収縮期血圧が低く推移し尿量が少ない場合には，末梢の主要臓器に充分な血液が灌流されていないことが予想される．また体重増加に伴い SpO₂ の低下や酸素流量の増加，酸素投与方法の変更を認める場合には，肺うっ血や胸水の増悪が予想され，胸部 X 線と照らし合わせて確認する必要がある．なお，酸素流量と酸素投与の方法の違いによる吸入酸素濃度（FiO₂）の変化を理解しておくことは，状態の重症度を把握するために必要である 表13-6-2．その他，心房細動や心室頻拍などの不整脈の出現があった場合にも注意が必要である．これらの状態は心不全が増悪傾向にあるサインであり，介入前に医師に心リハ実施の可否を確認するほうがよいだろう．

　次に必要となるのが投薬内容の確認である．急性期の心不全患者は強心薬（心筋収縮力・心ポンプ能力を高める薬）であるカテコラミン製剤が点滴静注されていることが一般的である．当院ではその投与量に応じて介入内容を変えている 表13-6-3．カテコラミン製剤の 1 つであるドパミン塩酸塩は臨床では DOA と略されることが多い．DOA はその投与量によって作用が異なる．同じカテコラミン製剤の 1 つであるドブタミン塩酸塩は DOB と略されることが多い．昇圧作用は軽度で直接利尿作用はなく心拍数も増大しないが，強い強心作用をもち心筋収縮力は DOA の 4 倍とされるため，投与中の介入にあたっては慎重に状態を確認する必要

340　CPX・運動療法ハンドブック

| 表 13-6-4 | 心不全に対するリハビリ開始前の評価 |
|---|---|

| 項目 | | 問診・フィジカルアセスメント（日常や前日との比較が重要） |
|---|---|---|
| 両方の所見 | | □ 尿量が少なくなっていないか？（利尿状況） |
| うっ血所見 | 肺うっ血 | □ 眠れているか？（起座呼吸，寝不足による交感神経活性の亢進） |
| | | □ 咳や痰が増えていないか？（肺うっ血，感冒症状） |
| | | □ 労作時息切れが強くないか？（PCWP の上昇） |
| | 体うっ血 | □ 食欲が落ちていないか？（腸管浮腫，栄養状態） |
| | | □ 手足のむくみが悪化していないか？（浮腫） |
| | | □ 同姿勢で頸静脈が怒張していないか？（頸静脈圧上昇） |
| | | □ 腹部が張っていないか？（腹水，肝うっ血） |
| 低灌流所見 | | □ 手足が冷たくないか？（低灌流所見） |
| | | □ めまいがしないか？（低灌流所見，低血圧） |
| | | □ 全身の倦怠感がないか？（低 Na 血症） |
| | | □ 動悸がしないか？（交感神経活性の亢進，貧血，不整脈） |

（田屋雅信. 極めに・究める・内部障害，東京: 丸善出版. 2019. p.25-7）[7]

がある[6]．なお，低用量 DOA: 中用量 DOB＝1 : 1～2 の併用療法は DOA の利尿作用と DOB の強心作用が生かされ，単独よりも副作用を少なくし心不全の治療効果を上げることができるため，臨床では見かけることが多い.

以上のようなカルテから得られる情報を確認した上で，患者のベッドサイドに伺い，問診やフィジカルアセスメントを行う 表13-6-4． 表13-6-4 に示した所見に1つでも当てはまる場合には積極的な離床の拡大は行わず，より慎重な介入が必要となる．一見健常な状態と区別がつきにくいからこそ，身体から出ているサインを見落とさないために，より細かな評価を行っていくことが重要である．負荷をかけたり離床を進めている間にも，問診による疲労感や息切れ感の確認が必要である．特にカテコラミン製剤や利尿薬の減量中には，$SpO_2$，血圧，脈拍などの数値の変化と共に，自覚症状の変化にも充分注意していく．また，高齢患者の場合には，心臓に対する負荷の程度と自覚症状が必ずしも一致しない（実際には高強度であっても自覚的に苦しさを感じづらい）場合がある．運動前の情報収集やフィジカルアセスメントで問題ないと判断できた時であっても急激な負荷量の増加は避け，翌日の体調などを確認した上で段階的に負荷や運動時間を延長させることが重要である．また，臥床期間が長い症例は，抗重力位になることで起立性低血圧や頻脈など循環動態に容易に変化をきたすことがあるため，まずは臥位でしっかり手足の自動運動を行ってから，ギャッチアップ座位，端座位，立位，とゆっくり肢位を変えながら自覚症状やモニタの変化を確認していくべきである.

急性期離床プログラムを 表13-6-5 に示す．運動耐容能の低下を予防するため，ADL が自立すれば早期に運動療法へ繋げていくことが望まれる．そのためにも重要となるのが，ベッドサイドから開始する筋力トレーニングである．急性期の心不全患者は安静臥床や炎症性サイトカインの上昇，低栄養などの影響で骨格筋萎縮をきたしやすい．骨格筋量が減ることで，離床開始後の息切れ感や心拍数の増

| 表 13-6-5 | 急性期離床プログラム | | | | | |
|---|---|---|---|---|---|---|
| | stage 1 | stage 2 | stage 3 | stage 4 | stage 5 | stage 6 |
| 許可される安静度 | ベッド上安静 | 端座位 | 室内自由 | トイレ歩行 | 棟内自由（80 m まで） | 棟内自由 |
| リハ実施場所 | ベッド上 | ベッドサイド | ベッドサイド | 病棟 | 病棟（リハ室） | 病棟（リハ室） |
| 目標座位時間（1 日総時間） | ギャッチアップ | 1 時間 | 2 時間 | 3 時間 | 3 時間 | 3 時間 |
| ステージアップ負荷試験 | 端座位 | 歩行テスト（自由速度）10 m | 歩行テスト（自由速度）40 m | 歩行テスト（自由速度）80 m | 歩行テスト（自由速度）80 m×2〜3 回 | 6 分間歩行テスト |

（日本心臓リハビリテーション学会．心不全の心臓リハビリテーション標準プログラム（2017 年度版））[8]

加，抗重力肢位における静脈灌流量の低下による目眩の出現など，様々な自覚症状につながりやすく，患者のモチベーションを低下させる要因になってしまう．このため，可及的早期より骨格筋トレーニングを開始していく必要がある．具体的には，ベッド上であればボールやセラバンドを用いた抵抗運動，座位・立位が可能となれば自重を用いたプレトレーニング（踵上げ，腿上げ，ハーフスクワットなど）を実施していく．プレトレーニングは，患者自身が自主トレできるように指導することも重要である．

また，リハビリ内容を病棟の ADL に適切に反映することで過度な安静を回避することもリハビリスタッフの重要な役割であり，そのためには担当看護師との情報交換など多職種の連携が不可欠である．なお，治療抵抗性の状態にあるステージ D の終末期心不全患者の場合には早期離床や運動療法への移行ではなく，症状の緩和や本人の希望する動作能力の維持が目標となることが多い．呼吸しやすい肢位や自助具の使用を提案し，効果があれば担当看護師に報告し ADL に反映させていく．頻回に患者に介入する機会のあるリハビリスタッフは患者の想いや希望を聴取しやすい立場にあり，ACP（アドバンスケアプランニング）に関連する情報を得た際には担当医や看護師と情報共有をしていくことで，当院のように緩和ケアチームを持たない施設であっても，患者の QOL 向上に繋げていけるもの考える．

### ❷ フェーズ 2（前期回復期：入院中　リハビリ室）

点滴から離脱し，ADL が自立した症例については，入院中より回復期の運動療法が開始となる．心不全の運動療法における運動処方，禁忌を示す 表 13-6-6，表 13-6-7．可能であれば CPX を実施し AT レベルの運動強度で実施していくことが推奨されている．運動療法により骨格筋の筋肉量減少や代謝異常，血管拡張能低下，エルゴ受容体反射亢進などの末梢因子が改善され運動耐容能や QOL が向上する．しかし，心不全が代償されても CPX の実施が可能なレベルまで体力回復が到達していない症例も臨床上は少なくない．そういった場合，当院ではまず身体機能評価を実施した上で，自転車エルゴメータを低強度で少量頻回（0〜10 Watt 5〜10 分×2〜3 セット）から開始し，Borg 11〜13 レベルで徐々に運動強度の

## 表 13-6-6　慢性心不全患者に対する運動プログラム

### 構成
運動前のウォームアップと運動後のクールダウンを含み，有酸素運動とレジスタンス運動から構成される運動プログラム

### 有酸素運動
心肺運動負荷試験の結果に基づき有酸素運動の頻度，強度，持続時間，様式を処方し，実施する．
- 様式：歩行，自転車エルゴメータ，トレッドミルなど
- 頻度：週 3〜5 回（重症例では週 3 回程度）
- 強度：最高酸素摂取量の 40〜60%，心拍数予備能の 30〜50%，最高心拍数の 50〜70%，または嫌気性代謝閾値の心拍数
  →2〜3 ヵ月以上心不全の増悪がなく安定していて，上記の強度の運動療法を安全に実施できる低リスク患者においては，監視下で，より高強度の処方も考慮する（例：最高酸素摂取量の 60〜80%相当，または高強度インターバルトレーニングなど）
- 持続時間：5〜10 分×1 日 2 回程度から開始し，20〜30 分/日へ徐々に増加させる．心不全の増悪に注意する．
心肺運動負荷試験が実施できない場合
- 強度：Borg 指数 11〜13，心拍数が安静座位時＋20〜30/min 程度でかつ運動時の心拍数が 120/min 以下
- 様式，頻度，持続時間は心肺運動負荷試験の結果に基づいて運動処方する場合と同じ

### レジスタンストレーニング
- 様式：ゴムバンド，足首や手首への重錘，ダンベル，フリーウェイト，ウェイトマシンなど
- 頻度：2〜3 回/週
- 強度：低強度から中強度
  上肢運動は 1 RM の 30〜40%，下肢運動では 50〜60%，1 セット 10〜15 回反復できる負荷量で，Borg 指数 13 以下
- 持続時間：10〜15 回を 1〜3 セット

### 運動負荷量が過大であることを示唆する指標
- 体液量貯留を疑う 3 日間（直ちに対応）および 7 日間（監視強化）で 2 kg 以上の体重増加
- 運動強度の漸増にもかかわらず収縮期血圧が 20 mmHg 以上低下し，末梢冷感などの末梢循環不良の症状や徴候を伴う
- 同一運動強度での胸部自覚症状の増悪
- 同一運動強度での 10/min 以上の心拍数上昇または 2 段階以上の Borg 指数の上昇
- 経皮的動脈血酸素飽和度が 90%未満へ低下，または安静時から 5%以上の低下
- 心電図上，新たな不整脈の出現や 1 mm 以上の ST 低下

### 注意事項
- 原則として開始初期は監視型，安定期では監視型と非監視型（在宅運動療法）との併用とする．
- 経過中は常に自覚症状，体重，血中 BNP または NT-proBNP の変化に留意する．
- 定期的に症候限界性運動負荷試験などを実施して運動耐容能を評価し，運動処方を見直す．
- 運動に影響する併存疾患（整形疾患，末梢動脈疾患，脳血管・神経疾患，肺疾患，腎疾患，精神疾患など）の新規出現の有無，治療内容の変更の有無を確認する．

RM（repetition maximum）：最大反復回数
（2021 年改訂版 心血管疾患におけるリハビリテーションに関するガイドライン. 2021. p.48-9. https://www.j-circ.or.jp/cms/wp-content/uploads/2021/03/JCS2021_Makita.pdf. 2023 年 7 月閲覧）[9]

アップと運動時間の延長をはかる．また階段昇降や屋外歩行など，退院後の生活を見据えた動作とそれに伴う循環動態の安全性の確認を行い患者にフィードバックすることも重要である．心不全患者の 30〜40%は不安・抑うつ症状を有しており，それらが死亡率や再入院率を上昇させるとの報告がある．退院後の生活に不安を抱きやすい患者に対しては，訴えを傾聴するとともに，安全に無理なく行える動作を体験させることで，自信の回復に努めていく．また家族を含めた教育的介入も強化し，退院後の自己管理に必要な知識の獲得を目指す．当院では，群馬心不全地域連携協議会が作成した心不全手帳 図 13-6-5 を入院後早期より患者に渡し，心不全

表 13-6-7　運動負荷試験が禁忌となる疾患・病態

**絶対禁忌**
1. 過去 3 日以内における自覚症状の増悪
2. 不安定狭心症または閾値の低い心筋虚血
3. 手術適応のある重症弁膜症，特に症候性大動脈弁狭窄症
4. 重症の左室流出路狭窄
5. 血行動態異常の原因となるコントロール不良の不整脈（心室細動，持続性心室頻拍）
6. 活動性の心筋炎，心膜炎，心膜炎
7. 急性全身性疾患または発熱
8. 運動療法が禁忌となるその他の疾患（急性大動脈解離，中等症以上の大動脈瘤，重症高血圧，血栓性静脈炎，2 週間以内の塞栓症，重篤な他臓器障害など）

**相対禁忌**
1. NYHA 心機能分類Ⅳ度
2. 過去 1 週間以内における自覚症状増悪や体重の 2 kg 以上の増加
3. 中等症の左室流出路狭窄
4. 血行動態が保持された心拍数コントロール不良の頻脈性または徐脈性不整脈（非持続性心室頻拍，頻脈性心房細動，頻脈性心房粗動など）
5. 高度房室ブロック
6. 運動による自覚症状の悪化（疲労，めまい，発汗多量，呼吸困難など）

注）ここに示す「運動療法」とは，運動耐容能改善や筋力改善を目的として十分な運動強度を負荷した有酸素運動やレジスタンストレーニングを指す．

（2021 年改訂版 心血管疾患におけるリハビリテーションに関するガイドライン．2021. p.36. https://www.j-circ.or.jp/cms/wp-content/uploads/2021/03/JCS2021_Makita.pdf. 2023 年 7 月閲覧）9)

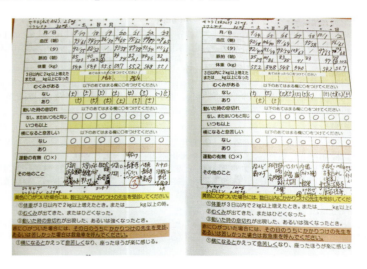

図 13-6-5　心不全手帳
心不全の治療や自己管理方法についての説明や，血圧や脈拍，体重，自覚症状を記録する自己管理ノートが入っている．自覚症状に応じて受診を検討するタイミングがわかるように工夫されている．

管理のために必要な知識の獲得と，自己モニタリング，退院後受診の検討を必要とする症状の確認を習慣化することを目指している．

　なお，当院ではリハビリ開始時（歩行実施が可能な状態になったら），退院時，外来心リハ移行時，中間，最終時に，それぞれ身体機能評価や認知精神機能の評価を行い，問題点の抽出や介入の効果判定を行っている　表 13-6-8 ．多数のスタッ

| 表13-6-8 | 当院で行っている必須の評価項目一覧（CPXを除く） |
|---|---|
| 評価項目 | 実施内容 |
| 入院中 | |
| 活動時の症状 | NYHA心機能分類 |
| 筋力 | 握力 |
| | 膝伸展筋力 |
| バランス | 片脚立位 |
| 歩行スピード | 10m歩行（最大） |
| 包括的身体機能 | SPPB |
| 認知機能 | MMSE |
| 精神機能 | HADS |
| ADL（病前・現在） | Bartel Index |
| 社会的背景 | 家族構成・就労・介護度 |
| 外来（入院中の評価に加えて） | |
| バランス | 重心動揺計 |
| 歩行スピード | 10m歩行（至適） |
| 筋厚 | エコー |
| 末梢神経障害* | 神経伝達検査 |
| 呼吸機能** | 肺活量，一秒率 |
| 体組成 | 体組成計 |
| 認知機能（軽度） | MoCA-J |
| QOL | SF-36 |
| 性格診断 | Type D |

＊糖尿病を合併している症例に追加
＊＊COVOD-19感染予防のために一時中断

フが包括的に介入する心リハでは，統一した評価項目で経時的な変化を客観的に確認していくことは非常に重要である．

前述したとおり高齢心不全患者の増加に伴い，様々な重複障害や認知機能の低下で運動療法の適応とならない症例も多く存在するが，詳細については「11. 高齢者」を参考にされたい．

### ❸ フェーズ3（後期回復期：外来・リハビリ室）

退院後早期の外来心リハには，可能な限り週3回の参加を勧めていく．外来心リハは単に運動を習慣化させ運動耐容能向上を目指すものではなく，心不全の増悪による再入院を予防する目的も強い．退院後は食事内容の変化や活動量の急激な増加に伴い，心不全コントロールが不良となりやすいが，患者や家族は自覚症状が出るまでは心不全増悪のサインをキャッチできないことが多い．頻回な外来心リハへの参加で心不全の初期症状を早期に発見することでき，内服の調整や減塩の厳守により再入院を回避させることが可能となる．当院のデータでは，退院後外来心リハに参加した群と外来心リハに参加しなかった群に対する3年間の追跡調査では，外来心リハに参加した群のほうが，再入院回避率が有意に高値であった

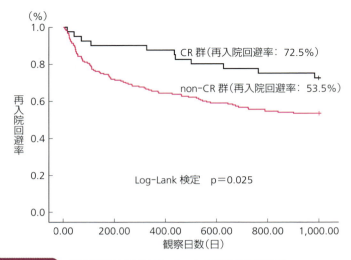

**図 13-6-6** 外来心臓リハビリテーションの再入院回避効果
CR群：退院後外来心リハに参加した群（n=40）
non-CR群：退院後外来心リハに参加しなかった群（n=185）

**表 13-6-9** 心不全患者に対するレジスタンストレーニングの重症度別プログラム

|  | NYHA class Ⅰ | NYHA class Ⅱ～Ⅲ |
|---|---|---|
| 頻度 | 週2～3回 | 週1～2回 |
| 時間 | 15～13分 | 12～15分 |
| 頻度 | 50～60% 1RM | 40～50% 1RM |
| 収縮スピード | 6秒（3秒求心性＋3秒遠心性） | 6秒（3秒求心性＋3秒遠心性） |
| 時間/休息 | >1：2 | >1：2 |
| 運動種目数 | 4～9種目 | 3～4種目 |
| セット数 | 2～3セット | 1～2セット |
| 1セットの繰り返し | 6～15回 | 4～10回 |

（高橋哲也. MB Med Rehab. 2013; 165: 62-5）[10]

図 13-6-6．

　状態が安定していればマシーンを使用したレジスタンストレーニングも積極的に実施していく．心不全患者に対するレジスタンストレーニングの負荷は NYHA 分類によって設定基準は異なるが 表 13-6-9，HFrEF などの低心機能の症例に対してはより慎重な負荷の設定が必要となる．そこで，当院では重症心不全患者に対して，加圧トレーニングを導入している 図 13-6-7．加圧トレーニングとは，上肢あるいは下肢を，空圧式ベルトを用いて加圧を行い，適度な血流制限下で運動することにより，成長ホルモンの分泌が促進され，短期および低負荷でも筋肥大を促すとされている[11]．心疾患においては，前負荷軽減による心仕事量の軽減，血管内皮機能の改善が期待できるともされている．当院の加圧トレーニングプロトコルを 表 13-6-10 に示す．加圧トレーニングでは，20～30% 1RM の負荷で，圧をか

図 13-6-7　加圧トレーニング
加圧ベルトは上下肢ともに極力体幹の中枢に近い部位で装着し，より多くの筋肉の血流を制限できるようにする．

表 13-6-10　当院の加圧トレーニングプロトコル

| 負荷プロトコル | 内容 |
| --- | --- |
| 種目 | トレーニングマシーン　ダンベルなど |
| 加圧 | 上肢：120〜150 mmHg　下肢：150 mmHg |
| 加圧側 | 両側 |
| 抵抗強度 | 20％ 1RM |
| 回数 | 10〜20回×2セット |
| 頻度 | 週3回 |

けずに60〜80％ 1 RMの負荷をかけた場合と同等の効果が期待できるとされており，当院でも，心不全，植え込み型人工心臓装着後，心臓外科手術後，高齢者などで一定の運動効果（握力増加，膝伸展筋力増加，ADLの拡大）が確認できている．その他にも電気刺激を用いたフィットネス機器（Panasonic社製「ひざトレーナー」）や高強度インターバルトレーニング（HIIT），吸気筋トレーニングや呼吸筋ストレッチなど，様々なデバイスや運動負荷の調節を織り混ぜながら，安全かつ効果的な運動療法の実施を目指している．

### 4　フェーズ4（維持期：自宅・地域・メディカルフィットネスなどでの自己管理）

　自己管理が患者の生活の中に無理なく組み込まれ浸透することで，再発予防とQOLを維持・向上させることが心リハの最終目標である．しかし，心リハが終了した後も自己管理を継続していくことは決して容易なことではなく，介入中とても良好な自己管理を続けていた症例が，心リハ終了後に段々と気持ちが緩み，結果的に再入院となってしまうケースを何度も経験している．そのため，心リハ期間中より，終了後も運動習慣を維持できるように地域や民間の運動施設を紹介したり，自

己管理を継続していくことの必要性を繰り返し指導していくことが重要である．心不全は風邪や怪我，オーバーワーク，塩分過多など，一般的には些細な生活上の変化が病態の増悪に直結してしまうことがあるため，心リハの終了時に患者自身が医療施設での運動継続を望まれることも多い．近年，病院や診療所に「疾病予防運動施設（メディカルフィットネス）」を併設する施設が増えており，当院でも「継続コース」という保険外の運動プログラムを健康運動指導士が中心となり運営している．維持期の心不全患者の受け皿として他の地域や施設でも普及していくことが望まれる．

## C　LVAD 植え込み患者に対する心臓リハビリテーション

　現存するいかなる内科的・外科的治療を施しても治療できない治療抵抗性心不全患者に対しては，心臓移植が最終的な治療法となる．心臓移植を受けるためには，適応患者判定を受け心臓移植登録を受ける必要がある．現在，提供されるドナーの心臓は移植登録者数に対してきわめて少なく，移植適応と判断された患者は長期間の待機を余儀なくされている．さらに 2020 年以降は COVID-19 の影響でそれ以前と比べてドナー件数は減少傾向にある．日本移植学会の報告では 2017 年に心臓移植を受けた症例の平均待機期間は平均 1,173 日であった[12] が，現在はそれ以上に延長されていることが予想される．移植待機中の末期的重症心不全患者は，移植までの橋渡し（BTT: bridge to transplant）として，補助人工心臓（VAD: ventricular assist device）を利用することが多く，2021 年 8 月末時点で心臓移植を受けた症例の 94％が VAD を装着していた[12]．VAD には左室を補助する LVAD と右室を補助する RVAD があり，また体外設置型 VAD と植え込み型 LVAD が存在する．なお，VAD 装着の目的には自己心機能の回復を目指す bride to recovery や，恒久的に使用する destination therapy（DT）も存在する．2021 年から DT が保険適用となり一部施設で実施されている．

　当院では，BTT 目的に植え込み型 LVAD の一つである Heart Meta 3（アボット社）を装着している症例が多いため，これを中心に示す．

### ❶ LVAD 植え込み患者に対する心臓リハビリテーションの目的

　　植え込み型 LVAD の最大の利点は退院・自宅療養が可能なことであり，植え込み前後で積極的に心リハを実施する．その目的としては，1）長期入院に伴う廃用の予防・改善，2）植え込み後の早期離床と安全な ADL の再獲得，3）自宅退院に必要な動作や体力の回復，4）LVAD や心不全に対する自己管理の指導，5）運動耐容能の改善，6）移植後を見据えた就労支援，などがあげられる．

### ❷ フェーズ 1（急性期: ICU/CCU，病棟）

　　当院における LVAD 植え込み後のリハビリプログラムと教育プログラムを 表 13-6-11 に示す．全身状態に問題がなければ，手術後翌日，抜管後から介入を開始する．スワン-ガンツカテーテル挿入中は固定が外れないように充分に注意しながら端座位程度まで離床を進める．スワン-ガンツカテーテルが外れれば，一

**表 13-6-11** LVAD 植え込み後リハビリプログラムと教育プログラム

| 時期 | 目標 | リハビリ | 看護 | MF | 患者・家族 |
|---|---|---|---|---|---|
| 手術後翌日 | ・早期離床 | ・端座位・立位 | ・術後看護 | ・機器の点検 | |
| ICU 管理中 | | ・離床拡大<br>（※機器テスト合格まで，移動時2名以上のスタッフが同伴する） | | | |
| ICU 退出後<br>1 週目 | | ・100〜300ｍ歩行<br>・ADL 練習 | ・家族指導の日程調節 | ・患者・家族への機器指導開始 | ・機器指導開始 |
| 2 週目 | ・室内フリー<br>・電源管理テスト合格 | ・リハビリ室へ（電源管理テスト合格後）<br>・状況に応じてCPX 実施 | ・病棟での機器管理 | ・機器指導<br>・電源管理テスト | ・電源管理テスト |
| 3 週目 | ・自己消毒自立<br>・シャワー浴開始 | ・運動療法<br>・胸骨管理指導 | ・消毒・固定バリア指導開始<br>・日記記録指導<br>・防犯ブザー携帯指導<br>・シャワー浴指導 | ・機器指導 | ・機器指導<br>・自己消毒開始<br>・日記記録開始<br>・シャワー浴 |
| 4 週目 | ・シャワー浴自立<br>・1 名以上の同伴で院内フリー | ・家事動作練習 | | ・機器指導<br>・機器テスト | ・機器指導<br>・機器テスト（合格で外出可） |
| 5 週目 | ・介護者と外出 | ・外出練習同行 | ・薬剤師と栄養士への指導依頼<br>・外出練習同行<br>・緊急時対応指導（BLS・連絡方法） | ・補助人工心臓カートの交付準備<br>・外出練習同行<br>・医師とともに消防署へ情報提供同行 | ・内服自己管理<br>・緊急時対応<br>・栄養相談<br>・外出練習（退院までに計4回：コンビニ・ショッピングモール・自宅など） |
| 6 週目 | ・コアグチェック実施 | | ・コアグチェック指導 | ・確認テスト | ・確認テスト（合格で外泊可）<br>・コアグチェック開始 |
| 7〜8 週目 | ・外泊 | ・公共交通機関同行 | ・公共交通機関同行<br>・退院時指導 | ・公共交通機関同伴<br>・最終機器テスト | ・公共交通機関<br>・最終機器テスト<br>・外泊 |
| 9 週目 | ・退院 | ・外来リハビリオリエンテーション<br>・退院時CPX | ・退院準備（内服・消耗品・次回外来） | | ・最終ムンテラ<br>・退院 |
| 退院後 | ・自己管理<br>・社会参加 | ・外来リハビリ | ・外来受診時に日常生活聞き取り，貫通部確認 | ・外来受診時に機器管理状況確認 | ・自己管理<br>・外来受診<br>・外来リハビリ |

般的な心臓外科手術後と同様に全身状態に応じて段階的に離床を進めていく．
LVAD 患者は手術前より活動量の低下に伴う筋萎縮や運動耐用能の低下を呈していることが多いため，疲労感に留意しながら少量頻回に介入していく．また，植え込み手術が胸骨正中切開下で行われた場合には，胸骨保護を意識した介入と指導が必

要である．離床プログラムと同時進行で，コントローラーやコード類の操作，バッテリーの交換など機器操作の自己管理を ME や看護師と共に指導していく．なお，植え込み直後は患者自身のコントローラーやコード類への知識や注意はきわめて低いため，動作時にはより注意する．また，機器操作に関する実技や筆記のテストに合格するまでは，全ての機器はスタッフが管理し，ベッド上以外の動作に同行することとなる．退院後の生活では，安全管理上常に介護者と行動を共にする必要があるため，介護者候補の方も，退院までに本人と同じテストに合格する必要がある．

**❸ フェーズ 2（前期回復期：リハビリ室）**

300 m 歩行が可能となれば，リハビリ室での運動療法を開始していく．LVAD 植え込み後は，左室心尖部に設置された遠心ポンプにより一定の流量が上行大動脈に送られるため循環は安定する．そのため，一般的な心不全と同等に運動療法を実施することが可能となる．

リハビリ実施前に，予備のコントローラーとバッテリーの携帯や，使用中のバッテリーの残量，ドライブライン貫通部の状態を確認していく．Heart Mate 3 は専用の固定ベルトを使用してドライブラインを腰回りに固定する．またシステムコントローラーやバッテリーを収納したキャリングバッグを装着するため，コード類の引っ掛かりの心配はきわめて少ないが，バック内でのコード類の過度の屈曲が生じていないか，ファスナーに挟まっていないか，などの注意が必要である．

運動療法で運動耐容能の改善を図るとともに，退院後に必要な ADL 動作が安全に実施できるよう練習していく．また，退院前には介護者との外出練習に同行したり自宅訪問を行い，本人だけでなく家族や介護者の不安も軽減できるように介入していく．

**❹ フェーズ 3（後期回復期：外来）**

退院後も，定期的な外来心リハへの参加を促し，移植までの長期的なフォローアップを行っていく．当院では週 1 回外来受診に併せて外来心リハに参加することを必須としており，可能な限り週 3 回の外来心リハ参加を促している．外来心リハ参加時にはドライブライン貫通部の状態，ワルファリンコントロール，体重，アラームの有無や機器の管理状況に問題がないかを確認する 図 13-6-8 ．Heart Mate 3 ではフローが 2.5 L/分以下で低流量アラームが作動する設定になっているが，当院では作動しても自覚症状がない場合には経過観察でよいとされている．脱水時や排尿時などに観察されることが多く，頻回にアラームが作動している場合には主治医に報告していく．

VAD 植え込み後は心不全症状が軽快することで自己管理意識が薄くなり，生活習慣が乱れる場合があるため，継続的な生活指導や運動指導が必要となる．また，LVAD 患者の場合，右心不全が残存してしまう症例もいるため，心不全管理に必要な知識や自己管理方法の指導を継続していく．

BTT 目的の LVAD 植え込みは，長期の待機期間が必要となり，その間の患者の

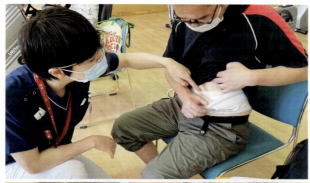

図 13-6-8　貫通部やコード類，アラームの確認風景

図 13-6-9　LVAD 患者同士の交流を意識したプログラム
運動耐容能レベルの近い患者同士が一緒に屋外歩行をしながら情報交換など会話を楽しんでいる．

　身体面，精神面をフォローしていくためには，医師・看護師・理学療法士・作業療法士・ME・栄養士・MSW など多職種での包括的な介入が必要不可欠である．また，運動療法中に LVAD 患者同士の交流の場を設けることで患者の孤独感を軽減させ社会生活への参加を促す効果が期待できる 図 13-6-9 ．制限するだけの指導

ではなく，視点や方法を変えることで可能となることを増やしていく指導を心がけつつ，移植後の生活を見据えた介入をしていくことが望まれる.

■文献

1) 眞茅みゆき，筒井裕之. 慢性心不全の疫学. In: 北風政史，編. 心不全診療 Q & A. 2 版. 東京: 中外医学社. 2015. p.2-6.

2) 厚生労働省. 脳卒中，心臓病その他の循環器病に係る診療提供体制の在り方に関する検討会. 脳卒中，心臓病その他の循環器病に係る診療提供体制の在り方について（平成 29 年 7 月）.〈https://www.mhlw.go.jp/stf/shingi2/0000173150.html〉（2022 年 9 月閲覧）.

3) 日本循環器学会，他. 急性・慢性心不全診療ガイドライン（2017 年改訂版）.〈https://www.j-circ.or.jp/cms/wp-content/uploads/2017/06/JCS2017_tsutsui_h.pdf〉（2022 年 9 月閲覧）.

4) Anju Nohria A, et al. Clinical assessment identifies hemodynamic profiles that predict outcomes in patients admitted with heart failure. Am J Cardiol. 2003; 41: 1797-804.

5) 松木恵里. 人工呼吸と酸素療法. In: 道又元裕，編. 人工呼吸器ケア「なぜ・何」大百科. 東京: 照林社. 2005. p.160-1.

6) 浦部昌夫，島田和幸，他. 今日の治療薬 2018 解説と便覧，東京: 南江堂. 2018. p.660-71.

7) 田屋雅信. 極めに・究める・内部障害，東京: 丸善出版. 2019. p.25-7.

8) 日本心臓リハビリテーション学会. 心不全の心臓リハビリテーション標準プログラム（2017 年度版）.〈https://www.jacr.jp/cms/wp-content/uploads/2015/04/shinfuzen2017_2.pdf〉（2022 年 9 月閲覧）.

9) 日本循環器学会，他. 心血管疾患におけるリハビリテーションに関するガイドライン（2012 年改訂版）.〈https://www.jacr.jp/pdf/RH_JCS2012_nohara_h_2015.01.14.pdf〉（2022 年 9 月閲覧）.

10) 高橋哲也. 運動療法の実際—有酸素運動とレジスタンストレーニングについて. MB Med Rehab. 2013; 165: 62-5.

11) 佐藤善昭，石井直方，中島敏明，他，編. 加圧トレーニングの理論と実際. 東京: 講談社. 2007.

12) 日本移植学会. ファクトブック.〈http://www.asas.or.jp/jst/pdf/factbook/factbook2021.pdf〉（2022 年 9 月閲覧）.

〈風間寛子〉

## 7 ステージA・B: 心不全予防

前述した「心不全とそのリスクの進展ステージ」のステージA・Bは、まだ心不全を発症してはいないが将来心不全になるリスクをもつ状態である。「急性・慢性心不全診療ガイドライン」では、高血圧症などのリスク因子をもつが器質的心疾患がなく心不全症候がない患者を「ステージA　器質的心疾患のないリスクステージ」、冠動脈疾患や無症候性弁膜症など器質的心疾患を有するが心不全症候のない患者を「ステージB　器質的心疾患のあるリスクステージ」と定義されている。それぞれステージを進展させないために、冠危険因子の是正や器質的心疾患の進展予防が目標となるが、実際には自分が心不全発症リスクを有していることを知らずに過ごしている方は非常に多いように思われる。

ステージBは器質的心疾患を有しているため心臓リハビリテーション（心リハ）の適応になることが多く、その介入の中で「心不全とそのリスクの進展ステージ」を見せながら心不全予防のためにも器質的心疾患の再発・進展予防が必要であることを説明している。ステージAは心リハの適応にはならない状態であるが、当院では「ヘルスアップ教室」 図13-7-1 という保険

図13-7-1　ヘルスアップ教室の様子
　　　　　上）エアロビクス中の様子、下）医師による講義の様子

外の健康増進教室を設け，健康運動指導士を中心に運動療法と教育的介入を行っている．プログラム内に設定されている講義は医師・看護師・栄養士・理学療法士も担当し，その中で心不全予防の必要性も指導している．ヘルスアップ教室は3カ月間（全12回）のコースであるが，修了者は前述した継続コースに参加し，当院の運動施設を利用した運動の継続が可能である．

　心不全の主症状となることの多い労作時呼吸困難感や倦怠感などを経験していないステージAの症例にとっては，心不全リスクを他人事と捉えられてしまうことが多く，継続した啓発活動が必要であると考える．

〈風間寛子〉

# 8 ICD/CRT-D植え込み患者の心臓リハビリテーション

　本邦においては1996年にICD（implantable cardioverter defibrillator：植え込み型除細動器）が，2004年にはCRT-P（cardiac resynchronization therapy pacemaker：両心室ペースメーカ），2006年にはCRT-D（cardiac resynchronization therapy defibrillator：両心室ペーシング機能付き植え込み型除細動器）の保険適用が認められた 図13-8-1．機器の進歩に伴う植え込みデバイスの小型軽量化や多機能化，遠隔モニタリングシステムなどの開発により植え込み手技や術後管理が容易となり，植え込み数は増加している[1]．

## A　ICDの適応[1]

　ICDは心室内不整脈を検知し，治療することにより突然死を予防するための植え込み型デバイスであり，ICD植え込み前の不整脈発作の有無により1次予防と2次予防に分けられる．

### 1　1次予防

　ICD植え込み前に非持続性心室頻拍（NSVT）のみを有するか，失神歴を有するもの，将来的に不整脈による突然死のリスクが高いと判断される場合である．

　冠動脈疾患に対する1次予防としてのICDの適応は十分な薬物治療を行った冠動脈疾患の既往のある患者で，①NYHA Ⅱ以上，②LVEF≦35％，③NSVT，もしくは①LVEF≦40％，②NSVT，③電気生理検査でのVT/VFの誘発のいずれかで①〜③が満たされている場合がクラスⅠとされている．

### 2　2次予防

　ICD植え込み前に心肺停止，持続性心室頻拍（VT），心室細動（VF）の記録が残

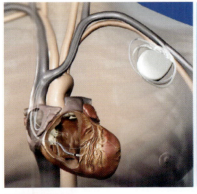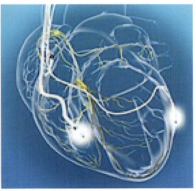

図13-8-1　両心室ペーシング機能付き植え込み型除細動器（CRT-D）
（Medtronic社提供）
鎖骨下に植え込まれたCRT-D本体から静脈を介して右心房，右心室（ショックリード）の心臓の内壁に1本ずつのリード，左心室表面側に位置する冠状静脈に1本のリードを留置する．

されている場合である.

冠動脈疾患に対する2次予防としてのICDの適応は心筋梗塞の既往があり，①VFまたは電気ショックを要する院外心肺停止，②LVEF≦35％，③失神を伴うVT，④VT中の血圧が80 mmHg以下あるいは脳虚血症状を有する，⑤多形性VT，⑥治療困難な血行動態の保たれた持続性VTがクラスIとされている.

## B CRT/CRT-D の適応[1]

CRTは心不全における房室間同期不全，心室内同期不全，心室間同期不全を解消し，低下したLVEFの改善や心不全の増悪予防，生命予後の改善をもたらす．CRTにICD機能を加えたCRT-Dは致死的不整脈の治療機能を有し，突然死のリスクを低下させると考えられている.

NYHA心機能分類別のCRTの適応では最適薬物療法を実施したうえで，NYHA IIでは①LVEF≦30％，②QRS幅150 ms以上の左脚ブロック，③洞調律がクラスIとされている．NYHA III〜IVでは，①LVEF≦35％，QRS幅120 ms以上の左脚ブロック，③洞調律がクラスIとされている.

## C ICD，CRT-D の設定

### ❶ 徐脈治療

ICD/CRT-Dには徐脈治療としてのペースメーカ機能が備わっている場合が多い．設定された心拍数を下回ると適時心房ペーシング，心室ペーシングを行うことに加え，頻拍治療後に出現する可能性のある心停止の予防につながる.

### ❷ 頻拍治療

ICDやCRT-Dが頻拍を検知した場合，頻拍の速さや頻拍の種類に応じて「抗頻拍ペーシング」，「カルディオバージョン」，「除作動」などの段階的な治療が実施される．これらの機能が出現する心拍数をVT zone/VF zoneとよぶことがある.

### ❸ 抗頻拍ペーシング（図 13-8-2）

心室頻拍において，心拍数よりも早いタイミングでペーシングを行うことで心室頻拍を停止させる．抗頻拍ペーシングには等間隔のペーシングと徐々に間隔を変動させるペーシングがある．作動時の自覚症状はないか，時に動悸感を伴うことがある.

### ❹ カルディオバージョン

心室頻拍で抗頻拍ペーシング治療の効果がない場合や心拍数が速く心室細動と区別しにくい場合などに対してQRS波に同期して低エネルギーの電気的ショックを放出する．もし止まらない場合は順次高い出力で電気ショックを行う．作動時は胸を叩かれたような軽い不快感を伴う.

### ❺ 除細動（図 13-8-3）

心室細動や多形性心室頻拍などQRS波との同期が不可能な場合に高エネルギー

356 | CPX・運動療法ハンドブック

バーストペーシング

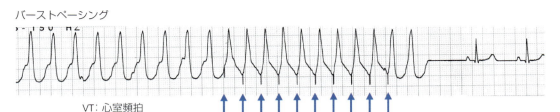

ランプペーシング

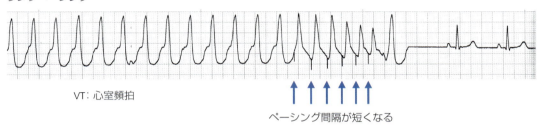

図13-8-2　抗頻拍ペーシング

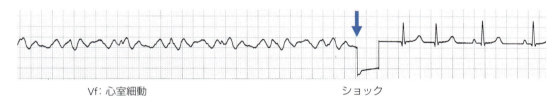

図13-8-3　除細動

の電気ショックを放出する．作動時に意識がある場合は強い衝撃を伴う．

　ICD/CRT-Dがリハビリ時の洞性頻拍を心室頻拍と誤認識することはほとんどないが，念のため運動中の心拍数はVT zoneよりも10～15拍程度低めに設定する．ICDでは不必要な右心室ペーシングは予後を悪化させるので，自己の房室伝導がある場合は心室ペーシングを抑制する設定が多い．一方でCRT-Dでは両心室ペーシング率が高くないとその効果は期待できない．運動に伴い房室伝導が更新し，心房からの電位が心室に伝導し，両心室ペーシングが無効になることがある．このような場合はAV delayを変更する必要があるため，運動時は心電図で心室ペーシングの有無に注意をはらう必要がある．運動中の酸素需要に見合った酸素供給を確保するために心拍応答が重要である．変事性応答不全を認めた場合，運動耐容能の改善のためにrate response機能の付与を検討する．rate response機能はメーカーにより加速度，分時換気量，closed loop systemなどのセンサーに相違がある．加速度

センサーは自転車エルゴメータでは反応しづらく，分時換気量センサーは過換気では過剰な反応を認めるなどセンサーごとの特徴をとらえた運動療法の実施が必要である．

ICD/CRT-D の設定は安静時の状態をもとに行うために運動時や活動時の状態を反映していないことが多い．安静時に加え運動時や活動時の至適設定を導き出すことに加え，ICD/CRT-D 植え込み後の運動療法を適切に実施するためには心肺運動負荷試験の実施が肝要である．

## D ICD/CRT-D 手術後のリハビリテーション

ICD/CRT-D の手術後はリードの移動や脱落，創部離開，創部血種の予防のために安静や植え込み側肩関節の動きが制限されることがある．この安静に加え，安静解除後の合併症への不安から患者自身が過度の安静を継続することにより，関節拘縮や筋力低下，不安や抑うつなど廃用症候群やフレイルに陥ることがある．廃用症候群やフレイルはさらなる不活動につながるばかりでなく心不全患者の予後にも悪影響を及ぼす可能性がある．これらの予防には安全性を確保したうえでの早期の離床や運動などリハビリテーションが有用である．ICD/CRT-D 手術後早期リハビリテーションの目的は以下があげられる．

a）手術後の植え込み側肩関節機能の維持と改善を図る．

b）手術後の身体的不活動の是正を図る．

c）退院後の生活を踏まえて DI 後の日常生活について理解を深める．

ICD/CRT-D 手術後リハビリテーションの一例として筆者の勤務する群馬県立心臓血管センターのプログラムを提示する　表 13-8-1．その内容は安静度や入院期間に合わせて概ね 8 日間で計画さえており ICD/CRT-D 後のクリニカルパスに組み込まれている．手術翌日より開始し，段階的に行う肩関節機能練習，離床に伴う基本動作練習，運動療法（骨格筋トレーニング，有酸素運動），日常生活に必要な動作練習，退院後のデバイスおよび日常生活についての指導を主なプログラムとしている．

表 13-8-1　群馬県立心臓血管センターの ICD/CRT-D 手術後安静度とリハビリ

| 日数 | 安静度 | リハビリテーションプログラム | |
|---|---|---|---|
| 1日 | ベッド上 ヘッドアップ | 肩関節安静 肘から手指の自動運動 | 腰痛予防運動（臥位） |
| 2日 | 午後立位 | 肩関節 90°挙上（臥位） | 起き上がり立位 |
| 3日 | 病室内自由 病室トイレ使用可 | 肩関節 120°挙上（臥位） | 下肢ストレッチ 下肢筋力強化 |
| 4日 | 病棟内自由 | 肩関節全方向（臥位→座位） | 下肢ストレッチ 下肢筋力強化 病棟歩行 |
| 5日 | | 肩関節自動運動（座位） | |
| 6日 | 病院内自由 | 肩リハビリ体操（棒体操） | 院内歩行 階段昇降 集団心リハ導入 |
| 7日〜 | | 退院時指導（上記に加え） | |

358　CPX・運動療法ハンドブック

## ❶ ICD/CRT-D 植え込み側上肢の運動

手術後は血腫形成の予防のために手術創部は一定の間は圧迫固定されていることが多い．この圧迫期間は手術創部の保護を優先させるために肩関節の運動は控える．一方で頸部から肩甲帯周囲，植え込み側上肢の痛みや筋硬結が認められる場合は肩甲帯のモビライゼーションや対象筋の筋マッサージ，肘から手指の自動運動を行いリラクゼーションや疼痛緩和を図る．手術創部の圧迫が解除された後は植え込み側肩関節の他動運動や自動運動を開始する．手術後初回の肩関節運動に対しては不安を訴える患者も多いため徐々に可動域を拡大させる．筆者の施設では肩関節運動初回は屈曲，外転ともに 60 度程度とし，加えて下垂位での内外旋運動を実施している．その後は経過に応じて徐々に肩関節可動域を拡大し，安静度が院内自由となりリハビリが病棟からリハビリ室へ移行する頃には棒体操により肩関節全方向の反復運動を実施する．棒体操は 0.2 kg から 2.0 kg まで数種類の重量の棒を準備し段階的に負荷を増やしている．

ICD/CRT-D 手術後の植え込み側肩関節可動範囲については統一された見解はない．提示例のように患者が退院する際には肩関節の全方向最大関節可動域までの可動が許可される場合もあるが，一方で入院時に加え退院後も一定期間は肩関節の関節可動域が制限される施設もある．手術医や担当医に指導方針や制限を確認し，チーム全体で統一した対応をする必要がある．

## ❷ 手術後の安全な ADL の拡大とベッドサイドでの運動

手術後は安静度に応じて離床を進める．離床時には循環動態に加え，運動器障害や神経障害を評価し安全に離床が図れるか判断する．手術後間もない時期で問題となるのは起居動作である．起居時に左上肢でベッド柵をけん引することや体幹の前屈で起き上がることは創部痛を助長する．創部ストレスや痛みの軽減のためには植え込み側上肢を体側に固定したままで非植え込み側方向へ寝返り，側臥位から起き上がることを指導する．その後はベッド脇での立ち上がり，室内歩行や病棟歩行へと進めるが，その際にも手術後早期には非植え込み側上肢を介助肢として使用し植え込み側上肢は安静保持するように指導する．歩行を中心とした離床運動に加えスクワットやカーフレイズなどの自重運動も行う．さらに安静度が拡大し病院内自由となればリハビリ室での心リハへと移行する．CRT-D や ICD 患者の多くは心不全患者であることを考慮すると運動耐容能向上や増悪予防，再入院予防を図り，予後の改善につなげるために運動療法や栄養指導，生活指導，心理的サポートなどを組み合わせた包括的な心リハが有用である．

運動療法プログラムの中でレジスタンストレーニングにおいては植え込み側肩関節を大きく使用する運動や大胸筋を強く収縮させる運動は創部保護の観点から避けたほうがよい．下肢のレジスタンストレーニングやトレッドミル，自転車エルゴメータなどを利用する有酸素運動は下肢の運動であり，上肢の運動以上にリードの移動や創部血腫の原因とはならない．

## E ICD/CRT-D 手術後の合併症

### 1 創部からの出血やポケット内血腫

　　ICD/CRT-D 植え込み手術では鎖骨下にポケットを作製しジェネレータを留置する．ポケット作成の際に充分に止血操作が行われるが，手術後に少量ずつでも出血が起こるとポケット内に貯留し血腫を形成しやすい．血腫は感染の起因となるため，血腫が形成された場合，ポケットの圧迫を継続し保存的に注意深く観察されるが，血腫の増大が認められた場合は再開創による血腫除去と再止血手術が行われる．抗凝固薬や抗血小板薬を内服している場合は止血が得られにくいため手術後の経過には注意を要する．手術後早期から肩関節の運動を行う場合は創部からの出血や腫脹の有無を確認し，必要に応じて担当医に確認をとりながらプログラムを実行する．

### 2 創部の離開

　　手術創の離開は感染や増大する血腫がない限り稀ではあるが，一旦起きてしまえば自然治癒には時間を要し，再縫合術が必要となることもある．これらにより感染のリスクは高まることに加え，入院期間も延長される．植え込み側肩関節の運動が手術創の離開に影響するかは不明な点ではあるが，手術創への影響を考慮すると皮膚が伸張される後方へ手を伸ばすような動作（肩関節伸展や水平外転）は手術後初期には避けるべきであろう．

### 3 リードの移動や脱落

　　ICD/CRT-D 植え込み手術で留置されたリード先端のずれ（dislodgement）はペーシングやセンシング不全を引き起こし，リードの先端の刺激により不整脈の原因となるため，多くの場合再固定術が必要となる．リードの dislodgement はリードのたわみ不足やリードの固定不足などにより，手術後初期の姿勢変換時に心臓の移動に伴うリードの牽引が要因であることが多い．リハビリを進める際には胸部 X 線でリードの位置やたわみの変化，機器の設定と心電図の整合性を把握する必要がある．

### 4 心不全の悪化

　　ICD/CRT-D のリードは上室性頻拍の誤認識による不適切作動の回避や心房心室同調の観点から心房リードが留置される他に，右室（主に心尖部）に留置されるバースト用のリードがある．また，PM からのアップグレードも多く，複数のリード留置されることも多い．これらのリードは三尖弁をまたぐため，三尖弁の接合不全から三尖弁逆流につながることがある．ICD/CRT-D の対象者が心不全患者であることを考慮すると右心不全に伴う静脈系のうっ血症状に注意を要する．

## F 生活指導

ICD/CRT-D 患者においては慢性心不全の生活指導に加え，ICD/CRT-D 植え込み後特有

360 　CPX・運動療法ハンドブック

の指導が必要である．患者自身が行う手術創の観察としては発赤や腫脹・熱感の有無，浸出液の有無，皮膚変化の有無，疼痛の有無などがあげられる．全身の倦怠感や発熱なども感染兆候として注意すべき点である．異変に気づいたら早期に病院に相談させる．創部の観察に加え，清潔や保護についてもその必要性と具体的な対応法を指導する．リードの移動や断線，本体の異常を検知するうえでは自己検脈も大切な自己管理法である．自己検脈を有用なものとするためには ICD/CRT-D の設定と脈診の結果の整合性を理解し，入院中より自己検脈に慣れておく必要がある．家事動作など退院後の一般的な日常生活動作においての制限は少ないが，ICD/CRT-D の誤作動を回避するために，電磁干渉の原因となる携帯電話や IH 調理器，体脂肪計などの使用については患者の生活様式を細かく調査し，指導を行う必要がある．就労やスポーツ，自動車の運転については主治医の指示に基づき，必要があれば代替え手段の指導と支援を行う．

## G 遠隔モニタリング

　ICD/CRT-D はリードを含めた機器の状況や不整脈の有無を含めた患者の状態を随時記録している．この記録情報は電話回線などを通じて専用のサーバーに送られる 図 13-8-4．担当医や医療スタッフはインターネット経由でこれらの情報を確認することができる．バッテリーに関する情報，リード抵抗，心内波高，ペーシング率・センシング率，心内心電図，不整脈イベント数，デバイスの作動による治療歴，体動モニタリングなどを確認することが可能となった 図 13-8-5．心リハにおいては心不全患者の不整脈イベントと対する治療の把握と心不全症状の管理への活用が可能である．心室性期外収縮や心室頻拍，心室細動など致死的不整脈の頻度とその治療についてモニタリングすることに加え，心内心電図により心房細動のモニタリングも可能である．心房細動の出現は，心不全や血栓塞栓症のリスクとなりうるため臨床的意義は高い．

　また，デバイス本体と右室リード間の生体抵抗値を計測し，その減少から体液量の増加が推測でき，メーカーによってはデバイス内の角度センサーは患者の姿勢を把握すること

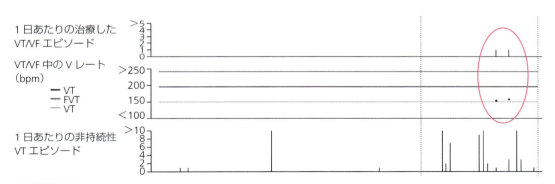

図 13-8-4　直近 90 日間のイベント数と治療数
　　　　　　期間内に 2 回 VT に対してデバイス治療が行われたことが記録されている（赤○）

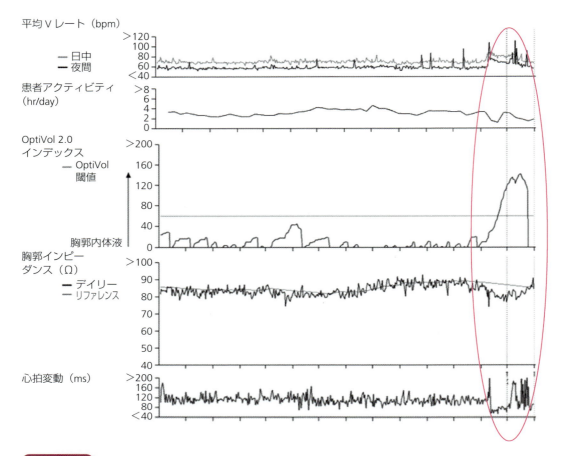

**図 13-8-5** 直近 90 日間の遠隔モニタリング指標
赤○の期間で心拍数・心拍変動の増加, 胸腔内体液の増加, 活動性の低下が認められ, 心不全増悪の可能性がある.

ができ夜間の起坐呼吸の可能性を推測できるため心不全モニタの役割を果たすことができる. 加速度センサーは体動をモニタリングでき, 心拍変動センサーと合わせて心不全のパラメータとしても利用できることに加え, 非監視下での運動療法の実施状況の確認や至適活動量の指導にも活用できる可能性がある.

■文献
1) 日本循環器学会. 不整脈非薬物治療ガイドライン（2018 年改訂版）.〈https://www.j-circ.or.jp/cms/wp-content/uploads/2018/07/JCS2018_kurita_nogami.pdf〉. 2022 年 9 月閲覧.

〈生須義久〉

## 9　成人先天性心疾患

　近年の小児期における手術の向上と薬物管理の進歩により複雑な先天性心疾患（congenital heart disease：CHD）を含めた95％以上の小児患者が救命されるようになった．また，小児期の治療の向上に伴い，多くの先天性心疾患患者が成人期となることが可能となった．その結果，成人先天性心疾患（adult congenital heart disease：ACHD）患者は現在すでに50万人を超え，今後毎年1万人ずつ成人に増加すると推測されている．死亡率の年齢分布では一般人口とほぼ一致するようになった．疾患重症度別[1]　表13-9-1　の生存率の比較では，一般人口と差を認めないが，中等症と重症群では低く，生存期間中央値はそれぞれ軽症84.1年，中等症75.4年，重症53.4年となっている[2]．2014年現在では，先天性心疾患と病名のつく患者は20歳未満の小児よりも20歳以上の成人が数で上回っている．したがって，ACHDは成人循環器疾患の1領

表13-9-1　成人先天性心疾患の疾患重症度分類

| 軽症（単純）＊ | 未修復<br>　大動脈弁膜疾患（孤発性）<br>　僧帽弁膜疾患（孤発性）<br>　　パラシュート弁・裂隙を除く<br>　卵円孔開存またはASD<br>　　（小欠損・孤発性）<br>　VSD（小欠損・孤発性），<br>　　関連病変なし<br>　肺動脈狭窄（軽度）<br>　PDA（軽度） | 修復後<br>　PDA<br>　ASD<br>　　（二次孔欠損・静脈洞型で遺残症なし）<br>　VSD（遺残症なし） |
|---|---|---|
| 中等症＊＊ | 大動脈左室瘻<br>総肺静脈灌流異常・部分肺静脈灌流異常<br>完全型房室中隔欠損・不完全型房室中隔欠損<br>大動脈縮窄<br>Ebstein病<br>右室流出路狭窄<br>ASD（一次孔欠損）<br>PDA（非閉鎖）<br>肺動脈弁閉鎖不全（中等度以上）<br>肺動脈弁狭窄（中等度以上）<br>バルサルバ洞瘻・動脈瘤<br>ASD（静脈洞型） | 大動脈狭窄（弁下型・弁上型），<br>　閉塞性肥大型心筋症を除く<br>TOF<br>下記を合併するVSD<br>　弁欠損<br>　大動脈弁閉鎖不全<br>　大動脈縮窄<br>　僧帽弁膜疾患<br>　右室流出路閉鎖<br>　一側房室弁両室挿入<br>　大動脈弁下狭窄 |
| 重症（複雑）＊＊＊ | 人工導管術後（弁付き・弁なし）<br>すべてのチアノーゼ性心疾患<br>両大血管右室起始・両大血管左室起始<br>Eisenmenger症候群<br>Fontan術後<br>僧帽弁閉鎖<br>単心室 | 肺動脈閉鎖<br>肺血管閉塞性疾患<br>大血管転位<br>三尖弁閉鎖<br>総動脈幹・一側肺動脈上行大動脈起始<br>房室不一致・心室大血管不一致<br>　（房室交差心・内臓心房錯位症候群など） |

＊地域の一般病院で診療できる．
＊＊地域の成人先天性心疾患専門施設で一定期間ごとに診療する.
＊＊＊成人先天性疾患専門施設で診療する.
ASD: atriarl septal defect, VSD: ventricular septal defect, TOF: tetralogy of Fallot,
PDA: patent ductus arteriosus.
(Connelly MS, et al. Can J Cardiol. 1998; 14: 395-452, Warnes CA, et al. J Am CollCardiol. 2001; 37: 1170-5. より改変)

JCOPY　498-06746　　　　　　　　　第13章　運動療法実施法リアルワールド　363

域として考えていかなくてはならない．このため，ACHD 患者を扱っていない病院でも先天性心疾患のことを十分に把握しておく必要がある．小児期に順調に経過した先天性心疾患患者も成人期に入り年齢を重ねるにつれ，様々な問題を引き起こす．

### A リスク管理

　CHD の人工心肺を用いた修復手術は，1950 年代前半から行われるようになったが，その頃に手術された術後患者は，70 歳台になる．術直後や術後早期に目立った病変が認められなかった患者も加齢に伴い形態・機能異常が進行し心機能の悪化，不整脈，心不全，突然死，感染性心内膜炎，冠動脈異常などにより病態，罹患率，生命予後が変化すると認識しておく必要がある．

　チアノーゼ型の CHD の中で最も多い Fallot 四徴の修復手術では，術前からの右室流出路狭窄のような異常が術後も残存する遺残症に加え，肺動脈弁逆流が新たに生じる続発症などがある． 表 13-9-2 に非心臓手術や侵襲的医療に際しての心疾患危険因子[3] を示す．また， 表 13-9-3 には Fallot 四徴術後において心不全に影響を与える主な病態[4] を示す．ACHD 患者における非心臓手術や侵襲的医療に際しての周術期リスクは，CHD 種類，生活習慣病の有無，内科疾患合併の有無，チアノーゼ疾患での全身臓器異常，出血凝固異常の程度，内服薬剤，手術の緊急性などに左右される[3]．不整脈と心不全は ACHD 患者の緊急入院の理由で上位を占めている．

　CHD は生まれつきの病気で，最初から症状があるために，症状を自覚しない場合が多い．そのため，不整脈や息切れなど，具体的な症状を示して聴取することが重要である．

---

**表 13-9-2** 　非心臓手術や侵襲的医療に際しての心疾患危険因子

肺高血圧
チアノーゼ
心不全（右室，左室）
体動脈肺動脈短絡術後
人工弁置換術
右室性単心室，体心室右室
フォンタン型血行動態
弁，弁上部，弁下部狭窄
大動脈拡張，瘤形成
心機能分類 NYHA Ⅱ＜
頻拍型不整脈，高度の徐脈
心血管手術後の遺残症，続発症，合併症
感染性心内膜炎
冠動脈疾患（川崎病，大動脈縮窄など）
内臓位置異常

(Perloff JK, et al. In: Perloff JK, Child JS, Aboulhosn editors.
Congenital Heart Disease in Adults. 3rd ed. WB Saunders Elsevier;
2009; p.300-92)[3]

| 表 13-9-3 | Fallot 四徴術後において心不全に影響を与えうる主な病態 |
|---|---|

(Samman A, et al. Am Heart J. 2008; 156: 100-5)[4]

①左室収縮性低下
②右室収縮性低下
③肺動脈弁閉鎖不全（右室容量負荷）
④三尖弁閉鎖不全（右室容量負荷）
⑤右室流出路狭窄・肺動脈狭窄（右室圧負荷）
⑥心室中隔欠損遺残短絡（左室容量負荷）
⑦大動脈弁閉鎖不全（左室容量負荷）
⑧不整脈（心室頻拍・心房細動・洞機能不全・高度房室ブロック）
⑨感染性心内膜炎

| 表 13-9-4 | 成人先天性心疾患の診断，病態評価において病歴で聴取することが望ましいおもな内容 |
|---|---|

1. 家族歴：家族，家系内の先天性心疾患の有無（兄弟の子供の心臓病も含む）
2. 母親の妊娠中の感染歴，薬物服用歴
3. 生下時の状況：生下時体重，出生時週数，症状の有無，先天性心疾患の診断時期
4. 心血管手術歴，治療歴（手術治療，経過観察を行った病院）
5. 運動の程度：歩行，階段昇降の容易さ，就学期の体育への参加の有無
6. 症状：不整脈，心不全，血栓塞栓などに関連した症状として，動悸，息切れ，浮腫，チアノーゼ，失神，めまい，胸痛などの有無
7. 全身合併症の有無：肝炎，胆石（胆嚢炎），心内膜炎，婦人科的合併症，甲状腺機能，心臓以外の合併症の手術歴，治療歴，チアノーゼ性先天性心疾患では多臓器異常（喀血，過粘稠度症候群，出血傾向，婦人科的合併症（生理），胆石，糖尿病，痛風，頭痛など）
8. 既婚歴，出産歴
9. 職歴，社会保障制度の利用，生命保険加入の有無
10. 感染性心内膜炎に関する知識：予防，歯のケア
11. 受診時までの手術記録や診療歴の取り寄せ
12. 患者本人の病気に対する理解度の確認

（日本循環器学会．成人先天性心疾患診療ガイドライン（2017年改訂版）．2017．p.21. https://www.j-circ.or.jp/cms/wp-content/uploads/2020/02/JCS2017_ichida_h.pdf. 2023年7月閲覧）

ACHD の病態は複雑で病歴について聴取する内容が多岐にわたる． 表 13-9-4 [1] に示す． また，身体所見についても成人心疾患と比較して複雑な病態となっている． 身体所見についても 表 13-9-5 [5] に示す．

一般の心不全病態では，交感・副交感神経のバランスが崩れ，副交感神経が減弱し交感神経活動が亢進した病態となる． しかし，術後 ACHD 患者では手術介入のため中枢からの心臓自律神経支配が手術操作で切断や障害を受けることが避けられない（除神経）[6]． 極端な症例では心移植患者のような徐神経心臓に類似する． 手術回数の多い重症患者では心拍変動（HRV），動脈圧受容体反射感受性（BRS）そして心臓交換神経を評価した MIBG 心筋シンチグラフ所見などの心臓自律神経活動（CANA）指標が異常であり，これらの CANA 異常，特に HRV や BRS は副交感神経活動と密接に関連し，これら異常は心拍応答低下に大きく影響している[7]． したがって，心不全の重症度に加えて心拍応答が低下して

表 13-9-5　成人先天性心疾患の身体所見のとり方（Perloff JK. People's Medical Publishing House；2009）[5]

1. 外見，視診（顔貌，胸郭，腹部，四肢など全身の外見の異常，歩行動作，発声方法）
   チアノーゼ，ばち指，前胸部膨隆，側弯，術創部（正中，側胸部）
2. 動脈拍動（減弱，消失，増強，整か不整か）
   血圧の上下肢差，左右差
   頸動脈スリル，頸動脈雑音
   脈圧（広いか，狭いか）
3. 頸静脈波
   a 波，v 波と増強，減弱，消失，高さ，持続時間
4. 打診，触診
   心室拍動（右室，左室心尖部）触知と偏位，心臓の位置（右胸心），大動脈肺動脈拍動
   肝腫大，胸水貯留，腹水貯留，浮腫，下肢静脈瘤
5. 聴診
   心音（Ⅰ・Ⅱ・Ⅲ・Ⅳ音），過剰心音，心雑音（収縮期，拡張期，連続性，前胸部，背部）
   スリル
   頸動脈雑音
   呼吸音

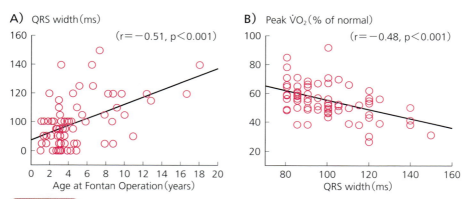

図 13-9-1　A. Fontan 手術時の年齢と QRS 関係，B. 10 年後の QRS 幅と運動耐容能の関係（Ohuchi H, et al. Int J Cardiol. 2009; 133: 371-80）[8]

おり，無症状であるものの，これらの CANA 異常が運動耐容能低下の大きな要因となっている．先天性心疾患術後患者の心拍変動，圧受容体反射感受性，MIBG 心筋シンチグラフでは，心不全病態とは違い乖離した異常値を示している．

術後早期の QRS 幅は術前から狭くならず不変でさらに，術後 10 年目の QRS 幅は手術年齢と関連していた．また，QRS 幅は peak $\dot{V}O_2$ を規定している要因 図13-9-1 [8] であった．幅広い QRS は注意が必要であり，介入前の 12 誘導心電図の確認や運動初回時には心電図を装着してのモニタリングが必要である．

### 1 心不全

左-右短絡の遺残，大動脈弁狭窄および閉鎖不全，僧帽弁閉鎖不全，反復した外科手術後，冠動脈移植後の症例などでは，経年的な術後変化に高血圧や加齢による心室拡張障害が加わり左心不全を発症する．一方，ACHD の心不全には成人心疾患

| 表13-9-6 | 成人先天性心疾患にみられるおもな右心不全と血行動態 |
|---|---|

(Haddad F, et al. Circulation. 2008; 117: 1717-31)[9]

① ASD
② TOF
③ Ebsteinbyou
④右室流出路狭窄
⑤体循環心室が右室である患者
　（完全大血管転移心房位血流転換術後，修正大血管転位）

ASD: atriarl septal defect，TOF: tetralogy of Fallot

と異なり右心不全が多いことである． 表13-9-6 に ACHD でみられる主な右心不全の病態[9] を示す．巨大な心房中隔欠損症（atriarl septal defect：ASD），Fallot 四徴症術後の肺動脈弁逆流，Ebstein 病は右室の容量負荷，右室流出路狭窄は圧負荷，体心室右室は圧負荷に三尖弁閉鎖不全による圧負荷が加わった病態となる[9]．Fallot 四徴症術後，肺高血圧，心房中隔欠損，肺動脈狭窄および閉鎖不全，修正大血管転位 Rastelli 手術後などでは，成人期の比較的早い時期より右心不全に陥る．進行すると肝硬変や蛋白漏出性胃腸症などに発展する．

### ❷ 不整脈

　CHD は，先天奇形の 1/3 を占める頻度の高い疾患である[10]．Mustard 術，Senning および Fontan 術後では洞機能不全．修正大血管転位，多脾症では高度房室ブロック．Ebstein 病，修正大血管転位，内臓心房錯位では発作性上室性頻拍を起こしやすい．Fallot 四徴術後では，右室切開に起因する心室頻拍を起こすことがあり，遠隔期の突然死につながる．成人先天性心疾患の疾患重症度分類 表13-9-1 と AHA の運動療法のリスク分類[11] を参考にしてリスクの層別化をはかり，心電図でのモニタリングし運動療法を行うようにする．

### ❸ 呼吸機能

　一般の左室不全では左心房上昇に伴い肺がうっ血し，肺のコンプライアンスが低下し肺活量（vital capacity：VC）も低下する．運動時は rapid-shallow 呼吸となり呼吸効率が低下する[12]．ACHD 患者では，手術の影響が大きく，その既往回数に比例して VC が低下する[13]．ACHD の呼吸器疾患では拘束性換気障害を呈することが多い．また，側弯症を合併する頻度も高く，VC を低下させる要因となっている．周術期に横隔神経麻痺を合併していることが多いため事前に聴取する必要がある．VC 低下は ACHD 患者の予後と関連する[13]．VC 低下によるガス交換機能低下や機能的残機能低下も考えられる．また，1 回換気量の低下は中枢からの交感神経活動の抑制能力が低下し，心拍変動による心臓自律神経活動が低下する[14]．さらに，VC 低下は再手術や心臓移植の際の危険因子であり，呼吸機能検査は欠かさせない評価項目であり，呼吸筋力トレーニングもパワーブリーズ 図13-9-2-A やスレッショルド 図13-9-2-B などを使用し積極的に介入することも重要である．

第 13 章　運動療法実施法リアルワールド　367

図 13-9-2　パワーブリーズ（A）とスレッショルド（B）

#### 4　Fallot 四徴術後チアノーゼ性心疾患の患者の合併症

　Fallot 循環における心不全は心室収縮機能，拡張機能の低下により生じる．また，肺血管抵抗の上昇による前負荷不足でも発症する[1]．チアノーゼが残存する患者が成人に達すると，多数の合併症が発症する．多血症による過粘度症候群（頭痛，めまい，易疲労感），凝固異常による出血傾向，腎障害，尿酸代謝障害，ビリルビン代謝異常全身血管障害，運動耐容能の低下，四肢末端の変化（ばち指），感染症などがみられる．

#### 5　肺高血圧

　高肺血流により Eisenmenger 症候群に陥った症例では，肺血管閉塞性病変の進行に伴うチアノーゼの出現以外にも不整脈，心不全，喀血出血傾向，感染性心内膜炎，奇異性塞栓，腎機能障害，失神，突然死など様々な合併症がみられ，これらの疾患に対する厳重な管理と治療が必要となる．当院では Fontan 四徴症術後患者の多くは，肺循環への駆出心室が欠如しているため，中心静脈圧上昇（静脈高血圧）と体心室拡張能が肺循環を維持するための規定因子となる．また，血行動態では中心静脈圧上昇，体心室前負荷障害，後負荷増大と低心拍出量を特色とした慢性心不全の病態を示す．運動耐容能は低下し容易に酸素化も低下するが，必ずしも自覚症状と一致しない[1]．また，合併症として慢性心不全，肺動静脈瘻や体静脈−肺静脈短絡によるチアノーゼの出現などが多い．そのため，運動療法中はサチュレーションモニターを確認し 図 13-9-3-A-B ，酸素化を確認しながら実施していく．具体的には $SpO_2 \leq 80\%$ 時には運動療法は一旦中止としている．

### B　運動耐容能・運動療法

　Peak $\dot{V}O_2$ は先人心疾患のみならず ACHD 患者の予後を含めた重症度と関連することから，peak $\dot{V}O_2$ の規定する要因を改善することは重要なことである．ACHD 患者は手術の影響から徐神経状態となり自律神経障害に関連し心拍応答不良になることが多い．また，

図13-9-3　サチュレーションモニター
A: $SpO_2 \geqq 80$, B: $SpO_2 \leqq 80$

図13-9-4　加圧トレーニング〈https://www.kaatsu.co.jp/qualify/index.html〉

周術期の線維化を伴う心筋障害，出血や心膜癒着による拘束性障害も左室拡張末期容積制限から運動耐容能低下の要因となる．運動時の最も大きな$VO_2$器官は骨格筋で，運動制限による微小血管密度や酵素活性の低下に伴う廃用性骨格筋萎縮は運動耐容能低下の大きな要因である．ACHDは新生児，乳児期あるいは小児期に見つかることが多く，小児期以降は過度な安静を強いられ運動耐容能が著明に低下している症例が多くみられ，deconditioningに陥っている症例も少なくない．心負荷に考慮し低強度の負荷で筋肥大筋力増強の効果が期待される加圧トレーニングも採用している．加圧トレーニング 図13-9-4 の負荷プロトコル 表13-9-7 は，20〜30％1RMで通常のレジスタンストレーニングで実施する60〜80％1RMと同じ効果が認められている．そのため，心負荷を軽減させレジスタンストレーニングを実施でき筋力増加効果が得られる．

| 表 13-9-7 | 当院での加圧トレーニングプロトコル |
|---|---|
| 負荷プロトコル | 内容 |
| 種目 | 自重，ダンベル，マシントレーニング |
| 加圧 | 上肢：120〜150 mmHg，下肢：150 mmHg |
| 加圧側 | 両側 |
| 抵抗強度 | 20〜30% 1RM |
| 回数 | 10〜20 回×2 セット |
| 頻度 | 週 3 回 |

## ■文献

1）日本循環器学会，他．成人先天性心疾患診療ガイドライン（2017 年改訂版）．〈https://www.j-circ.or.jp/cms/wp-content/uploads/2020/02/JCS2017_ichida_h.pdf〉（2023 年 7 月閲覧）

2）Van der Bom T, Mulder BJ, Meijboom FJ, et al. Contemporary survival of adults with congenital heart disease. Heart. 2015；101：1989-95.

3）Perloff JK, Sopher M. Noncardiac Surgery. In：Perloff JK, Child JS, Aboulhosn editors. Congenital Heart Disease in Adults. 3rd ed. Philadelphia：WB Saunders Elsevier；2009；p.380-92.

4）Samman A, Schwerzmann M, Balint OH, et al. Exercise capacity and biventricular function in adult patients with repaired tetralogy of Fallot. Am Heart J. 2008；156：100-5.

5）Perloff JK. Physical Examination of the Heart and Circulation. 4th ed. People's Medical Publishing House；2009.

6）Ohuchi H, Suzuki H, Tatsumi K, et al. Abnormal cardiac autonomic nervous activity after right ventricular outflow tract reconstruction. Circulation. 2000；102：2732-8.

7）Ohuchi H, Watanabe K, Wakisaka Y, et al. Heart rete dynamics during and after exercise in postoperative congenital heart disease patients. Their relation to cardiac autonomic nervous activity and intrinsic sinus node dysfunction. Am Heart J. 2007；154：165-71.

8）Ohuchi H, Miyazaki A, Watanabe Y, et al. Systemic ventricular morphology-associated increased QRS duration compromises the ventricular mechano-electrical and energetic properties long-term after the Fontan operation. Int J Cardiol. 2009；133：371-80.

9）Haddad F, Doyle R, Murphy D J, et al. Right ventricular function in cardiovascular disease, part II：pathophysiology, clinical importance, and management of right ventricular failure. Circulation. 2008；117：1717-31.

10）Van der Linde D, Konings EE, Slager MA, et al. Birth prevalence of congenital heart disease worldwide：a systematic review and meta-analysis. J Am Coll Cardiol. 2011；58：2241-7.

11）Fletcher GF, Ades PA, Kligfield P, et al. American Heart Association Exercise, Cardiac rehabilitation, and prevention committee of the council on clinical cardiology, Council on nutrition, physical activity and metabolism, council on cardiovascular and stroke nursing, council on epidemiology and prevention. exercise standards for testing and training：A scientific statement from the American Heart Association. Circulation. 2013；128：873-934.

12）Olson TP, Snyder EM, Johnson BD. Exercise-disordered breathing in chronic heart failure. Exerc Sport Sci Rev. 2006；34：194-201.

13）Alonso-Gonzalez R, Borgia F, Diller GP, et al. Abnormal lung function in adults with congenital heart disease：Prevalence, relation to cardiac anatomy, and association with survival. Circulation. 2013；127：882-90.

14）Ohuchi H, Takasugi H, Ohashi H, et al. Stratification of pediatric heart failure on the basis of neurohormonal and cardiac autonomic nervous activities in patients with congenital heart disease. Circulation. 2003；108：2368-76.

〈猪熊正美〉

## 10 慢性腎臓病

慢性腎臓病（chronic kidney disease：CKD）は，糸球体濾過量（glomerular filtration rate：CFR）で表される腎機能の低下，もしくは腎機能の障害を示唆する所見（蛋白尿をはじめとする尿異常，片腎や多発性嚢胞腎などの画像異常，血液異常，病理所見などの存在）が慢性的に持続するものすべてを包含する．具体的な診断基準は，① GFR の値にかかわらず，腎障害を示唆する所見（検尿異常，画像異常，血液異常，病理所見など）が３カ月以上持続すること．② GFR60 mL/分/1.73 m² 未満が３ヵ月以上持続すること．この片方または両方を満たす場合に CKD と診断される[1]．CKD の重症度判定には，推定糸球体濾過量（eGFR）や蛋白尿を用いた CKD の重症度分類[1] 表 13-10-1 を使用する．本邦の CKD 患者は 1,330 万人と推計され，国民の８人の１人が罹患する国民病ともよばれ，糖尿病患者 1,000 万人を遥かに凌ぐ．CKD 患者ではフレイルやサルコペニアの割合がきわめて高く，ADL が低下し，リハビリテーションや運動療法の必要性が増している．慢性心不全（chronic heart failure：CHF）に合併する腎機能障害は，心不全増悪で独立した予後規定因子であり[2]，eGFR が低下するごとに死亡率や心血管疾患発症率，入院率が有意に上昇する[3] 図 13-10-1 ことが報告されている．また，K/DOQI ガイドライン[4] と AHA ガイドライン[5] でも腎機能の低下が心血管疾患ないし全死亡の危険因子であると結論づけられている．

日本腎臓学会による「エビデンスに基づく CKD 診療ガイドライン 2023」では，運動療法に関するクリニカルクエスチョンが盛り込まれており，CKD 患者における身体活動や運動療法の

### 表 13-10-1　CKD の重症度分類（CKD 診療ガイドライン 2012）

| 原疾患 | 尿蛋白区分 | | A1 | A2 | A3 |
|---|---|---|---|---|---|
| 糖尿病性腎臓病 | 尿アルブミン定量（mg/日）尿アルブミン/Cr 比（mg/gCr） | | 正常<br>30 未満 | 微量アルブミン尿<br>30〜299 | 顕性アルブミン尿<br>300 以上 |
| 高血圧性腎硬化症<br>腎炎<br>多発性嚢胞腎<br>移植腎<br>不明<br>その他 | 尿蛋白定量（g/日）尿蛋白/Cr 比（g/Cr） | | 正常<br><br>0.15 未満 | 軽度蛋白尿<br><br>0.15〜0.49 | 高度蛋白尿<br><br>0.50 以上 |

| GFR 区分（mL/分/1.73m²） | | | | A1 | A2 | A3 |
|---|---|---|---|---|---|---|
| | GI | 正常または高値 | ≧90 | | | |
| | G2 | 正常または軽度低下 | 60〜89 | | | |
| | G3a | 軽度〜中等度低下 | 45〜59 | | | |
| | G3b | 中等度〜高度低下 | 30〜44 | | | |
| | G4 | 高度低下 | 15〜29 | | | |
| | G5 | 高度低下〜末期腎不全 | <15 | | | |

重症度は原疾患・GFR 区分・蛋白尿区分を合わせたステージにより評価する．CKD の重症度は死亡，末期腎不全，CVD 死亡発症のリスクを ■ のステージを基準に，■，■，■ の順にステージが上昇するほどリスクは上昇する．

（KDIGO CKD guidelinde 2012 を日本人用に改変）

注： わが国の保険診療では，アルブミン尿の定量測定は，糖尿病または糖尿病性早期腎症であって微量アルブミン尿を疑う患者に対し，3 カ月に 1 回に限り認められている．糖尿病において，尿定性で 1＋以上の明らかな尿蛋白を認める場合は尿アルブミン測定は保険で認められていないため，治療効果を評価するために定量検査を行う場合は尿蛋白定量を検討する．

（日本腎臓病学会，編．エビデンスに基づく CKD 診療ガイドライン 2023．東京医学社；2023, p.4[1]）

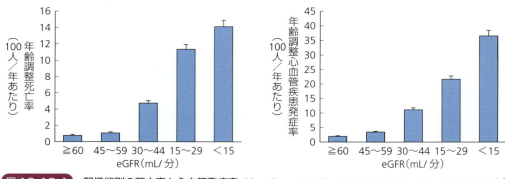

図 13-10-1　腎機能別の死亡率と心血管発症率（Go AS, et al. N Engl J Med. 2004; 51: 1296-305）[3]

重要性が推奨されている．心血管疾患を有する患者にとっては冠危険因子の是正や予後改善のため運動療法は CKD にとって主要な構成因子として重要である．

## A　CKD 患者の運動処方

腎臓は安静時には心拍出量の 1/5 の血液供給を受け，組織単位重量当たりの血液灌流量は多いが運動時には骨格筋・肺・心への血液分配率が高まり，腎血流量は低下する[6]．当院では Cr≧2.5 mg/dL の患者には積極的な運動療法は禁忌としているか，フレイルやサルコペニア，高齢者に運動療法を実施する際には腎機能の重症度に応じて運動量や負荷量を調整する必要がある．日本糖尿病学会発行の糖尿病治療ガイドに記載されている糖尿病性腎症生活指導基準の運動項目[7]について 表 13-10-2 に示す．この数年のうちに第3 期，第 4 期の運動から「制限」の文字がなくなり，むしろ運動を「推奨」する方向に変化してきた．CKD 患者に対する標準的なメニュー[8]を 表 13-10-3 に示す．週 3〜5 回，1 回に 20〜60 分の歩行やエルゴメータなどの中強度あるいは Borg スケール 11（楽である）〜13（ややきつい）での有酸素運動が中心となる．重症心不全患者や CKD 患者では心負荷や腎血流量低下を軽減しインターバルトレーニング（① Warm up 10 min: peak $\dot{V}O_2$, 4 min peak HR 90〜95%，3 min peak HR 50〜70%，② Warm up 10 min: peak $\dot{V}O_2$, 4 min peak HR 75〜80%，3 min peak HR 45〜50%）を実施することもある．インターバルトレーニングでも運動耐容能や運動効率が中等度持続運動よりも有意に改善するという報告もされている[9]．また，レジスタンストレーニングも積極的に行っており，腎不全単独であれば高強度（60〜80% 1 RM）のレジスタンストレーニングを実施しても腎機能の悪化はないとされている[10]．そのため，心血管疾患におけるリハビリテーションに関するガイドライン 2021 に合わせて開始している．透析患者に対する運動療法も表に示す内容と同様であるが，原則として非透析日に実施している．

## B　心腎貧血症候群

心血管疾患と腎機能，貧血には密接な関係にある．心筋梗塞の既往のある患者では Hct 値が低くなると死亡率が上昇する[11]と示されている 図 13-10-2 ．さまざまな研究から

**表 13-10-2** 糖尿病腎症生活基準における運動の考え方

| 病期 | | 運動 | | | |
|---|---|---|---|---|---|
| | | 2008~2009 2010~2011 2012~2013 | 2014~2015 | 2016~2017 | 2018~2019 |
| 第1期 (腎症前期) | | ・原則として糖尿病の運動療法を行う | ・原則として糖尿病の運動療法を行う | ・原則として糖尿病の運動療法を行う | ・原則として糖尿病の運動療法を行う |
| 第2期 (早期腎症期) | | ・原則として糖尿病の運動療法を行う | ・原則として糖尿病の運動療法を行う | ・原則として糖尿病の運動療法を行う | ・原則として糖尿病の運動療法を行う |
| 第3期 (顕性腎症期) | 第3期A (顕性腎症前期) | ・原則として運動可 ・ただし病態により，その程度を調整する ・過激な運動は不可 | ・原則として運動可 ・ただし病態により，その程度を調整する ・過激な運動は不可 | ・原則として運動可 ・ただし病態により，その程度を調整する ・過激な運動は不可 | ・原則として運動可 ・ただし病態により，その程度を調整する |
| | 第3期B (顕性腎症後期) | ・運動制限 ・体力を維持する程度の運動は可 | | | |
| 第4期 (腎不全期) | | ・運動制限 ・散歩やラジオ体操は可 | ・運動制限 ・散歩やラジオ体操は可 ・体力を維持する程度の運動は可 | ・体力を維持する程度の運動は可 | ・原則として運動可 ・ただし病態により，その程度を調整する |
| 第5期 (透析療法期) | | ・原則として軽運動 ・過激な運動は不可 | ・原則として軽運動 ・過激な運動は不可 | ・原則として軽運動 ・過激な運動は不可 | ・原則として運動可 ・ただし病態により，その程度を調整する |

（日本糖尿病学会．糖尿病治療ガイドライン 2018-2019．東京：文光堂，2018[7]）および過去のガイドラインを参考に作成）

**表 13-10-3** CKD 患者に推奨される運動処方

| | 有酸素運動 (Aerobic exercise) | レジスタンストレーニング (Resistance training) | 柔軟体操 (Flexibility exercice) |
|---|---|---|---|
| 頻度 (Frequency) | 3~5 日/週 | 2~3 日/週 | 2~3 日/週 |
| 強度 (Intensity) | 中強度の有酸素運動（酸素摂取予備能の 40~59%，Borg 指数 (RPE) 6~20 点（15 点法）の 12~13 点） | 1RM の 65~75%（1RM を行うことは勧められず，3RM 以上のテストで 1RM を推定すること） | 抵抗を感じたりややきつく感じるところまで伸長する |
| 時間 (Time) | 持続的な有酸素運動で 20~60 分/日，しかしこの時間が耐えられないのであれば，3~5 分間の間欠的運動で計 20~60 分/日 | 10~15 回反復で 1 セット．患者の運動耐容能と時間に応じて，何セット行ってもよい．大筋群を動かすための 8~19 種類の異なる運動を選ぶ | 関節ごとに 60 秒の静止（10~30 秒はストレッチ） |
| 種類 (Type) | ウォーキング，サイクリング，水泳のような持続的なリズミカルな有酸素運動 | マシーン，フリーウェイトを使用する | 静的筋運動 |

RPE: rating of perceived exertion（自覚的運動強度），1RM: 1 repetition maximum（最大 1 回反復重量）
(American College of Sports Medicine, editors. ACSM's Guidelines for Exercise Testing and Prescription, 10th ed. American College of Sports Medicine. 2017)[8]

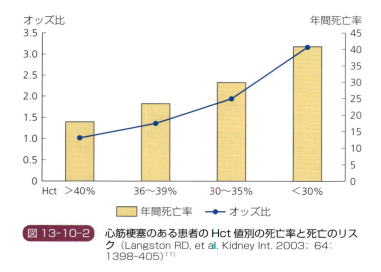

**図13-10-2** 心筋梗塞のある患者のHct値別の死亡率と死亡のリスク (Langston RD, et al. Kidney Int. 2003; 64: 1398-405)[11]

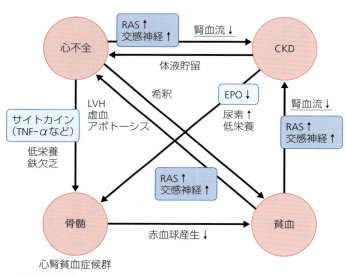

**図13-10-3** 心腎貧血症候群の病態 (Felker GM, et al. J Am Coll Cardiol. 2004; 44: 959-66)[13]

　貧血が強いほど心不全患者の予後も腎不全患者の予後も悪くなること，貧血の改善が心不全・腎不全の改善につがることが明らかになっている．また，心不全の程度（NYHA）が進むと貧血の頻度が増加するすることも示されている[12]．貧血はCKDに合併しその予後を悪化させる．一方，貧血は心肥大と心不全を悪化させる．

　心腎貧血症候群の病態を図に示す 図13-10-3 [13]．CKDが進行すると，エリスロポエチンの産生低下により骨髄での赤血球産生が低下する（腎性貧血）．貧血となると，レニン-アンジオテンシン系（RAS）や交感神経系が亢進し腎血流量が低下し，CKDは進行する．貧血はRASや交感神経系の亢進を介して，心肥大（left ventricular hypertrophy：

LVH），心虚血，心筋細胞のアポトーシスを促進することにより心不全を発症し悪化させる．心不全はRASや交感神経系を亢進して腎血流量を低下させることによりCKDをさらに進展させる．CKDは体液貯留を介して心不全を増悪させる．心不全はTNFαなどのサイトカインを介して貧血となり，心不全における貧血には，低栄養，鉄欠乏も関与する 図13-10-3 [13]．

## C リスク管理，メディカルチェック

　CKD患者に脳卒中，虚血性心疾患，末梢動脈疾患が合併しやすい．これを「心腎連関」とよび，心不全は高血圧，心肥大，冠動脈疾患，弁膜症などの基礎疾患を背景に持つ．また，腎疾患と心不全は貧血を合併しやすく，これらの病態に大きく関わり「心腎貧血症候群」ともよぶ．そのため，CKD患者に対するリスク管理は多岐にわたる．GFRが低下するとエリスロポエチンの産生障害やその他の原因で貧血になる（腎性貧血）．腎機能が低下していると貧血の頻度が上昇するため，血液検査のヘモグロビン値（Hb基準値　男性：13.7〜16.8 g/dL，女性：11.6〜14.8 g/dL）を確認し，フィジカルアセスメントで手足の冷感や血色 図13-10-4 ，眼瞼結膜の血色を評価する 図13-10-5 ．また，Hbが低下すると酸素の運搬能力が低下するので低酸素血症，各種臓器の酸素不足に伴う症状（チアノーゼ，易疲労性）を確認し$SpO_2$＜90％の場合は休憩を要する．CKDは体液貯留を進展させるため，下腿浮腫の状態も確認する 図13-10-6 ．運動療法中は心不全や貧血の場合には心拍数が上昇しやすく息切れも出現することがあるため，自転車エルゴメータのイヤーセンサー 図13-10-7 や心電図で心拍数 図13-10-8 をモニタリングする．また，自覚症状にも十分注意しBorgやトークテストを用いて常に評価するようにする．

 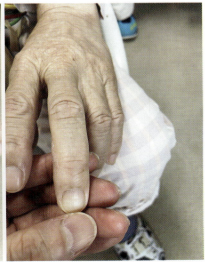

図13-10-4　手の血色評価

図 13-10-5　眼瞼結膜の血色評価

図 13-10-6　下腿浮腫の評価

図 13-10-7　自転車エルゴメータのイヤーセンサーでの脈拍のモニタリング

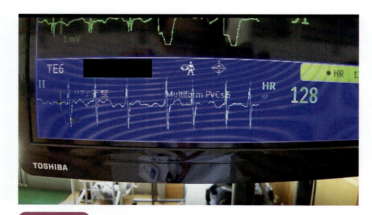
図 13-10-8　心電図での心拍数のモニタリング

## ■文献

1) 日本腎臓学会，編．エビデンスに基づく CKD 診療ガイドライン 2023．東京：東京医学社．2023.

2) Ninomiya T, Kiyohara Y, Tokuda Y, et al. Impact of kidney disease and blood pressure on the development of cardiovascular disease: An overview from the Japan Arteriosclerosis Longitudinal Study. Circulation. 2008; 118: 2694-701.

3) Go AS, Chertow GM, Fan D, et al. Chronic kidney disease and the risks of death, cardiovascular events, and hospitalization. N Engl J Med. 2004; 51: 1296-305.

4) National Kidney Foundation. K/DOQI clinical practice guideline for chronic kidney desease. Evaluation, classification and stratification. Am J Kidney Dis. 2002; 39: A1 266.

5) Sarnak MJ, Levey AS, Schoolwerth AC, et al. Kidney disease as a risk factor for development of cardiovascular disease: a statement from the American Heart Association Councils on Kidney in Cardiovascular Disease, High Blood pressure Research, Clinical Cardiology, and Epidemiology and Prevention. Circulation. 2003; 108: 2154-69.

6) 上月正博，編著．腎臓リハビリテーション．東京：医歯薬出版．2012．p.232.

7) 日本糖尿病学会．糖尿病治療ガイド 2018-2019．東京：文光堂．2018.

8) American College of Sports Medicine, editors. ACSM's Guidelines for Exercise Testing and Prescription, 10th ed. American College of Sports Medicine. 2017.

9) Wisloff U, Stoylen A, Loennechen JP, et al. Superior cardiovascular effect of aerobic interval training versus moderate continuous training in heart failure patients. Circulation. 2007; 115: 3086-94.

10) Heiwe S, Cline N, Tollback A, et al. Effects of regular resistance training on muscle histopathology and morphometry in elderly patients with chronic kidney disease. M J Phys Med Rehabil. 2005; 865-74.

11) Langston RD, Presley R, Flanders WD, et al. Renal insufficiency and anemia are independent risk factors for death among patients with acute myocardial infarction. Kidney Int. 2003; 64: 1398-405.

12) Silverberg DS, Wexler D, Blum M, et al The use of subcutaneous erythropoietin and intravenous iron for the treatment of the anemia of severe, resistant congestive heart failure improves cardiac and renal function and functional cardiac class, and markedly reduces hospitalizations. J Am Coll Cardiol. 2000; 35: 1737-44.

13) Felker GM, Adams Jr KF, Gattis WA, et al. Anemia as a risk factor and therapeutic target in heart failure. J Am Coll Cardiol. 2004; 44: 959-66.

〈渚熊正美〉

## 11 高齢者

本邦は2022年に65歳以上の人口の比率が28%を超え，超高齢社会となっている．これは2060年には40%近い水準となると予想されている[1]．

高齢者は内科疾患，整形外科疾患，神経疾患など多くの疾患を有していることが多い．一方息切れ感や疼痛など，自覚症状が非定型的であることもあり，狭心痛や心不全症状に気付きにくいこともある．

また以前より，加齢とともに骨格筋が萎縮することは知られていたが，加齢に伴う骨格筋量の減少は高齢者の歩行，移動，運動，カロリー消費などに関連するといわれている．高齢者は種々の要因で栄養摂取量が減少しやすいが，そのことが栄養障害に連鎖しサルコペニアにつながり，筋肉量の減少により基礎代謝や筋力が低下し，転倒や歩行速度の低下，活動度の低下が誘発される[2]．

さらに，心不全患者は代謝が亢進しておりカロリー摂取が相対的に少ないことが指摘されている．基本的な食事パターンを整え，栄養補充を行い運動療法を遂行していくことが大切である．心臓リハビリテーション（心リハ）介入時には症状を多面的に確認していくことが重要となる[3]．

### A 高齢者の心臓リハビリテーションの効果

Williamsら[4]は12週間の外来型運動プログラムを40〜70歳代の冠動脈疾患患者で施行した結果，運動耐容能の絶対値は高齢者群では小さかったが，改善の割合には年齢差を認めなかったとしている．また，高齢心不全患者のシステマティックレビューでは，運動耐容能の改善（31文献中27文献）が報告されている[5]．

中等度〜重症のうっ血性心不全患者の無作為化対照試験では，運動耐容能は運動療法群で有意に改善したと報告がある．すなわち，高齢者においても心リハの有効性は明らかであるとされている．

75歳以上の冠動脈疾患（coronary artery disease：CAD）患者における2次予防に関する米国心臓病学会/米国心臓病協会（American College of Cardiology Foundation/American Heart Association：ACCF/AHA）ガイドラインによれば，高齢者の冠危険因子に対する治療は一般成人と同様の治療方針で行われるべきであると勧告している[6]．

### B 高齢者の心臓リハビリテーションの実際

高齢心疾患患者は，表13-11-1 [7]のように負荷量を調整し心リハを実施していく．日常生活活動（ADL）が自立されている高齢者に対しては，心リハによりもたらせる効果は若年と同等であるとする報告が多いことから，積極的に導入することが重要である．一方，ADL未自立である高齢者に対しては，自宅復帰に必要な動作を再獲得することが必要となる．離床期にはベッド周辺にて離床動作，歩行練習，ADL動作練習と段階を経て

表 13-11-1　高齢心不全患者の運動処方

| 有酸素運動 | 強度 | peak $\dot{V}O_2$ の 60%<br>最大運動強度の 50%<br>最大心拍数の 70%<br>AT<br>Borg 指数 11〜13（自覚的疲労度「楽である〜ややつらい」） |
|---|---|---|
| | 時間 | 20〜60 分 |
| | 頻度 | 週 2〜5 回 |
| レジスタンストレーニング | 強度 | 最大 1 回反復負荷量（1RM）の 40〜60% |
| | 反復回数 | 1 セット：12〜15 回，2〜3 セット |
| | 頻度 | 週 3 回 |
| インターバルトレーニング | 強度 | 1. 高強度：最大心拍数の 90〜95%<br>　　低強度：最大心拍数の 50〜70%<br>2. 5〜10 分で Borg 指数 18（自覚的疲労度「非常につらい」）まで漸増<br>　　到達したら 10 ワットまで漸減 |
| | 時間 | 1. 高強度 4 分，低強度 3 分のインターバル，合計運動時間 20〜25 分<br>2. 3 セット繰り返し，合計運動時間 40〜50 分 |
| | 頻度 | 週 3 回 |

実施し，在宅復帰に繋げる介入が重要となる．本稿は ADL 未自立者を中心に述べる．

## C 当院での高齢者に対する心臓リハビリテーション

　高齢心不全患者は身体的予備能力が低いため，一度に負荷量を加えることができない症例が多い．離床期には少量頻回（午前中に 1 度，午後に 1 度など）に介入し，過負荷とならないよう注意し介入している 図13-11-1 ．サルコペニアを有している患者にはアミノ酸摂取を併用した運動療法を推奨している．

　ADL 未自立者に対しては，一般のリハビリテーション室にて基本動作から日常生活動作，生活関連動作の練習を実施していく 図13-11-2 ．澤入らの報告によると，高齢者のバランス機能は壮年者と比較し，低下することを示しており，入院期から積極的にバランストレーニングの実施が重要と述べている[8]．当院では不安定盤やバランスマットを使

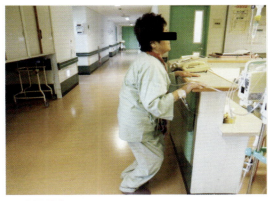
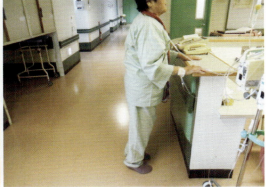

図13-11-1　病棟での自重を用いた下肢筋力トレーニング

図 13-11-2　一般リハビリテーション室

図 13-11-3　バランス練習
不安定マットを使用し実施

用し運動を実施している 図 13-11-3 ．実施時にはバランスを崩すリスクが高いため注意が必要となる．

　筋力練習は自重を用いたものから開始し，重錘やレジスタンス機器を使用した様式へ拡大する．負荷調整は最大 1 回反復負荷（1 RM）の 40〜60％，1 セット 12〜15 回とし，2 セット実施する 図 13-11-4 ， 図 13-11-5 ．虚弱者に対しては上記の負荷を与えず，適時様式を考慮し，自覚的疲労度を Borg 11〜13 程度に収めるよう注意をはらっている．

　有酸素運動は，連続歩行や自転車エルゴメータを使用し実施する．自転車エルゴメータは，電源を入れない状態で 3 分間駆動し，20 W から漸増していく．一般のリハビリ室を利用するレベルの症例は，CPX を受けられない状態のことも多いため，Karvonen 法や

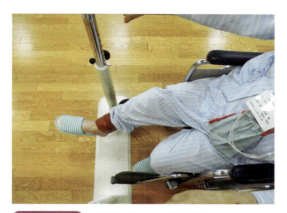

図 13-11-4　重錘を利用した筋力練習

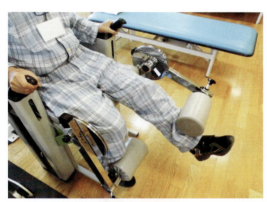

図 13-11-5　レジスタンス機器を使用した筋力練習

　Borgスケールを利用し運動負荷調整を行っていく　図 13-11-6 ．
　ADLの自立に至らない患者でも自転車エルゴメータを遂行できれば，一般リハビリ室で座位での運動を中心とした集団での運動療法を行っている　図 13-11-7 ．集団運動療

図 13-11-6　自転車エルゴメータ

図 13-11-7　座位での集団運動療法

法では，座位で簡単に実施可能な自重での運動や，チューブを使用しての筋トレなども行っている．また，体調管理のための知識向上を目的に，塩分量についてや毎日の血圧や体重測定の意義，自主トレ方法や注意点などの簡単な講義も合わせて行っている．

　歩行練習は，入院前の身体活動レベルや自宅環境を鑑み，歩行補助具を検討する．また，玄関の上がり框昇降や，屋内移動での段差の乗り越え動作，屋外歩行練習も合わせて実施する 図 13-11-8 ．

　寝具として布団を利用している症例は，床からの立ち上がり動作が必要となるため，自宅環境面を本人や家族から聴取し，必要な動作を練習していく 図 13-11-9 ， 図 13-11-10 ．必要があれば自宅に訪問し現地での評価も実施する．

　重要となるのは，入院前の状態を把握し，必要な生活動作を，具体的に介入し獲得していくことである．

　介護保険利用者であれば，MSW や担当ケアマネージャーと連携し，歩行補助具選定や，自宅改修などの必要があれば随時介入し検討していく．また認知機能が低下している症例については，家族を交えた介入も重要となる．

図 13-11-8　屋外歩行練習
応用歩行練習

図 13-11-9　階段昇降練習

図 13-11-10　床からの立ち上がり練習

　高齢心疾患患者は多疾患を有し，予備力が低下していることを念頭に置き，運動処方を実施する必要がある．またリハ従事者は重複障害に対応できる能力を有することも重要であると考える．

■文献
1) 総務省「国勢調査」および「人口推計」．国立社会保障・人口問題研究所「日本の将来推計人口」（2017年4月推計）．
2) 佐藤幸人，藤原久義，藤原兒子．心不全患者におけるカヘキシー．J Cardiol Jpn Ed. 2012; 7: 177-87.
3) 上月　博．日本心臓リハビリテーション学会誌．心臓リハビリテーション（JJCR）．2011; 16: 31.
4) Williams MA, Maresh CM, Esterbrooks DJ, et al. Early exercise training in patients older than age 65 years compared with that in younger patients after acute myocardial infarction or

coronary artery bypass grafting. Am J Cardiol. 1985; 55: 263-6.

5) Lloyd-Williams F, Mair FS, Leitner M. Exercise training and heart failure: A systematic review of current evidence. Br J Gen Prac. 2002; 52: 47-55.

6) Williams, MA, Fleg JL, Ades PA, et al. Secondary prevention of coronary heart disease in the elderly (with emphasis on patients≧75 years of age): An American Heart Association scientific statement from the Council on Clinical Cardiology Subcommittee on Exercise, Cardiac Rehabilitation, and Prevention. Circulation. 2002; 105: 1735-43.

7) 循環器疾病の診断と治療に関するガイドライン（2011年度合同研究班報告）．心血管疾患におけるリハビリテーションに関するガイドライン．

8) 澤入豊和，他．高齢心疾患患者の入院期心臓リハビリテーションにおけるバランストレーニングの重要性について．日本理学療法学術大会．2006（2007）: D0829-D0829.

〈中野晴恵〉

# Appendix 1

# 略語集

**A**

| | | |
|---|---|---|
| AAA | abdominal aortic aneurysm | 腹部大動脈瘤 |
| AAE | annulo aortic ectasia | 大動脈弁輪拡張症 |
| ABE | acute bacterial endocarditis | 急性細菌性心内膜炎 |
| ABI | ankle brachial index | 足関節部血圧／上腕動脈血圧 |
| ABL (RFCA) | ablation（Radiofrequency catheter ablation） | （経皮的）心筋焼灼術 |
| ABPI | ankle brachial pressure index | 足関節上腕血圧比 |
| ACHD | adult congenital heart disease | 成人先天性心疾患 |
| ACLS | advanced cardiac life support | 高度心肺蘇生法 |
| ACS | acute coronary syndrome | 急性冠症候群 |
| ADL | activities of daily living | 日常生活動作 |
| AED | automated external defibrillator | 自動体外式除細動器 |
| AIVR | accelerated idioventricular rhythm | 促進心室固有調律 |
| Af | atrial fibrillation | 心房細動 |
| AF | atrial flutter | 心房粗動 |
| AMI | acute myocardial infarction | 急性心筋梗塞 |
| Ao | aorta | 大動脈 |
| AOD | acute arterial occlusive disease | 急性動脈閉塞症 |
| AP | angina pectoris | 狭心症 |
| APC | atrial premature contraction | 心房性期外収縮 |
| APH | apical hypertrophic cardiomyopathy | 心尖部肥大型心筋症 |
| AR | aortic regurgitation | 大動脈弁逆流（閉鎖不全） |
| ARDS | adult respiratory distress syndrome | 成人呼吸促（窮）迫症候群 |
| ARVD | arrhythmogenic right ventricular dysplasia | 不整脈源性右室異形成症 |
| AS | aortic stenosis | 大動脈弁狭窄 |
| ASD | atrial septal defect | 心房中隔欠損症 |
| ASO | arteriosclerosis obliterans | 閉塞性動脈硬化症 |
| AT | anaerobic threshold | 嫌気性代謝閾値，無酸素性作業代謝閾値 |
| AT | atrial tachycardia | 心房頻拍 |
| AVR | aortic valve replacement | 大動脈弁置換 |
| AVNRT | aterioventricular nodal reentrant tachycardia | 房室結節回帰性頻拍 |

**B**

| | | |
|---|---|---|
| BAV | balloon aortic valvuloplasty | バルーン大動脈弁拡張術 |
| BLS | basic life support | 一次救命処置 |
| BMI | body mass index | 体格指数，肥満指数，体容量指数 |
| BP | blood pressure | 血圧 |
| (SBP) | systolic blood pressure | 収縮期血圧 |
| (DBP) | diastolic blood pressure | 拡張期血圧 |

385

| brady. | bradycardia | 徐脈 |
|---|---|---|
| BVAS | biventricular assist system | 両室補助人工心臓 |

**C**

| | | |
|---|---|---|
| CABG | coronary arter bypass graft | 冠動脈バイパス術 |
| CAG | coronary angiography | 冠動脈造影法 |
| CAVI | cardio ankle vascular index | 心臓足首血管指数 |
| CHD | congenital heart disease | 先天性心疾患 |
| CHF | congestive heart failure/choronic heart failure | うっ血性心不全/慢性心不全 |
| CKD | chronic kidney disease | 慢性腎疾患 |
| CLBBB | complete left bundle branch block | 完全左脚ブロック |
| CO | cardiac output | 心拍出量 |
| COPD | chronic obstructive pulmonary disease | 慢性閉塞性肺疾患 |
| CP | constrictive pericarditis | 収縮性心膜炎 |
| CPAP | continous positive airway pressure | 持続的陽圧呼吸（持続的気道陽圧法） |
| CPX | cardiopulmonary exercise testing | 心肺運動負荷試験 |
| CRBBB | complete right bundle branch block | 完全右脚ブロック |
| CRT | cardiac resynchronization therapy | 心臓再同期療法 |
| CS | coronary sinus | 冠静脈洞 |
| CSA | coronary spastic angina | 冠攣縮性狭心症 |
| CVP | central venous pressure | 中心静脈圧 |

**D**

| | | |
|---|---|---|
| DAA | dissecting aortic aneurysm | 解離性大動脈瘤 |
| DBP | diastolic blood pressure | 拡張期血圧 |
| DC | direct current (defibrillator) | 直流除細動（器） |
| DCA | directional coronary atherectomy | 方向性冠動脈粥腫切除術 |
| DCM | dilated cardiomyopathy | 拡張型心筋症 |
| DES | drug-eluting stent | 薬剤溶出性ステント |
| DIC | disseminated intravascular coagulation syndorome | 播種性血管内凝固症候群 |
| DL | dyslipidemia | 脂質異常症 |
| DM | diabetes mellitus | 糖尿病 |
| DP | double product | 二重積 |
| DVT | deep vein thrombosis | 深部静脈血栓症 |

**E**

| | | |
|---|---|---|
| EAP | effort angina pectoris | 労作（性）狭心症 |
| ECG | electrocardiogram | 心電図 |
| ECMO | extracorporeal membrane oxygenation | 体外膜型人工肺 |
| EF（LVEF） | ejection fraction | （左室）駆出分画 |
| eGFR | estimated glomerular filtration rate | 推算糸球体濾過値 |
| eNOS | endothelial nitric oxide synthase | 血管由来の NO 合成酵素 |
| EPS | electrophysiology study | 電気生理学的検査 |
| EVAR | endovascular aortic repair | 腹部大動脈ステントグラフト内挿術 |

**F**

| | | |
|---|---|---|
| FRC | functional residual capacity | 機能的残気量 |
| FVC | forced vital capacity | 努力肺活量 |

## G

| | | |
|---|---|---|
| GLS | global longitudinal strain | 心筋の長軸方向の収縮機能の指標 |
| GIST | Gastrointestinal Stromal Tumor | 消化管間質腫瘍 |

## H

| | | |
|---|---|---|
| HBV | hepatitis B virus | B 型肝炎ウィルス |
| HCM | hypertrophic cardiomyopathy | 肥大型心筋症 |
| HCV | hepatitis C virus | C 型肝炎ウィルス |
| HD | hemodialysis | 血液透析 |
| HFmrEF | heart failure with mid-range ejection fraction | 左室駆出率が軽度低下した心不全 |
| HFpEF | heart failure with preserved ejection fraction | 左室駆出率が保持された心不全 |
| HFrEF | heart failure with reduced ejection fraction | 左室駆出率が低下した心不全 |
| HHD | hypertensive heart disease | 高血圧性心疾患 |
| HIT | heparin-induced thrombocytopenia | ヘパリン起因性血小板減少症 |
| HNCM | hypertrophic non-obstructive cardiomyopathy | 非閉塞性肥大型心筋症 |
| HOCM | hypertrophic obstructive cardiomyopathy | 閉塞性肥大型心筋症 |
| HR | heart rate | 心拍数 |
| HT | hypertension | 高血圧症 |

## I

| | | |
|---|---|---|
| IABP | intra aortic balloon pumping | 大動脈内バルーンパンピング |
| ICD | implantable cardioverter-defibrillator | 植え込み型除細動器 |
| IE | infective endocarditis | 感染性心内膜炎 |
| IHD | ischemic heart disease | 虚血性心疾患 |
| IVC | inferior vena cava | 下大静脈 |
| IVUS | intravascular ultrasound | 血管内超音波 |

## L

| | | |
|---|---|---|
| LA | left atrium | 左房 |
| LAA | left atrial appendage | 左心耳 |
| LAD | left anterior descending coronary artery | 左前下行枝 |
| LMT | left main coronary trunk | 左冠状主幹部 |
| LV | left ventricule | 左心室 |
| LVAD | left ventricular assist device | 左心補助装置 |
| LVG | left ventriculography | 左室造影 |
| LVH | left ventricular hypertrophy | 左室肥大 |

## M

| | | |
|---|---|---|
| MAP | mitral annuloplasty | 僧帽弁形成術 |
| MI | myocardial infarction | 心筋梗塞 |
| MR | mitral regurgitation | 僧帽弁逆流（閉鎖不全） |
| MS | mitral stenosis | 僧帽弁狭窄症 |
| MVD | multivessel disease | 多枝（冠動脈）疾患 |
| MVP | mitral valve plasty | 僧帽弁逸脱症 |
| MVR | mitral valve replacement | 僧帽弁置換術 |
| | MitraClip | 経皮的僧帽弁クリップ術 |

## N

| | | |
|---|---|---|
| NSR | normal sisus rhythm | 正常洞調律 |
| NSVT | nonsustained ventricular tachycardia | 非持続性心室頻拍 |

## O

| | | |
|---|---|---|
| OMI | old myocardial infarvtion | 陳旧性心筋梗塞 |

## P

| | | |
|---|---|---|
| PAC | premature atrial contraction | 心房性期外収縮 |
| Paf | paroxysmal atrial fibrillation | 発作性心房細動 |
| PAH | pulmonary arterial hypertension | 肺動脈性高血圧 |
| PAP | pulmonary artery pressure | 肺動脈圧 |
| PAT | paroxysmal atrial tachycardia | 発作性心房性頻拍症 |
| PCI | percutaneous coronary intervention | 経皮的冠動脈インターベーション |
| PCPS | percutaneous cardiopulmonary support | 経皮的心肺補助 |
| PCWP | pulmonary capillary wedge pressure | 肺動脈楔入圧 |
| PE | pericardial effusion | 心膜液 |
| PFO | patent foramen ovale | 卵円孔開存 |
| PH | pulmonary hypertension | 肺高血圧症 |
| PIA | post infarct angina | 梗塞後狭心症 |
| PMI | pacemaker inplantation | ペースメーカ植え込み術 |
| POBA | percutaneous old balloon angioplasty | 経皮的古典的バルーン冠動脈形成術 |
| PS | pulmonary stenosis | 肺動脈弁狭窄症 |
| PSVT | paroxysmal supraventricular tachycardia | 発作性上室頻拍 |
| PTCA | percutaneous transluminal coronary angioplasty | 経皮的冠動脈形成術 |
| PTCR | percutaneous transluminal coronary recanalization | 経皮的冠動脈再疎通術 |
| PTE | pulmonary thromboembolism | 肺動脈血栓塞栓症/肺血栓塞栓症 |
| PV | pulmonary vein | 肺静脈 |
| PVC | premature ventricular contraction | 心室性期外収縮 |
| PWV | pulse wave velocity | 脈波伝搬速度 |

## Q

| | | |
|---|---|---|
| QP/QS | pulmonary / systemic flow ratio | 肺体血流量比 |

## R

| | | |
|---|---|---|
| RA | right atrium | 右房 |
| RAG | radial artery grafts | 橈骨動脈グラフト |
| RCA | right coronary artery | 右冠動脈 |
| RCP | respirotory compensation point | 呼吸性代償開始点 |
| RCM | restrictive cardiomyopathy | 拘束型心筋症 |
| RFCA | radiofrequency catheter ablation | 高周波カテーテルアブレーション |
| RHC | right heart catheterization | 右心カテーテル |
| RV | right ventricule | 右心室 |
| r/o | rule out | 除外 |

## S

| | | |
|---|---|---|
| SAM | systolic anterior motion | （僧帽弁）収縮期前方運動 |
| SAS | sleep apnea syndrome | 睡眠時無呼吸症候群 |
| SIRS | systemic inflammatory response syndrome | 全身性炎症反応症候群 |
| SLE | systemic lupus erythematosus | 全身性エリテマトーデス |
| SMI | silent myocardial ischemia | 無症候性心筋虚血 |
| SOB | shortness of breath | 息切れ |
| SSS | sick sinus syndrome | 洞機能不全症候群 |
| SV | stroke volume | 1回心拍出量 |

| | | |
|---|---|---|
| SVR | surgical ventricular reconstruction | 左室形成術 |
| s/p | status post | ～の後 |
| s/o | suspect of | ～の疑い |

**T**

| | | |
|---|---|---|
| TAA | thoracic aortic aneurysm | 胸部大動脈瘤 |
| tachy. | tachycardia | 頻脈 |
| TAVI | transcatheter aortic valve implantation | 経カテーテル大動脈弁留置術 |
| TAVR | transcatheter aortic valve replacement | 経カテーテル大動脈弁置換術 |
| TBI | toe brachial index | 足趾上腕血圧比 |
| TEE | transesophageal echocardiography | 経食道心エコー検査 |
| TEVAR | thoracic endo vascular aortic repair | 胸部大動脈ステントグラフト内挿術 |
| TOF | tetralogy of Fallot | Fallot 四徴 |
| TR | tricuspid regurgitation | 三尖弁逆流症 |
| TS | tricuspid stenosis | 三尖弁狭窄症 |
| TTE | transthoracic echocardiography | 経胸壁心エコー検査 |
| TV | tricuspid valve | 三尖弁 |
| TVR | tricuspid valve replacement | 三尖弁置換術 |

**U**

| | | |
|---|---|---|
| UAP | unstable angina pectoris | 不安定狭心症 |
| UCG | ultrasonic cardiogram | 心エコー図 |

**V**

| | | |
|---|---|---|
| VAD | ventricular assist device | 心室補助人工心臓 |
| VAS | ventricular assist system | 補助人工心臓 |
| VAT | ventricular activation time | 心室興奮時間（Q 波の始まりから R 波の頂点） |
| $V_A/Q$ | ventilation perfusion ratio | 換気-血流比 |
| VC | vital capacity | 一回換気量 |
| $\dot{V}_E$ | minnte ventilation | 分時換気量 |
| Vf | ventricular fibrillation | 心室細動 |
| VF | ventricular flutter | 心室粗動 |
| $\dot{V}O_2$ | oxygen uptake | 酸素摂取量 |
| $VCO_2$ | carbon dioxide output | 二酸化炭素排出量 |
| VSD | ventricular septal defect | 心室中隔欠損 |
| VSP | ventricular septal perforation | 心室中隔裂孔 |
| VSR | ventricular septal rupture | 心室中隔破裂 |
| VT | ventricular tachycardia | 心室頻拍症 |
| VTE | venous thromboembolism | 静脈血栓塞栓症 |

**W**

| | | |
|---|---|---|
| WNL | within normal limits | 正常範囲内 |

〈上田正徳〉

# Appendix 2

# CPX 実施時チェックシート①

| | チェック項目 | 参考 |
|---|---|---|
| ①環境のチェック | ☐ 救急備品のチェック<br>☐ 室温：20〜25℃<br>☐ 湿度：40〜60%<br>☐ 換気 | 2章-5<br>2章-4 |
| ②測定機器の準備 | ☐ ガス分析計の校正（検査毎の実施）<br>　→ span，delay time，波形パターンを確認<br>☐ 流量計の校正（1日に1回）<br>☐ 流量計の精度チェック（1日に1回） | 2章-1 |
| ③患者情報の収集 | ☐ 検査目的（病態）の確認<br>☐ 検査履歴（前回値）の確認 | 3章-2 |
| ④患者入室時の確認 | ☐ 本人確認：機器の入力内容と照合<br>☐ 問診：植え込みデバイス，体温，体調，運動習慣，服薬内容<br>☐ 身体計測：身長，体重，体脂肪率，腹囲 | |
| ⑤プロトコルの選択 | ☐ 負荷様式の選択<br>☐ 負荷強度の選択 | 2章-2 |
| ⑥検査の具体的な説明<br>（理解度にあわせる） | ☐ 検査の目的<br>☐ 検査全体の流れ<br>☐ 注意点：呼吸法（1回呼吸法）<br>☐ 注意点：発声の制限<br>☐ 注意点：胸痛など症状出現時の指示方法<br>☐ 注意点：症候限界の説明と指示方法 | 3章-6 |
| ⑦生体モニタの装着・確認 | ☐ ECG：電極位置と波形（リズムやST-T等）の確認<br>☐ BP：測定時の波形と血圧値（80〜180 mmHg）の確認<br>☐ SpO$_2$：装着状態を確認（96〜99%の範囲にあるか確認）<br>☐ その他の計測：Physio Flow など（必要に応じて確認） | 3章-1 |
| ⑧負荷装置への移乗 | ☐ サドルの高さ調整<br>☐ ハンドルの高さ調整 | 2章-2 |
| ⑨マスクの装着・調整 | ☐ サイズの選択<br>☐ 装着状態の確認：呼吸漏れ・接触個所の痛みなど | 2章-3 |
| ⑩安静時データの確認<br>（pre start） | ☐ RR：15（12〜16）回/分<br>☐ TVE：体重（kg）の10倍<br>　→RR や TVE が大きく外れる場合は声掛けによる補正を行う<br>　→意図的に会話をして呼吸を安定させる方法も有効<br>☐ V̇O$_2$：3.5 mL/分/kg（体脂肪率を考慮）<br>☐ R（ガス交換比）：0.84 前後（呼吸様式で容易に変動する）<br>　→ V̇O$_2$ と R が許容範囲にない場合は再校正をする<br>☐ HR：健常人では 60〜80 bpm（呼吸性心拍変動がある）<br>☐ BP：80〜180 mmHg（緊張で家庭血圧より高い傾向あり） | 2章-1 |

# CPX 実施時チェックシート②

| | チェック項目 | 参考 |
|---|---|---|
| ⑪ウォームアップ | ☐ 運動開始時の声掛けは最小限にする（発声の防止）<br>☐ 回転数：規定回転数±10 rpm<br>☐ 呼吸様式の確認（不安定呼吸，深呼吸，頻呼吸）<br>　　→必要に応じて回転数や呼吸様式の補正を行う | 3章-7 |
| ⑫負荷中 | ☐ 負荷が増加することと注意事項を再度を説明<br>☐ 回転数：規定回転数±10 rpm<br>☐ 呼吸様式の確認：深呼吸，頻呼吸（RR と TVE）<br>　　→回転数や呼吸様式の補正は Ramp 開始 1 分までに行う！<br>☐ $\dot{V}O_2$ と $\dot{V}O_2/HR$ の傾きを確認<br>☐ $\dot{V}E$ と $\dot{V}O_2$ の急激な低下がないこと（呼吸漏れの確認）<br>☐ $\dot{V}E/\dot{V}O_2$（AT）を認識<br>　　→ AT を確実に超えるまでは介入は最低限にする！<br>☐ $\dot{V}E/\dot{V}CO_2$（RCP）を認識（最大負荷到達予想）<br>☐ R（ガス交換比）を確認（最大負荷到達予想）<br>☐ 中止徴候出現の確認（常に緊急事態を想定）<br>☐ ECG：R 波検出，不整脈・ST-T の確認<br>☐ BP の確認：250 mmHg を超えない，10 mmHg 以上の低下<br>☐ $SpO_2$：持続的な低下がないか<br>　　＊指先センサーでは強く握ると低下するので注意 | 3章-4<br>3章-5<br>3章-6<br>3章-8<br>3章-10 |
| ⑬最大負荷 | ☐ R（ガス交換比）：1.15 を超えているか<br>☐ RPM：45 rpm が維持できなければ終了<br>☐ ％ maxHR | |
| ⑭リカバリ | ☐ クールダウン（20〜30 rpm で 2〜3 分）：迷走神経反射の予防<br>　　＊リカバリのデータが必要な場合は負荷直後に足を止める<br>☐ マスクを外す（筆者の施設では被検者の負担軽減のため，<br>　　リカバリの呼気ガス解析はせず 1 分で外している）<br>☐ 労いの声掛け：「お疲れさまでした．頑張りましたね！」<br>　　＊最後の印象が次回検査のモチベーションを左右する<br>☐ Borg スコアの聴取<br>　　＊経験的に「20−運動継続可能時間（あと何分継続できたか）」<br>　　　が Borg と一致する傾向があるので参考にしている<br>☐ データ解析開始<br>☐ 定期的に声掛け：胸部症状，気分，顔色や表情を確認<br>☐ ECG の確認<br>☐ BP の確認 | 3章-7 |
| ⑮ 検査終了 | ☐ 生体モニタを外す（皮膚が脆弱な場合は剥離剤を使用）<br>☐ 胸部症状，気分，顔色や表情を確認<br>☐ 最後に労いの声掛け<br>　　＊最後の印象が次回検査のモチベーションを左右する | |
| ⑯ 結果説明 | | |

# 索 引

## あ行

| | |
|---|---|
| 亜急性冠閉塞 | 300 |
| アデノシン三リン酸 | 96 |
| アミノ酸摂取 | 379 |
| 安静時酸素摂取量 | 19 |
| 安定狭心症 | 312 |
| 息切れ | 194, 202 |
| 糸球体濾過量 | 371 |
| イバブラジン | 72 |
| インスリン抵抗性 | 221, 316 |
| インターバルトレーニング | 306 |
| インフレクションポイント | 126 |
| ウォーミングアップ（w-u） | 300 |
| ウォームアップ | 57, 152 |
| 右左シャント | 102, 125, 204 |
| 渦流量計 | 9 |
| 運動耐容能 | 181 |
| 運動負荷試験 | |
| 　の中止基準 | 47 |
| 　の禁忌 | 46, 47 |
| 　の中止徴候 | 47 |
| 運動負荷中の呼吸パターン | 64 |
| エキセントリックトレーニング | 225 |
| エルゴメータ | 23 |
| 　とトレッドミルとの関係 | 214 |
| エルゴリフレックス | 68, 201 |
| 塩分 | 78 |
| 温度 | 34 |

## か行

| | |
|---|---|
| 加圧トレーニング | 219, 346 |
| 開心術後 | 317 |
| 階段パス | 317 |
| 解糖系 | 96 |
| 外来心臓リハビリ | 345 |
| 拡張障害 | 80 |
| ガス交換比（R） | 149, 159, 169 |
| カルシウム | 101 |

| | |
|---|---|
| 換気血流不均衡分布 | 154 |
| 感染対策 | 34 |
| 完全房室ブロック | 149 |
| 冠動脈 | 87 |
| 喫煙 | 103 |
| 機能性交感神経遮断 | 77 |
| 脚力不足 | 171 |
| 吸引ポンプ | 12 |
| 急性可逆性の脳代謝障害 | 330 |
| 胸骨管理 | 320 |
| 胸骨切開術 | 151 |
| 胸骨保護 | 317 |
| 狭心症 | 199 |
| 虚血カスケード | 86 |
| クールダウン（c-d） | 57, 300 |
| 血圧応答 | 75 |
| 血管内皮細胞由来血管作動性物質 | 75 |
| 血中カテコラミン濃度 | 69 |
| 血中ノルエピネフリン濃度 | 70 |
| 血流分配 | 77 |
| 嫌気性代謝閾値 | 104 |
| 検査開始前の確認 | 45 |
| 検査開始前の説明 | 45 |
| 交感神経 | 67, 71 |
| 校正（キャリブレーション） | 9 |
| 　ガス | 14 |
| 後負荷 | 78 |
| 　依存性 | 79 |
| 高齢者 | 378 |
| 呼気ガス分析装置 | 7 |
| 呼吸筋ストレッチ | 301 |
| 呼吸筋力トレーニング | 367 |
| 呼吸性代償開始点 | 109 |
| 呼吸予備能 | 128, 201 |
| 呼吸流量計 | 10 |
| 骨格筋線維 | 101 |
| 骨格筋ポンプ | 78 |

## さ行

| | |
|---|---|
| 差圧流量計 | 9 |
| サイクルエルゴメータ | 23 |

| | |
|---|---|
| 座位での集団運動療法 | 382 |
| 作業療法士 | 330 |
| 左室駆出率 | 110 |
| サドル | 24 |
| サルコペニア | 378 |
| 三尖弁逆流 | 81 |
| 酸素脈 | 118 |
| サンプリングチューブ | 7 |
| 自覚的運動強度 | 215, 301 |
| 死腔 | 167 |
| 死腔量 | 30 |
| 疾病予防運動施設 | 348 |
| ジャンプアップ現象 | 160 |
| 術後せん妄 | 330 |
| 除神経 | 72, 365 |
| 自律神経 | 67 |
| 心移植 | 73 |
| 心筋虚血 | 69, 92 |
| 心筋シンチグラフ | 365 |
| 人工肺 | 23 |
| 心事故 | 186 |
| 心室期外収縮 | 149 |
| 心室頻拍 | 149 |
| 心収縮能 | 80 |
| 心収縮予備能 | 120, 293 |
| 心収縮力 | 67 |
| 心臓 | 365 |
| 心臓移植 | 72 |
| 心臓自律神経活動 | 365 |
| 身体機能評価 | 344 |
| 心電図異常陽性基準 | 48 |
| 心肺運動負荷試験 | 1 |
| 　報告書 | 291 |
| 心拍応答 | 72, 156, 187 |
| 心拍処方 | 214 |
| 心拍数 | 67, 71 |
| 心拍出量 | 77 |
| 心拍変動 | 365 |
| 心不全 | 1, 69, 190 |
| 　手帳 | 343 |
| 　とそのリスクの進展ステージ | 336 |

索 引 393

| | |
|---|---|
| 心房細動 | |
| | 69, 71, 78, 83, 129, 130 |
| 心房粗動 | 148 |
| 精度管理 | 17 |
| 生活活動 | 315 |
| 生活関連動作 | 379 |
| 成人先天性心疾患 | 363 |
| 赤外線吸収式二酸化炭素 | |
| 分析計 | 8 |
| 赤筋 | 102 |
| 前傾側臥位 | 327 |
| 洗浄方法 | 35 |
| 全身血管抵抗指数 | 294 |
| 先天性心疾患 | 363 |
| セントラルコマンド | 67, 77, 89 |
| 前負荷 | 78 |
| 早期離床 | 333 |
| 僧帽弁逆流 | 81 |
| 僧帽弁置換術後 | 243 |

### た行

| | |
|---|---|
| 代謝校正器 | 23 |
| 大動脈弁狭窄症 | 196 |
| 大動脈弁置換術後 | 237 |
| タウオフ | 162 |
| タウオン | 153 |
| ダグラスバッグ | 6 |
| 立ち上がり時定数 | 153 |
| 遅筋線維 | 101 |
| 超音波式二酸化炭素分析計 | 8 |
| 電極 | 42 |
| 電子伝達系 | 96 |
| 伝導性 | 67 |
| トークテスト | 216, 301 |
| 動静脈酸素含量格差 | 98 |
| 動脈圧受容体反射感受性 | 365 |
| トリガー | 313 |
| 努力不足 | 171, 172 |
| トルクメータ | 27 |
| トレッドミル | 27 |
| トレッドミルエルゴメータ | 27 |

### な行

| | |
|---|---|
| 二酸化炭素濃度計 | 11 |
| 二酸化炭素分析計 | 8 |
| 二重積屈曲点 | 75 |
| 熱線流量計 | 9 |

### は行

| | |
|---|---|
| 肺気腫 | 151, 198, 201 |
| 肺伸展受容器反射 | 90 |
| 肺伸展反射 | 90 |
| 肺動脈性高血圧症 | 102 |
| 肺動脈楔入圧 | 184, 223 |
| 背面開放 | 327 |
| ハンドル | 24 |
| 翼車流量計 | 9 |
| 肥満 | 159 |
| 貧血 | 102 |
| 不安感 | 172 |
| フィック（Fick）の原理 | 98 |
| フェイスマスク | 30, 31 |
| 副交感神経 | 67, 71 |
| 不整脈 | 50 |
| プラークラプチャ | 221 |
| プレトレーニング | 219 |
| 分時換気量 | 164 |
| ペースメーカー | 190 |
| ヘーリング・ブロイウェル | |
| 反射 | 90 |
| 平均血圧 | 328 |
| 平定化 | 187 |
| 変時作用 | 67 |
| 変伝導作用 | 67 |
| 変力作用 | 67 |
| ポジショニング | 327 |
| ポジティブリモデリング | 221 |

### ま行

| | |
|---|---|
| マウスピース | 30, 34 |
| 末梢動脈疾患 | 102 |
| 慢性血栓塞栓性肺高血圧症 | 102 |
| 慢性閉塞性肺疾患 | 102 |
| マンパワー | 327 |
| ミキシングチェンバー | 6 |
| 無症候性 AS | 292 |
| 無症候性心筋筋虚血 | 300 |
| メッツ | 116 |
| の表 | 184 |

### や行

| | |
|---|---|
| 有意狭窄 | 311 |
| 予後 | 183 |
| 予後不良の独立因子 | 330 |

| | |
|---|---|
| 予測最高心拍数 | 72 |

### ら行

| | |
|---|---|
| 卵円孔開存 | 204 |
| ランプ負荷 | 147 |
| リハビリテーション | 333 |
| 流量計（フローセンサー） | 7 |
| 両心室ペーシング療法 | 151 |
| 臨界酸素分圧ゾーン | 210 |
| レジスタンストレーニング | |
| | 306, 324 |
| レニン-アンジオテンシン系 | |
| | 374 |
| 労作性狭心症 | 1, 184 |

### わ

| | |
|---|---|
| ワッサーマン | 3 |

### A

| | |
|---|---|
| ACP | 342 |
| ACS | 221, 313 |
| adult congenital heart | |
| disease：ACHD | 363 |
| AFL | 148 |
| afterload dependent | 79 |
| air trapping | 128, 198 |
| anaerobic threshold：AT | |
| | 3, 104, 111, 207 |
| AT 処方 | 301 |
| aortic stenosis：AS | 194 |
| ASV | 79 |
| ATP | 96 |
| atrial kick | 78 |
| AV delay | 191 |
| AV interval | 191 |

### B

| | |
|---|---|
| $\beta$ 遮断薬 | 171 |
| Bohr effect | 97 |
| breath-by-breath 法 | 6 |
| BRS | 365 |

### C

| | |
|---|---|
| CANA | 365 |
| cardiac output：CO | 77, 78 |
| cardio-muscle panel | 177 |

Cardiopulmonary Exercise
　　Training：CPX　　　　　　1
CCS 分類　　　　　　1, 2, 182
cholinergic excitation　　　76
chronotropic effect　　　　67
chronotropic incompetence
　　　　　　　　　　　72, 99
COHb　　　　　　　　　103
COPD　　　　　　102, 198
COURAGE trial　　　　312
CO ヘモグロビン　　　103
CPX 報告書　　　　　291
CRT　　　　　　　　151
CRT-D　　　　　81, 221
CTEPH　　　　　　102
c（A-V）$O_2$ difference　98

### D

DcT　　　　　　　　79
double product break point：
　　DPBP　　　　　　75
dromotropic effect　　67
Duke Treadmill Score　186

### E

$ETCO_2$　　　　122, 169
$ETO_2$　　　　　169
exercise oscillatory
　　ventilation：EOV　117, 119

### F

Fallot 循環　　　　368
FAME2 study　　186, 312
fast-twitch fiber　101, 102
Frank-Starling 曲線　78
functional sympatholysis　77

### G

Global initiative for chronic
　　obstructive lung disease：
　　Gold 分類　　　276
glomerular filtration rate：
　　GFR　　　　　371

### H

Hering-Breuer reflex　90
HFpEF　130, 248, 268, 274

high intensity interval
　　training：HIIT　　224
hockey-stick pattern　159
$\Delta HR / \Delta \dot{V}O_2$　　88, 129
$\Delta HR / \Delta WR$　　　71
HRV　　　　　　365

### I

ICD　　　　　　268
inflection point　　126
inotropic effect　　67
isocapnic buffering　109

### J

jump up phenomenon　160

### K

Karvonen の式　213, 301

### L

LVAD　　　　178, 347
LVEDP　　　　　91
LVEF　　　110, 181

### M

Mason-Likar 誘導法　43
maximum ventilatory
　　volume：MVV　276
maximum $\dot{V}O_2$　　110
Metabolic calibrator　22
MitraClip　　　192
　　術後　　　241
MVP　　　　192

### N

Nohria-Stevenson 分類　339
NO 産　　　　　77
NYHA　　　　　123
　　心機能分類　1, 181
　　分類　　　　2

### O

$O_2$P　　　　　118
$O_2$ センサー　　11
oscillation　　　212
oscillatory hyperventilation 117
oscillatory ventilation　117

OUES　　　　　128
oxygen pulse　　118

### P

PAH　　　　　102
patent foramen ovale：PFO
　　　　　　　102
PAWP　91, 184, 218, 223
peak $\dot{V}O_2$　3, 110, 111, 114
　　予測式　　　147
peak WR　　115, 174
$PetCO_2$　　　　122
PFO　　　　　204
phase Ⅰ　　　152
phase Ⅱ　　　153
phase Ⅲ　　　153
pseudo-threshold　107
% peak $\dot{V}O_2$/HR　174

### R

R　　　149, 159, 169
rapid-shallow 呼吸　367
RAS　　　　　374
rate response　　292
respiratory compensation
　　point：RCP　109
RR threshold　127, 217, 303

### S

short physical performance
　　battery：SPPB　301
shortness of breath：SOB　276
slow-twitch fiber　101
ST-T 変化　　　48
stroke volume：SV　77
subacute thrombosis：
　　SAT　　　　300
SVRi　　　　294

### T

TAVR 術後　　239
Ti/Ttot　　　127
Traube-Hering 波　117
T-RAMP プロトコール　28
TV at plateau　126
TV-RR slope　126
TV-RR 関係　125

| | | |
|---|---|---|
| TV/RR ratio | | 143 |
| TV/VE 関係 | | 168 |
| type I | | 101 |
| type IIb 型線維 | | 102 |

### V

| | | |
|---|---|---|
| V-slope | | 105, 167, 207 |
| $\dot{V}E$ | | 164 |
| $\dot{V}E$ vs. $\dot{V}CO_2$ slope | | 132, 166 |

| | | |
|---|---|---|
| $\dot{V}E/\dot{V}CO_2$ | | 168 |
| $\dot{V}E/\dot{V}O_2$ | | 168 |
| $\dot{V}O_2$ max | | 110 |
| $\dot{V}O_2$/HR | | 118, 164 |
| $\Delta\dot{V}O_2/\Delta WR$ | | 158 |
| VT ゾーン | | 221 |

### W

| | | |
|---|---|---|
| Weber-Janicki 分類 | | 112 |

### ギリシャ文字

| | | |
|---|---|---|
| $\tau$ off | | 162 |
| $\tau$ on | | 153 |

### 数字

| | | |
|---|---|---|
| 1 回心拍出量 | | 77 |
| 6 分間歩行距離 | | 183 |

**CPX・運動療法ハンドブック**
心臓リハビリテーションのリアルワールド　Ⓒ

| 発　行 | 2009 年 3 月 20 日 | 1 版 1 刷 |
| | 2011 年 9 月 20 日 | 2 版 1 刷 |
| | 2015 年 7 月 20 日 | 3 版 1 刷 |
| | 2016 年 7 月 20 日 | 3 版 2 刷 |
| | 2018 年 12 月 20 日 | 3 版 3 刷 |
| | 2019 年 7 月 20 日 | 4 版 1 刷 |
| | 2022 年 6 月 25 日 | 4 版 2 刷 |
| | 2023 年 9 月 20 日 | 5 版 1 刷 |

編著者　安　達　　仁

発行者　株式会社　中外医学社
　　　　代表取締役　青　木　　滋

〒162-0805　東京都新宿区矢来町 62
電　話　　03-3268-2701（代）
振替口座　00190-1-98814 番

印刷・製本/横山印刷（株）　　　　　　　〈SK・YK〉
ISBN 978-4-498-06746-2　　　　　Printed in Japan

**JCOPY** ＜（株）出版者著作権管理機構　委託出版物＞

本書の無断複製は著作権法上での例外を除き禁じられています．
複製される場合は，そのつど事前に，（社）出版者著作権管理機構
（電話 03-5244-5088，FAX 03-5244-5089，e-mail: info@jcopy.
or.jp）の許諾を得てください．